黎虎文集—第九卷

魏晋南北朝史论

黎虎◎著

中国社会科学出版社

目　录

蜀汉“南中”政策二三事

三国时期，蜀汉为实现其“北定中原……兴复汉室，还于旧都”① 的基本国策，采取了东联孙吴、西和诸戎、南抚夷越的方针。解决“南中”问题是贯彻其“南抚夷越”方针的重要步骤。

蜀汉对“南中”的政策，向为史家所称道。当前史学界流行的看法，大略如下：（1）建兴三年（225）的南中之役，采取了“攻心战术”，主要不是以军事手段而是以政治手段使对方折服；（2）平定南中后没有留下汉官汉兵进行直接的统治，而是起用当地少数民族“渠帅”治理当地；（3）这种“和抚”的“怀柔方针”，使蜀国有了一个稳定的后方，终诸葛亮之世，南方不复反。

形成上述看法的主要根据，是如下两则记载。

一曰：“建兴三年，亮征南中，（马）谡送之数十里……曰：‘南中恃其险远，不服久矣，虽今日破之，明日复反耳。今公方倾国北伐以事强贼。彼知官势内虚，其叛亦速。若殄尽遗类以除后患，既非仁者之情，且又不可仓卒也。夫用兵之道，攻心为上，攻城为下，心战为上，兵战为下，愿公服其心而已。’亮纳其策，赦孟获以服南方。故终亮之世，南方不敢复反。”②

二曰：“亮至南中，所在战捷。闻孟获者，为夷、汉所服，募生致之。既得，使观于营陈之间，问曰：‘此军何如？’获对曰：‘向者不知虚实，故败。今蒙赐观看营陈，若祇如此，即定易胜耳。’亮笑，纵使更战，七纵七禽，而亮犹遣获。获止不去，曰：‘公，天威也，南人不复反

① （晋）陈寿撰，（南朝·宋）裴松之注，陈乃乾校点：《三国志》卷三五《蜀书·诸葛亮传》，中华书局1959年版，第920页。

② 《三国志》卷三九《蜀书·马良附弟（马）谡传》注引《襄阳记》，第983—984页。

矣。’遂至滇池。南中平，皆即其渠率而用之。或以谏亮，亮曰：‘若留外人，则当留兵，兵留则无所食，一不易也；加夷新伤破，父兄死丧，留外人而无兵者，必成祸患，二不易也；又夷累有废杀之罪，自嫌衅重，若留外人，终不相信，三不易也；今吾欲使不留兵，不运粮，而纲纪粗定，夷、汉粗安故耳。’”①

这两段文字，为人们经常征引，据以论证诸葛亮的“南中”政策。然而，稽诸书传，所谓“心战为上，兵战为下”“皆即其渠率而用之”“不留外人”“不留兵”“终亮之世，南方不敢复反”等，颇与史实不相符合，故对诸葛亮“南中”政策的评价，似亦有可商榷之处。兹就上举数端，略陈管见，以就正于诸贤。

一　所谓“心战为上，兵战为下”

有的著作根据上述记载而认为“诸葛亮在南中采取了‘攻心战术’”“没有大规模剿灭杀戮，而是以宣扬声威、散布‘恩信’为主……不单靠军事力量去镇服，主要用政治手段使对方折服”“是我国历史上攻心战术的范例”。那么，南中之役究竟主要是采取军事手段，还是“攻心战术”和政治手段呢？

南中地区的反蜀势力，早在章武三年（223）就已非常猖獗。刘备在永安死后，“南中诸郡，并皆叛乱”②。“先是，益州郡有大姓雍闿反，流太守张裔于吴，据郡不宾；越嶲夷王高定亦背叛”③。牂牁太守朱褒亦拥郡反。一时之间，蜀汉后院起火，局势异常动荡。当时诸葛亮即有亲自南征的打算，只是“以新遭大丧，故未便加兵”④，王连也谏曰：“此不毛之地，疫疠之乡，不宜以一国之望，冒险而行。”⑤ 诸葛亮才不得不暂时隐忍，以俟后举。当时情况就内而言，因刘备大败于猇亭，蜀军“舟船器械，水步军资，一时略尽”⑥，元气大伤，无力南征。加以刘备新丧，

① 《三国志》卷三五《蜀书·诸葛亮传》注引《汉晋春秋》，第921页。
② 《三国志》卷三五《蜀书·诸葛亮传》，第918页。
③ 《三国志》卷三三《蜀书·后主传》，第894页。
④ 《三国志》卷三五《蜀书·诸葛亮传》，第918页。
⑤ 《三国志》卷四一《蜀书·王连传》，第1009页。
⑥ 《三国志》卷五八《吴书·陆逊传》，第1347页。

国内政局亦有待于进一步稳定。就外而言，吴、蜀联盟已遭破坏，而南中诸郡的反叛便有东吴的背景。雍闿等人“使命周旋，远通孙权”①，甚至将蜀汉所派太守张裔缚送孙权。于是“吴主孙权遥用闿为永昌太守”，并“遣刘璋子阐为益州刺史，处交、益州际”②。在这种不利的形势下，诸葛亮一方面要稳定内部，“务农殖谷，闭关息民”③；另一方面则“遣使聘吴，因结和亲”④，恢复和加强吴、蜀联盟。这就是当时诸葛亮“未便加兵”的原因所在。

当上述两方面的问题有所改善，有了较好的内外条件之后，诸葛亮便诉诸武力，大举南征了。

南中之役是一次大规模的军事征服行动。蜀汉大军分三路南进，诸葛亮率主力“自安上由水路入越巂，别遣马忠伐牂牁，李恢向益州”⑤。

这三路军是如何推进的呢？诸葛亮所率之主力军首攻目标是越巂。这里的叛乱首领高定（《华阳国志》作高定元），是当时南方数郡反叛头目中，史传明指为“夷王”⑥“叟帅”的唯一少数民族首领。他对于诸葛亮的进攻进行顽抗，“自旄牛、定筰、卑水，多为垒守”⑦。诸葛亮首战告捷，攻克了高定的根据地，使高定“失其窟穴”，并“获其妻子”。诸葛亮欲以此迫使高定“归首以取生”。但是，高定纠集残部二千余人，杀人盟誓，声称要与诸葛亮“死战”⑧。于是诸葛亮再战高定，“斩高定元”⑨，彻底歼灭了这支叛乱势力。

李恢所率中路军进攻目标是益州（郡治在今云南曲靖），此地反蜀势力的代表是大姓雍闿。这一路亦遭顽抗，“恢按道向建宁（即益州），诸

---

① 《三国志》卷四一《蜀书·张裔传》，第1011页。

② （晋）常璩著，任乃强校注：《华阳国志校补图注》卷四《南中志》，上海古籍出版社1987年版，第241页。

③ 《三国志》卷三三《蜀书·后主传》，第894页。

④ 《三国志》卷三五《蜀书·诸葛亮传》，第918页。

⑤ 《华阳国志校补图注》卷四《南中志·总叙》，第241页。

⑥ 《三国志》卷三三《蜀书·后主传》，第894页。

⑦ 《华阳国志校补图注》卷四《南中志·总叙》，第241页。

⑧ （唐）虞世南辑录：《北堂书钞·2》卷一五八《地部二·穴篇十三》引诸葛亮《南征表》，学苑出版社2015年版，第588页。

⑨ 《华阳国志校补图注》卷四《南中志·总叙》，第241页。

县大相纠合，围恢军于昆明”。李恢为建宁俞元人，于是以当地大姓的身份，欺骗南人，“时恢众少敌倍，又未得（诸葛）亮声息，给谓南人曰：‘官军粮尽，欲规退还，吾中间久斥乡里，乃今得旋，不能复北，欲还与汝等同计谋，故以诚相告。’南人信之，故围守怠缓”。叛军中计，“于是恢出击，大破之，追奔逐北，南至槃江，东接牂牁，与（诸葛）亮声势相连”[①]，也是用武力平定了这股叛乱势力。

关于马忠所率东路军的情况，书传阙如。他的主攻目标是牂牁的朱褒。史称“马忠破牂牁”[②]，大概同中、西路军一样，也是用武力平定了这股叛乱势力。从其平定叛乱后对叛军死伤将士“抚育恤理，甚有威惠”[③] 的情况，可以推知战况同样是激烈的。

由此可见，诸葛亮统一指挥之南征三路军，无不采取“兵战为上”的军事镇压方针。平定南中后，诸葛亮自己承认：“夷新伤破，父兄死丧。”史称“亮至南中，所在战捷”[④]“其秋悉平”[⑤]。与诸葛亮友情甚笃的谯周亦谓：“丞相亮南征，兵势偪之，穷乃幸从。”[⑥]

所谓诸葛亮南征主要采取“攻心战术”或“政治手段”的唯一根据，就是“七禽孟获”。

关于诸葛亮七禽七纵孟获的故事，除见于《汉晋春秋》外，亦见于《华阳国志·南中志》。该书谓雍闿被高定杀死后，孟获代雍闿为主。“夏五月，亮渡泸，进征益州。生虏孟获，置军中，问曰：‘我军如何?’获对曰：‘恨不相知，公易胜耳。’亮以方务在北，而南中好叛乱，宜穷其诈。乃赦获，使还合军，更战。凡七虏、七赦。获等心服，夷、汉亦思反善。亮复问获，获对曰：‘明公天威也，边民长不为恶矣。’”[⑦]

所谓七禽七纵孟获之事，可疑之点甚多，殊不可信。

首先，陈寿《三国志》全书无一语道及孟获其人其事。有关孟获故

---

① 均见《三国志》卷四三《蜀书·李恢传》，第1046页。
② 《华阳国志校补图注》卷四《南中志·总叙》，第241页。
③ 《三国志》卷四三《蜀书·马忠传》，第1048页。
④ 均见《三国志》卷三五《蜀书·诸葛亮传》注引《汉晋春秋》，第921页。
⑤ 《三国志》卷三五《蜀书·诸葛亮传》，第919页。
⑥ 《三国志》卷四二《蜀书·谯周传》，第1030页。
⑦ 《华阳国志校补图注》卷四《南中志·三》，第241页。

事，均为裴注所补。尽管陈书所载有所未备，然亦不至疏漏如是。南中的反蜀首领，如牂牁朱褒、越嶲高定、益州雍闿等人，陈《志》均一再叙及，何以唯独于"代闿为主"的孟获不置一词？蜀国本无史籍，《蜀志》乃由陈寿手自鸠集资料写成。他曾受命"定故蜀丞相诸葛亮故事"①，掌握了关于诸葛亮的大量资料，熟谙诸葛亮生平事迹，因此，对于南征中如此重要的事件是不致疏忽至此的。陈寿对于诸葛亮其人也非常敬佩和尊崇，观其《表上诸葛氏集目录》以及《三国志·诸葛亮传》之评语即知。因此，陈寿也不会对如此盛美之事有意隐讳不载。有关诸葛亮的民间传说，他也是熟悉的，其《表上诸葛氏集目录》说："至今梁、益之民，咨述亮者，言犹在耳，虽《甘棠》之咏召公，郑人之歌子产，无以远譬也。"② 由此观之，七禽七纵之类故事，陈寿当有所耳闻，必因言过其实，故所不取。不仅陈书无孟获其人其事，诸葛亮本人也未一言语及孟获。现存诸葛亮遗文中，对南中叛乱首领高定、雍闿等人均有所及，唯不见孟获。

其次，所谓七禽七纵，与诸葛亮一贯的用兵之道亦不相符合。"诸葛一生惟谨慎"，用兵一贯以谨慎为特色。如北征时，他不从褒斜（今陕西褒城）而从祁山（今甘肃西和）出击，企图从陇右逐步向东推进长安。《三国志·诸葛亮传》注引《袁子》曰："又问诸葛亮始出陇右，南安、天水、安定三郡人反应之，若亮速进，则三郡非中国之有也，而亮徐行不进……失此机，何也？"诸葛亮何以失此战机呢？《袁子》认为：这是由于"亮始出，未知中国强弱，是以疑而尝之"，故"初出迟重，屯营重复，后转降未进兵欲战，亮勇而能斗，三郡反而不速应，此其疑徵也"③。诚如陈寿所说，诸葛亮之才能"于治戎为长，奇谋为短，理民之干，优于将略"④"盖应变将略，非其所长"⑤。明乎其人，则知当其五月渡泸、深入不毛之后，怎能让"为夷、汉所服"之叛乱首领"观于营陈之间"，尽窥己之"虚实"，然后"纵使更战"，作如此冒险的行动呢？

---

① 《三国志》卷三五《蜀书·诸葛亮传》，第929页。

② 《三国志》卷三五《蜀书·诸葛亮传》，第931页。

③ 《三国志》卷三五《蜀书·诸葛亮传》注引《袁子》，第934页。

④ 《三国志》卷三五《蜀书·诸葛亮传》，第930页。

⑤ 《三国志》卷三五《蜀书·诸葛亮传》"评曰"，第934页。

最后，从南中之役的前后过程观之，此事亦不可能发生。《南中志》说赦孟获是因诸葛亮认为“南中好叛乱，宜穷其诈”，可是他对高定却不待其“道穷计尽”[①] 即加兵斩之。《汉晋春秋》称赦孟获是因其“为夷汉所服”，故企图“募生致之”，而于高定却不待其“归首以取其生”[②] 即一战而斩之。孟获于七禽七纵之后，“而亮犹遣获”，可是高定在初战失败后，欲求第二次“死战”，诸葛亮即切齿骂道：“邈蛮心异，乃更杀人为盟，纠合其类二千余人，求欲死战”[③]，不待再战即斩之。观其对高定之战法，想其对孟获亦不致另眼相待。且此后南中地区发生的叛乱，亦无不以武力征剿之。

由此观之，所谓七禽七纵孟获之事并不可信。孟获其人大概还是有的，南中大姓有孟氏，《华阳国志·序志》载“建宁人士”有“御史中丞孟获”。大概是南中大姓中从反蜀营垒中投降诸葛亮的人物之一，后来在蜀汉政权中做官，如此而已。至于后来西南地区关于诸葛亮与孟获的种种美谈佳话，可能只是各族人民对于民族团结的美好心声。对此我们当然应当加意珍惜，但这同对历史人物与事件进行科学评价是两回事。以此唯一怪诞离奇之故事，断言诸葛亮南征主要是用“攻心战术”和“政治手段”，难以令人信服。事实上，南中之役是一次地地道道的军事征服行动，在这一点上，它与同时代的曹操之征乌丸、孙权之征山越的战争可能有五十步与百步之异，却并无本质区别。

二　所谓“皆即其渠帅而用之”

平定南中后，如何统治这一广大地区，是诸葛亮所必须解决的一个重要课题，也是其对南中政策的核心。论者往往征引《汉晋春秋》“皆即其渠率而用之”一语，认为诸葛亮平南后大量起用少数兄弟民族上层分子，没有留下汉官汉兵进行直接统治。那么，历史事实究竟如何呢?

诸葛亮于平定南中后，首先即大规模地改置地方政权机构，以加强对这一地区的统治。南中地区包括今云南、贵州和四川南部，汉武帝

---

① 《北堂书钞·2》卷一五八《地部二·穴篇十三》引诸葛亮《南征表》，第588页。
② 《北堂书钞·2》卷一五八《地部二·穴篇十三》引诸葛亮《南征表》，第588页。
③ 《北堂书钞·2》卷一五八《地部二·穴篇十三》引诸葛亮《南征表》，第588页。

“开西南夷”[①]，始在此设郡。三国时期，“丞相亮南征四郡”[②]，即越嶲、牂牁、永昌、益州4郡。实际当时南中已有5郡，“蜀章武元年(221)……以犍为属国为朱提郡”[③]，朱提郡亦属南中地区。南征后，诸葛亮即“改益州郡为建宁郡；分建宁（应为越嶲）、永昌郡为云南郡；又分建宁、牂牁为兴古郡”[④]。在原有5郡基础上增设云南、兴古2郡，是为“南中”7郡。

南中7郡之上的最高军政机关为庲降都督。《华阳国志·南中志》云：“蜀之南中诸郡，庲降都督治也。”[⑤] 它负责管辖整个南中地区。

试看蜀汉历届庲降都督的人选：

邓方：南郡人，“以荆州从事随先主入蜀。蜀既定……迁为安远将军、庲降都督，住南昌县。章武二年（222）卒”[⑥]。同书《李恢传》谓卒于章武元年(221)。是为蜀汉第一任庲降都督。

李恢：建宁俞元人，“章武元年，庲降都督邓方卒……遂以恢为庲降都督，使持节领交州刺史，住平夷县”[⑦]。建兴九年（231）卒。

张翼：犍为武阳人，“建兴九年(231)，为庲降都督，绥南中郎将”[⑧]，建兴十一年(233)征还。

马忠：巴西阆中人，建兴十一年(233)“以忠代（张）翼……延熙五年（242）还朝”[⑨]。

张表：蜀郡人，马忠卒，“以蜀郡张表为代，加安南将军。又以犍为杨义（《三国志》作杨戏）为参军副贰之”[⑩]。

阎宇：南郡人，“（张）表后以南郡阎宇为都督，南郡霍弋为参军”[⑪]。

---

① （唐）房玄龄等撰：《晋书》卷一四《地理志上》，中华书局1974年版，第438页。

② 《三国志》卷三三《蜀书·后主传》，第894页。

③ 《晋书》卷一四《地理志上》，第439页。

④ 《三国志》卷三三《蜀书·后主传》，第894页。

⑤ 《华阳国志校补图注》卷四《南中志·总叙》，第229页。

⑥ 《三国志》卷四五《蜀书·杨戏传》附《季汉辅臣赞》，第1081页。

⑦ 《三国志》卷四三《蜀书·李恢传》，第1045—1046页。

⑧ 《三国志》卷四五《蜀书·张翼传》，第1073页。

⑨ 《三国志》卷四三《蜀书·马忠传》，第1048—1049页。

⑩ 《华阳国志校补图注》卷四《南中志》，第247页。

⑪ 《华阳国志校补图注》卷四《南中志》，第247页。

由上列诸人之籍贯可知，在整个蜀汉时期，历届庲降都督中，除李恢一人是南中人士外，其余均系“外人”。且李恢之督庲降，不在南征之后，而在刘备章武元年（221）。庲降都督掌握南中军政大权，故“都督常用重人”①，蜀汉政权是不会轻于假人的。李恢虽为建宁人，并为南中大姓，但他早在刘璋时即“仕郡督邮”②。当刘备自葭萌还攻刘璋时，他便投靠了刘备，并受命至汉中，说马超归顺刘备，官至功曹书佐主簿。由于受到刘备的信任，不久即擢升为庲降都督。他是南中大姓中最早坚决投靠蜀汉政权并倍受信任的人物。在南征时，他独当一面，以计镇压了建宁郡的叛乱势力。是蜀汉在南中的代表人物，与一般的南中大姓是根本不同的。

庲降都督下属7郡，其太守人选亦大体如是，具体情况如下。

益州（建宁）郡：南征前太守正昂被反叛势力杀害，改派张裔（蜀郡成都人）为太守，又被执送吴③。南征时，诸葛亮派王士（广汉郪人）为太守，又“为蛮夷所害”④。平南后，以李恢为太守。李恢之后任建宁太守者，有杨戏（犍为武阳人）、霍弋（南郡枝江人）⑤ 等。

越嶲郡：龚禄，巴西安汉人，“建兴三年（225）为越嶲太守”⑥。张嶷，巴郡南充国人，龚禄被杀后继任太守。⑦

牂牁郡：南征前，向朗（襄阳宜城人）、费诗（犍为南安人）先后为太守。“建兴三年（225），亮入南，拜（马）忠牂牁太守”⑧。马忠，巴西阆中人。

云南郡：南征后新置，分永昌、越嶲为云南郡。第一任太守吕凯，永昌不韦人。⑨

---

① 《华阳国志校补图注》卷四《南中志》，第241页。

② 《三国志》卷四三《蜀书·李恢传》，第1045页。

③ 见《三国志》卷四一《蜀书·张裔传》，第1012页。

④ 《三国志》卷四五《蜀书·杨戏传》附《季汉辅臣赞》，第1088页。

⑤ 见《三国志》卷四五《蜀书·杨戏传》，第1077页；卷四一《蜀书·霍弋传》，第1008页。

⑥ 《三国志》卷四五《蜀书·杨戏传》附《季汉辅臣赞》，第1088页。

⑦ 见《三国志》卷四三《蜀书·张嶷传》，第1052页。

⑧ 《三国志》卷四三《蜀书·马忠传》，第1048页。

⑨ 《三国志》卷四三《蜀书·吕凯传》，第1046页。

永昌郡：“章武初，郡无太守。”① 南征后，诸葛亮表上蜀郡成都人王伉为太守。②

朱提郡：第一任太守为南郡邓方。后李严子李丰亦曾官朱提太守。李丰，南阳人。③

兴古郡：情况不详。

从上述南中诸郡之太守人选可见，除建宁太守李恢与云南郡太守吕凯2人为南中人士外，其余亦均系“外人”。李恢之情形已如上述。吕凯之被任为太守，首先是因为他在政治上早已是坚定的拥蜀派。他原为永昌郡功曹，雍闿叛乱时，吴遥授闿为永昌太守。吕凯与府丞王伉“帅厉吏民，闭境拒闿”“雍闿高定偪其东北，而凯等守义不与交通”，始终效忠蜀汉，与南中反蜀势力坚持长期的斗争，诸葛亮表称其“执忠绝域，十有余年”，慨叹“臣不意永昌风俗敦直乃尔!”吕凯是蜀汉政权完全可以信赖的南中代表，对南中的反蜀势力而言，他也是“外人”。故其擢升为太守后不久，即“为叛夷所害”。其次，当时吕凯在那里实际早已代行郡守之职。永昌郡在南征前无太守，吕凯以郡功曹身份而与府丞王伉执掌郡守之任，故能“帅厉吏民，闭境拒闿”。他在此地已“威恩内著，为郡中所信”④，具有相当之影响。诸葛亮之举荐其为云南太守，乃顺水推舟之事耳。

除任用李恢、吕凯两位南中人物外，诸葛亮还“收其俊杰建宁爨习、朱提孟琰及获为官属，习官至领军，琰辅汉将军，获御史中丞”⑤。这是诸葛亮所任用的另一批南中大姓人物。他们的被任用与李恢、吕凯的情况不同，均未被任用于南中，而是调离本土至蜀汉政权中央任职。爨习为益州“方土大姓”⑥，原任建伶县令，平南后官至领军，⑦ 领军掌禁卫军。孟获为建宁大姓，平南后官至御史中丞，御史中丞掌监察、执法，秩千石。孟琰之事迹，史文缺载。他们之出仕蜀汉政权，对于从政治上

① 《华阳国志校补图注》卷四《南中志》，第286页。

② 《三国志》卷四三《蜀书·吕凯传》，第1048页。

③ 见《三国志》卷四〇《蜀书·李严传》，第1000页。

④ 均见《三国志》卷四三《蜀书·吕凯传》，第1047—1048页。

⑤ 《华阳国志校补图注》卷四《南中志·总叙》，第241页。

⑥ 《三国志》卷四三《蜀书·李恢传》，第1045页。

⑦ 又，建兴九年诸葛亮公文上尚书，谓爨习为行参军偏将军。见《三国志》卷四〇《蜀书·李严传》注引，第1000页。

笼络南中大姓，加强蜀汉政权与南中地区的联系是有积极意义的。

这些被任用的南中大姓是当地汉族，还是少数民族呢？有不少著作把他们看作当地少数民族上层分子和“渠帅”。如王仲荦先生《魏晋南北朝史》就把建宁太守李恢、云南太守吕凯、永昌太守王伉等人视为“诸葛亮选择的南中少数民族上层分子”①。我以为，南中“大姓”不是当地少数民族“渠帅”，而是当地的汉族大族豪强。

永昌太守王伉为蜀郡成都人，② 既非南中大姓，更非少数民族，自不待言。李恢、吕凯和爨习、孟琰、孟获等人虽然是南中大姓，但却不是少数民族。

据《华阳国志》记载，南中有焦、雍、娄、爨、孟、量、毛、李 8 个大姓。他们均非“夷人”，而是汉人。诸葛亮平定南中后，曾将被征服之少数民族“分其羸弱，配大姓焦、雍、娄、爨、孟、量、毛、李为部曲”。但“夷多刚狠，不宾大姓富豪”，诸葛亮不得不劝令大姓“出金帛、聘策恶夷为家部曲”“于是夷人贪货物，以渐服属于汉”③。这里把“大姓”与“部曲”、“夷”人与“汉”人对举，表明大姓之族属乃是汉族而不是“夷”人。

南中大姓中有不少是直接从中原迁徙而去的。秦汉时期曾不断“募徙死罪及奸豪实之”④。如叛乱首领雍闿，即西汉什邡侯雍齿之后人。⑤ 吕凯答雍闿檄曰：“伏惟将军世受汉恩……曩者将军先君雍侯，造怨而封。”⑥ 明言其为汉雍侯之后。吕氏亦属汉人。《三国志·吕凯传》注引孙盛《蜀世谱》曰：“初，秦徙吕不韦子弟宗族于蜀汉。汉武帝时，开西南夷，置郡县，徙吕氏以充之，因曰不韦县。”⑦ 《华阳国志·南中志》云：“孝武时，通博南山，度兰沧水、濽溪，置嶲唐、不韦二县，徙南越相吕嘉子孙宗族实之，因名不韦，以彰其先人恶行。”⑧ 二说不同。后一

① 王仲荦：《魏晋南北朝史》上册，上海人民出版社 1979 年版，第 89 页。
② 《华阳国志校补图注》卷四《南中志·十一》，第 286 页。
③ 《华阳国志校补图注》卷四《南中志·三》，第 241 页。
④ 《华阳国志校补图注》卷四《南中志·八》，第 267 页。
⑤ 宁超：《诸葛亮南征的若干问题》，《云南社会科学》1981 年第 2 期。
⑥ 《三国志》卷四三《蜀书·吕凯传》，第 1047 页。
⑦ 《三国志》卷四三《蜀书·吕凯传》注引《蜀世谱》，第 1047 页。
⑧ 《华阳国志校补图注》卷四《南中志·十一》，第 285 页。

说谓迁吕嘉后人宗族，又曰因名不韦，于义不协，似以前一说为是。要之，不韦县之吕氏，为外来之汉人。吕凯为永昌不韦人，因此其为汉族是甚为明显的。

南中“大姓”与中原地区的“大姓”一样，都是汉魏时期兴起的地方强宗豪族。那些由内地迁去的“奸豪”“死罪”，把内地的剥削关系带到南中地区。由于这里“郡土大平敞原田”，有“金银畜产之富”①，又有“滇獠賨僰僮仆六百之富”②，便于取得土地和劳动人手，发展农业，并经营金银丹漆等工商业和畜牧业，成为“奢豪难抚御”③ 的地方大姓，形成带有奴隶制色彩的封建豪族经济。

以上是诸葛亮对南中大姓的政策和措施。而对于真正的少数民族“渠帅”又如何呢?

南中地区的少数民族，“夷人大种曰‘昆’小种曰‘叟’，皆曲头，木耳环，铁裹结。无大侯王，如汶山、汉嘉夷也。夷中有桀黠能言议屈服种人者，谓之‘耆老’，便为主”④，存在着浓厚的原始的民主推举氏族部落首领的风俗。他们种落无数，“往往邑居，散在溪谷”⑤。邑落首领称为“邑君”。西汉末夜郎王兴，曾率“邑君”数千人往见新任牂牁太守陈立,⑥ 可见“邑君”的数量是很多的。诸葛亮南征后，其氏族部落组织并未打破，对其首领如“耆老”“邑君”等，亦无所谓“任命”与否。事实上他们的“渠帅”依然是自己“任命”的。如越嶲郡的苏祁“邑君”冬逢、定笮“率豪”狼岑、汉嘉郡界旄牛“夷率”狼路等，均因“甚为蛮夷所信任”“为诸种所畏惮”而成为当地少数民族“渠帅”。越嶲太守张嶷需要恢复通往成都的“旧道”，路经旄牛，不得不“遣左右赍货币赐（狼）路”，得到旄牛“夷帅”狼路允许后，才得以通过。可见少数民族“渠帅”还控制着县以下的广大地区。南征之后，蜀汉政权主要占据了州郡所在的少数据点，对县以下的基层则并未能马上加以有效

---

① 《华阳国志校补图注》卷四《南中志·八》，第267页。
② 《华阳国志校补图注》卷三《蜀志》，第113页。
③ 《华阳国志校补图注》卷四《南中志》，第267页。
④ 《华阳国志校补图注》卷四《南中志·四》，第247页。
⑤ 《华阳国志校补图注》卷四《南中志·十一》，第285页。
⑥ 《华阳国志校补图注》卷四《南中志·二》，第236页。

统治。如越巂郡在平南后，仍然是“太守不敢之郡，只住安上县，去郡八百余里，其郡徒有名而已”①。即使庲降都督，亦未能轻易进驻治所，“都督常驻平夷县。至（马）忠，乃移治味县，处民夷之间”②。平夷县在今贵州毕节，距治所味县（云南曲靖）甚为遥远，直至建兴十一年（233）马忠为庲降都督后才移治味县，开始深入少数民族地区。

蜀汉政权对于少数民族渠帅，不仅未见擢用，反而继续加以武力征讨，迫使其服从蜀汉统治。如越巂郡“北徼捉马最骁劲，不承节度，（张）嶷乃往讨，生缚其帅魏狼，又解纵告喻，使招怀余类”。魏狼屈服之后，太守张嶷才“表拜狼为邑侯，种落三千余户皆安土供职。诸种闻之，多渐降服”③。而对于不肯降服之“渠帅”，则加以剿杀，如越巂郡“苏祁邑君冬逢、逢弟隗渠等，已降复反。嶷诛逢”。隗渠“逃入西徼”，张嶷又设计“使为反间”而诛隗渠。④ 大多数“豪帅”则在武力镇压后被迁徙出南中，如李恢在镇压“复叛”的“南夷”之后，即“徙其豪帅于成都”⑤，翦除其反叛之根基，以便加以控制。

《汉晋春秋》谓，诸葛亮之所以实行“皆即其渠率而用之”的政策，是因其考虑到“若留外人，则当留兵，兵留则无所食”，故尔“欲使不留兵，不运粮，而纲纪粗定，夷汉粗安”。可见所谓“不留兵”云云，是与“皆即其渠率而用之”相联系的一个问题的两个方面。

那么，诸葛亮在平定南中后是否“不留兵”呢？

由于蜀汉国小兵寡，其时诸葛亮“方倾国北伐以事强贼”⑥，故不能留下太多军队于南中，但也不能不留兵以守之，免使南中地区得而复失。《三国志·蜀志·李恢传》载，南土平定后，“南夷复叛，杀害守将”。这些“守将”显然是诸葛亮平南后所留置。《三国志·蜀志·谯周传》注引孙盛曰“霍弋以强卒镇夜郎”，明言南中驻有“强卒”。

庲降都督为南中地区最高军政长官，其主要职守即为统领该地区

---

① 均见《三国志》卷四三《蜀书·张嶷传》，第1052—1053页。

② 《三国志》卷四三《蜀书·马忠传》，第1048—1049页。

③ 《三国志》卷四三《蜀书·张嶷传》，第1052页。

④ 见《三国志》卷四三《蜀书·张嶷传》，第1052页。

⑤ 《三国志》卷四三《蜀书·李恢传》，第1046页。

⑥ 《三国志》卷三九《蜀书·马良附弟（马）谡传》注引《襄阳记》，第983页。

军事，故蜀汉政权历届庲降都督均加“将军”头衔，如邓方为“安远将军”①，李恢为“安汉将军”②，张翼为“绥南中郎将”③，马忠先加“监军奋威将军”④，后又加“安南将军”⑤，张表加“安南将军”⑥ 等，可见庲降都督均为领军之将军。因此，庲降都督得以利用手中掌握之军队，随时镇压少数民族的反抗。如建兴十一年（233）南夷耆帅刘胄反，庲降都督张翼即“举兵讨胄”，并积极“运粮积谷，为灭贼之资”⑦。由于张翼“不称职”，诸葛亮改派马忠代之。“马忠因其成基以破殄胄”⑧，可见马忠没有另带兵，而是利用张翼原有军队与“资储”而歼灭刘胄的。

郡守亦领有军队。如张嶷为越嶲太守时，原有“四部斯儿及七营军”，但由于夷人“颇奸宄……不足固守，乃置赤甲北军二牙门，及斯儿督军中坚，卫夷徼”⑨。太守的主要职责之一也是统兵以镇压反叛，如牂牁郡、兴古郡“獠种复反”，庲降都督马忠派张嶷“领诸营往讨”⑩，永昌郡“夷獠”叛乱，“乃以（霍）弋领永昌郡守，率偏军讨之”⑪。

综上所述，可知诸葛亮平定南中后，不仅留下“汉官”，亦留下“汉兵”。其在南中地区的统治乃以“外人”为主，南中“大姓”为辅，而驻守南中的“强卒”“诸营”，则是实现这一统治的支柱。不论是“外人”，还是南中“大姓”，均属汉族，少数民族渠帅并未得到擢用。所谓“不留官”“不留兵”“皆即其渠率而用之”云云，是与历史事实不相符合的。

三　所谓“南方不敢复反”

有的研究者根据《汉晋春秋》《襄阳记》南方不敢复反数语，便认为

---

① 《三国志》卷四五《蜀书·杨戏传》附《季汉辅臣赞》，第1081页。
② 《华阳国志校补图注》卷四《南中志》，第241页。
③ 《三国志》卷四五《蜀书·张翼传》，第1073页。
④ 《三国志》卷四三《蜀书·马忠传》，第1048页。
⑤ 《三国志》卷四三《蜀书·马忠传》，第1049页。
⑥ 《华阳国志校补图注》卷四《南中志》，第247页。
⑦ 《三国志》卷四五《蜀书·张翼传》，第1073页。
⑧ 《三国志》卷四五《蜀书·张翼传》，第1073页。
⑨ 《华阳国志校补图注》卷三《蜀志》，第205页。
⑩ 《三国志》卷四三《蜀书·张嶷传》注引《益部耆旧传》，第1052页。
⑪ 《三国志》卷四一《蜀书·霍弋传》，第1008页。

“平定南中后，蜀国有了一个稳定的后方，解除了后顾之忧”云云。这一论断也不完全符合历史实际，对诸葛亮平南结果有估计过高之偏。

事实上，诸葛亮平定南中后，南方少数民族的“反叛”事件史不绝书。

建宁郡：“南土平定，恢军功居多……后军还，南夷复叛，杀害守将。恢身往扑讨，锄尽恶类。”①

云南郡：平南后，诸葛亮表上吕凯为云南太守，但“会为叛夷所害，子祥嗣”②。

越嶲郡：“越嶲郡自丞相亮讨高定之后，叟夷数反”③。太守张嶷在越嶲“讨叛鄙、降夷人、安种落，蛮夷率服”④，史称其“南平四郡蛮夷，辄有筹画战克之功”⑤。

牂牁、兴古郡：“平南事讫，牂牁、兴古獠种复反，（马）忠令（张）嶷领诸营往讨，嶷内招降得二千人，悉传诣汉中。”⑥

永昌郡：“永昌郡夷獠恃险不宾、数为寇害，乃以（霍）弋领永昌太守，率偏军讨之，遂斩其豪帅，破坏邑落，郡界宁静。”⑦

其中尤以刘胄之叛规模最大。建兴十一年（233），“南夷豪帅刘胄反，扰乱诸郡。征庲降都督张翼还，以（马）忠代翼。忠遂斩胄，平南土”⑧。

以上均为诸葛亮平南后所发生的“南夷”反叛事件。从上述事实可见：

（1）自南中之役后，南中数郡的少数民族反抗斗争几乎接二连三，其中绝大多数是诸葛亮在世时发生的。其持续时间，几乎“终亮之世”未曾止息。就地区而言，几乎遍及南中各郡。

（2）这些起事大多被蜀汉政权以武力镇压，如李恢之“锄尽恶类”，

① 《三国志》卷四三《蜀书·李恢传》，第1046页。
② 《三国志》卷四三《蜀书·吕凯传》，第1048页。
③ 《三国志》卷四三《蜀书·张嶷传》，第1052页。
④ 《华阳国志校补图注》卷三《蜀志》，第205页。
⑤ 《三国志》卷四三《蜀书·张嶷传》，第1051页。
⑥ 《三国志》卷四三《蜀书·张嶷传》注《益部耆旧传》，第1052页。
⑦ 《三国志》卷四一《蜀书·霍弋传》，第1008页。
⑧ 《三国志》卷四三《蜀书·马忠传》，第1048页。

马忠之"破殄胄"，霍弋之"斩其豪帅，破坏邑落"。这种武力镇压得到了诸葛亮的赞许，如"（马）忠因其（张翼）成基以破殄胄，丞相亮闻而善之"①。但是，这些反抗斗争也给蜀汉政权以沉重的打击，"守将"被害，太守被杀的事件不断发生，使蜀汉政权迟迟不能深入南中全部地区，以致有些郡"久失土地"②"有名而已"③。其中以建兴十一年（233）刘胄的起事影响最大，迫使诸葛亮不得不撤换原任庲降都督，另易主帅。

（3）上述事件均为"南夷""叟夷""獠种"所发动，而不见南中"大姓"的反叛事件。如果说在诸葛亮平定南中之前，叛乱势力是以南中大姓为主，而以少数民族"渠帅"次之，那么，此后则主要不是南中"大姓"之反叛，而是少数民族及其"豪帅"的反抗斗争。这种现象的产生不是偶然的，而是与蜀汉对南中政策有密切关系的。

蜀汉在平定南中后，实行的是扶持南中大姓的政策，而对少数民族则实行民族的压迫剥削政策。

对南中大姓在政治上加以笼络。建宁大姓李恢是南中大姓中拥蜀派的代表人物，他之跻身于蜀汉统治集团，对于争取和稳定南中大姓起了重要作用。如建宁"方土大姓"爨习是李恢的姑父，后来他也倒向蜀汉，官至领军。诸葛亮对于少数拥蜀大姓授以方面之任，通过他们去统治南中人民，成为蜀汉政权在南中的重要支柱，南中大姓的势力亦因此有了进一步的发展。永昌吕凯被诸葛亮拔擢后，"吕氏世官领郡，于今三世"④。建宁李氏亦奕世守宰，恢孙遏于晋世仍为益州太守。把南中大姓中的"俊杰"调至蜀汉朝廷任职，对于从政治上笼络大姓也起了重要的作用。而平南后诸葛亮把被征服的少数民族的"羸弱"，分配给南中大姓以为"部曲"，一方面扶植了南中大姓的军事力量，表现了对其政治上的信任；另一方面也具有扶植大姓经济进一步发展的意义。

与此形成鲜明对照的是，对南中少数民族则加强了统治和剥削。

对于被征服的广大少数族人民，"羸弱"者被配给大姓为部曲，已如

---

① 《三国志》卷四五《蜀书·张翼传》，第 1073 页。

② 《三国志》卷四三《蜀书·马忠传》，第 1049 页。

③ 《华阳国志校补图注》卷三《蜀志》，第 205 页。

④ 《华阳国志校补图注》卷四《南中志·十一》，第 286 页。

上述。对于其强健者，则加以征发或迁徙。诸葛亮于平定南中后，即“移南中劲卒青羌万余家于蜀，为五部，所当无前，号为飞军”①。张嶷平定牂牁、兴古二郡“獠种”反叛后，“招降得二千人，悉传诣汉中”②。建兴六年（228）十一月诸葛亮上刘禅表云：蜀汉军中有“賨、叟、青羌散骑、武骑一千余人”③，成为其所依靠之精锐主力之一。还有不少少数族人民则在南中地区内加以迁徙，如李恢曾“迁濮民数千落于云南、建宁界以实二郡”④。

诸葛亮对于南中少数民族的这种政策，与同时的魏、吴两国有相似之处。东吴陆逊攻破丹阳山越后，即以其“强者为兵，羸者补户”⑤。吴将贺齐讨平豫章东部山越后，亦“拣其精健为兵，次为县户”⑥。曹操征乌丸之后，“悉徙其族居中国，帅从其侯王大人种众与征伐。由是三郡乌丸为天下名骑”⑦。

南中少数族人民原先本无赋役，谯周说：“南方远夷之地，平常无所供为，犹数反叛，自丞相亮南征，兵势逼之，穷乃幸从，是后供出官赋，取以给兵，以为愁怨，此患国之人也。”⑧ 诸葛亮平南后，把封建的赋役剥削加于南中各族人民。他利用少数民族迷信落后的特点，“乃为夷作图谱，先画天地、日月、君长、城府；次画神龙，龙生夷，及牛、马、羊；后画部主吏乘马幡盖，巡行安恤；又画牵牛负酒、赍金宝诣之之象，以赐夷。夷甚重之，许致生口直。又与瑞锦、铁券”⑨。这是以直观形象的方法向少数民族人民灌输封建的剥削制度。

军赋是南中少数族人民最沉重的负担。平定南中后，即令其“赋出叟、濮耕牛战马金银犀革，充继军资”⑩。这些物资为南中所饶，而为蜀

---

① 《华阳国志校补图注》卷四《南中志》，第241页。
② 《三国志》卷四三《蜀书·张嶷传》注引《益部耆旧传》，第1052页。
③ 《三国志》卷三五《蜀书·诸葛亮传》注引《汉晋春秋》，第923页。
④ 《华阳国志校补图注》卷四《南中志·十一》，第286页。
⑤ 《三国志》卷五八《吴书·陆逊传》，第1344页。
⑥ 《三国志》卷六〇《吴书·贺齐传》，第1379页。
⑦ 《三国志》卷三〇《魏书·乌丸传》，第835页。
⑧ 《三国志》卷四二《蜀书·谯周传》，第1030—1031页。
⑨ 《华阳国志校补图注》卷四《南中志·四》，第247—248页。
⑩ 《三国志》卷四三《蜀书·李恢传》，第1046页。

汉军国所需。自平南后，“军资所出，国以富饶”[①] “于时费用不乏”[②]，剥削相当苛重。其剥削方式大概有两种：一是通过少数民族首领进行征取，如张嶷征服捉马豪帅魏狼后，“表拜狼为邑侯，种落三千余户皆安土供职”，这是通过邑侯魏狼以赋敛于少数民族人民。二是直接剥夺少数民族所经营的有关产业，如越巂郡之“定莋、台登、卑水三县去郡三百余里，旧出盐铁及漆，而夷徼久自固食”[③]。据《华阳国志·蜀志》载，定笮县“有盐池，积薪，以齐水灌而后焚之，成盐”。又谓“台登县有孙水……山有砮石，火烧成铁，刚利……又有漆”。这些产业在“汉末夷皆有之”[④]。越巂太守张嶷“率所领夺取，署长吏焉”，派遣蜀汉官员从夷帅手中夺取过来。夺取过程中进行了激烈的斗争，“嶷之到定莋，定莋率豪狼岑，槃木王舅，甚为蛮夷所信任，忿嶷自侵，不自来诣。嶷使壮士数十直往收致，挞而杀之，持尸还种，厚加赏赐，喻以狼岑之恶，且曰：‘无得妄动，动即殄矣！’种类咸面缚谢过”[⑤]。通过武力征服，这些产业“官迄今有之”[⑥] “遂获盐铁，器用周赡。”[⑦]

此外，蜀汉政权还把徭役负担加在少数族人民身上。如张嶷“以郡郛宇颓坏，更筑小坞。在官三年，徙还故郡，缮治城郭，夷种男女莫不致力。”[⑧]

蜀汉政权加在少数族人民身上的民族的、阶级的压迫和剥削，是他们经常发动反抗斗争的主要原因。所谓“郡夷刚狠，皆鸱视”[⑨]，透露了这种压迫剥削所造成的民族关系的紧张。建兴十一年（233）南夷豪帅刘胄反，其直接原因是庲降都督张翼“持法严，不得殊俗之欢心”[⑩]。《华阳国志·蜀志》亦谓“翼持严法，不得殊俗和”，终于激起了这次“扰乱

---

① 《三国志》卷三五《蜀书·诸葛亮传》，第919页。

② 《三国志》卷四三《蜀书·李恢传》，第1046页。

③ 《三国志》卷四三《蜀书·张嶷传》，第1053页。

④ 《华阳国志校补图注》卷三《蜀志》，第209页。

⑤ 均见《三国志》卷四三《蜀书·张嶷传》，第1053页。

⑥ 《华阳国志校补图注》卷三《蜀志》，第210页。

⑦ 《三国志》卷四三《蜀书·张嶷传》，第1053页。

⑧ 《三国志》卷四三《蜀书·张嶷传》，第1053页。

⑨ 《华阳国志校补图注》卷三《蜀志》，第205页。

⑩ 《三国志》卷四五《蜀书·张翼传》，第1073页。

数郡”的大规模武装反抗。

所以，诸葛亮南征前后南中地区的起兵事件具有不同的性质，朱褒、雍闿、高定的起兵属于地方割据势力发动的叛乱；而诸葛亮平定南中后所发生的起事，则是少数民族人民的反抗斗争了。

上述事实表明，蜀汉对南中并没有采取超越它那个时代的独特的“和”“抚”方针，对于诸如“西和诸戎，南抚夷越”一类话，不可作字面上的理解。蜀汉政权没有也不可能真正解决当时的民族问题，包括南中问题在内。这是时代和阶级的局限使然，对此我们是不能过高地要求于古人的。诸葛亮平定南中，对于祖国的统一，对于西南地区的开发和促进南中少数民族的发展，都做出了不可磨灭的贡献，这个历史功绩是应当充分肯定的，但是，这种历史的进步同样是以战争和民族的压迫剥削作为代价而换取的。在这个问题上，他与同时代的政治家并无根本区别。

[原刊《历史研究》1984 年第 4 期。中国人民大学报刊复印资料《三国两晋南北朝隋唐史》1984 年第 11 期全文复印。后收入《魏晋南北朝史论》，学苑出版社 1999 年版。该文在《历史研究》刊出以后，著名历史学家周一良先生曾专门致函黎虎先生称赞此文，周先生信函内容如下：“黎虎同志：收到大作两种，多谢多谢！南中政策一文结论，我完全同意，诸葛亮的‘民族政策’决不可拔高。五十年代曾草论诸葛亮一文（不是‘为帮服务’的那篇），其中亦谈及不留兵及南人不复反之为空话，唯所论远不及大作之详尽耳，敬佩敬佩。专此奉谢，并致　敬礼！周一良　八四，十，三一”。今据《魏晋南北朝史论》刊文，并参校原刊文整理。李文才敬识。]

北魏的“四夷馆”

一千四百多年前，在北魏首都洛阳的南郊有一座“四夷馆”。

如果从洛阳城中北部的皇宫出来，沿着一直向南的“御道”走去，经过宽阔的铜驼街，出正南的城门——宣阳门，再走四里，洛水从西向东蜿蜒流去，河上有一座浮桥，叫做永桥。过桥后继续向南不远，路东矗立的就是“四夷馆”。这四个馆，分别称为“金陵馆”“燕然馆”“扶桑馆”和“崦嵫馆”。四馆的命名表示北魏王朝的四方，金陵即建业（今南京），以它代表南方；燕然是山名，即杭爱山，在今蒙古人民共和国境内，以它代表北方；扶桑是古代神话传说中日出的地方，以它代表东方；崦嵫，山名，在今甘肃天水县西，古代神话传说为日落的地方，以它代表西方。在御道西面与四夷馆相对还有“四夷里”，分别叫做“归正里”“归德里”“慕化里”“慕义里”。这四馆、四里构成一个互相联系的整体。

四馆、四里是用来干什么的呢？据东魏人杨衒之《洛阳伽蓝记》说：“吴人投国者，处金陵馆，三年已后，赐宅归正里……北夷来附者，处燕然馆，三年已后，赐宅归德里……东夷来附者，处扶桑馆，赐宅慕化里。西夷来附者，处崦嵫馆，赐宅慕义里。”[①] 可知它们是用以安置从北魏王朝四方来赴的民族和国家的人员的地方，一般先安置于四馆之中，如久住洛阳者，则赐宅于四里。这里是北魏王朝与周边各族和外国政治、经济、文化交往的中心和象征。

从秦汉以来，中原王朝与四裔各族诸国的交往日益频繁，“诣阙朝贡”的记载史不绝书，但是并不见“四馆”“四里”之类的设置，这是

---

① （东魏）杨衒之撰，范祥雍校注：《洛阳伽蓝记校注》卷三《城南》，上海古籍出版社1978年版，第160—161页。

北魏时期的创举。

北魏时期何以会有这样的举措呢?

北魏王朝的建立者鲜卑拓跋氏发祥于东北大兴安岭，至今在鄂伦春自治旗的嘎仙洞内，还有拓跋氏的“先帝旧墟石室”[①]。公元 386 年拓跋珪建立魏国，后定都于平城（今山西大同）。魏国初期，统治者的主要精力放在经营内部，“太祖（即拓跋珪）初，经营中原，未暇及于四表”[②]。直到太武帝拓跋焘时，相继灭掉北燕和北凉，结束了十六国纷争的状况，统一了北方。北魏王朝的国力也随之日益强盛，因而“魏德益以远闻”[③]，其对外关系也开始了一个新的时代。

如对西域的关系。在北魏初期“西戎之贡不至”，到了太延（435—440，拓跋焘年号）年间，西域的龟兹、疏勒、乌孙、悦般、渴槃陁，鄯善、焉耆、车师、粟特九国“始遣使来献”。北魏也遣使西行，他们除了与九国建立友好联系外，还广泛联络西域诸国，远至者舌（今苏联塔什干[④]）、破洛那（今费尔干那[⑤]）。魏使东还时，“俱来贡献者十有六国”，从而打开了北魏与西域友好往来的大门，“自后相继而来，不间于岁，国使亦数十辈矣”[⑥]。

到太和十九年（495），北魏孝文帝从平城迁都洛阳，直到天平元年（534）迁邺，总计北魏在此建都四十年。

这四十年间，是北魏与周边各族和对外交流的极盛时期。孝文帝推行汉化政策，俨然以中央王朝自居，大力推动对外关系。洛阳地处中原，又是从东周以来的旧都所在，是我国古代政治、经济、文化和交通的中心。各兄弟民族和外国的商人、使者、僧人，纷纷辐辏洛阳，到处可见肤色不同、装束各异的各族人等。为了适应这种对外关系发展的需要，北魏王朝便在洛阳南郊建立了四馆、四里，将来到洛阳的各族各国人员

---

① （北齐）魏收撰：《魏书》卷一〇〇《东夷·乌洛侯传》，中华书局 1974 年版，第 2224 页。

② 《魏书》卷一〇二《西域传》，第 2259 页。

③ 《魏书》卷一〇二《西域传》，第 2259 页。

④ 按，1991 年 12 月 25 日苏联解体，分裂为 15 个国家，乌兹别克斯坦共和国即为其一，塔什干为其首都。

⑤ 按，即今乌兹别克斯坦共和国费尔干那州首府。

⑥ 《魏书》卷一〇二《西域传》，第 2260 页。

集中于此，“自葱岭已西，至于大秦（东罗马帝国），百国千城，莫不款附，商胡贩客，日奔塞下，所谓尽天地之区已。乐中国土风，因而宅者，不可胜数”①。

但是，设立四馆、四里还有一个重要的政治目的，便是安置四方邻国的归顺者。北魏统治者对于南朝政权给予格外的关注，“时朝廷方欲招怀荒服，待吴儿甚厚，褰裳渡于江者，皆居不次之位”②。南朝的归顺者，都安置于金陵馆和归正里。如景明二年（501），梁王萧衍攻下南齐都城建业，齐明帝萧鸾的儿子萧宝夤为逃避萧衍加害，渡江投奔北魏。北魏封他为会稽公，进爵为齐王，并娶南阳长公主。北魏为他“筑宅于归正里”。跟他同来的会稽山阴人张景仁，也被“赐宅城南归正里”。正光四年（523）萧衍的养子萧正德因统治阶级内争而投奔北魏，北魏也将他安置于金陵馆，并为筑室于归正里。由于“南来投化者多居其内”，故“民间号为吴人坊”③。

柔然是北魏王朝在北方的劲敌。柔然（又称芮芮、茹茹、蠕蠕等）本是拓跋鲜卑的一个分支，他们活动于北方草原。公元4世纪末至6世纪中叶，崛起于漠北，建立了强大的柔然汗国。它们之间展开了长期的斗争。到公元6世纪初，柔然国力衰微，统治集团内争迭起。公元508年，他汗可汗被高车所杀，诸子纷争。后来其子阿那瓌在内争中被立为汗，但不到十天，内乱又起，阿那瓌战败后南投北魏。正光元年（520）九月，阿那瓌来到洛阳，孝明帝派遣兼侍中陆希道为“使主”（代表团长）、兼散骑常侍孟威为“使副”“迎劳近畿”，并派“司空公京兆王（元）继至北中，侍中崔光、黄门郎元纂在近郊，并申宴劳，引至阙下”④。这里所指的“近郊”，可能就是南郊四馆之一的“燕然馆”，据《洛阳伽蓝记》记载，阿那瓌到洛阳后，即“处之燕然馆，赐宅归德里”。同年十月，孝明帝亲临显阳殿，接见阿那瓌，从五品以上清官、皇宗、藩国使客等列于殿廷，陪同接见，仪式非常隆重。

---

① 《洛阳伽蓝记校注》卷三《城南》，第161页。
② 《洛阳伽蓝记校注》卷二《城东》，第117页。
③ 《洛阳伽蓝记校注》卷二《城东》，第117页。
④ 《魏书》卷一〇三《蠕蠕传》，第2298页。

此外，四馆、四里也是外族和外国质子居住的地方，如燕然馆就安置着“北夷酋长遣子入侍者”。由于他们生长于北方高凉之地，不习惯洛阳炎热的天气，北魏政府允许他们“秋来春去，避中国之热”。因为他们像南来北往的候鸟大雁一样迁徙，所以洛阳官民称呼他们为“雁臣”

四馆、四里的规模很大，据记载仅归正里就有三千余家，如以每里三千家计，四里有一万二千家，《洛阳伽蓝记》说“附化之民，万有余家”，看来并非夸大之辞。四馆、四里的建筑有一定的规划，因而非常整齐，“门巷修整，閶阖填列，青槐荫柏，绿柳垂庭”，是一个环境幽雅的居住区。

四馆、四里的设立，促进了民族关系和中外经济文化的交流，在这里集中着“四方风俗，万国千城”“天下难得之货，咸悉在焉”，成了四方人文风俗荟萃和经济文化交流的中心。为了适应这种交流的发展和满足各族各国人民生活习俗的不同需要，在四夷馆的附近特意设立了一个市场，叫“四通市”，由于它地处永桥旁，故民间又称它为“永桥市”。住在金陵馆的南方人喜欢吃鱼，因此“伊洛之鱼，多于此卖，士庶须脍，皆诣取之”，民间便叫它“鱼鳖市”。伊洛二水所出水产非常鲜美，不仅南方人喜爱，北方人也很喜爱，因此当时流传着“洛鲤伊鲂，贵于牛羊”的说法。

四夷馆北面的白象坊和狮子坊，也值得一提。永平二年（509），乾陀罗国（在北天竺）曾向宣武帝贡献白象一只，这是很宝贵的稀有品种。白象背上设有五彩屏风和七宝座床，可以乘坐好几个人。最先白象被养在皇宫的“乘黄曹”内。白象脾气暴躁，经常毁坏屋墙，跑出圈舍，在洛阳城的大街上横冲直撞，吓得百姓惊惶奔走。于是胡太后命人将白象移至城南，因而此坊称为“白象坊”。至于狮子坊，则是因正光年间嚈哒国（国都拔底延，在今阿富汗瓦齐拉巴德）贡献狮子而得名的。从这两个坊的得名，我们也可以进一步窥见当时中外交流的频繁。

不过，还应当指出，四馆、四里的设置，也多少包含着政治上的、民族关系上的歧视，存在着一些消极的作用。尤其是受到“正朔所在”的传统观念熏陶较重的南来士人，更以住在四馆、四里为耻。如萧宝夤住在归正里，他“耻与夷人同列”，便通过南阳长公主启请宣武帝，要求住进城内。宣武帝接受了他们的请求，赐宅于永安里。随他同来的张景仁，也“住此以为耻”，后来徙居城东的孝义里。在当时某些洛阳人的眼中，住在城南并不光彩。如当时有个儒生荀子文住在城南中甘里，他的同学李才讥笑他“何为住城南”？因为“城南有四夷馆，才以此讥之”。荀子文反唇相讥道：“城南是国都胜地，有何足怪？若论川涧，这里有伊、洛峥嵘；若论旧事，这里有东汉灵台遗址、太学石经；若论寺庙，这里有宏伟壮丽的报德寺、景明寺；若论当世富贵，高阳王雍和广阳王怀都住在这里；至于四夷馆，更是四方风俗，万国千城；若论人物，则有我无你！”一番话把李才说得哑口无言，同学们听了都哈哈大笑。可见在有眼光的人士中，对于四馆、四里并不另眼相看

后来，随着北魏王朝的日益腐朽，终于导致各族人民的联合起义，同时也爆发了统治阶级的内争，不久北魏分裂，永熙三年（534）孝静帝东迁邺城，洛阳城在统治阶级的内战中惨遭破坏，“城郭崩毁，宫室倾覆，寺观灰烬，庙塔丘墟”①，四馆、四里也同遭劫难。但是，各族人民之间的友好关系和中外经济文化交流，是任何力量也无法破坏的，而且将在新的历史条件下得到更加高度的发展，唐代长安的兴起，及其作为各族人民荟萃和中外交往的世界性城市出现于东方，就是一个有力的证明。

[原刊《文史知识》1986年第1期。按，2021年10月，黎虎先生与学苑出版社初步达成修订出版《魏晋南北朝史论（增订本）》之意向，我奉先生之命，重新校录整理此文，按照学术论文的格式将原刊文的正文夹注全部改为页下注。黎先生明确告知，拟将此文收入即将重版的《魏晋南北朝史论》（增订本）。我至今仍然清晰地记得先生当时话语的大意：此文虽然刊登于《文史知识》而属史学科普类文章，但具有较强的学术性、专业性，因为此文是当年思考酝酿“汉唐外交制度”课题过程中所提出的问题，也是史学界首次从“外交”的角度对北魏“四夷馆”所进行的阐述。徵诸事实，先生所言非虚，如今学界论著凡涉及此问题者，莫不以此文为嚆矢之作而加以引证。如今因为整理出版《黎虎文集》，黎先生与学苑出版社所达成之《魏晋南北朝史论》（增订本）无法再付诸实施，但此文处理方式仍按照先生之遗愿进行整理，并编入《黎虎文集：魏晋南北朝史论》。李文才敬识。]

① 《洛阳伽蓝记校注·序》，第2页。

第一个为少数民族政权撰写断代全史的史学家崔鸿

公元 3—4 世纪的 130 多年间，我国北方风扰云攘、金戈铁马，入居塞内的匈奴、鲜卑、羯、氐、羌等少数民族先后建立了多个政权，史称十六国时期。

十六国时期前后不到 70 年，一部记载这一时代的历史巨著——《十六国春秋》就已问世。这部巨著的作者就是北魏的著名历史学家崔鸿。

崔鸿（478—525），字彦鸾，齐州清河（今山东淄博市）人。崔氏是北方第一流的高门大族。崔鸿这一支早先不在齐州的清河郡，而在河北冀州的清河郡。崔鸿的曾祖崔旷早年随南燕主慕容德南渡黄河，这才迁居于齐州。南燕灭亡后，这里先后成了东晋和南朝的辖地。崔旷在宋文帝时曾官至乐陵太守。崔鸿的祖父崔灵延，在宋孝武帝时为龙骧将军、长广太守，被封为“关内侯”①。北魏孝文帝太和二十年（496），北魏征南大将军慕容白曜平定三齐，崔灵延以败军之将而被迁到北魏代京（今山西大同）附近，崔鸿的伯父崔光也一同被迁。后来崔光出仕北魏，参与枢机，佐命翼戴，成为拓跋皇室倚重的元老重臣。

崔鸿的父亲崔敬友，是崔光的弟弟。崔敬友在仕途上远逊乃兄，曾任本州治中，后被拜为梁郡太守，适逢生母病故，因服丧而没有赴任，此后便不复出仕。他笃信佛教，昼夜诵经，素食终身。崔敬友生有四子，崔鸿是长子。

---

① （北齐）魏收撰：《魏书》卷六七《崔光附子（崔）鸿传》，中华书局 1974 年版，第 1501 页。

崔鸿生于北魏孝文帝太和二年（478）。[①] 十九岁那年（太和二十年，496），被拜为彭城王国左常侍，开始了他的政治生涯。几年后（宣武帝景明三年，即502年）迁为员外郎，兼尚书虞曹郎中。不久又迁为给事中，兼祠部郎，再转尚书都兵郎中。正始元年（504），宣武帝下诏议定律令，太师、彭城王元勰以下三十人参加，他们不是公卿朝士就是儒学才明者，年仅二十七岁的崔鸿与其伯父崔光双双入选，跻身其间，时论荣之。可见崔鸿在仕途上还是得意的。但是崔鸿的兴趣主要还在史学方面。他“少好读书，博综经史”[②]。这与家族环境的熏陶不无关系。崔氏不仅世代仕宦，而且有着深厚的文化传统，伯父崔光还是北魏著名的历史学家，他从三十岁任著作郎，参与修撰北魏国史，直至七十三岁病故，大部分时间都在史职。崔鸿的史才不让乃伯，青年时期就已崭露头角，因此在做官的同时被委以史事，受命修撰起居注。史称崔鸿“弱冠便有著述之志”[③]，他的志向就是要修撰一部全面的、系统的记述十六国历史的著作。

这位青年史学家何以会有这样的志向呢？首先是由他对这段历史的深刻认识所决定的。他认为自从西晋八王之乱以后，虽然“所在称兵，竞自尊树”，入居中原的少数民族贵族也乘机起事，但是“能建邦命氏成为战国者”，不过十有六家，[④] 他们都能“并因世故，跨僭一方”[⑤]。这些少数民族的领袖人物及其政权，是这一时代的政治代表和象征，这130多年的历史是中国历史不可分割的重要组成部分，而总结这一时代的历史经验和教训，同以往任何时代一样具有重要的意义，其“善恶兴灭之形，用兵乖会之势，亦足以垂之将来，昭明劝诫”[⑥]。他对十六国史重要性的认识，可以说是高于他那一时代的其他史家之上的。

其次是史学发展的客观要求所决定的。十六国历史已经结束半个世纪，可是还没有加以认真的总结，还没有出现一部全面地、系统地记述

---

① 苏玉琼、蒋英炬：《临淄北朝崔氏墓》，《考古学报》1984年第2期。崔鸿的出生时间，系据崔鸿墓志铭推算。

② 《魏书》卷六七《崔光附子（崔）鸿传》，第1501页。

③ 《魏书》卷六七《崔光附子（崔）鸿传》，第1502页。

④ 《魏书》卷六七《崔光附子（崔）鸿传》，第1503页。

⑤ 《魏书》卷六七《崔光附子（崔）鸿传》，第1502页。

⑥ 《魏书》卷六七《崔光附子（崔）鸿传》，第1503—1504页。

这一时代的历史著作。虽然十六国各有国书，记载本国史事，但它们普遍存在许多严重的问题，从体例上看，“诸史残缺，体例不全，编录纷谬，繁略失所”，亟需加以全面的整理，以“审正不同，定为一书”[①]。更主要的是，这些史书都是各国史臣所撰，他们囿于各自的割据皇朝，没有也不可能从全局去把握这一时代错综复杂的关系和发展大势。崔鸿认为史学上的这种“未有统一”[②] 的状况必须改变，有必要将十六国综合起来加以考察，“定为一书”，编撰出一部记录这一时代的全史来。可以说，崔鸿是第一个把十六国时期当作一个重要的历史阶段，并把少数民族政权历史提高到正史地位，并为此而倾注了毕生心血的史学家。

从景明元年（500）开始，崔鸿便着手搜集十六国的旧史及其他资料，这时他才是一个二十三岁的青年。当时他是以一人之力私下从事这一工作的，其所遇到的困难是可想而知的。为了抄录所搜寻到的史料，他几乎竭尽了家产和俸禄，有时甚至没有买纸的钱。更困难的还在于，当时北魏从平城迁都洛阳不久，各种书籍“率多分散”，于是他不得不“求之公私”，多方搜寻，“驱驰数岁”[③]。直到正始元年（504）他才把所搜集到的有关旧史和资料抄写完毕。

在详细占有材料的基础上，崔鸿开始着手撰写《十六国春秋》，“于吏按之暇，草构此书”[④]。其编撰工作主要从五个方面进行：一是“区分时事，各系本录”，按国别以分类和归纳材料；二是“破彼异同，凡为一体”，从体例上加以整齐划一；三是“约损烦文，补其不足”，从内容上删烦补缺；四是“删正差谬，定为实录”[⑤]，考证史实，去伪存真；五是“为之赞序，褒贬评论”[⑥]。

到正始三年（506）年底，《十六国春秋》初稿完成，这年崔鸿还不满三十岁。不过，这部著作当时还没有全部完成，只有九十五卷，还缺少记载成汉李雄父子史事的“蜀录”。因为当时崔鸿还没有把有关成汉的

---

① 《魏书》卷六七《崔光附子（崔）鸿传》，第1504页。
② 《魏书》卷六七《崔光附子（崔）鸿传》，第1502页。
③ 《魏书》卷六七《崔光附子（崔）鸿传》，第1504页。
④ 《魏书》卷六七《崔光附子（崔）鸿传》，第1504页。
⑤ 《魏书》卷六七《崔光附子（崔）鸿传》，第1504页。
⑥ 《魏书》卷六七《崔光附子（崔）鸿传》，第1505页。

史料搜集齐备。曾出仕成汉的史学家常璩，撰有《蜀书》等，记述李雄父子据蜀时事。崔鸿为了撰写“蜀录”，千方百计搜寻此书，但因“此书本江南撰录”，北方没有，当时南北分隔，故尔久久“寻访不获”。当时崔鸿也不是一点没有掌握成汉史料，“其起兵僭号，事之始末，乃亦颇有”①，但他在没有得到足够的资料时，并不轻于动笔，“不得此书，惧简略不成”，于是“辍笔私求”②，以致“迟留未成”。可见他治史态度之严谨。经十六年的耐心等待和搜寻，终于在正光三年（522）“购访始得”③。崔鸿这才动笔将成汉国史补写完毕。而当他写毕《蜀录》五卷，完成了《十六国春秋》百卷之时，便溘然长逝了。如果从景明元年搜集材料开始，直到他全部完成此书，前后历时25年，他几乎是把毕生的精力和心血都贡献给这部著作了。

正始三年（506）《十六国春秋》九十五卷初稿完成后，崔鸿一直“不敢显行其书”④。据相关史书记载，其原因有二：一是崔鸿的父、祖均出仕南朝，因而书中不录东晋和宋、齐之书，“恐识者责之”⑤；二是十六国史与拓跋魏早期历史多有牵连，书中“言多失体”⑥。这两点表明，当时要撰写十六国史是要承担政治上的压力和风险的，如果没有像崔鸿这样的胆识和克尽史职的精神，要完成这样的巨著是不可能的。除了上述原因之外，由于当时书稿并未最后完成，崔鸿作为严肃的史学家，因而暂不公之于世，恐怕也是可以理解的事。宣武帝在得知崔鸿撰有十六国史后，曾派人命他“随成者送呈”⑦，即使在这种情况下，崔鸿也没有把它拿出来。

正始三年（506）完成《十六国春秋》初稿后，崔鸿一方面继续搜集未备的材料，以进一步完善这部巨著，另一方面则继续从政并承担史职。永平年间（508—512）崔鸿被任为尚书三公郎中和员外散骑常侍等职。三十七岁那年，其父崔敬友病故，崔鸿解任服丧。不久宣武帝下诏徵他

① 《魏书》卷六七《崔光附子（崔）鸿传》，第1504页。
② 《魏书》卷六七《崔光附子（崔）鸿传》，第1504页。
③ 《魏书》卷六七《崔光附子（崔）鸿传》，第1505页。
④ 《魏书》卷六七《崔光附子（崔）鸿传》，第1505页。
⑤ 《魏书》卷六七《崔光附子（崔）鸿传》，第1502页。
⑥ 《魏书》卷六七《崔光附子（崔）鸿传》，第1503页。
⑦ 《魏书》卷六七《崔光附子（崔）鸿传》，第1502—1503页。

复任本官，又转迁中散大夫和司徒长史等职。在此期间，他对于官吏考绩、刑律、礼仪等国家大政，均多所陈说，发表了自己的见解。

延昌四年（515）宣武帝死，崔鸿的伯父崔光等人迎立元诩继位，是为孝明帝。因翼戴皇室之功，崔光及其家族在北魏朝廷中的地位愈益显赫，作为崔光之侄的崔鸿不仅在政治上蒙受润泽，正光二年（521）崔鸿之妻张玉怜入朝长信宫，引见显阳殿，其仪容举止使灵太后为之动容，叹道："夫才于朝，妻贤于室，顼在一房矣！"[①] 更重要的是，这也为他的史学工作创造了更加有利的政治环境。正光元年（520）他受命修撰高祖、世宗起居注。从此以后，他的《十六国春秋》也开始逐渐外传，史称自正光以后"以其伯（崔）光贵重当朝，知时人未能发明其事，乃颇相传读；亦以（崔）光故，执事者遂不论之"[②]。

正光五年（524）崔光病危。崔光掌修北魏国史多年，但他只是编列了史书的卷目，而没有加以详细的整理和考证。他的指导思想是：本朝历史不是本朝人所能修成，只能作好记录时事的工作，以留待后人去修撰。因此直到他临终前，魏史仍"阙略尤多"[③]。弥留之际，他遗言子侄："吾荷先帝厚恩，位至于此，史功不成，殁有遗恨。汝等……勉之！勉之！"[④] 他把修撰国史的希望寄托于崔鸿，认为"杨籔群才，非君莫可"[⑤]，并向孝明帝作了推荐。这年正月，孝明帝便下诏崔鸿以本官兼修国史。第二年，崔鸿被拜为黄门侍郎、散骑常侍，兼齐州中正。可惜他"在史甫尔，未有所就"[⑥]，不幸染疾，于这年的十一月二十九日病逝于洛阳仁信里。时在孝昌元年（525），年仅四十八岁[⑦]。

---

① 山东省文物考古研究所：《临淄北朝崔氏墓》图版《张玉怜墓志》，《考古学报》1984年第2期。后收录于赵超《汉魏南北朝墓志汇编》，天津古籍出版社1992年版，第319页。

② 《魏书》卷六七《崔光附子（崔）鸿传》，第1505页。

③ 《魏书》卷六七《崔光附子（崔）鸿传》，第1502页。

④ 《魏书》卷六七《崔光附子（崔）鸿传》，第1498页。

⑤ 山东省文物考古研究所：《临淄北朝崔氏墓》图版《崔鸿墓志》（《魏故使持节镇东将军督青州诸军事度支尚书青州刺史崔文贞侯墓志铭》），《考古学报》1984年第2期。后收录于赵超《汉魏南北朝墓志汇编》，第185—187页。

⑥ 《魏书》卷六七《崔光附子（崔）鸿传》，第1502页。

⑦ 《魏故使持节镇东将军督青州诸军事度支尚书青州刺史崔文贞侯墓志铭》，《汉魏南北朝墓志汇编》，第186页。

崔鸿死后四年（永安二年，即529年），他的长子崔混将《十六国春秋》缮写一本，上呈孝庄帝，请藏于秘阁，《十六国春秋》正式问世。从此以后，其余有关十六国的旧史便陆续散佚不传，唯有崔鸿《十六国春秋》“大行于时”①。后人研究十六国历史，全赖此书。唐修《晋书》时，有关十六国的史事，主要取材于此书。可惜这部著作到北宋以后亡佚，直到明朝才有人从散见于正史和类书中的零篇碎语中，钩稽连缀为《十六国春秋》一百卷。清朝人汤球又进一步辑佚补缀，成《十六国春秋辑补》一百卷，是目前较为完备的一个本子。

作为第一部记述我国古代少数民族政权历史的著作，《十六国春秋》不仅在史学史上具有特殊的意义，开日后元魏史、辽史、金史、元史、清史之先河，而且在中华民族关系史上也是一部划时代的著作，这部著作出现的本身就是中国民族关系发展到一个新阶段的象征，它将永远在中国各族人民友谊史中闪耀着异彩！

（原刊《中华人物志·史学家小传》，题为《崔鸿——为少数民族政权写史》，中华书局1988年版。2007年，为庆贺安作璋先生从事史学研究六十周年暨八十华诞，齐鲁书社出版了《安作璋先生史学研究六十周年纪念文集》，黎虎先生以此文表示祝贺，据篇末“附记”云：“今年是我国著名历史学家安作璋先生从事历史研究六十周年暨八十华诞。先生早年研究中国传统古代历史，造诣精湛，成就卓越；后又倾注于齐鲁文化研究，亦获丰硕成果，别开生面。职是之故，特以有关齐鲁地区著名史学家崔鸿短文奉上，聊表寸心，以襄盛举云乐。此文原载《中华人物志》［中华书局1988年版］。”齐鲁书社2007年版。2016年，此文又收入《先秦汉唐史论》上编“古史卷”，题为《第一个为少数民族政权撰写断代全史的史学家崔鸿》，北京师范大学出版社2016年版。

这篇文章尽管篇幅短小，实则具有重要的学术价值和意义。黎虎先生曾不止一次对整理者说起过这篇短文，因此我对于先生的教诲记忆尤其深刻。黎虎先生所言大意如下：尽管这篇文章篇幅不大，也不是发表

① （唐）刘知幾著，（清）浦起龙通释，王煦华整理：《史通通释》卷一二《外篇·古今正史第二》，上海古籍出版社2009年版，第335页。

在什么“高级别”的刊物上，但是它却具有特殊重要的意义。因为崔鸿乃是中国历史上第一个为少数民族政权撰写综合性通史的历史学家，《十六国春秋》也是第一部记述我国古代少数民族政权断代全史的著作，因此无论从史学发展史的角度，还是从中华民族关系发展史的角度来看，《十六国春秋》都堪称一部划时代的巨著，同时它本身就是中国古代民族关系发展到一个新阶段的象征。如所周知，以“夷狄之有君，不若诸夏之亡也”为代表的传统儒家民族观，在民族问题上历来主张“用夏变夷”而反对“变于夷”，故歧视甚至是敌视周边少数民族，乃是中国古代中原汉族政权和汉人士大夫惯常的固有心态。在这种狭隘民族观的支配下，中国古代中原各政权在撰写历史的时候，基本上是将周边少数民族看作“非我族类，其心必异”的另类，以“二十四史”为代表的“正史”，凡写周边少数民族无不将其视为蛮夷羌狄，而从来没有将它们和中原汉族一视同仁。事实上，在中华民族共同体形成的过程中，周边少数民族所做出的贡献也是不容忽视的，撰写中华民族的文明发展史，绝对不应轻忽历史上曾经出现过的种类繁多的少数民族。以此观之，则崔鸿作为一个皇权专制时代的历史学家，能够摆脱狭隘民族观念的束缚，为被其他一些“正史”称为“蛮夷猾夏”的少数民族撰写第一部综合性通史或断代性全史，其所蕴含的重要意义岂容轻忽哉？黎虎先生的众多卓越史学成就中，民族史研究同样具有鲜明的特色和重要的价值，黎虎先生所坚持和倡导的“五十六个民族是兄弟，五十六个民族一律平等”的正确民族观，如果追溯其渊源，恐怕与崔鸿第一个为少数民族撰写综合性通史或断代性全史的超前意识和敢为人先的胆略不无相通之处，堪称空谷足音，传响千载矣！2016年黎虎先生编辑出版《先秦汉唐史论》，在众多论文中选择将此文收录其中，可见他对于这篇“短文”之重视程度。职此之故，我们在编集《黎虎文集》时，以《先秦汉唐史论》刊文为底本，并参校以上两个刊本，并以《先秦汉唐史论》刊文题名《第一个为少数民族政权撰写断代全史的史学家崔鸿》为题，将此文编入《黎虎文集：魏晋南北朝史论》。李文才敬识。）

东晋南朝与西北诸国的交往

西北诸国与中原地区的交往古已有之，且史家论之已详；而西北诸国与江左地区的联系及交往，则自东晋南朝始，史家注意却较少。事实上，东晋南朝时期江左政权与西北诸国建立了极其广泛的联系，进行着频繁的交往，在中国古代交通史上写下了不可忽视的一页。

一　东晋南朝与西北诸国交往概述

东晋南朝与西北诸国之间存在着极为广泛的联系和频繁的交往，文献所载班班可稽。兹分别论叙如下。

（一）前凉

前凉是十六国时期在河西地区的汉人政权。西晋惠帝永宁元年（310）以张轨为凉州牧，此后张氏世主凉州。西晋亡，司马睿在建康（今江苏南京）建立东晋，前凉主张寔"遣牙门蔡忠奉表江南，劝即尊位"①，时为太兴元年（318）。这是史籍所载西北地区进入江左的第一位使者。永昌元年（322）晋元帝死，太宁三年（325）"春，二月，张骏承元帝凶问，大临三日"②。当时巴蜀地区为成汉政权所据，阻隔着前凉与东晋的交通。咸和元年（326），张骏"遣傅颖假道于蜀，通表京师，（李）雄弗许"③。至咸和八年（333）又"遣治中从事张淳称藩于蜀，托

---

① （唐）房玄龄等撰：《晋书》卷八六《张轨附子（张）寔传》，中华书局1974年版，第2230页。

② （宋）司马光编著，（元）胡三省音注：《资治通鉴》卷九三，晋明帝太宁三年（325）二月，中华书局1956年版，第2932页。

③ 《晋书》卷一二一《李雄载记》，第3039页。

以假道"[①]，仍遭李雄梗阻，于是张淳"还至龙鹤，募兵通表，后皆达京师，朝廷嘉之"[②]。与此同时，东晋的使臣也于咸和八年（333）抵达凉州。早在晋愍帝建兴（313—316）年间，敦煌计吏耿访到长安因战乱而不得返，于是东南投司马睿，以太兴二年（319）到达建康。他"屡上书，以本州未知中兴，宜遣大使，乞为乡导。时连有内难，许而未行"[③]。大约到咸和元年（326）才"以（耿）访守治书御史，拜骏镇西大将军，校尉、刺史、公如故。选西方人陇西贾陵等十二人配之"[④]。耿访到达梁州后因道路不通，在梁州停留7年之久，后以诏书付贾陵，托为贾客，"以咸和八年（333）始达凉州"[⑤]。张骏"受诏，遣部曲督王丰等报谢，并遣陵归，上疏称臣，而不奉正朔，犹称建兴二十一年"，咸和九年（334）"复使（耿）访随（王）丰等赍印板进骏大将军"，史称"自是每岁使命不绝"[⑥]。

不久，张骏"又遣护羌参军陈寓、从事徐虓、华驭等至京师"[⑦]，庾亮上书嘉奖他们。庾亮为征西大将军在咸和九年（334），咸康五年（339）因邾城失陷而"自贬三等""忧慨发疾"[⑧]。其上书嘉奖张骏使臣必在公元334—338年期间。建元元年（343）二月，以安西将军庾翼为征讨大都督，"翼以灭胡取蜀为己任，遣使东约（慕容）皝，西约张骏，刻期大举"[⑨]。永和二年（346）张骏死，子重华继位。第二年"诏遣侍御史俞归拜重华护羌校尉、凉州刺史、假节"[⑩]。永和九年（353）五月，"重华因上疏请伐秦，诏进重华凉州牧"[⑪]。永和十一年（355）七月，"宋混、张瓘弑张祚，而立耀灵弟玄靓为大将军、凉州牧，遣使来降"[⑫]。升平五年（361）十二月，加"张玄靓为大都督陇右诸军事、护羌校尉、

---

① 《晋书》卷一二一《李雄载记》，第3039页。
② 《晋书》卷八六《张轨附孙（张）骏传》，第2237页。
③ 《晋书》卷八六《张轨附孙（张）骏传》，第2238页。
④ 《晋书》卷八六《张轨附孙（张）骏传》，第2238页。
⑤ 《晋书》卷八六《张轨附孙（张）骏传》，第2238—2239页。
⑥ 《晋书》卷八六《张轨附孙（张）骏传》，第2239页。
⑦ 《晋书》卷八六《张轨附孙（张）骏传》，第2240页。
⑧ 《晋书》卷七三《庾亮传》，第1923页。
⑨ 《资治通鉴》卷九七，晋康帝建元元年（343）二年二月，第3055页。
⑩ 《晋书》卷八六《张轨传附张重华传》，第2244页。
⑪ 《资治通鉴》卷九九，晋穆帝永和九年（353）五月，第3132页。
⑫ 《晋书》卷八《穆帝纪》，第201页。

西平公"[①]。兴宁元年（363）闰八月，张天锡杀张玄靓自立，"遣司马纶骞奉章诣建康请命，并送御史俞归东还"[②]。咸安元年（371），张天锡"遥与晋三公盟誓，献书大司马桓温，剋六年夏誓同大举。遣从事中郎韩博、奋节将军康妙奉表，并送盟文"[③]。宁康元年（373）十月，张天锡来"贡方物"[④]。太元元年（376），张天锡降于前秦，凉亡。

前凉"自轨为凉州，至天锡，凡九世，七十六年矣"[⑤]。在这76年中，前凉向东晋来使凡10次，东晋向前凉出使、册封、诏赐凡7次。

（二）仇池氐杨

仇池"氐杨氏，与苻氏同出略阳，汉世居仇池，地号百顷。"[⑥] "汉献帝建安中，有杨腾者，为部落大帅。腾子驹，勇健多计略，始徙仇池。仇池地方百顷，因以百顷为号"[⑦]。仇池在今甘肃成县西。氐杨氏迁居仇池后，在六朝时期先后建立过前仇池国（296—371）、后仇池国（386—443）、武都国（447—477）、武兴国（478—553）、阴平国（477—580）5个地方政权[⑧]，其活动区域在今陕、甘、川交界处一带。

东晋成帝咸康元年（334），杨毅"遣使称藩于晋"，晋以杨毅为征南将军。[⑨] 咸康三年（337），杨初杀杨毅，自立为仇池公。晋穆帝永和三年（347），杨初"遣使称藩于穆帝"，晋封杨初为仇池公；永和十年（354），"改封（杨）初天水公"。永和十一年（355），杨初被杀，子杨国立，桓温表国为镇北将军、秦州刺史、平羌校尉。[⑩] 永和十二年（356），杨俊杀杨国自立，"遣使归顺"。升平三年（359）以杨俊为仇池公。升平四年（360）杨俊卒，子杨世立，复以为仇池公；太和三年

---

① 《晋书》卷八《哀帝纪》，第206页。

② 《资治通鉴》卷一〇一，晋哀帝兴宁元年（363）闰八月，第3193页。

③ 《晋书》卷八六《张轨传附张天锡传》，第2251页。

④ 《晋书》卷九《孝武帝纪》，第225页。

⑤ 《晋书》卷八六《张轨传附张天锡传》，第2252页。

⑥ （梁）萧子显撰：《南齐书》卷五九《氐传》，中华书局1972年版，第1027页。

⑦ （梁）沈约撰：《宋书》卷九八《氐胡·略阳清水氐杨氏传》，中华书局1974年版，第2403页。

⑧ 马长寿：《氐与羌》，广西师范大学出版社2006年版，第55页。

⑨ 《宋书》卷九八《氐胡·略阳清水氐杨氏传》，第2404页。

⑩ 《宋书》卷九八《氐胡·略阳清水氐杨氏传》，第2404页。

(368) 迁征西将军、秦州刺史；五年（370）杨世卒，发生内争，杨纂继位，“遣使诣简文帝自陈”，复以纂为秦州刺史、仇池公。[①]

晋孝武帝太元八年（383），杨定乘苻坚在“淝水之战”失败之机，“招合夷、晋，得千余家”，自号龙骧将军、平羌校尉、仇池公。太元十年（385）遣使“称藩于晋孝武帝，孝武帝即以其自号假之”。同时杨定又“求割天水之西县（今甘肃秦安东北）、武都之上禄（今甘肃成县西南）为仇池郡，见许”。太元十五年（390），孝武帝“又以定为辅国将军、秦州刺史，定已自署征西将军。又进持节、都督陇右诸军事、辅国大将军、开府仪同三司，校尉、刺史如故”[②]。太元十九年（394），乞伏乾归杀杨定，杨盛代立。太元二十一年（396）“杨盛遣使来请命；诏拜盛镇南将军、仇池公”[③]。隆安三年（399），杨盛“遣使称藩，献方物”[④]。“安帝以盛为辅国将军、平羌校尉、仇池公”[⑤]。元兴三年（404）“桓玄辅晋，进盛平北将军、凉州刺史、西戎校尉”[⑥]。义熙三年（407），杨盛“复通于晋，晋以盛为都督陇右诸军事、征西大将军、开府仪同三司”[⑦]，同时“又假盛使持节、北秦州刺史”[⑧]。

刘宋永初元年（420），刘裕称帝后，“进（杨）盛车骑大将军，加侍中”[⑨]，永初三年（422）“改封武都王”[⑩]。宋文帝元嘉二年（425）杨盛卒，子玄继位，“遣使来告丧，始用元嘉年号”[⑪]，因以前氐杨“虽称藩于刘义隆，仍奉晋义熙之号。”[⑫] 是年冬十一月，“以武都王世子杨玄为北秦州刺史，袭封武都王。”[⑬] 元嘉六年（429），杨玄卒，杨难当自立，

① 《宋书》卷九八《氐胡·略阳清水氐杨氏传》，第2404页。

② 《宋书》卷九八《氐胡·略阳清水氐杨氏传》，第2405页。

③ 《资治通鉴》卷一〇八，晋孝武帝太元二十一年（396）十二月，第3436页。

④ 《晋书》卷一〇《安帝纪》，第251页。

⑤ 《宋书》卷九八《氐胡·略阳清水氐杨氏传》，第2405页。

⑥ 《宋书》卷九八《氐胡·略阳清水氐杨氏传》，第2405页。

⑦ 《资治通鉴》卷一一四，晋安帝义熙三年（407）四月，第3596页。

⑧ 《宋书》卷九八《氐胡·略阳清水氐杨氏传》，第2405页。

⑨ 《宋书》卷九八《氐胡·略阳清水氐杨氏传》，第2405页。

⑩ 《宋书》卷九八《氐胡·略阳清水氐杨氏传》，第2405页。

⑪ 《资治通鉴》卷一二〇，宋文帝元嘉二年（425）六月，第3776页。

⑫ （北齐）魏收撰：《魏书》卷一〇一《氐传》，中华书局1974年版，第2229页。

⑬ （唐）李延寿撰：《南史》卷二《宋本纪中·文帝纪》，中华书局1975年版，第39页。

“称藩于宋”①。元嘉七年（430）“封氐杨难当为武都王”②。元嘉九年（432），“进号征西将军，加持节、都督、校尉之号”③。元嘉十一年（434），杨难当攻益梁、争夺汉中失败，“遣参军姚道贤赍书诣梁州刺史萧思话，寻续又遣诣台归罪。道贤至西城，为守兵所杀”④。同年四月，杨难当又遣长史齐亮“奉表谢罪”，宋文帝下诏赦之。元嘉十三年（436）杨难当自称大秦王，“然犹奉朝庭，贡献不绝”⑤，是年六月“遣使朝贡”⑥。元嘉十五年（438）、十六年（439）、十七年（440）相继“遣使朝贡”⑦。元嘉十九年（442）宋遣裴方明讨杨难当，难当奔魏，其子杨文德又聚众茄卢，“宋因授以爵位”⑧。元嘉二十年（443）杨文德“遣露板驰告朝廷”，文帝下诏“便可遣使慰劳，宣示朝旨，并敕梁州刺史申坦随宜应援”⑨。又诏“以杨文德为征西将军、北秦州刺史，封武都王”⑩。宋孝武帝孝建二年（455），宋廷以杨元和年幼才弱，只封其为征虏将军，“未正位号，部落无定主”⑪，封杨头为辅国将军。此前，雍州刺史王玄谟被敕令“遣使与杨元和、杨头相闻，并致信饷”⑫。王玄谟派吕智宗“赍书并信等”使氐杨。氐杨要求刘宋有所委授，以便“绥御所部”。于是“遣使随智宗”至雍州刺史王玄谟。⑬ 后杨文德弟杨僧嗣立，“以为宁朔将军、仇池太守”。⑭ 宋明帝泰始二年（466）以为北秦州刺史、武都王。⑮ 泰始三年（467）进号征西将军。⑯ 杨僧嗣卒，杨文度立，泰豫元年（472）“以为龙骧将军、略阳太

---

① （唐）李延寿撰：《北史》卷九六《氐传》，中华书局 1974 年版，第 3173 页。
② 《南史》卷二《宋本纪中·文帝纪》，第 41 页。
③ 《宋书》卷九八《氐胡·略阳清水氐杨氏传》，第 2406 页。
④ 《宋书》卷九八《氐胡·略阳清水氐杨氏传》，第 2407 页。
⑤ 《宋书》卷九八《氐胡·略阳清水氐杨氏传》，第 2408 页。
⑥ 《南史》卷二《宋本纪中·文帝纪》，第 44 页。
⑦ 《南史》卷二《宋本纪中·文帝纪》，第 45—46 页。
⑧ （唐）姚思廉撰：《梁书》卷五四《诸夷·武兴国传》，中华书局 1973 年版，第 816 页。
⑨ 《宋书》卷九八《氐胡·略阳清水氐杨氏传》，第 2409 页。
⑩ 《宋书》卷五《文帝纪》，第 90 页。
⑪ 《资治通鉴》卷一二八，宋孝武帝孝建二年，第 4024—4025 页。
⑫ 《宋书》卷九八《氐胡·略阳清水氐杨氏传》，第 2410 页。
⑬ 《宋书》卷九八《氐胡·略阳清水氐杨氏传》，第 2410 页。
⑭ 宋书》卷九八《氐胡·略阳清水氐杨氏传》，第 2411 页。
⑮ 《宋书》卷八《明帝纪》，第 157 页。
⑯ 《宋书》卷八《明帝纪》，第 160 页。

守，封武都王。又改龙骧为宁朔将军”[①]。元徽四年（476）加督北秦州诸军事。[②] 昇明元年（477）进号征西将军。[③] 不久杨文度死，“追赠本官，加散骑常侍”，昇明二年（478）以杨文弘为北秦州刺史、武都王。[④]

昇明元年（477）杨广香联合北魏攻杀杨文度后，建立阴平国。建元元年（479）萧齐建立后，派“单使先驰，宣扬皇威”，杨广香“翻迷反正”，诏以为“督沙州诸军事、平羌校尉、沙州刺史。寻进号征虏将军”[⑤]。建元二年（480）进为持节、都督西秦州刺史。[⑥] 又以杨难当之孙杨后起为北秦州刺史、武都王，镇武兴。[⑦] 建元三年（481）“杨文弘遣使请降，诏复以为北秦州刺史”[⑧]。四年（482）进杨后起号冠军将军。[⑨] 永明元年（483），以杨炅为沙州刺史、阴平王。永明二年（484），进杨后起号征虏将军。[⑩] 永明四年（486），杨后起卒，诏以杨文弘子杨集始为北秦州刺史、武都王。[⑪] 在此期间，魏南梁州刺史、仇池公杨灵珍降齐，以其为北梁州刺史、仇池公。[⑫] 永明九年（491），进杨炅号前将军。[⑬] 隆昌元年（494），以为使持节、沙州刺史。[⑭] 建武二年（496），杨元秀病死，齐明帝诏赠其仇池公；又以杨馥之为北秦州刺史、仇池公；杨炅进号安西将军。[⑮] 建武三年（497）杨炅死，以其子杨崇祖为沙州刺史、封阴平王。[⑯] 建武四年（497），以杨灵珍为北秦州刺史、仇池

---

① 《宋书》卷九八《氐胡·略阳清水氐杨氏传》，第 2411 页。

② 《宋书》卷九八《氐胡·略阳清水氐杨氏传》，第 2411 页。

③ 《宋书》卷九八《氐胡·略阳清水氐杨氏传》，第 2411 页。

④ 《宋书》卷一〇《顺帝纪》，第 197 页。

⑤ 《南齐书》卷五九《氐传》，第 1028 页。

⑥ 《南齐书》卷五九《氐传》，第 1029 页。

⑦ 《南齐书》卷五九《氐传》，第 1029 页。

⑧ 《资治通鉴》卷一三五，齐高帝建元三年（481）七月，第 4246 页。

⑨ 《南齐书》卷五九《氐传》，第 1030 页。

⑩ 《南齐书》卷五九《氐传》，第 1030 页。

⑪ 《梁书》卷五四《诸夷·武兴国传》，第 816 页。

⑫ 《梁书》卷五四《诸夷·武兴国传》，第 816 页；《南史》卷七九《夷貊下·武兴国传》，第 1979 页。

⑬ 《南齐书》卷五九《氐传》，第 1030 页。

⑭ 《南齐书》卷五九《氐传》，第 1031 页。

⑮ 《南齐书》卷五九《氐传》，第 1031 页。

⑯ 《南齐书》卷六《明帝纪》，第 88 页。

公、武都王。[①] 永元元年（499）以杨集始为秦州刺史，[②] 二年（500）复以杨集始为北秦州刺史。[③]

梁武帝天监元年（502），以杨集始为北秦州刺史、武都王。集始死，子绍先袭爵位。[④] 天监二年（503），以杨灵珍为北梁州刺史、仇池王。[⑤] 天监十年（511），杨孟孙死，诏赠安沙将军、北雍州刺史，子杨定袭封爵。中大通六年（534）以杨绍先为秦、南秦二州刺史。[⑥] 杨绍先死，子智慧立，大同元年（535）"智慧遣使上表，求率四千户归国，诏许焉，即以为东益州"[⑦]。

从咸康元年（335）仇池与东晋开始通使，到梁武帝大同元年（535）杨智慧内附，200年间，凡来使26次，东晋南朝出使、册封56次。

（三）宕昌与邓至

宕昌，"羌种也。各有酋豪，领部众汧、陇间"[⑧]。其活动中心在羌水（即今白龙江）上游一带，[⑨] 其政治中心宕昌则在今甘肃宕昌。西晋末年，"有梁勤者，世为酋帅，得羌豪心，乃自称王焉"[⑩]。

宕昌通使江左，是在刘宋时期，"宋孝武世，其王梁瓘忽始献方物"[⑪]。大明四年（460）正月、八月宕昌两批使臣来"献方物"[⑫]。大明五年（461）以宕昌王梁唐子为河州刺史。[⑬] 元徽四年（476），以宕昌王梁弥机为安西将军、河凉二州刺史。[⑭]

---

① 《南齐书》卷六《明帝纪》，第90页。

② 《南齐书》卷七《东昏侯纪》，第99页。

③ 《南齐书》卷五九《氐传》，第1032页。

④ 《梁书》卷五四《诸夷·武兴国传》，第816页。

⑤ 《梁书》卷五四《诸夷·武兴国传》，第816页。

⑥ 《梁书》卷三《武帝纪下》，第78页。

⑦ 《梁书》卷五四《诸夷·武兴国传》，第816页。

⑧ 《南齐书》卷五九《羌传》，第1032页。

⑨ 《氐与羌》，第140—146页。

⑩ （唐）令狐德棻等撰：《周书》卷四九《异域上·宕昌传》，中华书局1971年版，第892页。

⑪ 《梁书》卷五四《诸夷·宕昌国传》，第815页。

⑫ 《宋书》卷六《孝武帝纪》，第125—126页；《南史》卷二《宋本纪·孝武帝纪》，第62页。

⑬ 《宋书》卷六《孝武帝纪》，第127页。

⑭ 《宋书》卷九《后废帝纪》，第186页。

南齐建元元年（479）又进梁弥机号镇西将军。[①] 永明元年（483）诏梁弥机“复先官爵”[②]，“为河、凉二州刺史”[③]。梁弥机死，永明三年（485）以梁弥颉为河、凉二州刺史，封陇西公、宕昌王。[④] 梁弥颉死，永明六年（488）以梁弥承为河凉二州刺史、宕昌王。[⑤] 梁弥承遣使“求军仪及伎杂书”[⑥]。

梁天监元年（502）以梁弥邕“正封宕昌王”[⑦]。天监四年（505）梁弥博来献甘草、当归。诏以为河凉二州刺史、陇西公、宕昌王。[⑧] 天监十年（511）、天监十一年（512）连年遣使献方物。[⑨] 梁弥博死，子弥定立，大同七年（541）二月“以为河凉二州刺史、宕昌王”，三月“遣使献马及方物”[⑩]。

从公元460年至541年的81年中，宕昌来使凡6次，宋、齐、梁出使、册封凡9次。

邓至，也是羌族的一支，因分布于白水一带，故称白水羌。地处宕昌之南，其政治中心邓至城在今四川南坪东北。

宋文帝时，邓至王象屈耽遣使献马。[⑪] 南齐建元元年（479）以王象舒彭为“持节、平西将军”[⑫]。永明元年（483）以象舒彭为西凉州刺史[⑬]。梁天监元年（502）以象舒彭为督西凉州诸军事，进号安北将军。[⑭] 同年，又进号安西将军，封邓至王。[⑮] 天监五年（506）象舒彭遣使献黄耆400斤、马4匹。[⑯]

---

① 《南齐书》卷五九《宕昌传》，第1032页。
② 《南齐书》卷五九《宕昌传》，第1032页。
③ 《南齐书》卷三《武帝纪》，第47页。
④ 《南史》卷四《齐本纪上·齐武帝纪》，第120页。
⑤ 《南齐书》卷五九《宕昌传》，第1032页。
⑥ 《南齐书》卷五九《宕昌传》，第1033页。
⑦ 《梁书》卷二《武帝纪中》，第38页。
⑧ 《梁书》卷五四《诸夷·宕昌国传》，第815页。
⑨ 《梁书》卷二《武帝纪中》，第51—52页。
⑩ 《梁书》卷三《武帝纪下》，第85页。
⑪ 《梁书》卷五四《诸夷·邓至国传》，第816—817页。
⑫ 《南齐书》卷五九《宕昌传》，第1032页。
⑬ 《南齐书》卷三《武帝纪》，第47页。
⑭ 《南史》卷七九《夷貊下·邓至国传》，第1979页。
⑮ 《梁书》卷二《武帝纪中》，第38页。
⑯ 《梁书》卷五四《诸夷·邓至国传》，第816页。

邓至凡来使2次，南朝出使、册封凡4次。

（四）吐谷浑

吐谷浑是鲜卑慕容氏的一支。西晋时从辽东西迁，辗转"出凉州西南，至赤水而居之。其地则张掖之南，陇西之西，在河之南，故以为号。其界东至叠川，西邻于阗，北接高昌，东北通秦岭，方千余里，盖古之流沙地焉"①。大约在今青海大部和四川西北、甘肃南部一带。到叶延（329—351）时，"以王父字为国氏，因姓吐谷浑，亦为国号"②。南朝因其地处黄河之南，故以"河南"名其国。

阿豺（418—422）在位时，吐谷浑"兼并氐羌，地方数千里，号为强国"③"始通江左，受官爵"④。宋少帝景平元年（423）阿豺"遣使上表献方物"，诏封沙州刺史、浇河公。⑤未及拜受，宋文帝元嘉三年（426）以谒者董湛为使"又诏加除命"⑥，阿豺"又将遣使朝贡，会暴病"⑦。慕璝立，元嘉六年（429）七月遣使上表，⑧十二月又"遣使献方物"⑨。元嘉七年（430）又授陇西公，⑩元嘉九年（432）慕璝遣司马赵叙"奉贡献"，并告擒夏主赫连定之捷。⑪宋文帝进其爵为陇西王。又诏慕璝将义熙十四年（418）被大夏所俘晋军"并悉致"，于是慕璝"遣送朱昕之等五十五户，一百五十四人"而还。元嘉十三年（436）"慕璝死，弟慕延立，遣使奉表"⑫。元嘉十四年（437）十二月"遣使献方物"⑬。元嘉十五年（438）除西秦河二州刺史，陇西王。⑭元嘉十六年（439）

---

① 《梁书》卷五四《诸夷·河南王传》，第810页。
② 《梁书》卷五四《诸夷·河南王传》，第810页。
③ 《北史》卷九六《吐谷浑传》，第3180页。
④ 《南史》卷七九《夷貊下·河南王传》，第1978页。
⑤ 《宋书》卷九六《鲜卑吐谷浑传》，第2371页。
⑥ 《宋书》卷九六《鲜卑吐谷浑传》，第2371页。
⑦ 《魏书》卷一〇一《吐谷浑传》，第2235页。
⑧ 《宋书》卷九六《鲜卑吐谷浑传》，第2371页。
⑨ 《宋书》卷五《文帝纪》，第78页。
⑩ 《宋书》卷九六《鲜卑吐谷浑传》，第2371页。
⑪ 《宋书》卷九六《鲜卑吐谷浑传》，第2372页。
⑫ 《宋书》卷九六《鲜卑吐谷浑传》，第2372页。
⑬ 《宋书》卷五《文帝纪》，第85页。
⑭ 《宋书》卷九六《鲜卑吐谷浑传》，第2372页。

改封河南王,[①] 从此南朝人称吐谷浑为“河南”。元嘉十七年（440）[②]、十八年（441）[③]、十九年（442）[④] 均“遣使朝贡”，宋追赠阿豺官爵。[⑤] 元嘉二十七年（450）遣使上表求援，“并求牵车，献乌丸帽、女国金酒器、胡王金钏等物”，宋赐以牵车。[⑥] 元嘉二十八年（451）“遣使献方物”[⑦]。元嘉二十九年（452）慕延死，拾寅自立，“遣使来请命”[⑧]，以拾寅为河南王。[⑨] 元嘉三十年（453）拾寅东破北魏，宋进其号镇西大将军、开府仪同三司。[⑩] 孝建二年（455）[⑪]、大明二年（458）遣使献方物。[⑫] 大明五年（461）“遣使献善舞马、四角羊”[⑬]。前废帝（464—465 年在位）“又进号车骑大将军”[⑭]。宋明帝泰始三年（467）进号征西大将军[⑮]，四年（468）、五年（469）遣使来献方物并奉表。[⑯] 泰始六年（470）以拾虔为平西将军。[⑰] 元徽元年（473）五月[⑱]、十二月[⑲]、元徽三年（475）遣使来献方物,[⑳] 同年九月，进拾寅号车骑大将军。[㉑]

在此期间，刘宋曾遣武卫将军王世武使河南，至萧道成代宋后的建

---

① 《宋书》卷九六《鲜卑吐谷浑传》，第 2372 页。

② （北宋）王钦若等编：《册府元龟》卷九六八《外臣部·朝贡一》，中华书局 1960 年版，第 11381 页。

③ 《南史》卷二《宋本纪中·文帝纪》，第 47 页。

④ 《南史》卷二《宋本纪中·文帝纪》，第 48 页。

⑤ 《宋书》卷九六《鲜卑吐谷浑传》，第 2372 页。

⑥ 《宋书》卷九六《鲜卑吐谷浑传》，第 2372—2373 页。

⑦ 《宋书》卷五《文帝纪》，第 100 页。

⑧ 《资治通鉴》卷一二六，宋文帝元嘉二十九年（452）九月，第 3979 页。

⑨ 《宋书》卷九六《鲜卑吐谷浑传》，第 2373 页。

⑩ 《宋书》卷六《孝武帝纪》，第 112 页。

⑪ 《宋书》卷六《孝武帝纪》，第 116 页。

⑫ 《宋书》卷六《孝武帝纪》，第 122 页。

⑬ 《宋书》卷九六《鲜卑吐谷浑传》，第 2373 页。

⑭ 《宋书》卷九六《鲜卑吐谷浑传》，第 2373 页。

⑮ 《宋书》卷八《明帝纪》，第 162 页。

⑯ 《宋书》卷八《明帝纪》，第 163—164 页；《宋书》卷九六《鲜卑吐谷浑传》，第 2372 页。

⑰ 《宋书》卷八《明帝纪》，第 166 页。

⑱ 《宋书》卷九《后废帝纪》，第 179 页。

⑲ 《宋书》卷九《后废帝纪》，第 181 页。

⑳ 《宋书》卷九《后废帝纪》，第 183 页。

㉑ 《宋书》卷九《后废帝纪》，第 184 页。

元元年（479）才随河南使者回到建康。[①] 王世武出使河南的时间不明，但从建元元年（479）答河南国诏书中“王世武至，得元徽五年五月二十一日表”一语，可知王世武是在元徽五年（477）五月离开河南返国的，其返国费时 2 年，如果去程也用 2 年，则当在元徽三年（475）左右出使。这次河南使来，除上表之外，又献马匹等物，[②] 萧齐进拾寅号骠骑大将军、河南王，并“遣王世武衔命拜授”，赐“锦绛紫碧黄青等纹各十匹”[③]。建元二年（480）三月，吐谷浑遣使贡献”[④]。建元元年（479）至三年（481）间，“拾寅子易度侯（或作度易侯）好星文，尝求星书，朝议不给”[⑤]。拾寅死，易度侯立，以为西秦河二州刺史、河南王。[⑥] 永明三年（485）诏进易度侯号车骑大将军，遣给事中丘冠先使河南，并送柔然使，至永明六年（488）才回到建康。[⑦] 永明八年（490），易度侯卒，子休留茂（或作休留代、休留成、伏连筹）立，“复遣振武将军丘冠先拜授，并行吊礼。冠先至河南，休留茂逼令先拜，冠先厉色不肯，休留茂耻其国人，执冠先于绝岩上推堕深谷而死”[⑧]。关于此事，《南史·丘冠先传》却说是使柔然时被杀。[⑨] 究竟何者为是？我以为应以使河南见杀为是。首先，丘冠先这次出使的任务是去行“吊礼”，当时河南王死，而蠕蠕主豆仑在位，并无死丧之事。其次，从河南新王休留茂之为人看，此事亦有可能发生，《北史·吐谷浑传》记：“伏连筹（即休留茂）内修职贡，外并戎狄，塞表之中，号为强富。准拟天朝，树置官司，称制诸国，以自夸大”，北魏宣武帝指责其“报宕昌书”居然“称书为表，名报为旨”[⑩]。具有这种妄自尊大思想的新王，逼令丘冠先“先拜”，是不奇怪

---

① 《南齐书》卷五九《河南传》，第 1026 页。

② 《南齐书》卷五九《河南传》，第 1026 页。

③ 《南齐书》卷五九《河南传》，第 1026 页。

④ （唐）许嵩撰，张忱石点校：《建康实录》卷一五《齐上·太祖高皇帝》，中华书局 1986 年版，第 585 页。

⑤ 《南齐书》卷五九《河南传》，第 1026 页。

⑥ 《南齐书》卷二《高帝纪下》，第 37 页。

⑦ 《南齐书》卷五九《河南传》，第 1027 页。

⑧ 《南齐书》卷五九《河南传》，第 1027 页。

⑨ 《南史》卷七三《孝义上·丘冠先传》，第 1819—1820 页。

⑩ 《北史》卷九六《吐谷浑传》，第 3185 页。

的。最后，丘冠先在永明三年（485）使河南时曾同时使柔然，时值柔然主予成死，豆仑立，并未发生“逼令先拜”之事，而顺利完成使命。如果永明八年（490）丘冠先第2次出使是去柔然，则仍是豆仑在位，无由第一次未发生“逼令先拜”之事而第二次倒会发生此事。由此看来，丘冠先应是使河南见杀，齐武帝敕丘冠先子丘雄亦谓“卿父受使河南，秉忠守死”①，《资治通鉴》《建康实录》亦称其系使河南而死。《南史》大概是将丘冠先两次出使混为一谈了，《南史·丘冠先传》记此事云：丘冠先“齐永明（48—493）中，位给事中，时求使蠕蠕国……于是使蠕蠕，蠕蠕逼令先拜……”② 丘冠先第一次出使柔然是以给事中身份，但是顺利而回的。第二次出使河南时，是以振武将军身份，只是这次才发生“逼令拜”之事。

梁武帝天监三年（504），以伏连筹为镇西将军、西秦河二州刺史、河南王，③ 天监四年（505）来献舞马。④ 天监十三年（514），“遣使献金装马脑钟二口，又表于益州立九层佛寺，诏许焉”⑤。天监十五年（516）“又遣使献赤舞龙驹及方物”，此后“其使或岁再三至，或再岁一至”⑥。天监十六年（517）、普通元年（520）、普通七年（526）继来献方物。⑦伏连筹死，子呵罗真立，大通三年（529）诏以为宁西将军、西秦、河二州刺史。呵罗真死，子佛辅继位，中大通二年（530）诏袭其父位，“其世子又遣使献白龙驹于皇太子”⑧。中大通五年（533）遣使献方物，⑨ 六年（534）以可沓振为西秦河二州刺史、河南王。大同四年（538）⑩、六年（540）遣使献方物。⑪

---

① 《南齐书》卷五九《河南传》，第1027页。
② 《南史》卷七三《孝义上·丘冠先传》，第1819—1820页。
③ 《梁书》卷二《武帝纪中》，第41页。
④ 《梁书》卷三三《张率传》，第475页。
⑤ 《梁书》卷五四《诸夷·河南王传》，第810页。
⑥ 《梁书》卷五四《诸夷·河南王传》，第810页。
⑦ 《梁书》卷五四《诸夷·河南王传》，第810—811页。
⑧ 《南史》卷七九《夷貊下·河南王传》，第1978页。
⑨ 《梁书》卷三《武帝纪下》，第77页。
⑩ 《梁书》卷三《武帝纪下》，第82页。
⑪ 《梁书》卷三《武帝纪下》，第84页。

从刘宋景平元年（423）至梁大同六年（540）的117年中，凡来使34次，南朝出使、册封、赐赠凡29次。

（五）北凉、西凉和西秦

1. 北凉

北凉沮渠氏，临松（今甘肃张掖南、祁连北）卢水胡人。东晋安帝隆安元年（397），段业自称凉州牧，建立北凉。隆安五年（401），沮渠蒙逊杀段业，自称凉州牧、张掖公，改元永安。义熙八年（412）迁都姑臧（今甘肃武威），自称河西王。最盛时疆域有甘肃河西走廊和青海乐都、西宁一带。

东晋义熙九年（413）刘裕消灭割据益州的谯纵，第二年益州刺史朱龄石遣使诣北凉。义熙十一年（415），沮渠蒙逊遣舍人黄迅报聘益州，并上表东晋朝廷。义熙十四年（418）“遣使诣晋，奉表称藩”，晋以蒙逊为凉州刺史[①]。

刘宋永初二年（421），以蒙逊为镇军大将军、开府仪同三司、凉州刺史，[②] 三年（422）以为凉州刺史、张掖公。[③] 景平元年（423）二月，蒙逊遣使朝贡，进为骠骑大将军，封河西王。[④] 元嘉三年（426）改为车骑大将军。[⑤] 元嘉六年（429）[⑥]、元嘉九年（432）遣使献方物[⑦]，“并求书，宋文帝并给之”[⑧]。元嘉十年（433）蒙逊卒，茂虔（或作牧犍）继位。元嘉十一年（434）遣使上表告嗣位，诏“遣使吊祭，并加显谥”[⑨]，并以茂虔为征西大将军、凉州刺史，封河西王。[⑩] 元嘉十四年（437）遣使献方物。[⑪] 元嘉十六年（439）茂虔被北魏俘虏，北凉亡。沮渠无讳、

① 《宋书》卷九八《氐胡·大且渠蒙逊传》，第2414页。
② 《宋书》卷三《武帝纪下》，第58页。
③ 《宋书》卷九八《氐胡·大且渠蒙逊传》，第2414页。
④ 《南史》卷一《宋本纪上·少帝纪》，第30页。
⑤ 《宋书》卷五《文帝纪》，第75页。
⑥ 《宋书》卷五《文帝纪》，第78页。
⑦ 《宋书》卷五《文帝纪》，第81页。
⑧ 《北史》卷九三《沮渠蒙逊传》，第3083页。
⑨ 《宋书》卷九八《氐胡·大且渠蒙逊传》，第2416页。
⑩ 《南史》卷二《宋本纪中·文帝纪》，第43页。
⑪ 《宋书》卷九八《氐胡·大且渠蒙逊传》，第2416页。

安周继续据高昌称王，并通使南朝。元嘉十九年（442）无讳“遣常侍氾儁奉表使京师，献方物”，诏以为征西大将军、凉州刺史，封河西王。[①]元嘉二十年（443）“遣使朝贡”[②]。无讳卒，弟安周立，元嘉二十一年（444）以为征西将军、凉州刺史，封河西王。[③]大明三年（459）“安周奉献方物”[④]，以安周为征虏将军、凉州刺史。[⑤]次年，被柔然所灭。

从东晋义熙十一年（415）至刘宋大明三年（459），44年间，凡来使11次，东晋南朝出使、封赐15次。

2. 西凉

西凉为陇西大姓、汉人李暠所建，都酒泉，辖今甘肃酒泉、玉门、安西、敦煌等地。从东晋隆安四年（400）建国到刘宋永初元年（420）亡国，共存21年。

东晋义熙元年（405），李暠“遣舍人黄始、梁兴间行奉表诣阙”[⑥]。因“前表未报”，义熙三年（407）“复遣沙门法泉间行奉表”[⑦]。义熙十三年（417）李暠死，李歆继位，义熙十四年（418）“遣使来告袭位”，以李歆为都督七郡诸军事、镇西大将军、酒泉公。[⑧]刘宋永初元年（420）进李歆号为征西大将军。[⑨]不久，被北凉所灭。

从义熙元年（405）至永初元年（420），15年间凡来使3次，册封2次。

3. 西秦

西秦乞伏氏，为鲜卑族的一支。从东晋太元十一年（385）建国，到刘宋元嘉八年（431）灭亡，共存46年。都枹罕（今甘肃临夏东北）。

东晋义熙八年（412）乞伏乾归死，子炽磐立，“遣使诣晋朝归顺”“以为使持节、都督河西诸军事、平西将军，公如故”[⑩]。义熙十二年

① 《宋书》卷九八《氐胡·大且渠蒙逊传》，第2417页。
② 《南史》卷二《宋本纪中·文帝纪》，第48页。
③ 《宋书》卷五《文帝纪》，第92页。
④ 《宋书》卷九八《氐胡·大且渠蒙逊传》，第2418页。
⑤ 《宋书》卷六《孝武帝纪》，第124页。
⑥ 《晋书》卷八七《凉武昭王李玄盛传》，第2259页。
⑦ 《晋书》卷八七《凉武昭王李玄盛传》，第2263页。
⑧ 《资治通鉴》卷一一八，晋安帝义熙十四年（418）十月，第3719页。
⑨ 《南史》卷一《宋本纪上·武帝纪》，第25页。
⑩ 《宋书》卷九六《鲜卑吐谷浑传》，第2372页。

(416)“遣使谒帝，求效力讨姚泓，拜为平西将军、河南公”[①]。刘宋永初元年(420)进号安西大将军。[②]

从义熙十二年(416)至永初元年(420)，8年间凡来使2次，封拜2次。

(六)柔然与丁零

1. 柔然

柔然在史籍中又写作“蠕蠕”[③]“茹茹”[④]或“芮芮”[⑤]等。它是“东胡之苗裔”[⑥]，是从拓跋鲜卑一支而发展起来的民族。公元5世纪初，首领社仑统一了漠北草原，建立起强大的游牧国家。东起大兴安岭，西至西域，北起贝加尔湖，南与北魏为界，为横跨东北亚的大国。

在首领大檀时，柔然即与南朝通使。北魏神䴥二年(429)太武帝大败大檀，“分军搜讨，东至瀚海，西接张掖水，北渡燕然山，东西五千余里，南北三千里……种类，前后归降三十余万，俘获首虏及戎马百余万匹。”[⑦]在这种情况下，大檀向南朝派出了第一批使者。宋文帝元嘉七年(430)，“蠕蠕国使朝贡”，路经襄阳被劫。[⑧]元嘉十九年(442)又遣使献方物。[⑨]元嘉二十七年(450)宋文帝大举北伐时，又有“芮芮间使适至”[⑩]。此后，大明七年(463)[⑪]，泰始三年(467)[⑫]，四年(468)[⑬]，七年(471)三月、六月[⑭]，元徽二年(474)[⑮]，昇明二年(478)[⑯]，柔然

① 《南史》卷一《宋本纪上·武帝纪》，第19页。

② 《南史》卷一《宋本纪上·武帝纪》，第25页。

③ 《魏书》卷一〇三《蠕蠕传》，第2289页；《北史》卷九八《蠕蠕传》，第3249页。

④ (唐)李百药撰：《北齐书》卷二五《张纂传》，中华书局1972年版，第359页；《周书》卷五〇《异域下·突厥传》，第908页。

⑤ 《南齐书》卷五九《芮芮虏传》，第1023页。

⑥ 《魏书》卷一〇三《蠕蠕传》，第2289页。

⑦ 《魏书》卷一〇三《蠕蠕传》，第2293页。

⑧ 《宋书》卷四六《张邵传》，第1395页。

⑨ 《宋书》卷五《文帝纪》，第89页。

⑩ 《宋书》卷九五《索虏传》，第2348页。

⑪ 《南史》卷二《宋本纪中·孝武帝纪》，第66页。

⑫ 《宋书》卷八《明帝纪》，第162页。

⑬ 《宋书》卷八《明帝纪》，第163页。

⑭ 《宋书》卷八《明帝纪》，第168页。

⑮ 《宋书》卷九《后废帝纪》，第182页。

⑯ 《宋书》卷一〇《顺帝纪》，第198页。

相继来使并贡献。昇明二年（478），刘宋派骁骑将军王洪范出使柔然。[①]

萧齐建立后，建元元年（479）“使王世武等往芮芮”[②]，建元二年（480）、建元三年（481）柔然相继遣使来献。[③] 永明三年（485）遣给事中丘冠先送芮芮使。[④]

萧梁时，天监十四年（515）[⑤]、十五年（516）[⑥]、普通元年（520）[⑦]、大通二年（528）[⑧]、中大通元年（529）[⑨]、大同四年（538）[⑩]、七年（541）[⑪]，相继遣使来献。

从刘宋元嘉七年（430）至梁大同七年（541）的111年中，凡来使20次，宋、齐出使3次。

2. 丁零

丁零即敕勒，南北朝时又称高车。是匈奴族的分支，自古以来游牧于漠北草原至贝加尔湖一带，公元5世纪后期到6世纪中期曾在今新疆北部建立高车王国。

高车建国后不久，于萧齐永明十年（492）破柔然，大约在此时，益州刺史刘悛遣江景玄使丁零，“宣国威德”“丁零僭称天子，劳接景玄，使反命”[⑫]。这是南朝与丁零唯一的一次通使。

（七）西域

西域诸国与江左政权亦有频繁的交往。兹分别论叙如下。

1. 大秦

大秦，即西罗马帝国。孙权黄武五年（226）“有大秦贾人字秦论来到交趾，交趾太守吴邈遣送诣权，权问方土谣俗，论具以事对”。孙权以

---

① 《南齐书》卷五九《芮芮虏传》，第1023页。
② 《南齐书》卷五九《河南传》，第1026页。
③ 《南齐书》卷五九《芮芮虏传》，第1023页。
④ 《南齐书》卷五九《河南传》，第1027页。
⑤ 《梁书》卷二《武帝纪中》，第55页。
⑥ 《梁书》卷二《武帝纪中》，第56页。
⑦ 《梁书》卷五四《诸夷·芮芮传》，第817页。
⑧ 《梁书》卷三《武帝纪下》，第72页。
⑨ 《梁书》卷三《武帝纪下》，第72页。
⑩ 《南史》卷七《梁本纪·武帝纪下》，第213页。
⑪ 《梁书》卷三《武帝纪下》，第85页。
⑫ 《南齐书》卷五九《芮芮虏传》，第1025页。

当时诸葛恪讨丹阳所获黝、歙短人男女各十人赐之，差吏会稽刘咸送秦论回国，“咸于道物故，论乃径还本国。”① 这是从海道与南方政权相通。南朝时不见大秦使人，但商贾仍通，大秦商人“东南通交趾，又水道通益州永昌，郡多出异物”②。

2. 鄯善

刘宋永初三年（422），占据敦煌的李恂被与南朝保持友好关系的沮渠蒙逊所灭，“于是鄯善王比龙入朝，西域三十六国皆称臣贡献”③。

3. 粟特

粟特，“在葱岭之西，古之奄蔡”④，在高加索以北、顿河下游一带的突厥系民族。⑤ 据《宋书·索虏传》载：宋文帝世，曾奉表贡献。⑥《南史·宋本纪中》记其于元嘉十八年（441）曾遣使贡献。⑦《宋书》《南史》所载当为一事。宋孝武帝大明（457—464）中，又“遣使献生师子、火浣布、汗血马”，但“道中遇寇，失之”⑧。又，大明三年（459）“西域献舞马”⑨，未记西域何国。

4. 龟兹

龟兹，“西域之旧国也，自晋度江不通”⑩，直至梁朝才通江左。梁武帝天监二年（503）“遣使献方物”⑪，普通二年（521）“（龟兹）王尼瑞摩珠那胜遣使奉表贡献”⑫。

5. 于阗

于阗，“西域之旧国也。梁武帝天监九年（510）始通江左，遣使献

---

① 《梁书》卷五四《诸夷·中天竺国传》，第798页。

② 《魏书》卷一〇二《西域·大秦传》，第2276页。

③ 《宋书》卷九八《氐胡·大且渠蒙逊传》，第2414页。

④ 《北史》卷九七《西域传》，第3221页。

⑤ 冯承钧：《西域地名》，中华书局1980年版，第5页。

⑥ 《宋书》卷九五《索虏传》，第2357页。

⑦ 《南史》卷二《宋本纪中·太祖文皇帝纪》，第47页。按，粟特，《南史》作“肃特”，盖音译之不同写法。

⑧ 《宋书》卷九五《索虏传》，第2358页。

⑨ 《宋书》卷六《孝武帝纪》，第125页。

⑩ 《南史》卷七九《夷貊下·龟兹传》，第1985页。

⑪ 《梁书》卷二《武帝纪中》，第40页。

⑫ 《梁书》卷五四《诸夷·龟兹传》，第813页。

方物"[1]。天监十三年（514）"又献波罗婆步障"[2]，天监十八年（519）"献琉璃罂"，大同七年（541）"又献外国刻玉佛"[3]。

6. 滑国

滑国，即嚈哒，在今阿富汗。"自魏晋以来，不通中国"，至梁天监十五年（516）"其王厌带夷栗陁始遣使献方物"[4]。由于其"历代弗宾"，当其使到达南朝时，朝野竟然"莫知所出"，赖当时著作郎、著名史学家裴子野推测"汉定远侯（班勇）击虏，八滑从之，此其后乎?"[5] 普通元年（520）三月，又"遣使献方物"[6]。普通七年（526）[7]、大同元年（535）[8]、大同七年（541）又相继"遣使朝贡"[9]。

滑国周边其他三个小国周古柯、呵拔檀、胡密丹，亦于普通元年（520）"使使随滑使来献方物"[10]。

7. 白题

白题，"其先盖匈奴之别种胡"[11]，有学者认为可能即毕国，阿母河西岸之毕地。[12] 梁普通三年（522），遣使献方物。[13] 其使到达南朝时，与滑国一样因"历代弗宾"而"莫知所出"，亦赖裴子野作了考证："汉颍阴侯斩胡白题将一人，服虔注云'白题，胡名也。'"[14]

---

[1] 《南史》卷七九《夷貊下·于阗传》，第1985页。

[2] 《梁书》卷五四《诸夷·于阗传》，第814页；（宋）宋昉等撰：《太平御览》卷七九二《四夷部十三·于阗》引《梁书》作"娑罗婆"，中华书局1960年版，第3513页。

[3] 《梁书》卷五四《诸夷传·于阗传》，第814页。

[4] 《梁书》卷五四《诸夷·滑国传》，第812页。

[5] 《梁书》卷三〇《裴子野传》，第443页。按，此事《梁书》卷五四《诸夷·滑国传》亦载："汉永建元年，八滑从班勇击北虏有功，勇上八滑为后部亲汉侯。"（第812页）此说可与《裴子野传》相参照，而较前者透露的信息更多。

[6] 《梁书》卷三《武帝纪下》，第63页。又，《梁书》卷五四《诸夷·滑国传》载："普通元年，又遣使献黄师子、白貂裘、波斯锦等物。"（第812页）则具体说明了贡献何物。

[7] 《梁书》卷三《武帝纪下》，第70页；《梁书》卷五四《诸夷·滑国传》，第812页。

[8] 《梁书》卷三《武帝纪下》，第79页。

[9] 《梁书》卷三《武帝纪下》，第85页。

[10] 《梁书》卷五四《诸夷·滑国传》，第812—813页。

[11] 《梁书》卷五四《诸夷·白题国传》，第813页。

[12] 《西域地名》，第14—15页。

[13] 《梁书》卷五四《诸夷·白题国传》，第813页。

[14] 《梁书》卷三〇《裴子野传》，第443页。同书卷五四《诸夷·白题国传》载："汉灌婴与匈奴战，斩白题骑一人。"（第813页）与《裴子野传》所载当为同一事。

8. 且末

且末，即“末国”，梁武帝普通五年（524），其王安末深盘“始通江左，遣使来贡献”①。

9. 波斯

波斯，即今伊朗。梁武帝中大通二年（530），“始通江左，遣使献佛牙”②。中大通五年（533）③、大同元年（535）相继遣使来献方物。④

10. 高车

高车，南朝时为鞠氏王朝。梁武帝大同（535—546）中，其王鞠坚“遣使献鸣盐枕、蒲陶、良马、氍毹等物”⑤。

11. 渴盘陁

渴盘陁，“于阗西小国也”⑥，在今新疆塔什库尔干。梁武帝中大同元年（546）“始通江左，遣献方物”⑦。

以上共计西域14国，凡来使25次。

二　东晋南朝与西北诸国交往的目的意义

东晋南朝时期西北先后有24个国家和地区与江左政权有过交往关系，这种交往关系大体有两种不同的类型：（1）接受江左政权的封号和官爵，成为江左政权的“藩国”，如前凉、仇池氐杨、北凉、邓至、宕昌、吐谷浑、西凉、西秦等国，这些政权与江左政权之间，双方使命往还，关系密切。（2）没有接受江左政权的封号和官爵，主要为了军事上的联合，如柔然；或为了友好相处，经济文化交流，如西域诸国。故只见“朝贡”关系而不见封授。

那么，西北诸国与江左政权频繁交往的目的是什么？双方的交往对

① 《南史》卷七九《夷貊下·末国传》，第1986页；《梁书》卷五四《诸夷·末国传》，第814页。

② 《南史》卷七九《夷貊下·波斯国传》，第1986页；《梁书》卷五四《诸夷·波斯国传》，第815页。

③ 《梁书》卷三《武帝纪下》，第77页。

④ 《梁书》卷三《武帝纪下》，第79页。

⑤ 《梁书》卷五四《诸夷·高车国传》，第812页。

⑥ 《梁书》卷五四《诸夷·渴盘陁国传》，第814页。

⑦ 《南史》卷七九《夷貊下·渴盘陁国传》，第1985页。

于当时的历史发展具有什么意义呢？窃意主要体现在如下四个方面。

（一）外交方面

从西北诸国方面来说，是为了在南北两大敌对政权之间保持平衡或寻求支持，从江左政权方面而言，则是显示和提高其“正朔所在”“万方所宗”的国际地位的需要。

魏晋南北朝时期，南、北方存在势均力敌的对立政权，西北诸国为了自己的生存和发展，就必须争取南北政权的承认。他们利用南北政权的矛盾，依违于两大敌国之间，“顾首畏尾，两属求全”[①]。西北诸国在地理上接近北方政权，所以他们多以臣属北方政权为主，但也经常交好南方政权以要挟北方政权，从而保证自己的生存和发展。如吐谷浑“奉修贡职，受魏正朔；又受宋封爵，号河南王”[②]。对于北魏“终世宗（宣武帝）世至于正光（520—525，孝明帝年号），犛牛蜀马及西南之珍无岁不至”[③]，但又“自恃险远，颇不恭命。通使于宋”[④]。与南方政权关系颇为密切的仇池氐杨，虽然很早就“称蕃于晋”，接受南方政权的封号和官爵。但也不时通使北方，“上表请比内蕃”[⑤]，接受其封号和官爵。东晋咸康三年（337）杨初“臣于石虎”，又“遣使称蕃于（晋）穆帝”[⑥]。杨盛“世受魏氏封拜，亦通使于江左。然其种落分散，叛服不恒，陇、汉之间，屡被其害”[⑦]。杨文度自立为武兴王，向北魏“遣使归顺，显祖授文度武兴镇将，既而复叛”[⑧]。杨集义“见梁益既定，恐武兴不得久为外藩，遂扇动诸氐……外引萧衍为援。”[⑨] 还有一些政权，是借助奉江左正朔以号召诸侯，称霸一方，取得政治上的主动地位。前凉一直奉晋正朔，成汉李雄劝其称帝一方，遭到拒绝，反而游说成汉尊奉晋室，认为“二国并势，席卷三秦，东清许洛，扫氛燕赵，拯二帝梓宫于平阳，反皇舆于

① 《宋书》卷九五《索虏传》，第 2337 页。
② 《北史》卷九六《吐谷浑传》，第 3183 页。
③ 《魏书》卷一〇一《吐谷浑传》，第 2240 页。
④ 《北史》卷九六《吐谷浑传》，第 3183 页。
⑤ 《魏书》卷一〇一《氐传》，第 2229 页。
⑥ 《宋书》卷九八《氐胡·略阳清水氐杨氏传》，第 2404 页。
⑦ 《周书》卷四九《异域上·氐传》，第 894—895 页。
⑧ 《魏书》卷一〇一《氐传》，第 2231 页。
⑨ 《魏书》卷一〇一《氐传》，第 2232 页。

洛邑，此英霸之举，千载一时。”① 这是以勤王兴晋相号召，联合成汉进攻仇池等邻近敌国，实现称霸一方的目的。西凉李暠于义熙元年（405）自称大将军、大都督、领秦、凉二州牧，改元建初，于是上表东晋说：“今天台邈远，正朔未加，发号施令，无以纪数，辄年冠建初，以崇国宪。冀杖宠灵，全制一方”②，以争取政治上的主动。有的政权依靠接受封号官爵以维系内部的统治，如氐杨政权，孝建二年（455）杨文德死，杨元和继立，其虽为以为杨氏正统，“群氐欲相宗推”，但因“年小才弱，不能绥御所部”，如果南朝“不正元和号位”，则“部落未有定主”，于是他们派人通过雍州刺史进行交涉，希望能给予封号，但宋孝武帝不许，“其后立元和为武都王，治白水，不能自立，复走奔索虏”③。

江左政权在外交上的首要目标，是与北方政权争夺中国正朔所在的资格，而争取西北诸国的“归顺”就是实现这一目标的一个重要手段。以仇池氐杨政权为例，元嘉十九年（442）北魏伐仇池，镇东将军库莫提移书刘宋益梁二州而越诣徐州，书中吹嘘道：杨氏“远归忠款”“自比内郡”，“朝庭嘉之，授以专征之任”④。而刘宋徐州刺史在答书中亦吹嘘：“杨氏先世以来，受晋爵号，修职守藩，为我西服……奉晋十世，事宋三叶”⑤。双方都把仇池杨氏政权看作是自己的附庸，而自己则是仇池杨氏真正的宗主国。

当西北诸国有殊方异物贡献时，江左统治者往往加以利用而大肆宣扬，如对于河南所献善舞马的歌颂即是其例。刘宋大明五年（461），河南国献善舞马，孝武帝“诏群臣为赋”⑥，“皇太子、王公以下上《舞马歌》者二十七首”⑦，并“令乐府歌之”⑧，为一时盛事。梁武帝天监四年（505），河南国又献善舞马，又诏群臣为赋。⑨ 张率赋云：“洎我大梁，光

① 《晋书》卷八六《张轨传附张骏传》，第2236页。

② 《晋书》卷八七《凉武昭王李玄盛传》，第2261页。

③ 《宋书》卷九八《氐胡·略阳清水氐杨氏传》，第2410—2411页。

④ 《宋书》卷九五《索虏传》，第2335页。

⑤ 《宋书》卷九五《索虏传》，第2337页。

⑥ 《宋书》卷八五《谢庄传》，第2175页。

⑦ 《宋书》卷九六《鲜卑吐谷浑传》，第2373页。

⑧ 《宋书》卷八五《谢庄传》，第2176页。

⑨ 《梁书》卷三三《张率传》，第475页；《梁书》卷四九《文学上·周兴嗣传》，第698页。

有区夏，广运自中，员照无外，日入之所，浮琛委赞，风被之域，越险效珍……并承流以请吏，咸向风而率职。纳奇贡于绝区，致龙媒于殊域……"[①]，歌颂"正朔所在""万国所宗"是这些歌赋的共同主题。

（二）军事战略方面

江左政权与西北诸国都有结成某种联盟关系，以对抗共同的敌人，尤其是对抗北方强大敌国的共同愿望。

前凉张骏于咸康元年（335）遣参军鞠护上疏，建议"齐力时讨"石赵与成汉，认为"以荆扬慓悍，臣州突骑，吞噬遗羯，在于掌握哉"，批评东晋成帝"雍容江表，坐观祸败，怀目前之安，替四祖之业，驰檄布告，徒设空文"，因此他具体建议"敕司空（郗）鉴、征西（庾）亮等汎舟江沔，使首尾俱至也"[②]。晋将庾翼"以灭胡取蜀为己任，遣使东约燕王（慕容）皝，西约张骏，刻期大举"[③]。前凉与前秦战，永和九年（353）五月，张重华"上疏请伐秦"[④]，晋将殷浩趁前秦内乱之机，自寿春率众七万北伐前秦。至苻坚在位时，前秦"强盛，每攻之，兵无宁岁。（张）天锡甚惧，乃立坛刑牲……遥与晋三公盟誓，献书大司马桓温，剋（太和）六年（371）夏誓同大举"[⑤]。太元元年（376），前秦打败前凉，张天锡降，晋将"桓冲闻秦攻凉州，遣兖州刺史朱序、江州刺史桓石秀与荆州督护桓罴游军沔、汉，为凉州声援；又遣豫州刺史桓伊帅众向寿阳，淮南太守刘波汎舟淮、泗，欲桡秦以救凉。闻凉州败没，皆罢兵"[⑥]。

西凉李暠于义熙三年（407）的上表中亦表示："今资储已足，器械已充，西招城郭之兵，北引丁零之众，冀凭国威，席卷河陇，扬旌秦川，承望诏旨，尽节竭诚，陨越为效。"[⑦] 表示了与东晋联合北伐的意愿。

---

① 《梁书》卷三三《张率传》，第 476 页。

② 《晋书》卷八六《张轨传附张骏传》，第 2239—2240 页。

③ 《资治通鉴》卷九七，晋康帝建元元年（343）二月，第 3055 页。

④ 《资治通鉴》卷九九，晋穆帝永和九年（353）五月，第 3132 页。

⑤ 《晋书》卷八六《张轨传附张天锡传》，第 2251 页。

⑥ 《资治通鉴》卷一〇四，晋孝武帝太元元年（376）九月，第 3277 页。

⑦ 《晋书》卷八七《凉武昭王李玄盛传》，第 2264 页。

北凉沮渠蒙逊于义熙十一年（415）上表东晋安帝时称："陛下据全楚之地，拥荆扬之锐，而可垂拱晏然，弃二京以资戎虏！若六军北轸，克复有期，臣请率河西戎为晋右翼前驱。"[①] 亦以双方联合伐后秦为号召。

仇池杨文德受到北魏的攻击，"求援于（刘）义隆。义隆封文德为武都王，遣偏将房亮之等助之"[②]。元嘉二十七年（450）"王师北讨，起（杨）文德为辅国将军，率军自汉中西入，动摇汧、陇……阴平、平武悉平"[③]。这是配合刘宋北伐而在西线牵制北魏。

吐谷浑慕利延被北魏所逼而西入于阗，亦曾"遣使通刘义隆求援"，不久"遂还旧土"[④]。

柔然频频遣使南朝，但并未接受南朝的任何封爵和官号，其主要目的便是军事上的南北合势以制北魏。柔然是北魏在北部边境的劲敌，由于其"常南击索虏，世为仇雠，故朝庭每羁縻之"[⑤]。北魏对于柔然与南朝的军事联合非常警惕，拓跋焘与宋文帝书就曾指责其"北通芮芮，西结赫连、蒙逊、吐谷浑，东连冯弘、高丽"[⑥]，企图从战略上包围北魏的计谋。太武帝深知"若不先灭蠕蠕，便是坐待寇至，腹背受敌"[⑦] 的利害关系，因此他在位期间一再向漠北用兵。柔然为了与北魏对抗，更加紧联络南朝，"远输诚款，誓为犄角"[⑧]。柔然国相邢基祇逻回在上表中说："虽吴漠殊域，义同唇齿"，希望两国"永敦邻好"，结成军事上的联盟关系，以便"刻期中原，龚行天罚。治兵缮甲，俟时大举"[⑨]。刘宋昇明二年（478），萧道成遣骁骑将军王洪范使柔然，目的就是"刻期共伐魏虏"。建元元年（479）王洪范始至其国，于是"芮芮主发三十万骑南侵，去平城七百里，魏虏拒守不敢战"。但由于此时南朝正发生宋、齐易代事

---

① 《晋书》卷一二九《沮渠蒙逊载记》，第 3197 页。

② 《魏书》卷一〇一《氐传》，第 2230 页。

③ 《宋书》卷九八《氐胡·略阳清水氐杨氏传》，第 2410 页。

④ 《魏书》卷一一〇《吐谷浑传》，第 2237 页。

⑤ 《宋书》卷九五《索虏传附芮芮传》，第 2357 页。

⑥ 《宋书》卷九五《索虏传》，第 2346 页。

⑦ 《魏书》卷一〇三《蠕蠕传》，第 2293 页。

⑧ 《宋书》卷九五《索虏传》，第 2348 页。

⑨ 《南齐书》卷五九《芮芮虏传》，第 1024 页。

变，“上初践阼，不遑出师”，没有同时配合出兵，所以“芮芮主于燕然山下纵猎而归”①。这次南北联合伐魏的计划未能很好地实现。

（三）江左至西北的东、西两路的开通

江左与西北诸国交往关系的发展，依赖于东西交通的开辟。孙吴时期，西部的益州为蜀汉所据，故西北诸国无法从陆路与之发生关系，只能从水道进行一些交往，如大秦贾人秦论就是从海道绕道交趾而至建康的，史称通大秦“前世但论有水道，不知有陆道”②。

直到东晋时，江左通西北的陆道才得以开通。江左与西北诸国的陆路交通，主要有东、西两条路线，西路是益州—岷山—河南道，柔然“自西路通京师，三万余里”③，就是走的这条路线。东路是相对于西路而言的，即雍州—梁州—凉州道。

最先开通的是东路。西晋愍帝建兴四年（316）长安失陷，敦煌计吏耿访留长安不得返，因而“南入汉中，自汉东下至建康”④，走的就是东路。耿访在建康屡上书要求遣大使抚慰凉州，朝廷以耿访为使，并以陇西贾陵等十二人配之。他们至梁州（州治汉中）“以驿道不通，召还”，以贾陵“托为贾客，到长安……以咸和八年（333）始达凉州”。江左自东路第一次出使凉州成功。张骏随即派王丰随贾陵至建康报谢。咸和九年（334）又派耿访随王丰出使凉州，“自是每岁使命不绝”⑤。

由此可见，东路是从建康溯长江、汉水经汉中，再由驿道自汉中至长安，由长安抵达凉州。但是其时长安被后赵所控制，通过有很大困难，故凉州方面的“遣使多为（石）季龙所获，不达”，经常须“冒险远至”⑥。比较安全的道路是从梁州经仇池去凉州。梁州是东道的重要枢纽，因其“州境与氐、胡相邻”⑦，由此经氐杨统治区而通向西北。仇池氐杨政权之“称藩”于晋，对东路的畅通具有重要意义，“其国南去汉中

---

① 《南齐书》卷五九《芮芮虏传》，第1023页。

② （晋）陈寿撰，（南朝·宋）裴松之注，陈乃乾校点：《三国志》卷三〇《魏书·乌丸鲜卑东夷传》注引《魏略·西戎传》，中华书局1959年版，第861页。

③ 《宋书》卷九五《索虏传附芮芮传》，第2357页。

④ 《资治通鉴》卷九五，晋成帝咸和八年（333）胡注，第2992页。

⑤ 《晋书》卷八六《张轨传附张骏传》，第2239页。

⑥ 《晋书》卷八六《张轨传附张骏传》，第2240页。

⑦ 《南齐书》卷一五《州郡志下》，第289页。

四百里"①，比绕道长安也便捷得多。咸康元年（334）仇池"称藩于晋"，从而大大便利了梁州至凉州路段，所谓"仇池称藩，梁、凉之路通也"②。因此，保持与仇池氐杨的友好关系，是保证东道畅通的关键。从东晋到南朝初期，东路一直是江左与西北交往的主要道路。元嘉七年（430）蠕蠕国使朝贡，就是取道东路。时雍州刺史张邵之子张敷"至襄阳定省，当还都，群蛮欲断取之，会蠕蠕国献使下，蛮以为是敷，因掠之"③。蠕蠕国使是从梁州顺汉水东下路经襄阳而遭掠。

西道的开通是在东晋末年。首先是从益州内属之后开始的。因益州公元303—347年为成汉所据，公元373—385年为前秦占领，公元405—413年又被谯纵割据，所以西路长期被益州所隔碍而不得通。前凉张骏时，曾"遣傅颖假道于蜀，通表京师"，遭成汉李雄拒绝。后又"遣治中从事张淳称藩于蜀，托以假道焉"，李雄伪许之，设计"将覆（张）淳于东峡"④。这条路在东晋世长期没有打通。直到消灭谯纵以后，义熙十一年（415）益州刺史朱龄石遣使北凉，北凉报聘益州，这才开通了西路。益州为西路枢纽，"西通芮芮、河南，亦如汉武威张掖，为西域之道也"⑤。其次，吐谷浑的"称藩"对于西路的开通亦具有重大意义。"其界东至疊川，西邻于阗，北接高昌，东北通秦岭，方千余里"⑥，地处"益州西北，亘数千里。其南界龙涸城，去成都千余里"⑦，正处于益州与西域诸国的孔道。刘宋景平年间（423—424）吐谷浑遣使以后，这条道路便日渐频繁使用，成为西北诸国与江左的主要交通路线。史称"芮芮常由河南道而抵益州"⑧，"河南道"即取道吐谷浑的路线。刘宋昇明二年（478）王洪范出使芮芮，就是走的"河南道"，"自蜀出吐谷浑历西域乃得达"⑨。永明三年（485）丘冠先使河南，并送柔然使，即取其顺

① 《梁书》卷五四《诸夷传·武兴国传》，第816页。
② 《资治通鉴》卷九五，晋成帝咸和九年（334）二月胡注，第2993页。
③ 《南史》卷三二《张邵传》，第825页。
④ 《晋书》卷八六《张轨传附张骏传》，第2236页。
⑤ 《南齐书》卷一五《州郡志下》，第298页。
⑥ 《梁书》卷五四《诸夷传·河南王传》，第810页。
⑦ 《南齐书》卷五九《河南传》，第1025—1026页。
⑧ 《南齐书》卷五九《芮芮虏传》，第1025页。
⑨ 《资治通鉴》卷一三五，齐高帝建元元年（479）十一月，第4233页。

道。江景玄使丁零，亦由“河南道”，“道经鄯善、于阗”[①]，绕道西域而达。西路又有“岷山道”，萧梁时“西北徼外有白题及滑国，遣使由岷山道入贡”[②]。岷山道即出河南道之后至蜀郡的一段路，因需翻越岷山雪岭并傍岷山南行。

西路的具体路线是：从建康溯长江而上，进入巴蜀，走“益州道”[③]而到达成都。从成都北上，走“岷山道”，到达川北门户龙涸（今四川松潘），再西北行入“河南道”，经今青海，穿柴达木盆地进入西域。或由龙涸北上进入甘肃岷县、临洮而与丝绸之路相会。

东晋南朝时东、西两路并用，前期以东道为主，后期以西路为主。

（四）经济文化交流的发展

由于通往西北的东、西两路的开通，双方使命往还，活跃了互市贸易，从而促进了两地的经济文化交流。

双方使命往还中的“贡献方物”与“赏赐”，除外交上的意义外，还有互市贸易的意义。《宋书·鲜卑吐谷浑传》的评论曰：“吐谷浑逐草依泉，擅强塞表，毛衣肉食，取资佃畜，而锦组缯纨，见珍殊俗，徒以商译往来，故礼同北面”，“苞篚岁臻，事惟贾道”[④]，使命往还与“商译往来”一致，朝贡与“贾道”相通。东晋贺循说：“江道万里，通涉五州，朝贡商旅之所来往也。”[⑤] 由建康沿长江西上的“朝贡商旅”，主要就是往西北诸国去的。朝贡与商旅互为促进，密不可分。耿访之出使前凉，由于道路不通，便以贾陵“托为贾客”才到达凉州的。当然，外交关系的发展，也促进了边境贸易的发展，如吐谷浑，“其地与益州邻，常通商贾，民慕其利，多往从之，教其书记，为之辞译，稍桀黠矣”[⑥]。“犛牛蜀马及西南之珍”通过吐谷浑而源源进入北魏。[⑦] 萧子显评论江左与西北诸国的交往时强调说：“贸易有无，世开边利，羽毛齿革，无损于我。”[⑧]

---

① 《南齐书》卷五九《芮芮虏传》，第 1025 页。
② 《梁书》卷三〇《裴子野传》，第 443 页。
③ 《南齐书》卷二一《文惠太子传》，第 398 页。
④ 《宋书》卷九六《鲜卑吐谷浑传》“史臣曰”，第 2373 页。
⑤ 《晋书》卷六八《贺循传》，第 1827 页。
⑥ 《梁书》卷五四《诸夷传·河南王传》，第 810—811 页。
⑦ 《魏书》卷一〇一《吐谷浑传》，第 2240 页。
⑧ 《南齐书》卷五九《氐传》“史臣曰”，第 1033 页。

朝贡关系与贸易关系的发展，大大促进了两地的经济文化交流。

西北地区的物产丰富了江左地区的物质生活。范晔撰《和香方》，其序云："甘松、苏合、安息、郁金、㮈多、和罗之属，并被珍于外国，无取于中土。"① 这些香料中不少是从西北而来，如苏合，"大秦人采苏合，先笮其汁以为香膏，乃卖其滓与诸国贾人，是以展转来达中国"②。美玉多出自西北，丘冠先使河南并送柔然使，回国时"得美玉长三尺二寸，厚一尺一寸"③，时"江左以美玉难得"，冠冕饰物"遂用蚌珠"④，西北的美玉是江左所迫切需要的。

西北地区的文化，尤其是其音乐舞蹈也大量传入江左，丰富了江左地区的文化生活。当时江左的皇室贵戚欣赏"羌胡伎乐"蔚然成风。宋后废帝常"与左右作羌胡伎为乐"⑤。齐东昏侯萧宝卷"日夜于后堂戏马，鼓噪为乐。合夕，便击金鼓吹角，令左右数百人叫，杂以羌胡横吹诸伎"⑥，又于"巷陌悬幔为高障……高障之内，设部伍羽仪，复有数部，皆奏鼓吹羌胡伎，鼓角横吹"⑦。南齐郁林王萧昭业"裁入阁，即于内奏胡伎，鞞铎之声，震响内外"⑧。陈朝章昭达，"每饮会，必盛设女伎杂乐，备尽羌胡之声，音律姿容，并一时之妙，虽临对寇敌，旗鼓相望，弗之废也。"⑨

西北的武器也传入江左。沈攸之为刘宋名将，"孝武以其善战，配以仇池步矟"⑩。

河西地区的科学文化，以及那里保存的中原文化也通过贡使关系而传入江左。元嘉十四年（437），沮渠茂虔"奉表献方物，并献《周生子》十三卷、《时务论》十二卷、《三国总略》二十卷、《俗问》十一卷、

① 《宋书》卷六九《范晔传》，第1829页。

② 《南史》卷七八《夷貊传上·中天竺国传》，第1961页。

③ 《南齐书》卷五九《河南传》，第1027页。

④ 《南齐书》卷一七《舆服志》，第340页。

⑤ 《南史》卷三《宋本纪下·后废帝纪》，第89页。

⑥ 《南史》卷五《齐本纪下·东昏侯纪》，第151页。

⑦ 《南齐书》卷七《东昏侯纪》，第103页。

⑧ 《南史》卷五《齐本纪下·齐郁林王纪》，第136页。

⑨ （唐）姚思廉撰：《陈书》卷一一《章昭达传》，中华书局1972年版，第184页。

⑩ 《南史》卷三七《沈攸之传》，第964页。

《十三州志》十卷、《文检》六卷、《四科传》四卷、《敦煌实录》十卷、《凉书》十卷、《汉皇德传》二十五卷、《亡典》七卷、《魏驳》九卷、《谢艾集》八卷、《古今字》二卷、《乘丘先生》三卷、《周髀》一卷、《皇帝王历三合纪》一卷、《赵敺传》并《甲寅元历》一卷、《孔子赞》一卷，合一百五十四卷"[①]。其中如《赵敺传》，传主赵敺为河西著名的历算家，他的历法传入江左后，为祖冲之所吸收利用。

江左的文化自然也是西北诸国所仰慕渴求的。如沮渠茂虔在奉送大量典籍的同时，也向刘宋"求晋、赵《起居注》诸杂书数十件。太祖（宋文帝）赐之"[②]。梁武帝时，河南王曾"求释迦像并经论十四条"，梁武帝"敕付像并《制旨涅槃》《般若》《金光明讲疏》一百三卷"[③]。但南齐政府却采取文化封锁政策，对于西北诸国交流文化的要求，经常加以婉言拒绝。宕昌曾向南齐"求军仪及伎杂书"，但得到的答复却是："知须军仪等九种，并非所爱。但军器种甚多，致之未易。内伎不堪涉远。秘阁图书，例不外出"，只答应"《五经集注》《论语》，今特敕赐王各一部"[④]。芮芮王求医工等物，又回报道："知须医及织成锦工、指南车、漏刻，并非所爱。南方治疾，与北土不同。织成锦工，并女人，不堪涉远。指南车、漏刻，此虽有其器，工匠久不复存，不副为误"[⑤]，也遭到拒绝。河南王拾寅子易度侯"好星文，尝求星书"，结果又是"朝议不给"[⑥]。南齐政府的封锁政策，不利于双方文化交流。但这并非江左与西北诸国交往的主流，双方经济文化的正常交流毕竟才是历史的主流，由于汉族先进文化的影响，西北诸国大多"知书疏，多知中国语言与中国之姓"[⑦]。历史证明开放和交流是有利于各族人民的社会发展的。

（原刊《汉中师院学报》1989 年第 3、4 期，分别题为《东晋南朝与

① 《宋书》卷九八《氐胡·大且渠蒙逊传》，第 2416 页。
② 《宋书》卷九八《氐胡·大且渠蒙逊传》，第 2416 页。
③ 《南史》卷七《梁本纪中·梁武帝纪》，第 215 页。
④ 《南齐书》卷五九《宕昌传》，第 1033 页。
⑤ 《南齐书》卷五九《芮芮虏传》，第 1025 页。
⑥ 《南齐书》卷五九《河南传》，第 1026 页。
⑦ 《太平御览》卷七九四《四夷部十五·氐》引《通典》，第 3524 页。

西北诸国的交往》《东晋南朝与西北诸国交往的目的和意义》。后合为一篇，题名《东晋南朝与西北诸国的交往》，收入《魏晋南北朝史论》，学苑出版社 1999 年版。今以《魏晋南北朝史论》刊文为底本，并参校原刊文整理。李文才敬识。)

六朝时期江左与东北地区的交通

东北地区与中原王朝的关系，向来为史家所瞩目，论之已多，然而它与江左地区的交往，则鲜有所及。其实，江左地区与东北地区自古以来就有着频繁的联系与交往，在六朝时期已有了相当可观的发展。这种联系与交往对于东北地区和江左地区的政治经济文化发展均起了积极作用，对于我国古代统一多民族国家及社会历史的发展有着不可忽视的重要意义。

一　孙吴时期的交通

三国时期，在东北地区的辽东一带是公孙氏政权的势力范围，辽宁东北、吉林西南一带有高句骊，它们与孙吴政权均发生过密切的交往。

汉末三国时期，辽东地区曾一度为公孙氏所割据，从公孙度于中平六年（189）据辽东开始，中经其子公孙康、公孙恭，至其孙公孙渊于景初二年（238）被曹魏灭亡，共传3世4主，历时50年。这50年间，是辽东地区与江左地区首开交通并得到迅速发展的一个重要时期。与公孙氏割据辽东同时，孙吴亦崛起于江左。建安五年（200）孙权继位后，于公元229年称帝，与曹魏、蜀汉鼎足而立。

在六朝时期，辽东与江左的联系，最早可以追溯至公孙康的时期。公孙渊在给魏明帝的上表中曾说："臣父康昔杀（孙）权使，结为雠隙。"[①] 公孙康于建安九年（204）继位，建安十二年（207）死，那么孙吴通使辽东，必在此时期内。

---

① （晋）陈寿撰，（南朝·宋）裴松之注，陈乃乾校点：《三国志》卷八《魏书·公孙度传》注引《魏略》，中华书局1959年版，第256页。

此后双方关系一度中断，直至黄龙元年（229）孙权称帝，于是年五月“使校尉张刚、管笃之辽东”[①]，重开双方的交往。这时辽东方面公孙渊已于上一年即太和二年（228）夺了公孙恭之位。曹魏于公孙渊即位当年即前往封拜，故孙权亦于第二年遣使前往，形成魏、吴双双争取公孙渊的局面。公孙渊亦“遣使南通孙权，往来赂遗”[②]，依违于曹、孙之间。嘉禾元年（232）三月，孙权又“遣将军周贺、校尉裴潜乘海之辽东”。是年冬十月，公孙渊“遣校尉宿舒、阆中令孙综称藩于权，并献貂马”，作为对周贺、裴潜来使的回报。孙权“大悦，加渊爵位”[③]。嘉禾二年（233）辽东使者宿舒、孙综返命。同时，孙权又派出更加庞大的使团前往辽东。这次使团由太常张弥、执金吾许晏、将军贺达率领，“将兵万人，金宝珍货，九锡备物，乘海授渊”[④]。

张弥、许晏使团到达辽东后，公孙渊突然反目，以武力劫杀使团，几乎一网打尽。究其原因，一方面是迫于曹魏的压力，因曹魏对于辽东与孙吴的交往极力反对；另一方面则因公孙渊“亦恐（孙）权远不可恃，且贪货物”，故“诱致其使，悉斩送（张）弥、（许）晏等首”[⑤]，送于曹魏，以示亲邻。这次事件，使江左与辽东的交往受到严重的挫折。

但是双方的关系并没有就此结束，交往仍在继续，公孙渊的官属在上书自直于曹魏时，说道：“孙权慕义，不远万里，连年遣使，欲自结援，虽见绝杀，不念旧怨，纤纤往来，求成恩好。”[⑥] 可知在嘉禾二年（233）事件后，孙权与辽东的关系仍在继续。直至公孙渊末年，由于受到曹魏武力进攻的威胁，景初元年（237）公孙渊又“遣使谢吴，自称燕王，求为与国”[⑦]。景初二年（238）司马懿发大军来攻，“公孙渊闻之，复遣使称臣，求救于吴”[⑧]。但是，这年八月，公孙渊即被曹魏所灭。此后

① 《三国志》卷四七《吴书·吴主传》，第1134页。

② 《三国志》卷八《魏书·公孙渊传》，第253页。

③ 《三国志》卷四七《吴书·吴主传》，第1136页。

④ 《三国志》卷四七《吴书·吴主传》，第1138页。

⑤ 《三国志》卷八《魏书·公孙渊传》，第253页。

⑥ 《三国志》卷八《魏书·公孙渊传》注引《魏书》，第259页。

⑦ 《三国志》卷八《魏书·公孙渊传》注引《魏书》，第258页。

⑧ （宋）司马光编著，（元）胡三省音注：《资治通鉴》卷七四，魏明帝景初二年（238）正月，中华书局1956年版，第2333页。

辽东地区成为曹魏辖区。孙权于赤乌二年（239）春三月“遣使者羊衜、郑胄、将军孙怡之辽东”[①]“往救公孙渊”，可是为时已晚，公孙渊“已为魏所破”[②]，于是吴军击魏辽东“守将张持、高虑等”[③]，“俘人民而去”[④]。

高句骊也是东北地区的古老民族之一，汉魏时期，“高句骊在辽东之东千里，南与朝鲜、涉貊，东与沃沮，北与夫余接。都于丸都之下，方可二千里”[⑤]。丸都在今吉林集安。辖区大约有今辽宁东部、吉林东南和朝鲜北部一带。

嘉禾二年（233）孙吴张弥、许晏使团被公孙渊劫杀后，使团成员秦旦等人逃脱，辗转流亡至高句骊。时高句骊王宫在位，秦旦等人“因宣诏于句骊王宫及其主簿，诏言有赐为辽东所攻夺。宫等大喜，即受诏”[⑥]。意外地打通了江左与高句骊的交通。“其年，宫遣皂衣二十五人送旦等还，奉表称臣，贡貂皮千枚，鹖鸡皮十具”。又过了一年，孙权“遣使者谢宏、中书陈恂拜宫为单于，加赐衣物珍宝”。谢宏返命，高句骊王宫“上马数百匹”[⑦]。

二　东晋时期的交通

西晋统一后，东北地区与江左地区同属西晋统辖。西晋末年，鲜卑慕容氏崛起于辽东地区，后建立前燕，辽东地区均置于其统治之下。与此同时，晋室南渡，偏安江左，建立了东晋政权。从此，东北地区与江左地区的交往又得以进一步发展。

司马睿承制江东之后，立即于公元317年遣使封拜慕容廆“假节、散骑常侍、都督辽左杂夷流人诸军事、龙骧将军、大单于、昌黎公”[⑧]。其征虏将军鲁昌劝慕容廆道：“今两京倾没，天子蒙尘，琅邪（司马睿）承制江东，实人命所系……今宜通使琅邪，劝承大统……”慕容廆“善之，

---

① 《三国志》卷四七《吴书·吴主传》，第1143页。

② 《三国志》卷四七《吴书·吴主传》注引《文士传》，第1144页。

③ 《三国志》卷四七《吴书·吴主传》，第1143页。

④ 《资治通鉴》卷七四，魏明帝景初三年（239）四月，第2347页。

⑤ 《三国志》卷三〇《魏书·东夷传》，第843页。

⑥ 《三国志》卷四七《吴书·吴主传》注引《吴书》，第1140页。

⑦ 《三国志》卷四七《吴书·吴主传》注引《吴书》，第1140页。

⑧ （唐）房玄龄等撰：《晋书》卷一〇八《慕容廆载记》，中华书局1974年版，第2805页。

乃遣其长史王济浮海劝进"①，参与了这场有180人参加的劝进活动。②

司马睿即帝位后，又"遣谒者陶辽重申前命，授廆将军、单于"③。太兴二年（319），慕容廆打败了高句骊、段氏、宇文氏三国的联合进攻，其臣宋该"劝廆献捷江东，廆使该为表，裴嶷奉之，并所得三玺诣建康献之"④。太兴三年（320）三月裴嶷至建康，向晋元帝"奉送玉玺三纽"⑤。其后，晋元帝"乃遣使随嶷拜廆安北将军、平州刺史"⑥。太兴四年（321）又"加使持节、都督幽州东夷诸军事、车骑将军、平州牧，进封辽东郡公，邑一万户，常侍、单于并如故；丹书铁券，承制东海，命备官司，置平州守宰"⑦。太宁元年（323），后赵石勒"遣使结好于慕容廆，廆执送建康"⑧。太宁三年（325）晋成帝即位，"加廆侍中、位特进"。咸和五年（330）"又加开府仪同三司，固辞不受"⑨。咸和六年（331），慕容廆"遣使与太尉陶侃笺，劝以兴兵北伐，共清中原"⑩，但"廆使者遭风没海，其后廆更写前笺，并赍其东夷校尉封抽、行辽东相韩矫等三十余人疏上侃府曰：'……廆辅翼王室，有匡霸之功，而位卑爵轻，九命未加，非所以宠异藩翰，敦奖殊勋者也……宜远遵周室，近准汉初，进封廆为燕王，行大将军事，上以总统诸部，下以割损贼境'"⑪。咸和八年（333）慕容廆死，"慕容皝遣长史勃海王济等来告丧"⑫，晋成帝策赠谥号。⑬ 咸和九年（334）八月，"王济还辽东，诏遣侍御史王齐祭辽东公廆；又遣谒者徐孟策拜慕容皝镇军大将军、平州刺史，大单于、

① 《晋书》卷一〇八《慕容廆载记》，第2806页。

② 《晋书》卷六《元帝纪》，第145页。

③ 《晋书》卷一〇八《慕容廆载记》，第2806页。

④ 《资治通鉴》卷九一，晋元帝太兴二年（319）十二月，第2875页。

⑤ 《晋书》卷六《元帝纪》，第153页。

⑥ 《资治通鉴》卷九一，晋元帝太兴三年（320）三月，第2877页。

⑦ 《晋书》卷一〇八《慕容廆载记》，第2807页。

⑧ 《资治通鉴》卷九二，晋明帝太宁元年（323）四月，第2911页。

⑨ 《晋书》卷一〇八《慕容廆载记》，第2808页。

⑩ 《资治通鉴》卷九四，晋成帝咸和六年（331）冬，第2980页。

⑪ 《晋书》卷一〇八《慕容廆载记》，第2810—2811页。

⑫ 《资治通鉴》卷九五，晋成帝咸和八年（333）七月，第2987页。

⑬ 《晋书》卷一〇八《慕容廆载记》，第2811页。

辽东公、持节、承制封拜，一如廆故事”①。咸康元年（335）十二月徐孟等人至棘城，“慕容皝始受朝命”②。咸康二年（336）九月，“慕容皝遣长史刘斌、兼郎中令辽东阳景送徐孟等还建康”③。咸康三年（337），慕容皝自称燕王。咸康五年（339）晋成帝“遣使进皝为征北大将军、幽州牧、领平州刺史，加散骑常侍，增邑万户，持节、都督、单于、公如故”④。“皝虽称燕王，未有朝命”⑤，乃于是年冬，“遣长史刘翔、参军鞠运来献捷论功，且言权假之意，并请刻期大举，共平中原”⑥。同时“又闻庾亮薨，弟冰、翼继为将相”⑦，便分别与庾冰兄弟上表及书信，“冰见表及书甚惧，以其绝远，非所能制，遂与何充等奏听皝称燕王”⑧。咸康七年（341），“慕容皝遣使求假燕王章玺，许之”⑨，同时“诏遣兼大鸿胪郭悕持节诣棘城册命燕王，与（刘）翔等偕北”⑩。咸康八年（342）“燕王慕容皝上言白狢见国内”⑪。康帝建元元年（343），庾翼“以灭胡取蜀为己任，遣使东约燕王皝，西约张骏，刻期大举”⑫。穆帝永和四年（348）慕容皝死，慕容儁继位，“遣使诣建康告丧”⑬。永和五年（349）“使谒者陈沈拜儁为使持节、侍中、大都督、都督河北诸军事、幽冀并平四州牧、大将军、大单于、燕王，承制封拜一如廆、皝故事”⑭。永和八年（352）慕容儁即帝位，“时晋使适至燕，儁谓曰：‘汝还白汝天子，我承人乏，为中国所推，已为帝矣。’”⑮ 此后前燕与东晋的关系中断，而前燕政权继续维持18年之后也就灭亡了。

---

① 《资治通鉴》卷九五，晋成帝咸和九年（334）八月，第2996—2997页。
② 《资治通鉴》卷九五，晋成帝咸康元年（335）十二月，第3003页。
③ 《资治通鉴》卷九五，晋成帝咸康二年（336）九月，第3007页。
④ 《晋书》卷一〇九《慕容皝载记》，第2818页。
⑤ 《晋书》卷一〇九《慕容皝载记》，第2819页。
⑥ 《资治通鉴》卷九六，晋成帝咸康五年（339）冬，第3035—3036页。
⑦ 《晋书》卷一〇九《慕容皝载记》，第2819页。
⑧ 《晋书》卷一〇九《慕容皝载记》，第2821页。
⑨ 《晋书》卷七《成帝纪》，第183页。
⑩ 《资治通鉴》卷九六，晋成帝咸康七年（341）二月，第3045页。
⑪ （梁）沈约撰：《宋书》卷二八《符瑞志中》，中华书局1974年版，第803页。
⑫ 《资治通鉴》卷九六，晋康帝建元元年（343）二月，第3055页。
⑬ 《资治通鉴》卷九八，晋穆帝永和四年（348）十一月，第3085页。
⑭ 《晋书》卷一一〇《慕容儁载记》，第2831页。
⑮ 《资治通鉴》卷九九，晋穆帝永和八年（352）十一月，第3131页。

从以上叙述可见，前燕与东晋的关系是非常密切的，交往是极其频繁的，其交往关系贯穿于前燕政权的始终，只是在最后十几年才冷淡下去。从整体来看，其交往之密切和频繁程度大大超过了前代孙吴与公孙氏之间。

东晋时在辽西地区还存在过一个段部鲜卑的政权，其与东晋亦有密切的交往。建武元年（317），段部鲜卑的首领段匹磾、段辰、段眷等人也参与了180人为司马睿称帝制造舆论的劝进活动。[①] 太兴四年（321）二月，"鲜卑（段）末波奉送皇帝信玺"[②]。咸和六年（331），东晋"以幽州刺史、大单于段辽为骠骑将军"[③]。此后段部在石赵与前燕的夹击下，日渐衰败下去，并为他们所瓜分。

肃慎系东北地区的一个古老民族，两晋时"肃慎氏一名挹娄，在不咸山北，去夫余可六十日行"[④]。不咸山即今长白山，其地在黑龙江下游一带。早在西周时，肃慎即向中原王朝"贡楛矢石砮"[⑤]，传为千古美谈。东晋"元帝中兴，又诣江左贡其石砮"[⑥]。据《晋书·元帝纪》记载，太兴二年（319）八月"肃慎献楛矢石砮"[⑦]，当为一事。晋成帝时"肃慎国遣使来献"[⑧]。关于楛矢石砮，《晋书·四夷传》记之甚详："有石砮，皮骨之甲，檀弓三尺五寸，楛矢长尺有咫。其国东北有山出石，其利入铁，将取之，必先祈神。"[⑨]

三　南朝时期的交通

南朝时期，辽东地区曾长期为高句骊所据。晋孝武帝太元十年

---

① 《晋书》卷六《元帝纪》，第145页。

② 《晋书》卷六《元帝纪》，第154页。

③ 《晋书》卷七《成帝纪》，第176页。

④ 《晋书》卷九七《四夷·肃慎氏传》，第2534页。

⑤ 徐元诰撰，王树民、沉长云点校：《国语集解》卷五《鲁语下》，中华书局2002年版，第204页。

⑥ 《晋书》卷九七《四夷·肃慎氏传》，第2535页。

⑦ 《晋书》卷六《元帝纪》，第152页。

⑧ （北宋）王钦若等编：《册府元龟》卷九六八《外臣部·朝贡一》，中华书局1960年版，第11380页。

⑨ 《晋书》卷九七《四夷·肃慎氏传》，第2535页。

(385）高句骊攻辽东、玄菟二郡，后燕慕容垂收复之。但不久高句骊又“略有辽东郡”[①]，此后高句骊长期据有辽东一带。因此，南朝时期江左与东北地区的交往，主要由高句骊为代表而进行，史称“自晋过江，泛海来使，有高句骊、百济，而宋、齐间常通职贡，梁兴又有加焉。”[②]

东晋安帝义熙九年（413），高句骊王高琏“遣长史高翼奉表献赭白马”，晋以高琏为使持节、都督营州诸军事、征东将军、高句骊王、乐浪公[③]。刘宋建立后，即“加琏征东大将军，余官并如故”[④]。永初三年(422)，“加琏散骑常侍，增督平州诸军事”[⑤]。宋少帝景平元年（423）“高丽国遣使朝贡”[⑥]，景平二年（424），“琏遣长史马娄等诣阙献方物”，刘宋派谒者朱邵伯、副谒者王邵子等“宣旨慰劳”[⑦]。

宋文帝时，“琏每岁遣使”[⑧]。元嘉十三年（436）、十五年（438）“遣使献方物”[⑨]。元嘉十六年（439），宋文帝打算北伐拓跋魏，“诏琏送马，琏献马八百匹”[⑩]。元嘉十八年（441）高丽“令使贡献”[⑪]。元嘉二十年（443）、二十八年（451）又“遣使献方物”[⑫]。元嘉三十年（453）冬十月，“高丽使贡方物”[⑬]。宋文帝死后，孝武帝孝建二年（455），“琏遣长史董腾奉表慰国哀再周，并献方物”[⑭]。大明二年（458）、三年(459)、六年（462）“遣使献方物”[⑮]。七年（463），“诏进琏为车骑大将

---

① （唐）李延寿撰：《北史》卷九四《高丽传》，中华书局1974年版，第3112页。

② （唐）李延寿撰：《南史》卷七九《夷貊下·东夷传序》，中华书局1975年版，第1969页。

③ 《宋书》卷九七《夷蛮·东夷高句骊国传》，第2392页。

④ 《南史》卷七九《夷貊下·东夷·高句丽传》，第1970页。

⑤ 《宋书》卷九七《夷蛮·东夷高句骊国传》，第2392页。

⑥ 《册府元龟》卷九六八《外臣部》，第11380页。

⑦ 《宋书》卷九七《夷蛮·东夷高句骊国传》，第2392页。

⑧ 《宋书》卷九七《夷蛮·东夷高句骊国传》，第2393页。

⑨ 《册府元龟》卷九六八《外臣部》，第11381页。

⑩ 《宋书》卷九七《夷蛮·东夷高句骊国传》，第2393页。

⑪ （唐）许嵩撰，张忱石点校：《建康实录》卷一二《宋中·太祖文皇帝》，中华书局1986年版，第435页。

⑫ 《册府元龟》卷九六八《外臣部·朝贡一》，第11381页。

⑬ 《建康实录》卷一三《宋下上·世祖孝武皇帝》，第472页。

⑭ 《宋书》卷九七《夷蛮·东夷高句骊国传》，第2393页。

⑮ 《册府元龟》卷九六八《外臣部·朝贡一》，第11381页。

军、开府仪同三司，余官并如故”[①]。此后宋明帝泰始（465—471）和后废帝元徽（473—477）年间，仍然“贡献不绝”[②]。泰始三年（467）十一月，“高丽、百济等并遣使朝贡”[③]，泰始六年（470）十一月、元徽三年（475）均曾遣使朝贡。[④] 宋顺帝昇明二年（479）又“遣使献方物”[⑤]。

南齐建立后的第二年（建元二年，480）三月，高丽“遣使贡献”[⑥]。萧道成即“进高丽王乐浪公高琏号骠骑大将军”[⑦]。建元三年（481），高丽“遣使贡献，乘舶汎海”，此后“使驿常通”[⑧]。高琏年百余岁而卒，隆昌元年（494）以其子高云“为使持节、散骑常侍、都督营平二州诸军事、征东大将军、高丽王、乐浪公”[⑨]。明帝建武三年（496）又“遣使贡献”[⑩]。

梁武帝即位，“进（高）云车骑大将军”[⑪]。天监七年（508）诏为“抚东大将军、开府仪同三司，持节、常侍、都督、王并如故”。天监十一年（512）、十五年（516）“累遣使贡献”[⑫]。天监十八年（519）高句丽王云卒，世子安立。普通元年（520），安遣使入贡。诏以安为宁东将军、高句丽王，遣使者江法盛授安衣冠剑佩[⑬]。普通七年（526）“安卒，子延立，遣使贡献，诏以延袭爵”[⑭]。此后，大通元年（527）[⑮]、中大通四年（532）、中大通六年（534）、大同元年（535）、大同七年（541）“累奉表献方物”。太清二年（548）“延卒，诏以其子袭延爵位”[⑯]。陈文帝天

---

① 《南史》卷七九《夷貊下·东夷·高句丽传》，第1971页。
② 《宋书》卷九七《夷蛮·东夷高句骊国传》，第2393页。
③ 《建康实录》卷一四《宋下·太宗明皇帝》，第509页。
④ 见《建康实录》卷一四《宋下·太宗明皇帝》《宋下·后废帝昱》，第511、517页。
⑤ 《册府元龟》卷九六八《外臣部·朝贡一》，第11382页。
⑥ 《建康实录》卷一五《齐上·太祖高皇帝》，第585页。
⑦ （梁）萧子显撰：《南齐书》卷二《高帝纪》，中华书局1972年版，第36页。
⑧ 《南齐书》卷五八《东南夷·东夷高丽国传》，第1009页。
⑨ 《南齐书》卷五八《东南夷·东夷高丽国传》，第1010页。
⑩ 《册府元龟》卷九六八《外臣部·朝贡一》，第11382页。
⑪ （唐）姚思廉撰：《梁书》卷五四《诸夷·高句骊传》，中华书局1973年版，第803页。
⑫ 《梁书》卷五四《诸夷·高句骊传》，第803页。
⑬ 《资治通鉴》卷一四九，梁武帝普通元年（520）二月，第4656页。
⑭ 《梁书》卷五四《诸夷·高句骊传》，第804页。
⑮ 《册府元龟》卷九六八《外臣部·朝贡一》，第11385页。
⑯ 以上均自《梁书》卷五四《诸夷·高句骊传》，第804页。

嘉二年（561）“遣使献方物”[①]。后主至德三年（585）“遣使献方物”[②]。

高句骊以外，东北地区与南朝有交往者尚有北燕和肃慎。

东晋义熙五年（409），汉人冯跋称天王，建立北燕，辖境有辽水以西至今河北东北一带。义熙年间（405—418），东晋青州刺史申永“遣使浮海来聘，跋乃使其中书郎李扶报之”[③]。刘宋时，“太祖（宋文帝）世，每岁遣使献方物”[④]。元嘉十二年（435），“燕王数为魏所攻，遣使诣建康称藩奉贡”[⑤]。正月“癸酉，封黄龙国主冯弘为燕王”[⑥]。“黄龙国”是南朝人对北燕的称呼，“江南谓之黄龙国”[⑦]，“以其治黄龙城，故谓之黄龙国”[⑧]。黄龙即和龙，在今辽宁朝阳。元嘉十五年（438），“夏四月甲辰，燕王弘遣使献方物”[⑨]。

肃慎的称呼，到了南北朝时又有了改变，“后魏以后曰勿吉”[⑩]。继东晋时来江左贡献之后，于宋元嘉十八年（441）十二月，肃慎“令使贡献”[⑪]。孝武帝大明三年（459），又“重译献楛矢、石砮”[⑫]。这次贡献是通过高句骊而进行的，据《宋书·符瑞志》，是通过“高丽国译而至”[⑬]。因此时“勿吉国在高句丽北”[⑭]，两国接界，关系密切。

四　江左与东北地区交通的目的意义

从以上的叙述我们可以清楚地看到，整个六朝时期江左与东北地区的交通始终不断，而且十分活跃和频繁，这是六朝以前所没有的现象。

---

① （唐）姚思廉撰：《陈书》卷三《世祖纪》，中华书局 1972 年版，第 54 页。

② 《陈书》卷六《后主纪》，第 112 页。

③ 《晋书》卷一二五《冯跋载记》，第 3133 页。

④ 《宋书》卷九七《夷蛮传·东夷高句骊国传》，第 2393 页。

⑤ 《资治通鉴》卷一二二，宋文帝元嘉十二年（435）正月，第 3855 页。

⑥ 《宋书》卷五《文帝纪》，第 83 页。

⑦ 《资治通鉴》卷一二二，宋文帝元嘉十二年（435）正月，第 3855 页。

⑧ 《宋书》卷九七《夷蛮·东夷高句骊国传》，第 2393 页。

⑨ 《宋书》卷五《文帝纪》，第 85 页。

⑩ （宋）郑樵撰：《通志》卷一九四《东夷序略》，中华书局 1987 年版，第 3105 页。

⑪ 《建康实录》卷一二《宋中·太祖文皇帝》，第 435 页。

⑫ 《宋书》卷六《孝武帝纪》，第 125 页。

⑬ 《宋书》卷二九《符瑞志下》，第 873 页。

⑭ 《北史》卷九四《勿吉国传》，第 3123 页。

那么，何以在这一时期江左与东北地区会出现如此密切的交往，双方频繁交往的目的何在呢？这种交往对于当时的政治、经济、文化的发展又有着什么作用与意义呢？窃意可以从如下几个方面进行思考。

（一）战略上的南北合势与外交上的远交近攻

六朝时期，在江左与东北地区之间总是横隔着一个相对强大的中原王朝，如三国时期的曹魏，东晋时期的后赵、前秦，南朝时期的北魏、北齐等。在整个六朝时期，江左政权与中原王朝基本上处于敌对状态，东北地区的政权与中原王朝也有着不同程度的矛盾冲突。江左政权与东北地区，一在中原王朝的东南，一在东北，遥相呼应，南北合势，对于中原王朝很自然地构成一种战略上的牵制。因此，东北与江左政权均有利用这一有利态势，加强合作，以便南北夹击、声势相援的迫切愿望和要求。这种战略上的南北合势导致他们共同采取远交近攻的外交策略，这就是他们建立密切关系的主要原因和目的。

三国时期，公孙氏割据辽东，东有高句骊、西有曹魏虎视眈眈。为了在辽东站住脚跟，为了与曹魏和高句骊进行斗争，就需要争取江左孙吴政权的援助。同样，孙吴政权为了与北方的曹魏政权相抗衡，也迫切需要联合公孙氏政权，以牵制曹魏，造成南北合势的有利形势。

公孙氏在曹魏和孙吴之间实行“挟两端”的政策，而以联吴抗魏为其实，公然“内傲帝命，外通南国”①，与曹魏政权分庭抗礼。其原因在于“既恃阻险，又怙孙权。故敢跋扈，恣睢海外”②，可见结好孙吴是其称霸辽东的重要外部条件。一旦“外失吴援”，则“势不得不怀惶惧之心”③。当其受到曹魏进攻时，孙吴是其切望得到的援救力量，景初二年（238）司马懿欲征辽东，“闻魏人将讨，复称臣于吴，乞兵北伐以自救”④。孙权方面居于同样的原因，亦“不远万里，连年遣使，欲自结援”⑤。甚至在嘉禾二年（233）事件后，“虽见绝杀，不念旧怨，纤纤往

① 《晋书》卷五六《孙楚传》，第1540页。
② 《三国志》卷八《魏书·公孙渊传》注引《魏名臣奏》，第257页。
③ 《三国志》卷八《魏书·公孙渊传》注引《魏名臣奏》，第257页。
④ 《三国志》卷八《魏书·公孙渊传》注引《汉晋春秋》，第260页。
⑤ 《三国志》卷八《魏书·公孙渊传》注引《魏书》，第259页。

来，求成恩好”[①]。公孙氏与孙吴的交好，自然引起曹魏的严重不安，不断对公孙氏加以威逼利诱，以破坏他们之间的关系。公孙氏最后被曹魏武力征服，自有种种复杂原因，但其与孙吴关系恶化，以致孙吴迟迟按兵不动，不能不说是其中一个重要原因。

前燕与东晋的交好，一方面是可以通过接受东晋的册封，打起拥晋的旗号，以遂其霸业。正如其征虏将军鲁昌对慕容廆所说：“琅邪（司马睿）承制江东，实人命所系。明公雄据海朔，跨总一方，而诸部犹怙众称兵，未遵道化者，盖以官非王命，又自以为强。今宜通使琅邪，劝承大统，然后敷宣帝命，以伐有罪，谁敢不从！”[②] 另一方面也是以东晋作为其正面劲敌石赵的牵制力量，以免“孤军轻进，不足使（石）勒畏首畏尾”[③]，因而希望东晋能“陵江北伐……讨逆暴之羯”[④]，因而一再向东晋建议“刻期大举，共平中原”[⑤]。东晋也同样需要交好慕容燕以牵制石赵，如“康帝即位，（庾）翼欲率众北伐”，当石季龙加紧进攻慕容皝时，庾翼对此非常担心，上疏说：“皝虽骁果，未必能固，若北无掣手之虏，则江南将不异辽左矣。”[⑥] 可见江左政权是以前燕作为“掣手之虏”，深知其在战略上有牵制后赵的巨大意义。

北燕与江左的交好，亦因其“屡为索虏所攻”，因而不得不“每岁遣使献方物”[⑦] 以巩固这种联盟关系。高句骊与南朝的交好亦复如是，故引起北魏的不满，而遭到指责：“而卿越境外乡（向），交通篡贼，岂是藩臣守节之义？”[⑧] 加以激烈的反对。

（二）互市贸易的需要与南北经济文化交流的发展

江左与东北地区的交往，是与互市贸易密切相联而进行的。在这里，马匹是最重要的互市物资，占有极其重要的地位。

六朝政权迫切需要东北地区的马匹。因为六朝政权的腹心——江左

---

① 《三国志》卷八《魏书·公孙渊传》注引《魏书》，第259页。

② 《晋书》卷一〇八《慕容廆载记》，第2806页。

③ 《晋书》卷一〇八《慕容廆载记》，第2809页。

④ 《晋书》卷一〇八《慕容廆载记》，第2809页。

⑤ 《资治通鉴》卷九六，晋成帝咸康五年（339）冬，第3036页。

⑥ 《晋书》卷七三《庾翼传》，第1933页。

⑦ 《宋书》卷九七《东夷高句骊国传》，第2393页。

⑧ 《北史》卷九四《高丽传》，第3113页。

素来缺少马匹，而要与北方政权的强大骑兵相抗衡，就必须有足够的马匹。在当时的战争条件下，马是最重要的战略物资，因此与江左政权敌对的北方政权对此严加控制，不允许向江左政权输出。在这种情况下，东北地区的马匹就成了江左政权所渴求的对象了。东北地区素来盛产马匹，史称辽东地区“多马”①“民习鞍马”②；辽东以北的夫余亦“出名马”③；高句骊亦产马，“其马皆小，便登山”④。因此，通过互市以获得东北地区的马匹，就成了六朝政权与东北地区交好的又一重要目的。东吴时，陆瑁上疏孙权说道：“（公孙）渊东夷小丑，屏在海隅……国家所为不爱货宝远以加之者，非嘉其德义也，诚欲诱纳愚弄，以规其马耳。”又说：“夫所以越海求马，曲意于（公孙）渊者，为赴目前之急，除腹心之疾也。”⑤ 这里把孙吴企图通过外交以进行互市，取得辽东马匹的目的讲得非常明白。曹魏对于江左与东北以马匹为中心的互市贸易十分警惕，辛毗上魏文帝疏警告说：“孙权市马辽东，量其意指，似欲相左右。”⑥ 指责公孙氏“赍以名马”与孙吴“通好”⑦。

除马匹贸易之外，双方也以其他“方土所出”进行贸易，东北地区的貂皮和其他特产，江左地区的“金玉珍货”和各种“方物”，都是双方互市的物资。两个地区之间在“贡使相寻”“职贡常通”的外交活动中，实际上也在进行着大规模的互市贸易，史称“比年已来，（孙权）复远遣船，越渡大海，多持货物，诳诱边民。边民无知，与之交关。长吏以下，莫肯禁止”⑧，表明双方在进行着极其频繁的互市活动。而且这种互市是得到官方认可的，其规模也是很大的，如嘉禾元年（232）周贺使辽东时，即有“浮舟百艘，沈滞津岸，贸迁有无”⑨。嘉禾二年（233）张弥、许晏使辽东时，一次上岸贸易的就有五六百人，辽东方面则“驱群马货

---

① 《三国志》卷五七《吴书·陆瑁传》，第1338页。

② 《三国志》卷五三《吴书·薛综传》，第1253页。

③ 《三国志》卷三〇《魏书·夫余传》，第841页。

④ 《三国志》卷三〇《魏书·高句丽传》，第844页。

⑤ 《三国志》卷五七《吴书·陆瑁传》，第1337—1338页。

⑥ 《三国志》卷二五《魏书·辛毗传》，第698页。

⑦ 《三国志》卷八《魏书·公孙渊传》注引《魏略》，第255页。

⑧ 《三国志》卷八《魏书·公孙渊传》注引《魏略》，第255页。

⑨ 《三国志》卷八《魏书·公孙渊传》注引《魏略》，第255页。

物”，与之“交市”①。

江左与东北地区之间频繁的外交与外贸活动，大大促进了两个地区之间的经济文化交流。在辽东与东北各地马匹源源输入江左的同时，江左地区的物产也不断输入东北地区，从而丰富了两地的物质文化生活，史称“葛越布于朔土，貂马延于吴会”②，江左的葛布为东北人民所用，东北地区的貂皮、马匹亦为江左地区所用。同时还把江左的桑种传入辽东，据崔鸿说，“先是，辽川无桑，及（慕容）廆通于晋，求种江南，平州之桑，悉由吴来”③，从而在东北地区推广了种桑织布的生产。后来北燕冯跋也曾下令进一步推广种桑：“桑柘之益，有生之本。此土少桑，人未见其利，可令百姓人殖桑一百根、柘二十根。”④

使者的往来和互市贸易的发展，也加强了两地人民的联系和文化的交流。东晋著名史家孙盛撰写的《晋阳秋》，为当权者桓温所不容，孙盛便“写两定本，寄于慕容儁”⑤。后来，晋孝武帝太元（376—396）中，“博求异闻，始于辽东得之，以相考校，多有不同，书遂两存”⑥。其意义不仅在于保存了《晋阳秋》的真本，同时也反映了江左文化与鲜卑文化的交流。

（三）江左与东北海上航道的开通

六朝时期江左与东北地区的交通只能通过海上航道进行，因为陆路交通被敌对的中原政权所控制而无法超越。正是这种特定的地理和时代条件，促使这条海上航道迅速地发展起来。

关于这条海上航道的路线，胡三省有过一段具体的描述：“自建康出大江至于海，转料角至登州大洋；东北行，过大谢岛、龟歆岛、淤岛、乌湖岛三百里，北渡乌湖海，至马石山东之都里镇”⑦。具体来说这条航

---

① 《三国志》卷八《魏书·公孙渊传》注引《魏略》，第256页。

② 《晋书》卷五六《孙楚传》，第1540页。

③ （宋）李昉等撰：《太平御览》卷九五五《木部四·桑》引《十六国春秋》，中华书局1960年版，第4240页。

④ 《晋书》卷一二五《冯跋载记》，第3131页。

⑤ 《晋书》卷八二《孙盛传》，第2148页。据（清）钱大昕著，方诗铭、周殿傑校点《廿二史考异》附《三史拾遗、诸史拾遗》卷二二《孙盛传》，上海古籍出版社2004年版，第378—379页。应在慕容暐时。

⑥ 《晋书》卷八二《孙盛传》，第2148页。

⑦ 《资治通鉴》卷九五，晋成帝咸和九年（334）八月胡注，第2997页。

线是：从建康（今江苏南京）沿长江东下，在长江口北端海门附近之料角转向北行驶，大体傍黄海海岸北行，过山东半岛东端之成山角，再进入登州大洋，即威海、烟台北部海域，再沿庙岛列岛北上，经大谢岛（即长岛）、乌湖岛（即北隍城岛）等，渡渤海海峡到达辽东半岛南端的都里镇。都里镇即马石津，亦即三国时的沓津（或称沓渚），即今辽宁大连旅顺。沓津在三国时已发展为东北地区与江左地区交通的重要港口和互市场所。孙吴出使辽东的船队都停泊于此，并在这里进行互市。如嘉禾二年（232）张弥、许晏使团就是到达沓津，然后一部分人上岸由陆路去襄平（今辽宁辽阳）见公孙渊，[①] 一部分人上岸互市，一部分人留在船上。东晋时沓津改称马石津，使船亦停泊于此，如咸和九年（334）王齐、徐孟出使前燕，“船下马石津，皆为慕容仁所留”[②]。

江左与东北地区这条海上航道的开通，大大便利了两地的交通，史称“吴虽在远，水道通利，举帆便至，无所隔限”[③]。东北地区通过这条海路可以方便地“外通南国，乘桴沧海，交酬货贿”[④]，出现了“乘舶汎海，使驿常通”[⑤] 的空前繁忙景象。太延二年（436）北燕主冯弘南投高丽时，遣冯业“以三百人浮海归宋”[⑥]，就是走的这条海道。

但是，这条航道的开通是在克服许多艰难险阻之后才得以实现的。首先，这条航线要经过北方敌对政权占领区漫长的海域，经常受到他们的袭击和破坏。如公孙渊迫于压力而向曹魏上表称臣时，说过：“……必恐长蛇来为寇害。徐州诸屯及城阳诸郡，与相接近，如有船众后年向海门，得其消息，讫速告臣，使得备豫。”[⑦] 徐州在今苏北一带，城阳郡在今山东半岛南部，都是曹魏的统治区。东吴的船只从海门出海后要经过徐州及城阳郡海域，所以曹魏可以事先探知其出使辽东船队的信息。这一航线中最危险的是成山角。这里是南北船队必经之处，加以地势险要，

---

① 参见《三国志》卷四七《吴书·吴主传》注引《吴书》，第1139页。
② 《资治通鉴》卷九五，晋成帝咸和九年（334）八月，第2997页。
③ 《三国志》卷八《魏书·公孙渊传》注引《魏书》，第259页。
④ 《晋书》卷五六《孙楚传》，第1540页。
⑤ 《南齐书》卷五八《东夷高句骊国传》，第1009页。
⑥ 《北史》卷九一《列女·冼氏传》，第3005页。
⑦ 《三国志》卷八《魏书·公孙渊传》注引《魏略》，第256—257页。

所以北方政权可以利用这里设伏以截击来往船队。嘉禾元年（232）周贺、裴潜从辽东返吴，魏将田豫便设伏于成山角，邀击吴船，“豫度贼船垂还，岁晚风急，必畏漂浪，东随无岸，当赴成山。成山无藏船之处，辄便循海，案行地势，及诸山岛，徼截险要，列兵屯守……贼还，果遇恶风，船皆触山沈没，波荡着岸，无所蒙窜，尽虏其众”①，使这一船队全部覆没。北魏孝文帝时，“光州于海中得（高丽王）琏遣诣齐使余奴等，送阙”②；“正光（520—523）初，光州又于海中执得梁所授（高丽王）安宁东将军衣冠剑珮，及使人江法盛等，送京师”③。北魏光州，辖山东半岛东端，正是这条海道必经之地。

其次，由于造船和航海技术的限制，也给这条航道带来极大的困难。当时船只还比较小，如高句骊王宫馈赠孙吴数百匹马，由于“船小”而只能载80匹而还。这一漫长海道中的风浪也给当时的航船以极大威胁，上引周贺、裴潜船队就是在成山角因无法抵御“恶风”而“触山沉没”的。薛综对这一海道之艰险有一段生动的描述：“加又洪流滉瀁，有成山之难，海行无常，风波难免，倏忽之间，人船异势。虽有尧舜之德，智无所施，贲育之勇，力不得设……加以郁雾冥其上，咸水蒸其下，善生流肿，转相洿染，凡行海者，稀无斯患……”④ 因此在这条航道中“遭风没海”⑤ 的情况时有发生。这些都在一定程度上限制了这一海上航道更大规模的发展。因此，其更大规模的发展还有待于日后造船与航海技术的进一步发展。但毕竟在六朝时期已开创和奠定了这条海上航道进一步发展的基础，在我国古代海上交通史上写下了重要的一页！

（原刊《北京师范大学学报》1989年第5期。后收入《魏晋南北朝史论》，学苑出版社1999年版。今据《魏晋南北朝史论》刊文为底本，并参校原刊文整理。李文才敬识。）

① 《三国志》卷二六《魏书·田豫传》，第728页。

② 《北史》卷九四《高丽传》，第3113页。

③ 《北史》卷九四《高丽传》，第3114页。

④ 《三国志》卷五三《吴书·薛综传》，第1253—1254页。

⑤ 《晋书》卷一〇八《慕容廆载记》，第2810页。

崔浩军事思想述论

崔浩（381—450）①，北魏前期杰出的政治家、军事家和学者，历事道武、明元、太武三帝，“恒与军国大谋”②，不仅在政治上参与机事，多所谋谟，居辅弼之重，而且在军事上运筹帷幄，妙算神机，为北魏统一北方大业立下了丰功伟绩。太武帝拓跋焘曾向人介绍崔浩说：“汝曹视此人，尪纤懦弱，手不能弯弓持矛，其胸中所怀，乃逾于甲兵。”③ “（崔浩）才略之美，当今无比。朕行止必问，成败决焉，若合符契，初无失矣”④。作为军事家的崔浩，其军事思想尤为杰出，高出他同时代的人颇多，在我国古代军事史上闪耀着不可磨灭的光辉。学术界对此论之不多，今略述一二，以俟方家。

一　天时、地利、人事三位一体的战争观

崔浩军事思想的一个突出特点是，他在论述战争时，总是从天时、地利、人事三个方面全面地、系统地加以考察，以论证战争的成败得失，预见战争的发展规律与结果。神䴥三年（430）北魏南边守将报告南朝刘宋将大举北犯，请求派兵迎击。公卿“咸言宜许”⑤，唯独崔浩反对。他分析刘宋不可能大规模北进，理由是“今（刘）义隆新国，是人事未周

---

① 关于崔浩的生年，新编《辞海》《中国历史人物生卒年表》（黑龙江人民出版社1981年版）、《中国历代人名辞典》（江西教育出版社1989年版）及其他诸书均付阙如。《魏书》崔浩本传未记其生年。今按《魏书》卷一一四《释老志》谓其被太武帝诛杀“时年七十”（太平真君十一年，公元450年）。据此，则其生年当在公元381年（前秦建元十七年，东晋太元六年）。

② （北齐）魏收撰：《魏书》卷三五《崔浩传》，中华书局1974年版，第807页。

③ 《魏书》卷三五《崔浩传》，第819页。

④ 《魏书》卷三五《崔浩传》，第821页。

⑤ 《魏书》卷三五《崔浩传》，第819页。

也；灾变屡见，是天时不协也；舟行水涸，是地利不尽也。三事无一成，自守犹或不安，何得先发而攻人哉？彼必听我虚声而严，我亦承彼严而动，两推其咎，皆自以为应敌。兵法当分灾迎受害气，未可举动也”①。但是，“世祖（太武帝）不能违众，乃从公卿议”，遂派杜超镇邺，司马楚之等屯颍川。结果战事的发展完全如崔浩所料，“于是贼来遂疾，到彦之自清水入河，泝流西行，分兵列守南岸，西至潼关”②。但是，刘宋方面的这一举动只是虚张声势，“东西列兵，径二千里，一处不过数千，形分势弱”，完全不是进攻的阵势，正如崔浩所指出的，他们不过“止望固河自守，免死为幸，无北渡意也”③。后来被俘虏的宋军透露证实：“（刘）义隆敕其诸将，若北国兵动，先其未至，径前入河，若其不动，住彭城勿进。”果然“如浩所量”④。太武帝谓公卿曰：“卿辈前谓我用浩计为谬，惊怖固谏。常胜之家，始皆自谓逾人远矣，至于归终，乃不能及。”⑤ 这是崔浩从天时、地利、人事三者结合以分析战争的杰出范例。

（一）关于天时

崔浩对于天文历算有着深刻的研究，他“明识天文，好观星变”⑥“天文、星历、《易》式、九宫，无不尽看”⑦，对于“玄象阴阳、百家之言，无不关综，研精义理，时人莫及”⑧。他曾主持制定《五寅元历》，改正“误历，以从天道”⑨。史称其“博闻强识，精于天人之会”⑩“综核天人之际，举其纲纪，诸所处决，多有应验”⑪“究览天人，政事筹策，时莫之二，此其所以自比于子房（张良）也”⑫。故其每论军事，常考察“天时”。

---

① 《魏书》卷三五《崔浩传》，第820—821页。
② 《魏书》卷三五《崔浩传》，第821页。
③ 《魏书》卷三五《崔浩传》，第821页。
④ 《魏书》卷三五《崔浩传》，第821页。
⑤ 《魏书》卷三五《崔浩传》，第821页。
⑥ 《魏书》卷三五《崔浩传》，第818页。
⑦ 《魏书》卷三五《崔浩传》，第825页。
⑧ 《魏书》卷三五《崔浩传》，第807页。
⑨ 《魏书》卷三五《崔浩传》，第825页。
⑩ 《魏书》卷三五《崔浩传》，第813页。
⑪ 《魏书》卷三五《崔浩传》，第807页。
⑫ 《魏书》卷三五《崔浩传》，第827页。

始光三年（426），“时议讨赫连昌，群臣皆以为难”，崔浩却认为“天应人和，时会并集，不可失也”，于是魏军西征，结果“大获而还”①。

神䴥二年（429），议击柔然，崔浩主战，认为“天时形势，必克无疑”②。北魏出兵，果然大胜。

神䴥三年（430），他在论证不宜与宋大举对抗时，指出因“夏月蒸暑，水潦方多，草木深邃，疾疫必起，非行师之时”，此时行师“未见其利”。即使刘宋军队能够北犯，也应等待“秋凉马肥”时，方能“胜必可克”③。

太延五年（439），论北凉沮渠牧犍可伐，其理由之一是北凉“比年以来，天灾地变”④ 频繁发生。

神䴥二年（429）讨论伐柔然，反对者提出“若蠕蠕远遁，前无所获”，因为柔然是游牧民族，难以接战。崔浩则认为，柔然“夏则散众放畜，秋肥乃聚，背寒向温，南来寇抄”⑤，乘夏攻之，必获无疑。北魏出兵，果然大获而归。

太平真君五年（444），又将伐柔然，尚书令刘洁等人反对，以柔然“非有邑居，迁徙无常”为理由，并以太延四年（438）伐柔然“无所擒获”⑥ 为证。崔浩认为“北土多积雪，至冬时常避寒南徙。若因其时，潜军而出，必与之遇，则可擒获”⑦。主张乘冬进军，必可遭遇柔然。同样是击柔然，前者于夏，后者于冬，运用不同，奥妙各异。

太平真君六年（445），讨河东蜀薛永宗，太武帝问崔浩：“今日可击不?”崔浩答曰：“北风迅疾，宜急击之，须臾必碎。若待明日，恐其见官军盛大，必夜遁走。”太武帝随即下令出击，“永宗溃灭”⑧。这是借助风力以击敌。

崔浩所谓的“天时”，包括两个方面的含义：一方面指天象的变化，一方面指季节变化、寒暑移易、风晴雨雪等气候变化以及各种自然灾害

① 《魏书》卷三五《崔浩传》，第 815 页。
② 《魏书》卷三五《崔浩传》，第 818 页。
③ 《魏书》卷三五《崔浩传》，第 819 页。
④ 《魏书》卷三五《崔浩传》，第 822 页。
⑤ 《魏书》卷三五《崔浩传》，第 817—818 页。
⑥ 《魏书》卷二八《刘洁传》，第 688 页。
⑦ 《魏书》卷三五《崔浩传》，第 824 页。
⑧ 《魏书》卷三五《崔浩传》，第 824 页。

的发生。后者对于战争无疑是有显著影响的，尤其在古代这种自然条件对于战争的影响更大更直接些。但是，他的前一方面，以天象比附人事以论证战争，则是古代天人感应论的唯心主义观点，是不可取的。不过，崔浩也经常以自己朴素唯物论的战争观和渊博的天算之学，驳斥了一些以天象论战争的错误主张，例如太史张渊、徐辩反对击柔然，也说什么“今天时人事都不和协，何可举动”[①]，即遭崔浩驳斥，他以敌我双方的全面情况及自己对天象的另一番解释而论证了柔然可伐。天象论常常被其用以维护自己的战争主张，以塞反对派之口。

（二）关于地利

前已述及，崔浩在论刘宋不致大举北犯时，指出其原因之一是“舟行水涸，是地利不尽也”[②]。在分析不宜大举兴师进攻刘宋时，其理由之一是“南土下湿”“水潦方多，草木深邃”[③] 等“地利”因素并不适宜。

神瑞二年（415），关于从平城迁都邺城的争论中，崔浩反对迁邺的重要理由是“地利”因素。认为迁邺之后，“处榛林之间，不便水土”，与北魏的根据地云中、平城“阻隔恒代千里之险”，一旦受柔然、大夏的进攻，“虽欲救援，赴之甚难”。还是都平城“居北方”有利，一利抗御柔然、大夏的进攻，二利控制山东，“威制诸夏”[④]。明元帝拓跋嗣接受了崔浩的意见而没有迁都。

太延五年（439），在讨论是否讨伐北凉沮渠牧犍时，崔浩与反对派就“地利”问题展开了争论，即关于凉州有无水草的大论争。反对派的一个重要理由是凉州“其地卤斥，略无水草，大军既到，不得久停”[⑤]。李顺等人还以“耳闻不如目见，吾曹目见，何可共辨”以塞崔浩之口。崔浩根据种种条件断言凉州必有水草，不妨行军，力劝太武帝放心西征。“于是遂讨凉州而平之。多饶水草，如浩所言”[⑥]。崔浩从“地利”上肯定了平凉州的可能性，促成了这次战争，从而实现了北魏消灭十六国最

① 《魏书》卷三五《崔浩传》，第816页。
② 《魏书》卷三五《崔浩传》，第820页。
③ 《魏书》卷三五《崔浩传》，第819页。
④ 《魏书》卷三五《崔浩传》，第808页。
⑤ 《魏书》卷三五《崔浩传》，第822页。
⑥ 《魏书》卷三五《崔浩传》，第822—823页。

后一个政权而统一北方的大业。

（三）关于人事

崔浩尤其重视从“人事”方面以分析战争。

泰常二年（417），明元帝问崔浩：刘裕能否打败后秦姚泓？他从“人事”入手分析，预言刘裕必胜，姚泓必败，他说：“昔姚兴好养虚名，而无实用。子泓又病，众叛亲离。裕乘其危，兵精将勇，以臣观之，克之必矣。”崔浩分析以为，一方“兵精将勇”，另一方“众叛亲离”[①]，“人事”悬殊，故刘裕必克姚泓。是年秋八月，“刘裕灭姚泓”[②]，果如崔浩所言。

泰常七年（422）刘裕死，明元帝欲乘机伐之，崔浩坚决反对，理由是南朝的“人事”还未发生问题，他说，“裕新死，党与未离，兵临其境，必相率拒战，功不可必。不如缓之，待其恶稔。如其强臣争权，变难必起，然后命将扬威，可不劳士卒”[③]，须等待其“人事”有隙时，方可兴师动众。明元帝锐意南伐，诘问崔浩：“刘裕因姚兴死而灭其国，裕死我伐之，何为不可?”[④] 崔浩答曰：“不然，姚兴死，诸子交争，故裕乘衅伐之。今江南无衅，不可比也。”[⑤] 从表面上看，姚兴死，刘裕伐之而成功，那么刘裕死，北魏伐之也可成功。但是，崔浩透过表面现象看到了二者内部条件的不同，即“人事”的区别，姚秦“诸子交争”，内部矛盾严重；刘宋则内部团结，无隙可乘。因此，只有等待其“强臣争权，变难必起”之时才可攻伐。

始光三年（426），太武帝诏问群臣：“赫连、蠕蠕，征讨何先。”大臣们多主张先伐柔然。崔浩从“人事”方面着眼，主张先伐赫连，因为其“土宇不过千里，其刑政残虐，人神所弃，宜先讨之”[⑥]。

神䴥三年（430），赫连定“与刘义隆连和，遥分河北，自恒山以东属义隆，恒山以西属定”[⑦]。太武帝欲先讨赫连定，但群臣认为刘义隆军

---

① 《魏书》卷三五《崔浩传》，第810页。

② 《魏书》卷三《太宗纪》，第57页。

③ 《魏书》卷三五《崔浩传》，第814页。

④ 《魏书》卷三五《崔浩传》，第814页。

⑤ （宋）司马光编著，（元）胡三省音注：《资治通鉴》卷一一九，宋武帝永初三年（422）九月，中华书局1956年版，第3748页。

⑥ 《魏书》卷二五《长孙嵩传》，第644页。

⑦ 《魏书》卷九五《铁弗刘虎传》附《赫连定传》，第2059页。

还在黄河中流西进途中，如攻赫连，义隆乘虚北侵，则将丢失山东之地。太武帝犹豫不决，“问计于浩”。崔浩主张“愿陛下西行勿疑”，理由之一是：刘义隆与赫连定的联盟不过是“虚相唱和。义隆望定进，定待义隆前，皆莫敢先入。以臣观之，有似连鸡，不得俱飞，无能为害也”，揭露了其联盟内部矛盾及虚弱本质。理由之二是：两敌相较，“赫连定残根易摧，拟之必仆”①。崔浩是从敌方的“人事”入手深入分析，从而作出了果断的正确决策。太武帝发兵西讨，果然大败赫连定，攻克其根据地平凉。

太延五年（439），北魏将讨北凉沮渠牧犍，太武帝“先问于浩”，崔浩认为可击，理由是北凉“人事”有隙，具体表现是“牧犍劣弱，诸弟骄恣，争权纵横，民心离解”②。太武帝出兵西征，果然一举攻灭北凉，统一了北方，结束了十六国纷争的局面。

由上所述，可见崔浩所谓“人事”，是指敌我双方政治的稳定与动荡、经济和兵力的强弱、统治集团的团结与纷争、将领的素质和士气情况以及民心的向背等诸多主观条件。

（四）人事为先，地利、天时为次

崔浩重视从天时、地利、人事三个方面全面系统地考察战争，但是，这三者的关系不是平列的，而是以人事为先，地利、天时为次。崔浩说：“夫兴国之君，先修人事，次尽地利，后观天时，故万举而万全，国安而身盛。”③ 明确地提出三者以人事为先，以地利、天时为次的正确关系，表现了其军事思想的朴素唯物论与朴素辩证法的性质。

崔浩虽然好以“天时”论军事，但是，在他看来，天时是建立在人事基础之上的，是由人事所决定的。在天人关系上，崔浩主张重人轻天，他说：“夫灾异之生，由人而起。人无衅焉，妖不自作。”④ 还说：“天道悬远，或消或应……无以暗昧之说，致损圣思。”⑤ 即不以渺茫的“天道”妨碍限制人们的思考和行动。在这里，崔浩在很大程度上摆脱了

① 《魏书》卷三五《崔浩传》，第821页。
② 《魏书》卷三五《崔浩传》，第822页。
③ 《魏书》卷三五《崔浩传》，第820页。
④ 《魏书》卷三五《崔浩传》，第811页。
⑤ 《魏书》卷三五《崔浩传》，第812页。

"天"的束缚。

崔浩重视人的主观能动作用，不囿于天时而束缚自己的手脚，一旦天时与人事矛盾，他便毫不犹豫地将天时让位于人事。始光三年（426）伐赫连昌时，"会有风雨从东南来，扬沙昏冥"，有人向太武帝建议："今风雨从贼后来，我向彼背，天不助人……更待后日。"崔浩叱之曰："是何言欤！千里制胜，一日之中岂得变易？……风道在人，岂有常也！"太武帝接受了崔浩的意见，"分骑奋击，昌军大溃"。同样是风，前述击薛永宗时是顺风，这里伐赫连昌时是逆风，崔浩均主张不可推延，应及时出击。可见，在崔浩看来风向是次要的，主要是看两军的各方面条件和因素，即"人事"方面是否有获胜的把握，从而决定是否作战，而不是仅从风向的改变而改变作战方略，正所谓"风道在人，岂有常也"①。

神䴥二年（429）议击柔然时，以保太后为首，群臣均反对，他们推太史张渊、徐辩向太武帝陈述天时"不可举兵，北伐必败，虽克，不利于上"，太武帝犹豫不决，让崔浩与徐渊等人辩论。崔浩揭露了徐渊等人所说"天象"的虚假，指斥他们"牵于小数，不达大体"，言"天时"而不达"人事"，指出张渊"言天时，是其所职，若论形势，非彼所知"，认为"圣明御时，能行非常之事"②，强调"人事"对于"天时"的主观能动作用。太武帝接受了崔浩的意见，果然大胜而归。

二 先北后南的战略思想

崔浩在辅佐魏帝、指挥战争中，贯穿着先北后南的战略思想，他积极主张先平定北方割据政权和敌对势力，统一北方之后，再对付南敌，故不宜轻易南伐，反对向南冒进。

（一）反对轻易南伐

泰常二年（417）刘裕兴兵伐后秦姚泓，欲泝河西上，向北魏借道。明元帝诏群臣议之。内外朝公卿都不主张借道，以为刘裕不可能攻破函谷关天险，倒是"若北上河岸，其行为易。扬言伐姚，意或难测。假其水道，寇不可纵"，主张"宜先发军断河上流，勿令西过"。明元帝打算

① 《魏书》卷三五《崔浩传》，第815页。
② 《魏书》卷三五《崔浩传》，第816页。

接受这一意见，但崔浩提出异议，他说："此非上策……若塞其西路，裕必上岸北侵，如此则姚无事而我受敌。"① 而且北有柔然内寇，"发军赴南则北寇进击，若其救北则东州②复危"。所以，不如"假之水道，纵裕西入，然后兴兵塞其东归之路"③。在这场战事中，崔浩的战略方针是纵敌西进，消灭关中的后秦，与刘裕保持一定距离，不轻开南衅。崔浩这一决策是正确的，但由于群臣反复进言，明元帝"遂从群议，遣长孙嵩发兵拒之，战于畔城，为裕将朱超石所败，师人多伤。太宗（明元帝）闻之，恨不用浩计"④。

同年五月，东晋齐郡太守王懿来降，上书献计：乘刘裕在洛阳，发兵断其后路，可不战而克。明元帝深表赞同，但崔浩坚决反对与刘裕交战，认为刘裕克姚泓无疑，但刘裕得关中后亦不能固守，"且可治戎束甲，息民备境，以待其归，秦地亦当终为国有，可坐而守也"，明元帝说："裕已入关，不能进退，我遣精骑南袭彭城、寿春，裕亦何能自立?"崔浩答曰："今西北二寇未殄，陛下不可亲御六师……臣谓待之不晚。"⑤在这里，崔浩不为眼前小利所动，始终坚守先北后南的方针，主张对南方采取"息民备境，坐而守之"的方针。

泰常七年（422），明元帝得知刘裕死，企图发兵攻取洛阳、虎牢、滑台，崔浩反对乘丧伐南朝，主张"宜遣人吊祭……若此，则化被荆扬，南金象齿羽毛之珍，可不求而自至"。明元帝不从崔浩言，遣奚斤南伐，结果"经时不拔"⑥。

神䴥二年（429）议击柔然，朝臣以保太后为首均不欲行，唯崔浩赞成策略。反对者诘责崔浩曰："今吴贼南寇而舍之北伐。行师千里，其谁不知，若蠕蠕远遁，前无所获，后有南贼之患，危之道也。"崔浩答曰："不然。今年不摧蠕蠕，则无以御南贼。自国家并西国（指赫连夏）以

---

① 《魏书》卷三五《崔浩传》，第 809 页。

② 《资治通鉴》卷一一八，晋安帝义熙十三年（417）三月作"南州"，胡注："谓魏之南境相州濒河诸郡"，第 3702 页。

③ 《魏书》卷三五《崔浩传》，第 809 页。

④ 《魏书》卷三五《崔浩传》，第 810 页。

⑤ 《魏书》卷三五《崔浩传》，第 810—811 页。

⑥ 《魏书》卷三五《崔浩传》，第 813—814 页。

来，南人恐惧，扬声动众以卫淮北。彼北我南，彼劳我息，其势然矣。比破蠕蠕，往还之间，故不见其至也。”主张先北而后南。太武帝接受崔浩意见，北伐柔然，“大军既还，南贼竟不能动，如浩所量”①。

神䴥三年（430）“南藩诸将表刘义隆大严，欲犯河南。请兵三万，先其未发逆击之”，公卿咸言宜许，唯崔浩曰：“此不可从也。”认为这不过是刘宋“先声动众，以备不虞，非敢先发”，以及南边守将见“西灭赫连，北破蠕蠕，多获美女珍宝，马畜成群”，因此“闻而生羡，亦欲南抄，以取资财。是以披毛求瑕，妄张贼势，冀得肆心”，主张“就使能来，待其劳倦……因敌取食，徐往击之”②。后南镇诸将复表刘宋军至，而自陈兵少。公卿议者均主张出兵，并以晋降将司马楚之等率军南攻。崔浩反对说，“非上策也”，认为如“欲存立司马，诛除刘族，必举国骇扰，惧于灭亡，当悉发精锐，来备北境”，主张等待出使南朝的使者回报情况，“审而后发，犹未晚也”，太武帝“不能违众，乃从公卿议”“于是贼来遂疾”③，果如崔浩所料。

（二）积极主张平定西、北

对于同东晋南朝的战争，崔浩几乎都持否定态度，相反的，对于平定西、北方政权的战争，他却持积极的态度。在执行不轻易南伐方针的同时，崔浩积极主张先平定西、北，统一北方。

始光三年（426），议击赫连昌，“群臣皆以为难”④，唯崔浩坚决主战，结果大败赫连昌，促使夏国迅速灭亡。

太平真君五年（444），又议伐柔然，以尚书令刘洁为首的群臣都反对，唯崔浩“固言可伐”，太武帝从之。但由于刘洁“恨其计不用”而加以破坏，结果追击柔然却“不及而还”。刘洁于是“以军行无功，奏归罪于崔浩。世祖（太武帝）曰：‘诸将后期，及贼不击，罪在诸将，岂在于浩！’”⑤

神䴥三年（430）商议讨赫连定还是南朝刘义隆，崔浩坚决主张先伐

① 《魏书》卷三五《崔浩传》，第817—818页。

② 《魏书》卷三五《崔浩传》，第819页。

③ 《魏书》卷三五《崔浩传》，第820—821页。

④ 《魏书》卷三五《崔浩传》，第815页。

⑤ 《魏书》卷二八《刘洁传》，第689页。

赫连定，“克（赫连）定之后，东出潼关，席卷而前，则威震南极”，认为只有先消灭赫连定，才可“威震南极”①，仍然继续坚持先北后南的方针。太武帝接受了崔浩的建议，果然大败赫连定。

太延五年（439），议讨北凉沮渠牧犍（或作“沮渠茂虔”），弘农王奚斤等三十余人反对，说：“宜羁縻而已。今士马劳止，宜可小息。”② 崔浩力排众议，分析了战胜北凉的可能和条件，揭露李顺等人接受北凉贿赂、充当说客的隐情，终于促使太武帝下决心，“于是遂讨凉州而平之”③，从而完成了统一北方的大业。

平定北凉后，崔浩并没有以为万事大吉，同时开始筹谋进一步击败柔然的战略计划。他在日后给太武帝的表中追述道：“昔平凉州，臣愚以为北贼未平，征役不息，可不徙其民”。认为应当像昔日汉武帝为平定匈奴而“开凉州五郡，通西域，劝农积谷，为灭贼之资。东西迭击。故汉未疲，而匈奴已弊，后遂入朝”那样去做，认为此乃“前世故事，计之长者”。而“若迁民人，则土地空虚，虽有镇戍，适可御边而已，至于大举，军资必乏”。可见，崔浩在那时已在筹划从根本上击灭柔然的战略计划。但是当时太武帝“以此事阔远，竟不施用”，后太武帝“蒐于河西，诏浩诣行在所议军事”，崔浩重提旧议：“如臣愚意，犹如前议，募徙豪强大家，充实凉土，军举之日，东西齐势，此计之得者。”④ 北魏与柔然的战争几乎与北魏王朝相始终，日后的事实愈益证明崔浩的主张确实是有先见之明的。

（三）南进以淮为限

按照先北后南的战略方针，崔浩主张如果向南进军时，一般应该以淮河为界。

泰常七年（422），在讨论是否应乘刘裕之死而南伐刘宋的问题时，崔浩反对南伐，认为须等待时机，如果时机成熟，才可“命将扬威，可不劳士卒，而收淮北之地”。这里以“收淮北之地”为征伐刘宋时的进军

---

① 《魏书》卷三五《崔浩传》，第 821 页。

② 《魏书》卷三五《崔浩传》，第 822 页。

③ 《魏书》卷三五《崔浩传》，第 823 页。

④ 《魏书》卷三五《崔浩传》，第 825 页。

目标。后明元帝派遣奚斤南伐，在讨论如何向南进军时，崔浩建议“不如分军略地，至淮为限，列置守宰，收敛租谷”，明确地提出“至淮为限”[①] 的作战方针。

神䴥三年（430），崔浩主张先伐赫连定，待打败赫连定后再乘胜南伐，则“威震南极，江淮以北无立草矣”[②]。其进军目标仍以江淮以北为限。

三 以骑兵为核心的战术思想

崔浩的军事思想，不仅体现为宏观层面上的“先北后南”的战略思想，还表现为微观、具体层面上的“以骑兵为核心”的战术思想，正是在崔浩正确的战略、战术思想的引导下，北魏在一系列军事征战中才能够连连获得胜利，不仅完成了统一北方的任务，也奠定了军事上北强南弱的格局。兹略述崔浩以骑兵为核心的战术思想如下。

（一）充分发挥骑兵作用，以己之长克敌之短

北魏鲜卑拓跋族原是游牧民族，长于骑射，因此，骑兵是其军队的主力和所长。崔浩在战术上充分发挥自己所长——骑兵的作用，以克敌制胜。徵诸史实，骑战可谓崔浩战术思想的核心内容。

神瑞二年（415），崔浩反对从平城迁都于邺，就是从这一战术优势上着眼的。他说：“国家居广漠之地，民畜无算，号称牛毛之众。”[③] 这是鲜卑族的优势，而如果一旦迁都，“分家南徙，恐不满诸州之地。参居郡县，处榛林之间，不便水土，疾疫死伤，情见事露，则百姓意沮。四方闻之，有轻侮之意，屈丐、蠕蠕必提挈而来，云中、平城则有危殆之虑，阻隔恒代千里之险，虽欲救援，赴之甚难，如此则声实俱损矣。”[④] 这段话表明：（1）鲜卑族固有的优势是其基于畜牧业之上的骑兵。（2）如果一旦迁入内地农耕区则优势尽失，主要是失去骑兵的优势，使北魏根据地云中、平城处于柔然和夏的骑兵威胁之下而无能为力。留都平城，就

---

① 《魏书》卷三五《崔浩传》，第 814 页。

② 《魏书》卷三五《崔浩传》，第 821 页。

③ 《魏书》卷三五《崔浩传》，第 808 页。

④ 《魏书》卷三五《崔浩传》，第 808 页。

能充分发挥骑兵的优势："今居北方，假令山东有变，轻骑南出，耀威桑梓之中，谁知多少？百姓见之，望尘震服。此是国家威制诸夏之长策也。"[①] 这是要求充分发挥骑兵快速机动的特点，进行大纵深的前进与后撤，收到以己之长克敌之短的作用。

泰常七年（422）在讨论向南用兵是先攻城还是先略地的问题时，崔浩主张先略地。他说："南人长于守城，苻氏攻襄阳，经年不拔。今以大国之力攻其小城，若不时克，挫损军势，敌得徐严而来。我怠彼锐，危道也。不如分军略地"[②]。攻城非骑兵所长，而守城为南人所长，如采取攻城办法，势必"挫损军势"，使己军优势转为劣势，敌军劣势变为优势。因此采用"分军略地"的战法，即充分发挥骑兵的作用，远程奔袭，绕过敌人的坚城，使其孤立于己军后方，"滑台、虎牢反在军北，绝望南救，必沿河东走。若或不然，即是囿中之物"[③]。以骑兵略地的方式去攻克南人的坚固城守，这是崔浩在战术上的一个创新和发展。

凭借骑兵战术，崔浩更能主动地、自信地执行先北后南的战略方针。例如：在刘裕伐后秦时，崔浩断定刘裕即使占领秦地"亦不能守之"，因此"秦地亦当终为国有，可坐而守也"。认为"假令国家弃恒山以南，裕必不能发吴越之兵与官军争守河北也，居然可知"[④]。这一自信就是建立在以骑兵"分军略地"的战术基础之上的。他说："往年国家大破蠕蠕，马力有余，南贼震惧，常恐轻兵奄至，卧不安席。"他深知北魏骑兵对于南朝的威慑极大，故南方不敢轻易北进。尤其在"秋凉马肥"之时，北魏骑兵的威力大大超过南方的徒兵，故北魏在这个时候以骑兵"徐往击之，万全之计，胜必可克"[⑤]。

在对北方游牧民族柔然的战争中，崔浩也同样注意充分发挥骑兵的作用。他说："夫以南人追之，则患其轻疾，于国兵则不然。何者？彼能远走，我亦能远逐，与之进退，非难制也。"[⑥] 但其方法却与对付南敌有

---

① 《魏书》卷三五《崔浩传》，第808页。
② 《魏书》卷三五《崔浩传》，第814页。
③ 《魏书》卷三五《崔浩传》，第814页。
④ 《魏书》卷三五《崔浩传》，第810—811页。
⑤ 《魏书》卷三五《崔浩传》，第819页。
⑥ 《魏书》卷三五《崔浩传》，第817页。

所不同。他针对游牧民族迁徙无常的特点，或乘其冬季避寒，南来寇抄，而迎头痛击，捕捉其主力。或利用他们夏天“散众放畜”，突袭其畜群庐落，消灭其有生力量。在北伐柔然的战争中，一次就出动骑兵 30 万。充分发挥骑兵的机动灵活与远程奔袭能力，采用突袭闪击的战法，“出其虑表，攻其不备。大军卒至，必惊骇星分，望尘奔走”，令其“牡马护群，牝马恋驹，驱驰难制，不得水草，未过数日则聚而困弊，可一举而灭”①。神䴥二年（429）进击柔然时，“及军入其境，蠕蠕先不设备，民畜布野，惊怖四奔，莫相收摄。于是分军搜讨，东西五千里，南北三千里，凡所俘虏及获畜产车庐，弥漫山泽，盖数百万”②。在制订讨伐北凉的战争计划时，他建议利用骑兵“出其不意”，使敌人“不图大军卒至，必惊骇骚扰，不知所出，擒之必矣”③。在攻打盖吴时，他主张直袭 60 里外的盖吴大营，就是估计到以“轻奇趋之，一日可到，到则破之必矣。破吴，南向长安亦不过一日，一日之乏，未至有伤”④。

此外，崔浩的战术思想和战术运用，尚有以下数端。

（二）坐观成败，斗两虎而收长利

在处理刘裕借道攻后秦的问题时，崔浩采用了“坐观成败，斗两虎而收长久之利”的策略。他反对于上游拦截刘裕西进军队，认为“假之水道，纵裕西入，然后兴兵塞其东归之路，所谓卞庄刺虎，两得之势也。使裕胜也，必德我假道之惠，令姚氏胜也，亦不失救邻之名。纵使裕得关中，悬远难守，彼不能守，终为我物”，这样可以“不劳兵马，坐观成败，斗两虎而收长久之利，上策也”⑤。以后的事态发展证明这一策略是非常高明的。

（三）攻其薄弱，拆散敌盟

神䴥三年（430），宋与赫连夏结盟，“约合兵灭魏，遥分河北”⑥。崔浩决定先打力量薄弱的夏，结果大败之，而宋按兵不动，果“如浩所量”⑦。

---

① 《魏书》卷三五《崔浩传》，第 818 页。
② 《魏书》卷三五《崔浩传》，第 818 页。
③ 《魏书》卷三五《崔浩传》，第 822 页。
④ 《资治通鉴》卷一二四，宋文帝元嘉二十三年（446）正月，第 3921—3922 页。
⑤ 《魏书》卷三五《崔浩传》，第 809—810 页。
⑥ 《资治通鉴》卷一二一，宋文帝元嘉七年（430）九月，第 3820 页。
⑦ 《魏书》卷三五《崔浩传》，第 818 页。

这个联盟亦随之瓦解。

（四）击蛇先破头

太平真君七年（446），崔浩随太武帝前往关中，攻打卢水胡盖吴的起义军，前驱报告盖吴大营在长安以北 90 里。太武帝以为“渭北地空，谷草不备”，欲渡渭南，循渭水西进。崔浩谏曰：“盖吴营去此六十里，贼魁所在。击蛇之法，当须破头，头破则尾岂能复动。宜乘势先击吴。”而“若从南道，则吴徐入北山，猝未可平”，但太武帝未从，而是“自渭南向长安”，盖吴“闻之，悉散入北山，军无所获，帝悔之”[①]。

（五）鉴昔推今，准确预料

崔浩说：“夫见瓶水之冻，知天下之寒；尝肉一脔，识镬中之味。物有其类，可推而得也。”[②] 在讨论击柔然时，反对者以南敌将北犯为由，反对用兵柔然。崔浩却认为在攻击柔然期间，南方不致于北侵，“何以言之？刘裕得关中，留其爱子，精兵数万，良将劲卒，犹不能固守，举军尽没。号哭之声，至今未已。如何正当国家休明之世，士马强盛之时，而欲以驹犊齿虎口也？设令国家与之河南，彼必不能守之。自量不能守，是以必不来”[③]。这是从当年刘裕得关中而复失的历史事实和南北形势中推断出来的。北魏伐柔然后，刘宋果然并未北进。事实证明崔浩的推断是正确的，这些推断是建立在他对客观事物及其规律具有充分认识，对敌我双方充分了解的基础上的。

四　崔浩军事思想产生的历史条件

“每一时代的理论思维……都是一种历史的产物”[④] “都是以本国过去的整个发展为基础的，是以阶级关系的历史形式及其政治的、道德的、哲学的以及其他的后果为基础的”[⑤]。因此，崔浩的军事思想也是一定历

---

① 《资治通鉴》卷一二四，宋文帝元嘉二十三年（446）正月，第 3922 页。

② 《魏书》卷三五《崔浩传》，第 817 页。

③ 《魏书》卷三五《崔浩传》，第 817 页。

④ ［德］恩格斯：《自然辩证法》，《马克思恩格斯选集》第 26 卷，人民出版社 2014 年版，第 499 页。

⑤ ［德］马克思、恩格斯：《德意志意识形态》，《马克思恩格斯全集》第 3 卷，人民出版社 1960 年版，第 544 页。

史条件的产物。

（一）传统军事思想的继承和发展

崔浩以天时、地利、人事三位一体考察战争的思想，与我国古典军事思想有着直接的渊源关系。早在春秋时期，孙武在论述战争胜负时指出兵家要“经之于五事”，一曰道，二曰天，三曰地，四曰将，五曰法。司马穰苴亦有“五虑”之说：“顺天、阜财、怿众、利地、右兵，是谓五虑。”①“五事”“五虑”实际上包含了天时、地利、人事三个要素。到战国时，孙膑已将“五事”概括为“三事”，他说：“天时、地利、人和，三者不得，虽胜有殃。”② 归纳出了天时、地利、人事三要素。又说：“知道者，上知天之道，下知地之理，内得其民之心，外知敌之情，阵则知八阵之经……此王者之将也。”③ 这段话中的前二者为“天时”“地利”，后三者即属“人事”的范畴。魏晋时，曹操用兵亦强调“天时地利”④。西晋杜预上书请伐吴，亦强调“天时人事”具备，即宜迅速举兵。⑤ 从天时、地利、人事三方面研究战争规律和胜负，是我国古代传统军事思想的一大特色，崔浩正是继承了这一传统思想，并在新的战争条件下加以灵活运用，故能料敌如神，常操胜券。

崔浩关于“先修人事，次尽地利，后观天时”⑥ 的思想，也能从传统军事思想中找到它的原型。战国时《尉缭子》已指出：“天官时日，不若人事也”“谓之天官，人事而已”⑦，强调了“人事”重于“天时”。诸葛亮论曹操克袁绍、以弱为强的原因，“非惟天时，抑亦人谋也”⑧，亦强调了“人事”的重要性。但是，崔浩进一步把三者结合为有机的整体，将

① 王震撰：《司马法集释》卷中《定爵第三》，中华书局2018年版，第99页。

② 张震泽撰：《孙膑兵法校理》上编《月战》，中华书局2014年版，第57页。

③ 《孙膑兵法校理》上编《八阵》，第62页。

④ （春秋）孙武撰，（三国）曹操等注，杨丙安校理：《十一家注孙子校理》卷上《计篇》，中华书局2012年版，第5—9页。

⑤ （唐）房玄龄等撰：《晋书》卷三四《杜预传》，中华书局1974年版，第1029页。

⑥ 《魏书》卷三五《崔浩传》，第820页。

⑦ 八六九五五部队理论组、上海师范学院古籍整理研究室注：《尉缭子注释·天官第一》，上海古籍出版社1978年版，第2、3页。

⑧ （晋）陈寿撰，（南朝·宋）裴松之注，陈乃乾校点：《三国志》卷三五《蜀书·诸葛亮传》，中华书局1959年版，第912页。

其主次关系作了明确的排列，更加突出了“人事”的重要地位，比尉缭子、诸葛亮的军事思想更为完备和深刻。

古代兵法强调“不可象于事”，曹操也认为“不可以事类而求也”[①]。对于推理均持慎重态度。但崔浩却突破这一限制，大胆使用推理的方法，准确预见战争的发展及其结果，这是因为他的推理是建立在对“天时”“地利”“人事”和战争规律的深刻认识基础上而进行的。

（二）南北均势状态的反映

崔浩历事道武、明元、太武三帝，但其对军国大计发生作用，是从明元帝时期开始的，直至太武帝真君十一年（450）被诛，共40年。史称“属太宗（明元帝）为政之秋，值世祖（太武帝）经营之日，言听计从，宁廓区夏”[②]。这40年间，正是北魏的国力逐步上升，而与东晋南朝处于势均力敌状态的时期，这时北魏的国力还不足以压倒南方。崔浩曾向明元帝明确地指出，“今国家亦未能一举而定江南”[③]，就是对这种南北均势状况的深刻认识和承认，并以此为出发点而确定其战略方针。同时，崔浩也清醒地估计到，南方亦无力北进，他们得关中、河南亦不能固守，因而“止望固河自守”“无北渡意也”[④]，认为南方政权“必不能发吴越之兵与官军争守河北”，从而批驳了种种关于南人“意在北进”[⑤]的不符合实际的设想。崔浩正是根据对南北力量对比的正确认识而制定了“先北后南”的战略方针，这个方针是符合当时的客观实际的。当时北魏的势力范围远在淮河北面，因此崔浩确定了南进以淮为限的战略，这也是与北魏的国力相符的战略原则。崔浩一再阻止北魏君臣主张向南冒进的企图，减少了许多无谓的牺牲和损失，使北魏得以集中力量统一北方。所以，崔浩的战略思想，正是这种南北均势状况的客观反映。崔浩的这一战略思想，一方面有利于北魏加快统一北方的步伐，另一方面也有利于南北方人民的安居乐业。

---

① 《十一家注孙子校理》卷下《用间篇》，第363页。

② 《魏书》卷三五《崔浩传》，第827页。

③ 《魏书》卷三五《崔浩传》，第813页。

④ 《魏书》卷三五《崔浩传》，第821页。

⑤ 《魏书》卷三五《崔浩传》，第810页。

（三）北魏统一北方战争的产物

崔浩从政的40年间，正是北魏复国以后，由弱而强，逐步翦灭北方敌对势力，从而统一北方的历史时期。“淝水之战”的结束，表明北方还无力统一南方，而南方统治集团又苟安江左，无意收复中原，北魏便得以乘此空隙发展起来。北魏要发展自己也有许多困难，除了还需要有一段时间来完成去掉自身的氏族社会残余，而进入较高级社会阶段的过程以外，就外部而言，这时北方草原上崛起的柔然汗国，是其难以对付的劲敌，西面的敌手则有匈奴赫连氏所建的夏国、卢水胡沮渠氏所建的北凉，以及羌族姚氏所建的后秦。东面则有汉人冯跋的北燕和立国于青、兖一带的慕容氏南燕政权。处于四面包围之中的北魏王朝要想存在下去并得以发展，就必须逐个打败这些敌对势力。崔浩军事思想就是在这样的历史背景下应运而生的，他制定了先北后南的战略方针，从而指挥了一系列统一北方的战争，次第翦灭了周边敌对势力，最终实现了统一北方的大业，改变了南北均势状况，逐步实现向北强南弱态势的转化。

这场统一北方的战争，是以游牧民族——鲜卑拓跋氏为首而进行的。他们马匹无数，善于骑射，“控弦之士数十万，马百万匹”①，骑兵是其作战的主力，史称“魏军多骑，师行剽锐”②。崔浩正是根据鲜卑拓跋族的这一特点来制定战略、战术方针的。他在统一战争中，充分发挥骑兵快速灵活的长处，进行远程奔袭、迂回、追击，从而平定了一个个对手，遏止了游牧民族柔然势力的南向扩张。他还创造性地发展了骑兵攻城的战术，用骑兵对付南朝的坚城和徒兵，利用骑兵绕过敌人城垒，迂回敌后，分军略地，从而使敌方城垒孤悬，收到不战而陷的奇效，这是对于骑兵战术的创造性的运用。

（四）北方大族利益的代表

崔浩反对轻易向南冒进的战略思想，既集中代表了拓跋族的国家利益，也集中代表了留在北方的汉族世家大族的利益。陈寅恪先生早已有言：“崔浩者，东汉以来儒家大族经西晋末年五胡乱华留居北方未能南渡

---

① 《魏书》卷二四《燕凤传》，第609页。

② 《晋书》卷一二四《慕容宝载记》，第3094页。

者之代表也。”[1] 此论至确。崔浩的军事思想，又从另一个侧面印证了陈寅恪先生的论断。这种军事思想不是崔浩一人所有，也不自崔浩始，而是北方汉族士人的共识。例如，十六国时羯人首领石勒曾几次向南冒进，都遭到其汉族谋士张宾的反对。第一次，石勒“欲有雄据江汉之志”，但“张宾以为不可，劝勒北还”[2]。第二次，破王弥之后，“勒于葛陂缮室宇，课农造舟，将寇建邺”，又被张宾劝阻，他说：“去年诛王弥之后，不宜于此营建。”张宾认为应当回到北方去，才能实现大业，他劝说石勒：“邺有三台之固，西接平阳，四塞山河，有喉衿之势，宜北徙据之。伐叛怀服，河朔既定，莫有处将军之右者。”[3] 石勒接受了张宾的建议，返回河北，终于建立了后赵王朝。

苻坚所宠信的汉族谋士王猛，也反对苻坚轻易向南冒进。史称其“及疾笃，坚问以后事，猛曰：‘晋虽僻陋吴越，乃正朔相承。亲仁善邻，国之宝也。臣没之后，愿不以晋为图。鲜卑、羌虏，我之仇也，终为人患，宜渐除之，以便社稷。’”[4] 也主张应先消灭鲜卑、羌虏，统一北方，而反对向南冒进。正是在王猛这一正确战略方针指引下，前秦国势日强，一度统一了北方。崔浩的战略思想与王猛颇有类似之处。但是，王猛死后，苻坚背离了王猛的战略方针，贸然决定南征东晋，结果“淝水之战”大败而国破家亡，北方再度陷入分裂割据状态。

由此可见，反对轻易向南冒进，维持南北均势状况，是十六国以来北方汉族士人的共识和共同要求，崔浩吸取了前人的经验教训，在新的历史条件下继承并发展了这一战略思想。可以说，崔浩的军事思想，正反映出其是维护留在北方的汉人士族利益的集中代表。

非独留在北方的士族如此，南下的北方士族的主张亦与此相似。如东晋时王羲之，在殷浩即将北伐之时，他以为必败。后来殷浩果然被姚襄所败，王羲之写信对他说：“以区区江左，所营综如此，天下寒心，固以久矣……今军破于外，资竭于内，保淮之志非复所及，莫过还保长江，

---

① 陈寅恪：《崔浩与寇谦之》，《金明馆丛稿初编》，上海古籍出版社1980年版，第126页。

② 《晋书》卷一〇四《石勒载记上》，第2712页。

③ 《晋书》卷一〇四《石勒载记上》，第2716页。

④ 《晋书》卷一一四《苻坚载记下》附《王猛传》，第2933页。

都督将各复旧镇，自长江以外，羁縻而已。”[①] 王羲之又致信会稽王司马道子，陈述殷浩不宜北伐，说：“以区区吴越，经纬天下十分之九，不亡何待！而不度德量力”。并主张令“诸军皆还保淮，为不可胜之基，须根立势举，谋之未晚，此实当今策之上者”[②]。王羲之认为南方的力量还不足以统一北方，因此反对轻易向北冒进，主张以江淮为界保持南北均势。王羲之是王导从子，王氏是南渡的一等高门，是南渡北方大族的首领和代表。当时，南方同样也没有力量统一北方，因此，以淮为限，反对向北冒进，也是符合当时南方力量的实际情况的，这种主张也是代表南方士族利益的。当然，出于政治上的目的，为了维系人心，南方士族有时不免高喊几句北伐的口号，究其实并无多少真意在。

我们可以说，当时不论南北方士族，都主张以淮为界而反对冒进，企图保持南北均势。北方的一等高门崔氏，和南方的一等高门王氏，在这个问题上不谋而合，南北呼应，反映了南北方士族的共同利益和愿望。

五　崔浩军事思想的意义

崔浩的军事思想对于当时维持南北均势，指导北魏统一北方的战争，推动北强南弱形势的转化，起了巨大作用。

前已述及，北魏前期还处于敌对势力的四面包围之中，它还无力战胜东晋南朝，对于北魏来说，唯一正确的抉择是迅速壮大自身的力量，翦平周边的敌对势力，实现统一北方的大业，才能与南方决一雄雌。崔浩的军事思想反映了这一时代及其需要，引导拓跋族统治者逐步实现国家的最高利益。陈寅恪先生曾言：崔浩“深悉当时南北两方情势，其为鲜卑谋者可谓至矣”“浩之善于为鲜卑谋，非有夷夏之见存乎其间也”[③]。其说甚是。崔浩之为鲜卑国家最高利益谋与为汉人大族利益谋是一致的。

崔浩首先引导拓跋嗣借助刘裕的力量，翦除了关中的后秦，既避免与东晋发生正面冲突，又不费一兵一卒而消灭了敌对力量，从而为北魏统一北方奠定了良好的基础。此后，崔浩辅佐拓跋焘，开始了统一北方

① 《晋书》卷八〇《王羲之传》，第2094—2095页。
② 《晋书》卷八〇《王羲之传》，第2096页。
③ 《崔浩与寇谦之》，《金明馆丛稿初编》，第135页。

的大业，进行了三次关键性战争，而实现了北方的统一：首先，北魏将其主要锋芒指向西邻的赫连夏。在崔浩的一力促成下，太武帝下决心出兵西讨，相继打败赫连昌、赫连定，摧垮了西邻这一劲敌。其次，集中优势兵力击败北邻的柔然。柔然始终是北魏北方的劲敌，不解决柔然问题，统一北方和南进都是不可能实现的目标。于是，太武帝在崔浩的一力支持下，克服了统治集团多数成员的反对，组织了对柔然的三次大规模用兵，严重削弱了柔然的势力，遏止了其南进的势头，解除了后顾之忧，保证了其统一北方大业的顺利进行。最后，挺进河西，消灭十六国最后一个割据政权——北凉。这也是崔浩在克服了北魏统治集团多数成员的阻挠，而促使太武帝下决心才实现的。北凉的被灭，标志着北魏对于北方的统一。此后北魏在北方除柔然外，已无劲敌，它可以集中力量放手对南方用兵了，形势发生了有利于北魏的转化，北方的实力逐步压倒南方了。具有悲剧意味的是：到崔浩被诛时，“公元450年，魏太武帝拓跋焘又进兵经略江淮，至瓜步，掠淮南五万余家而还，到这时候，北方的实力已经压倒南方了”①。没有崔浩生前的经营和努力，就不可能实现这一具有历史意义的转变。

由上所述我们可以看到，在统一北方的几次关键性战争中，崔浩是起着关键性作用的。这一点太武帝也是承认的，他说：“朕始时虽有征讨之意，而虑不自决，前后克捷，皆此人导吾令至此也。”太武帝还敕诸尚书曰：“凡军国大计，卿等所不能决，皆先咨浩，然后施行。”② 崔浩及其军事思想在北中国统一事业中的作用是不朽的，在当时是没有任何一个人可以企及的。

崔浩的军事思想是汉族士族与拓跋族统治者相结合，汉族传统军事思想与少数民族战争实践相结合的产物，是北中国民族融合的一个表征，它给传统的军事思想注入了新的成份，在我国古代军事史的武库中大放异彩！

［原刊《北朝研究》1990年下半年刊，总第3期。中国人民大学报

---

① 王仲荦：《魏晋南北朝史》（下册），上海人民出版社1980年版，第511页。

② 《魏书》卷三五《崔浩传》，第819页。

刊复印资料《魏晋南北朝隋唐史》1991年第3期全文转载。后收入《魏晋南北朝史论》，学苑出版社1999年版。2022年3月前后，学苑出版社拟出版《魏晋南北朝史论（增订本)》，蒙黎虎先生信任，将修订任务托付于我。大概从4月起，即着手相关篇目的整理修订，修订工作主要内容就是将注释按照最新标准进行统一规范，同时订正其中的文字错讹。先生还叮嘱我，在不影响原文主旨的情况下，对于文中一些不太雅训的语句，或是结构不尽合理之处，尽管大胆施为。6月，先生再次嘱咐，增订本的修订任务完全托付于我。面对先生如此信任厚爱，我深感光荣的同时，也有诚惶诚恐和压力倍增之感，深恐有负先生之重托。本文是最早着手修订的篇目之一，当时依据《魏晋南北朝史论》刊文为底本，并找来《北朝研究》原刊文作为参校本，发现两个版本的文章，无论是注释规范，还是篇章结构布局，均与现行的论文格式差异较大，亦与先生其他论文风格不太协调，故而修订时对这两个方面均进行了调整，并呈送先生审决，结果得到先生首肯。今即以此次整理本为底本，并覆校后收入《黎虎文集：魏晋南北朝史论》。李文才敬识。]

诸葛亮躬耕地考辨

一　问题的提出

建安十二年（207），刘备“三顾”诸葛亮“草庐”，咨以“当世之事”，诸葛亮为刘备分析天下大势，提出占有荆、益，建立霸业的方针，预见了鼎足三分的发展趋势，是为著名的《隆中对》。此事不仅对于蜀汉政权的建立，甚而对于三国历史的发展来说都是一个具有重要意义的事件。

诸葛亮在其后的《出师表》中讲过一句：“臣本布衣，躬耕于南阳……先帝不以臣卑鄙，猥自枉屈，三顾臣于草庐之中。”① 于是有人据此认为诸葛亮躬耕地应在今南阳市，亦即郡治所在之宛县（今河南南阳）。但是，历史资料表明，其地应在南阳邓县的隆中（今湖北襄阳西）。这本来不应成为问题，但是近年有人对此提出异议，有几篇文章竟然否认襄阳隆中为诸葛亮躬耕地，从而引起社会各界人士对诸葛亮躬耕地问题的关注，因而把这个问题提出加以认真的澄清，从历史事实出发，得出符合历史实际的结论，看来已是势在必行了。

为了叙述的方便，我们姑且把它们称为“宛县说”和“邓县说”。在比较“宛县说”和“邓县说”之后，我以为应以“邓县说”为是。首先从历史资料来看，“邓县说”的历史资料根据是充分的，而且基本上是可信的。其次，从邓县与宛县的地理形势和当时的政治、军事形势来看，也应在邓县而不在宛县。最后，从诸葛亮的活动事迹及其社会关系来看，也应在邓县而不在宛县。

---

① （晋）陈寿撰，（南朝·宋）裴松之注，陈乃乾校点：《三国志》卷三五《蜀书·诸葛亮传》，中华书局1959年版，第920页。

二 关于几则历史资料的辨析

“宛县说”的主要根据是前述诸葛亮在《出师表》中讲过的那句话。但是，东汉的南阳郡辖37县，[①] 究竟在哪一县呢？就算在郡治宛县，也未说明在宛的何方，没有资料证明它应在今南阳西面的卧龙冈。所以，仅据此一条，不能遽然断定此“南阳”即指郡治宛城。

然而，“邓县说”的历史根据相对来说就丰富多了，既具体又明确。但是，持“宛县说”的同志对于这些材料都持否定态度，因此有必要对它们作一些辨析，看看它们是否真实可靠。

（一）关于刘弘、李兴“观亮故宅，立碣表闾”的问题

王隐《蜀记》曰：“晋永兴（304—306）中，镇南将军刘弘至隆中，观亮故宅，立碣表闾，命太傅掾犍为李兴为文曰：‘天子命我，于沔之阳，听鼓鼙而永思，庶先哲之遗光，登隆山以远望，轼诸葛之故乡……昔尔之隐，卜惟此宅……今我来思，觌尔故墟……”[②]，《蜀记》载录了该文的全文。

“永兴”为西晋惠帝年号，有3年。刘弘是在永兴何年至隆中“立碣表闾”的呢？《蜀记》没有确指。此事应在永兴元年（304）。时益州刺史罗尚被李雄所败，遣别驾李兴诣荆州求援，镇南将军、荆州刺史刘弘给米3万斛以救之。[③] 而使人李兴“因愿留为弘参军而不还”，恰在此时，“（李）兴之在弘府，弘立诸葛孔明、羊叔子碣，使兴俱为之文，甚有辞理”[④]。《晋书》与《蜀记》所载即为一事。同年，罗尚向刘弘要求送还李兴，刘弘即“夺其手版而遣之”[⑤]。李兴之出使荆州及还益州，均发生于永兴元年（304）。[⑥] 故其随刘弘“观亮故宅”，必在是年之内。

《水经注》又进一步肯定《蜀记》所载：“车骑沛国刘季和之镇襄阳

---

① （晋）司马彪撰，（梁）刘昭注补：《续汉书·郡国志四》，点校本《后汉书志》第二十二，中华书局1965年版，第3476—3477页。

② 《三国志》卷三五《蜀书·诸葛亮传》注引《蜀记》，第936—937页。

③ （唐）房玄龄等撰：《晋书》卷六六《刘弘传》，中华书局1974年版，第1766页。

④ 《晋书》卷八八《李密附子（李）兴传》，第2276页。

⑤ 《晋书》卷八八《李密附子（李）兴传》，第2276页。

⑥ （宋）司马光编著，（元）胡三省音注：《资治通鉴》卷八五，晋惠帝永兴元年（304）正月，中华书局1956年版，第2694页。

也，与犍为人李安共观此宅，命安作《宅铭》云：‘天子命我，于沔之阳，听鼓鼙而永思，庶先哲之遗光……’”① 此处所载“刘季和”，当即刘弘，据《晋书·刘弘传》：“刘弘字和季，沛国相人也。”② 除了“季和”与“和季”字序颠倒可能因为传钞有误所致外，所载事迹相同，因此，当为同一人。李安即李兴，王隐《晋书》云：“李兴，密之子，一名安。”③

由上所述，可知《蜀记》的记载，与《晋书》《水经注》等都是一致的，与刘弘、李兴等历史人物的活动事迹也是完全吻合的，其可靠性是毋庸置疑的。

那么，我们应当如何看待刘弘此举呢？

刘弘从太安二年（303）为荆州刺史，直至光熙元年（306）卒于襄阳，一直在荆州为官。其为官清廉，为人正直，“威行南服”④。其时南阳与襄阳均在荆州辖区内，他不必偏爱襄阳而贬斥南阳。而且刘弘为沛国相人，也不可能受乡土观念左右而有所偏向。永兴元年（304）上距诸葛亮逝世恰70周年，其时他的故居仍可能有遗迹可寻，及父老口耳相传的确指。刘弘作为荆州刺史，对于这里的地理历史和民情风物是了解的，他去隆中“观亮故宅”不会是没有根据率尔而为的。恰在此时李兴来到襄阳，他作为蜀人，同时其父李密亦曾官于蜀汉，因而对故丞相诸葛亮是熟悉的，也是有特殊感情的，所以他到襄阳后便去“观亮故宅”也是很自然的。

为什么诸葛亮死后直至西晋才有人去吊祭其故里呢？因三国时襄阳“属魏之荆州”⑤，故西晋统一之前，不可能为其“立碣表闾”。这只有到西晋统一后才有可能，如陈寿在泰始年间（265—274）始受命编《诸葛氏集目录》就是相同的道理。但何以迟至西晋末刘弘时才办此事呢？因为：（1）西晋末年阶级矛盾尖锐，人民反抗运动蜂起，在荆州地区即有张昌起义的爆发。刘弘就是在这种情况下受命镇荆州的。刘弘到任后打

---

① （后魏）郦道元注，（民国）杨守敬、熊会贞疏，段熙仲点校，陈桥驿复校：《水经注疏》卷二八《沔水中》，江苏古籍出版社1989年版，第2366—2367页。

② 《晋书》卷六六《刘弘传》，第1763页。

③ 《三国志》卷三五《蜀书·诸葛亮传》注引王隐《晋书》，第937页。

④ 《晋书》卷六六《刘弘传》，第1766页。

⑤ 《晋书》卷一五《地理志下》，第454页。

败了张昌，并铲除了范阳王司马虓所派荆州刺史张奕。显然，他是在取得讨伐张昌的基本胜利，稳定了荆州的局势之后，恰值诸葛亮逝世70周年而去隆中“立碣表闾”的。(2) 此时“八王之乱”正酣，河间王司马颙、成都王司马颖与长沙王司马乂正逐鹿中原争夺神器。刘弘作为一个忠君的封建官吏，特别有意提倡忠君意识。“时总章太乐伶人，避乱多至荆州，或劝可作乐者。弘曰：‘昔刘景升以礼坏乐崩，命杜夔为天子合乐，乐成，欲庭作之。夔曰：为天子合乐而庭作之，恐非将军本意。吾常为之叹息。今主上蒙尘，吾未能展效臣节，虽有家伎，犹不宜听，况御乐哉！’乃下郡县，使安慰之，须朝廷旋返，送还本署。”① 可见刘弘臣节之忠。因此，宅铭在盛赞诸葛亮的忠义和功业之后，强调“惟子之勋，移风来世，咏歌余典，懦夫将厉……”② 表明了其有感而发之意。

（二）关于习凿齿为宅铭的问题

《水经注》在记述刘弘“观亮故宅”一事后，又说：“后六十余年，永平之五年，习凿齿又为其宅铭焉。”③ 两晋时只惠帝时有永平（291）之年号，且在永兴之前，永兴之后无永平之年号。有些持“宛县说”的同志，因这一年号记载有误而否定《水经注》这一记载的真实性。

《水经注》这一年号记载显然有误。永兴元年（304）之后的60—70年，有兴宁、太和、咸安、宁康等年号。在这4个年号中，只有太和（366—371）超过5年，其余均只有二三年。那么此事似应以太和五年（370）为是。此时上距永兴元年为66年，符合“后60余年”之说。

太和五年（370）时，习凿齿已罢荥阳太守还居襄阳。习凿齿为桓温荆州别驾时，因忤温旨而左迁户曹参军，“时有桑门释道安，俊辩有高才，自北至荆州，与凿齿初相见”④。道安于兴宁三年（365）到达襄阳。这年四月五日，道安由南阳至襄阳途中，习凿齿即致书向其表示仰慕之情。⑤ 那么，习凿齿与道安之会见，应在道安至襄阳不久，即亦在兴宁三

---

① 《晋书》卷六六《刘弘传》，第1766页。

② 《三国志》卷三五《蜀书·诸葛亮传》注引《蜀记》，第937页。

③ 《水经注疏》卷二八《沔水中》，第2367页。

④ 《晋书》卷八二《习凿齿传》，第2153页。

⑤ （梁）僧祐撰，李小荣校笺：《弘明集校笺》卷一二《与释道安书》，上海古籍出版社2013年版，第638页。

年（365）。不久，习凿齿出为荥阳太守，“是时（桓）温觊觎非望，凿齿在郡，著《汉晋春秋》以裁正之”[①]“后以脚疾，遂废于里巷”[②]。太和五年（370）时，习凿齿已回到襄阳，其为诸葛亮宅铭，当在此时。

此事与他当时的思想情绪是吻合的。史称“（桓）温弟（桓）祕亦有才气，素与凿齿相亲善。凿齿既罢郡归，与（桓）祕书曰：‘吾以去（年）五月三日来达襄阳，触目悲感，略无欢情，痛恻之事，故非书言之所能具也。每定省家舅，从北门入，西望隆中，想卧龙之吟……未尝不徘徊移日，惆怅极多，抚乘踌躇，慨尔而泣。’”[③] 他是借诸葛武侯忠于汉室之史事，以发泄自己对桓温觊觎非望之感慨。

因此，不能仅因年号记载有误而认为“《水经注》中的这条记载是靠不住的”。这段记载中的西晋刘弘“观亮故宅”事已被证明是可靠的，关于东晋习凿齿为宅铭之事同样也是真实的。习凿齿所作《诸葛武侯宅铭》至今犹存，《艺文类聚》卷六四、《初学记》卷二四，均载录此铭。铭曰“达人有作，振此颓风。雕薄蔚采，鸱兰惟丰。义范苍生，道格时雍……”[④]云云，显然也是有感而发。

（三）关于隆中的地理位置问题

王隐《蜀记》是最早指出诸葛亮躬耕地在隆中的，而西晋刘弘是文献记载第一位到隆中“观亮故宅”的。那么，隆中究竟在什么地方呢？历史记载主要有如下诸说：（1）《水经注》：“沔水又东迳隆中，历孔明旧宅北。亮语刘禅云：‘先帝三顾臣于草庐之中，咨臣以当世之事’，即此宅也。”[⑤]（2）习凿齿《汉晋春秋》：“亮家于南阳之邓县，在襄阳城西二十里，号曰隆中。”[⑥]（3）盛弘之《荆州记》：“襄阳西北十许里，名为隆中，有孔明宅。”[⑦]（4）《元和郡县图志》“襄州·襄阳县”条：“诸葛

---

① 《晋书》卷八二《习凿齿传》，第2154页。

② 《晋书》卷八二《习凿齿传》，第2154页。

③ 《晋书》卷八二《习凿齿传》，第2153页。

④ （唐）欧阳询撰，汪绍楹校：《艺文类聚》卷六四《居处部四·宅舍》引习凿齿《诸葛武侯宅铭》，上海古籍出版社1999年版，第1147页；（唐）徐坚等：《初学记》卷二四《居处部·宅第八》引习凿齿《诸葛武侯宅铭》，中华书局1962年版，第580页。

⑤ 《水经注疏》卷二八《沔水中》，第2366页。

⑥ 《三国志》卷三五《蜀书·诸葛亮传》注引《汉晋春秋》，第911页。

⑦ 《水经注疏》卷二八《沔水中》，第2366页。

亮宅，在县西北二十里。"[①]（5）《荆州图副》："邓城旧县西南一里，隔沔有诸葛亮宅，是刘备三顾处。"[②]。

从上述记载我们可以清楚地知道，隆中的地理位置是在襄阳城西20里左右，这个地方在当时是属于南阳郡的邓县所辖。这些著述除了《元和郡县图志》是唐人所作外（不过其所取材包括了魏晋南北朝时期的众家著述），其余均为晋南北朝时人所作，其中以习凿齿的《汉晋春秋》为早，上距刘弘、李兴至隆中"观亮故宅"不过60年左右，其可靠性是不容置疑的。

在上述诸材料中，习凿齿《汉晋春秋》的一段叙述是"邓县说"最为明确的说明。但是，持"宛县说"的同志却否认习氏之说的正确性，有的甚而认为习凿齿"只是个政客，并不是个历史学家"云云。看来为了辨析这一材料，有必要对习凿齿先有一个基本的正确认识。

第一，习凿齿是襄阳人，"宗族富盛，世为乡豪"[③]，早年在荆州刺史桓温帐下任从事、主簿、别驾等职，除一度出为荥阳太守，一度被苻坚接去外，一生大部分时间在襄阳度过，老死于兹。因此，他对于襄阳的地理历史、人情掌故是熟悉的。

第二，习凿齿又研读了大量的历史资料，他"少有志气，博学洽闻，以文笔著称"[④]。他通晓儒、玄、佛，擅长文、史，时人称"徒三十年看儒书，不如一诣习主簿"[⑤]。他的《汉晋春秋》就是在这样的基础上写成的。公元379年苻坚陷襄阳，"坚素闻其名，与道安俱舆而致焉。既见，与语，大悦之，赐遗甚厚。又以其蹇疾，与诸镇书：'昔晋氏平吴，利在二陆；今破汉南，获士裁一人有半耳。'"[⑥] 可见当时南北人士对他的学识评价都是很高的。不久他回到襄阳，东晋"朝廷欲征凿齿，使典国史，会卒，不果"[⑦]。

---

① （唐）李吉甫撰，贺次君点校：《元和郡县图志》卷二一《山南道二·襄州·襄阳县》，中华书局1983年版，第529页。

② （梁）萧统编，（唐）李善注：《文选》卷三七《出师表》注引，上海古籍出版社1986年版，第1673页。

③ 《晋书》卷八二《习凿齿传》，第2152页。

④ 《晋书》卷八二《习凿齿传》，第2152页。

⑤ 《晋书》卷八二《习凿齿传》，第2153页。

⑥ 《晋书》卷八二《习凿齿传》，第2154页。

⑦ 《晋书》卷八二《习凿齿传》，第2154页。

他的史才受到当世的重视。所以，从习凿齿一生事业看，他是一个学者，一个史学家，而不是什么政客，其史学贡献是不容抹煞的。

第三，习凿齿关于隆中的说法，不仅在《汉晋春秋》中，在其他著述中也作如是说。前引他写给桓祕的书信谓“西望隆中，想卧龙之吟”即是。桓祕是桓温之弟，史称“桓氏世莅荆土”[①]“诸桓世居西楚”[②]。因此，桓氏家族成员对于荆州和襄阳是非常熟悉的。习凿齿对于这样的好友谈及襄阳的历史地理时是不可能信口胡言的。

现在我们再来看隆中在南阳邓县的问题。

南阳之得名，因“在中国之南，而居阳地，故以为名也”[③]。秦时“以楚之汉北立南阳郡”[④]。但是，这种划分不是绝对的，如两汉时南阳郡所属山都、筑阳、武当等县都已越过汉水南岸，这几县均在襄阳以西，邓县亦在襄阳西北而与之紧邻。关于襄阳与邓县的分界处，《元和郡县图志》论述最为明晰，卷二一“襄州·襄阳县”条谓：“万山，一名汉皋山，在县西十一里，与南阳（郡）邓县分界处。古谚曰：‘襄阳无西’，言其界促近。”[⑤] 它明确告诉我们，襄阳与邓县的分界处在襄阳县西11里处的万山，两县紧邻，边界促近，因而自古即有“襄阳无西”的民谚流传下来。该书接着又说：“诸葛亮宅，在县西北二十里。”[⑥] 显然，此地已在万山之西北9里，已属南阳邓县无疑。由此可知，隆中距襄阳虽然只有20里左右，但它已属南阳郡邓县辖境之内。习凿齿《汉晋春秋》等书关于隆中在南阳邓县的说法是符合实际的。

这样，《水经注》和《元和郡县图志》等重要地理著作中的一个共同现象就是完全可以理解的了：它们对于沔水流经襄阳一段与诸葛亮有关的遗迹均有详细的记述，而于南阳方面，却无一字涉及。如《水经注》记述了南阳及其附近之“百里奚故宅”“范蠡故宅”“何进故宅”“孔嵩

---

① 《晋书》卷七四《桓彝传附桓石民传》，第1946页。

② （梁）沈约撰：《宋书》卷五一《宗室·临川烈武王（刘）道规传》，中华书局1974年版，第1471页。

③ （东汉）刘熙撰，（清）毕沅疏证，（清）王先谦补，祝敏彻、孙玉文点校：《释名疏证补》卷二《释州国第七》，中华书局2008年版，第57页。

④ 《晋书》卷一五《地理志下》，第454页。

⑤ 《元和郡县图志》卷二一《山南道二·襄州·襄阳县》，第529页。

⑥ 《元和郡县图志》卷二一《山南道二·襄州·襄阳县》，第529页。

故宅”等,[①] 而未有一语及“诸葛亮故宅”。

“宛县说”者提出，诸葛亮所谓“南阳”是指南阳县，用以代宛。这一说法是站不住脚的。因为就在《隆中对》中，诸葛亮建议刘备：“天下有变，则命一上将将荆州之军以向宛、洛。”[②] 这里并没有以“南阳”代称宛。汉晋时人喜以郡望所出自称，诸葛亮对其第二故乡而称“躬耕于南阳”是不足为奇的。此外，以忠于汉室相标榜的诸葛亮，其所忠的汉室实指东汉，而东汉皇帝及统治集团主要成员均出自南阳，所谓“河南帝城多近臣，南阳帝乡多近亲”[③]。诸葛亮向刘禅说自己“躬耕于南阳”，在当时是具有某种政治意味的。

后人的诗文中的确有不少以“南阳诸葛庐”为称的，尤以唐人为多。但这并不能作为确证。有的人虽称“南阳”，实际也还是指隆中。如孙樵《刻裴晋公武侯碑阴》，既说“曩蟠南阳”，又说“激备隆中”，可见他心目中的“南阳”与“隆中”是一回事。孙樵曾官职方郎中，《旧唐书·职官志》谓其职责：“掌天下地图及城隍、镇戍、烽堠之数……凡五方之区域、都邑之废置、疆场之争讼者举而正之。”[④] 他对历史地理无疑是个内行。

三 从历史背景看“躬耕”地所在

以上我们从几则重要的历史资料入手作了一些辨析，认定诸葛亮躬耕地应在南阳之邓县而不在宛县。现在我们再从更广阔的历史背景加以考察，以便进一步确认诸葛亮躬耕地应在邓县而不可能在宛县。

（一）从地理和政治、军事形势来看

诸葛亮（181—234），琅琊阳都人，早孤，依从父诸葛玄。东汉末年天下大乱，军阀混战，“玄素与荆州牧刘表有旧，往依之”[⑤]，携诸葛亮姐弟等来到襄阳。不久，建安二年（197）诸葛玄死，诸葛亮便于襄阳西20

---

① 《水经注疏》卷三一《淯水》，第2606、2608、2609页。

② 《三国志》卷三五《蜀书·诸葛亮传》，第913页。

③ （南朝·宋）范晔撰，（唐）李贤等注：《后汉书》卷二二《刘隆传》，中华书局1965年版，第781页。

④ （后晋）刘昫等撰：《旧唐书》卷四三《职官志二》，中华书局1975年版，第1836页。

⑤ 《三国志》卷三五《蜀书·诸葛亮传》，第911页。

里的隆中“躬耕陇亩”①。

汉代的南阳郡为荆州7郡之一，郡治宛（即今河南南阳），辖境北起河南伏牛山、鲁山，南抵汉北，与南郡之襄阳接界。南阳郡南境之邓县，在襄阳西北。邓县与宛县虽然同属南阳郡，但两地的地理形势与民情风俗都有较大差异。

襄阳“北接宛、洛，跨对樊、沔，为荆、郢之北门，代为重镇”②。“江陵去襄阳步道五百，势同唇齿，无襄阳则江陵受敌”③，它也是“旧楚之北津，从襄阳渡江，经南阳，出方关，是周、郑、晋、卫之道”④，故为“水陆之衢，御寇要地，不可失也”⑤。可见，襄阳外御宛、洛，内制江陵，为荆州之北门，而南阳则已在北门之外，是以襄阳为立足点的防御与进攻的对象。《隆中对》提出“将荆州之军以向宛、洛”⑥，即以襄阳为出发点而攻击南阳方面。刘表在经略荆州时，谋士们建议“南据江陵，北守襄阳，荆州八郡可传檄而定。（袁）术等虽至，无能为也”⑦。当时袁术据有南阳，只要守住襄阳，就可以抵御来自南阳方面的威胁。

两地的民情风俗也有所不同，史称“南阳新野风俗出骑射”⑧。而襄阳从刘表开始“起立学校，博求儒术”⑨，初具儒雅之风。其后“益多衣冠之绪，稍尚礼义经籍焉”⑩。

在东汉末年，两地的政治、军事形势更有明显的不同。诸葛亮至荆州时，刘表已在襄阳站稳脚跟，“理兵襄阳，以观时变”⑪“南接五岭，北据汉川，地方数千里，带甲十余万”，加以“招诱有方，威怀兼洽，其

---

① 《三国志》卷三五《蜀书·诸葛亮传》，第911页。

② 《元和郡县图志》卷二一《山南道二·襄州》，第528页。

③ （梁）萧子显撰：《南齐书》卷一五《州郡志下》，中华书局1972年版，第273页。

④ 《续汉书·郡国志四》注引《荆州记》，点校本《后汉书志》第二十二，第3481页。

⑤ （宋）李昉等撰：《太平御览》卷一六八《州郡部十四·山南道下·襄州》引《楚地记》，中华书局1960年版，第819页。

⑥ 《三国志》卷三五《蜀书·诸葛亮传》，第913页。

⑦ 《三国志》卷六《魏书·刘表传》注引司马彪《战略》，第212页。

⑧ 《南齐书》卷二五《张敬儿传》，第464页。

⑨ 《后汉书》卷七四《刘表传》，第2421页。

⑩ （唐）魏徵、令狐德棻撰：《隋书》卷三一《地理志下》，中华书局1973年版，第897页。

⑪ 《后汉书》卷七四《刘表传》，第2420页。

奸猾宿贼更为效用，万里肃清，大小咸悦而服之”，于是“爱民养士，从容自保”①。史称“中平（184—189）以来，荆州独全，及刘表为牧，民又丰乐”②。这种安定的政治、军事环境，吸引了北方大量的流民和知识分子，促进了襄阳文化事业的发展。“关西、兖、豫学士归者盖有千数。表安慰赈赡，皆得资全。遂起立学校，博求儒术，綦毋闿、宋忠等撰立五经章句，谓之后定。”③ 王粲《荆州文学记》云：“五载之间，道化大行，耆德故老綦毋闿等负书荷器自远而至者三百有余人。”④ 《镇南碑》曰：“吏子弟受禄之徒盖以千数，洪生巨儒，朝夕讲论，訚訚如也。”“古典毕集，充于州闾。”⑤ 于时“士之避乱荆州者，皆海内之俊杰也”⑥。可见襄阳学术繁荣、人才济济的盛况。

这时的南阳又是什么情况呢?

中平六年（189）“时董卓将欲废立，以（袁）术为后将军。术畏卓之祸，出奔南阳”⑦。此后南阳即为袁术所据，直至初平四年（193）“袁术为刘表所逼，引兵屯封丘”⑧。袁术给南阳带来巨大破坏，“初，术在南阳，户口尚数十百万，而不修法度，以钞掠为资，奢恣无厌，百姓患之”⑨。建安元年（196），凉州军阀张济“屯弘农，士卒饥饿，南攻穰(今河南邓县)，为流矢所中死。（济族子）绣领其众，屯宛，与刘表合”⑩。从此南阳又被张绣所据，遭遇更大的灾难。曹操与张绣在南阳一带展开连年的拉锯战，曹操“比年攻之，不克”⑪。刘表与张绣联合，多次派兵支援，但战争都在南阳一带进行。建安二年（197）春正月，“曹操讨张绣，军于清水，绣举众降”，旋即反击曹操，“操击破之，绣走还

---

① 《后汉书》卷七四《刘表传》，第2421页。

② 《三国志》卷六《魏书·刘表传》注引《搜神记》，第214页。

③ 《后汉书》卷七四《刘表传》，第2421页。

④ （清）王先谦撰：《后汉书集解》卷六四下《刘表传》引，广陵书社2006年版，第812页。

⑤ 《后汉书集解》卷六四下《刘表传》引，第812页。

⑥ 《三国志》卷二一《魏书·王粲传》，第598页。

⑦ 《后汉书》卷七五《袁术传》，第2438页。

⑧ 《资治通鉴》卷六〇，汉献帝初平四年（193）正月，第1942页。

⑨ 《后汉书》卷七五《袁术传》，第2439页。

⑩ 《三国志》卷八《魏书·张绣传》，第262页。

⑪ 《三国志》卷八《魏书·张绣传》，第262页。

穰，复与刘表合”[①]。同年十一月，曹操复攻张绣，拔湖阳（今河南泚阳南）、舞阴（今河南泌阳）。建安三年（198）三月又击张绣于穰，直至建安四年（199）十一月张绣投降曹操。[②] 连年的战乱，使南阳粮食匮乏。荀攸曾对曹操说：“绣与刘表相恃为强，然绣以游军仰食于表，表不能供也，势必离。”[③] 可见张绣的粮食供应依赖于刘表，襄阳与南阳经济情况、粮食供应之不同可想而知。

建安四年（199）张绣投降曹操后，南阳一带就成了曹操的势力范围。建安六年（201）刘备在汝南被曹操击败，投奔刘表，表“益其兵，使屯新野”[④]。这实际上是以刘备镇守于荆州北门之外，以御曹操。建安七年（202），刘表曾使刘备北侵叶县，旋即退还。建安八年（203）曹操击刘表，军于西平，战争仍在襄阳之外的南阳一带进行。

由上述可见，邓县与宛县虽然同属南阳郡，但两地的政治、军事形势是极不相同的，宛若两个世界。南阳战乱频仍，饥荒严重，与襄阳的政治安定、经济稳定、文化繁荣形成鲜明的对照。诸葛亮在荆州的十几年中，恰恰是南阳惨遭涂炭，而襄阳则处于和平安定的不可多得的一段黄金时期。这种情况决定诸葛亮不可能从襄阳北上宛县去居住，那里没有这样的环境让他“躬耕陇亩”，更没有余兴去作《梁父吟》和种种游学与社交活动，这一切只有在处于比较安定的后方的襄阳一带才有可能进行。《出师表》说的“苟全性命于乱世”，是诸葛亮在刘备“三顾”之前的处世哲学，可见他也没有从和平安定的襄阳反而投入四战之地的南阳的思想基础。

当时人民流徙的方向是由北而南，也就是由南阳而襄阳，而不是相反的方向。史称“关中膏腴之地，顷遭荒乱，人民流入荆州者十万余家”[⑤]“南阳三辅民数万户流入益州”[⑥]。其中包括众多的知识分子，“关西、兖、豫学士”“盖有千数”[⑦] 从北方流入襄阳。诸葛亮没有任何理由

---

① 《资治通鉴》卷六二，汉献帝建安二年（197）正月，第1994页。

② 《资治通鉴》卷六二、六三，汉献帝建安三、四年（198、199），第2002、2017页。

③ 《三国志》卷一〇《魏书·荀攸传》，第323页。

④ 《三国志》卷三二《蜀书·先主传》，第876页。

⑤ 《三国志》卷二一《魏书·卫觊传》，第610页。

⑥ 《后汉书》卷七五《刘焉传》，第2433页。

⑦ 《后汉书》卷七四《刘表传》，第2421页。

从人民向往的襄阳逆流而去人民避之不及的南阳。所以，从地理环境和当时的政治、军事环境来看，诸葛亮的躬耕地也不可能在宛县而应在邓县。

（二）从诸葛亮的活动事迹和社会关系来看

一个历史人物的活动不会是孤立的，多少会留下一些活动事迹，并发生一定的社会关系。因此，探究一下诸葛亮这十几年的活动事迹和社会关系情况，将有助于我们进一步确认诸葛亮究竟在什么地方躬耕。

在南阳方面，人们几乎找不到一条材料能够证明诸葛亮曾在那里生活过，以及在那里留下什么活动事迹和社会关系。相反，在襄阳一带这类材料却相当丰富，这决不是一个偶然的巧合。

诸葛亮在襄阳一带建立了错综复杂的亲戚关系。诸葛玄原“与荆州牧刘表有旧”①，到诸葛亮时，这种关系又有了更进一步的发展。蔡氏是襄阳大族，“汉末诸蔡最盛”。蔡瑁曾协助刘表取得荆州，被刘表倚为亲信。后蔡瑁一姊为刘表“后妇”，一姊嫁“沔南名士”黄承彦。② 刘表娶蔡氏女为“后妇”事，与《后汉书·刘表传》所载相合，可知《襄阳耆旧记》所记不谬。而诸葛亮娶黄承彦女为妻。③ 因此，刘表是诸葛亮的姨父，蔡瑁是诸葛亮的舅父。诸葛亮的大姊嫁蒯祺为妇，④ 小姊嫁庞德公之子庞山民为妇。⑤ 蒯氏与庞氏也是襄阳大族。

诸葛亮与刘表的亲戚关系，使他有可能深入刘氏家庭的内部矛盾。刘表有二子：琦、琮。蔡氏爱琮，“表宠耽后妻，每信受焉。又妻弟蔡瑁及外甥张允并得幸于表，又睦于琮。而琦不自宁，尝与琅邪人诸葛亮谋自安之术”，于是演出了“共升高楼，因令去梯”⑥ 的一幕闹剧。

诸葛亮在襄阳还有许多同学和社交关系。建安（196—220）初，诸葛亮即开始求学，史言“亮在荆州，以建安初与颍川石广元、徐元直、汝南孟公威等俱游学”⑦。他们胸怀大志，刻苦攻读，“三人务于精熟，而

① 《三国志》卷三五《蜀书·诸葛亮传》，第911页。

② （东晋）习凿齿撰，黄惠贤校补：《校补襄阳耆旧记》卷一“蔡瑁”条，中华书局2018年版，第16页。

③ 《三国志》卷三五《蜀书·诸葛亮传》注引《襄阳记》，第929页。

④ 《校补襄阳耆旧记》卷二“蒯钦”条，第66页。

⑤ 《三国志》卷三七《蜀书·庞统传》注引《襄阳记》，第954页。

⑥ 《后汉书》卷七四下《刘表传》，第2423页。

⑦ 《三国志》卷三五《蜀书·诸葛亮传》注引《魏略》，第911页。

亮独观其大略。每晨夜从容，常抱膝长啸，而谓三人曰：'卿三人仕进可至刺史郡守也。'三人问其所至，亮但笑而不言。"①《三国志》本传谓诸葛亮"每自比于管仲、乐毅，时人莫之许也。惟博陵崔州平、颍川徐庶元直与亮友善，谓为信然"②。在众多同学中，崔、徐二人为诸葛亮之至交，诸葛亮日后回忆他们的友谊说："昔初交州平，屡闻得失，后交元直，勤见启诲"③。浓厚的学术空气，青年学士们的意气风发，互相切磋激励的亲密关系，表明当时那里具有良好的学习条件和环境。这五个年轻人，二人来自颍川，一自汝南，一自博陵，一自琅琊，来自四郡的五个同学相聚一起，正是这时襄阳历史的真实反映。他们的来历相近，都是逃避北方战乱而来到襄阳的。如徐庶"与同郡石韬（即石广元）相亲爱。初平（190—193）中，中州兵起，乃与韬南客荆州，到，又与诸葛亮特相善"④。而且他们无疑都是在襄阳上学，下面的事例就是一个有力的明证："后（孟）公威思乡里，欲北归，亮谓之曰：'中国饶士大夫，遨游何必故乡邪！'"⑤ 孟公威为汝南平舆人，其地与宛处于同一纬度，在宛的正东，而在襄阳的东北。如果孟公威等人是在宛上学，他回故乡应是"东归"而不是"北归"。只有从襄阳出发去汝南才是"北归"。这个材料进一步证明诸葛亮当时是生活在襄阳而不是南阳。

襄阳逸士庞德公与诸葛亮除了有亲戚关系外，还有很深的友谊。庞德公在《后汉书》卷八三《逸民传》中有传，题为"庞公"，庞统（字士元）是他的从子。诸葛亮经常出入于他的家门，"孔明每至其家，独拜床下，德公初不令止"⑥。司马徽（字德操）、徐庶等人也是他家的座上客，"德操年小德公十岁，兄事之"⑦。他们经常聚会，品评人物，"诸葛孔明为卧龙，庞士元为凤雏，司马德操为水镜，皆庞德公语也。"⑧ 这些评语在当时广为流传并得到公认。如刘备访世事于司马德操，德操曰：

---

① 《三国志》卷三五《蜀书·诸葛亮传》注引《魏略》，第911页。
② 《三国志》卷三五《蜀书·诸葛亮传》，第911页。
③ 《三国志》卷三九《蜀书·董和传》，第980页。
④ 《三国志》卷三五《蜀书·诸葛亮传》注引《魏略》，第914页。
⑤ 《三国志》卷三五《蜀书·诸葛亮传》注引《魏略》，第911—912页。
⑥ 《三国志》卷三七《蜀书·庞统传》注引《襄阳记》，第953—954页。
⑦ 《三国志》卷三七《蜀书·庞统传》注引《襄阳记》，第954页。
⑧ 《三国志》卷三七《蜀书·庞统传》注引《襄阳记》，第953页。

“儒生俗士，岂识时务？识时务者在乎俊杰。此间自有伏龙、凤雏。”备问为谁，曰：“诸葛孔明、庞士元也。”① 徐庶向刘备推荐诸葛亮时，也称“诸葛孔明者，卧龙也”②。庞德公对诣葛亮等人的评语，实际是汉代大族名士品评人物的一种方式。可见诸葛亮已深入到当地大族名士的乡里清议中去了。这如果没有在襄阳相当长的生活基础是不可能的，而这种乡里清议又必须在比较安定的政治环境中才可能进行。

诸葛亮的同学和友人都居住在襄阳左右，沔水上下。习凿齿与桓祕书信对此有具体确切的叙述：“每定省家舅，从北门入，西望隆中，想卧龙之吟；东眺白沙，思凤雏之声……纵目檀溪，念崔、徐之友；肆睇鱼梁，追二德之远。”③ 习凿齿之舅罗崇、罗友俱家于襄阳官于襄阳。这是他从襄阳北门进城后所想见诸葛亮及其同学、师友居处之方位。这里的“卧龙”为诸葛亮，“凤雏”即庞统，“崔、徐”是崔州平和徐庶，“二德”即庞德公与司马德操。它与《水经注》的记载是完全吻合的。关于“东眺白沙”，《水经注》有云：“（庞）士元居汉之阴，在南白沙，故世谓是地为白沙曲矣。”④ 关于“纵目檀溪”，《水经注》有云：“沔水又东合檀溪水……溪之阳有徐元直、崔州平故宅。”⑤ 关于“肆睇鱼梁”，《水经注》有云：“沔水中有鱼梁洲，庞德公所居……司马德操宅洲之阳。”⑥ 他们“望衡对宇，欢情自接，泛舟褰裳，率尔休畅”⑦，相邻而居，过从甚密，友情淳笃。

上述事实表明，诸葛亮在襄阳一带建立了广泛的、深入的社会关系，既建立了姻亲关系，又建立了各种同学的、朋友的、学术的、政治的关系。如果不是在襄阳生活了十几年，是不可能建立如此错综复杂的社会关系的。

日后诸葛亮麾下和蜀汉统治集团中不少襄阳人士，如庞统、马良、

---

① 《三国志》卷三五《蜀书·诸葛亮传》注引《襄阳记》，第913页。

② 《三国志》卷三五《蜀书·诸葛亮传》，第912页。

③ 《晋书》卷八二《习凿齿传》，第2153页。

④ 《水经注疏》卷二八《沔水中》，第2377页。

⑤ 《水经注疏》卷二八《沔水中》，第2370页。

⑥ 《水经注疏》卷二八《沔水中》，第2377页。

⑦ 《水经注疏》卷二八《沔水中》，第2377页。

马谡、杨仪、杨颙、向朗、向宠、廖化等，他们与诸葛亮的密切关系，也是他长期生活于襄阳的佐证。如马良与亮书曰：“尊兄应期赞世，配业光国。”① 裴松之认为：“良盖与亮结为兄弟，或相与有亲；亮年长，良故呼亮为尊兄耳。”② 向朗，“少师事司马德操，与徐元直、韩德高、庞士元皆亲善”③。向朗的师友大多是诸葛亮的好友。朗兄子充亦仕蜀，“亮初亡，所在各求为立庙，朝议以礼秩不听，百姓遂因时节私祭之于道陌上……步兵校尉习隆、中书郎向充等共上表”，建议在沔阳立庙祭祀，“于是始从之”④。习隆亦襄阳人，其祖习祯“有风流，善谈论，名亚庞统，而在马良之右”⑤。可见向氏、习氏后人对诸葛亮仍然怀有特殊的深厚感情。

诸葛亮在襄阳十几年的活动所留下的事迹以及他所建立的各种错综复杂的社会关系，再一次无可辩驳地表明，其躬耕地不可能在南阳宛县，而只能在襄阳附近的南阳邓县隆中。

（原刊《北京师范大学学报》1990 年第 4 期，原题《论诸葛亮躬耕地在南阳邓县隆中》。中国人民大学报刊复印资料《魏晋南北朝隋唐史》1990 年第 12 期全文复印。东方出版社 1991 年 3 月编辑出版《诸葛亮躬耕地望论文集》，收录此文。1999 年 7 月编入学苑出版社《魏晋南北朝史论》时，改为今题，文中小标题亦略有改动。今以《魏晋南北朝史论》刊文为底本，并参校原刊文整理。李文才敬识。）

① 《三国志》卷三九《蜀书·马良传》，第 982 页。
② 《三国志》卷三九《蜀书·马良传》，第 983 页。
③ 《三国志》卷四一《蜀书·向朗传》注引《襄阳记》，第 1010 页。
④ 《三国志》卷三五《蜀书·诸葛亮传》注引《襄阳记》，第 928—929 页。
⑤ 《三国志》卷四五《蜀书·杨戏传·季汉辅臣赞》注引《襄阳记》，第 1085 页。

六朝时期江左政权的马匹来源

公元3—6世纪的360多年间，在江左地区曾先后建立过6个政权，史称六朝。六朝政权的腹心在江左一隅（长江下游以东、以南地区，即今江苏省一带）。它们为了在这里站稳脚跟，维持统治，并与北方政权相抗衡，必须保持足够的武装力量，而在当时的战争条件下，马匹是最重要的武装力量之一，所谓“兵强马壮”是武力强盛的表现，马匹的多寡是军力强弱的一个重要标志。因此，六朝政权都迫切地需求马匹，以应军国之用。

但是，江左地区自古以来恰恰缺少马匹，《周礼·夏官司马·职方氏》谓：“东南曰扬州……其畜宜鸟兽。”郑注：“鸟兽，孔雀、鸾、䴔䴖、犀、象之属。”[①] 司马迁在列举各地的出产时，也只说江南饶木材、齿革之属，唯“龙门碣石北多马”[②]。六朝政权的建立，使马匹的供需矛盾更形尖锐突出。

那么，六朝政权是如何解决马匹之需？其马匹来源的渠道、方式及其效果、作用与意义如何呢？兹分述如下。

一　江左政权马匹来源的渠道与方式

六朝时期江左政权马匹的来源，概括而言主要有五个方面，即北方、东北、西南、西北和江左政权内部。以下分而述之。

---

① （汉）郑玄注，（唐）贾公彦疏，赵伯雄整理，王文锦审定：《周礼注疏》卷三三《夏官司马·职方氏》，北京大学出版社2000年版，第1022—1023页。

② （汉）司马迁撰，（南朝·宋）裴骃集解，（唐）司马贞索隐，（唐）张守节正义：《史记》卷一二九《货殖列传》，中华书局1959年版，第3254页。

（一）北部方面

北方素称“戎马之乡”，其马匹资源远较江左丰富。但是，在六朝时期，南北政权基本上处于敌对状态中，而马匹是最重要的战略物资，北方政权对此控制颇严，不让南方政权轻易得到，因此六朝政权从北方得到马匹是非常困难的。尽管如此，北方的马匹仍然是六朝政权所急需得到的。六朝政权主要通过如下方式以取得北方的马匹。

1. 外交

三国时期，孙吴虽然采取联蜀抗魏的方针，但是对曹魏仍采取灵活的外交政策，“外托事魏”[①]，并不放弃与曹魏的交往，从而更有利于立国江东，站稳脚跟，而获得马匹是采取这一方针的重要目的之一。为了获得外交上的利益，北方政权亦往往以马匹作为馈赠的礼物。

黄武元年（222）孙权破刘备后，“权以使聘魏……文帝报使，致鼲子裘、明光铠、騑马”等物。[②] 騑马即骖乘之马。据诸史载，魏文帝与孙权书曰：“前使于禁、郭及土所遗吾纤骊马，本欲使禁自致之，念将军傥欲速得，今故以付徐奉往。此二马，朕之常所自乘，其调良善走，数万匹之极选者，乘之真可乐也。中国虽饶马，其知名绝足，亦时有之耳!”[③] 咸熙元年（264）曹魏灭蜀后，司马昭派人使吴，“喻孙皓以平蜀之事，致马锦等物，以示威怀”[④]。

东晋时“祖逖据谯，将平中原”[⑤]，石勒惮之，“下幽州修祖氏坟墓，为置守冢二家”[⑥]“逖闻之甚悦，遣参军王愉使于勒，赠以方物，修结和好。勒厚宾其使，遣左常侍董树报聘，以马百匹，金五十斤答之。”[⑦]

---

① （晋）陈寿撰，（南朝·宋）裴松之注，陈乃乾校点：《三国志》卷四七《吴书·吴主传》，中华书局1959年版，第1125页。

② 《三国志》卷四七《吴书·吴主传》注引《吴历》，第1125页。

③ （唐）欧阳询撰，汪绍楹校：《艺文类聚》卷九三《兽部上·马》引《魏文帝与孙权书》，上海古籍出版社1999年版，第1623—1624页。（宋）李昉等撰：《太平御览》卷八九四《兽部六·马二》，亦载此事，唯文字间有差异（中华书局1960年版，第3970页）。

④ （唐）房玄龄等撰：《晋书》卷二《文帝纪》，中华书局1974年版，第44页。

⑤ 《晋书》卷一〇五《石勒载记下》，第2738页。

⑥ 《晋书》卷一〇五《石勒载记下》，第2738页。

⑦ 《晋书》卷一〇五《石勒载记下》，第2738页。

南朝时，刘宋与拓跋魏在对峙中亦时通使命，即使是在战争状态下，双方于阵前展开的外交斗争中，马匹亦是北方政权向南朝开展外交攻势的一个筹码。元嘉二十七年（450）宋文帝将北伐，拓跋焘致书奚落道："更无余物可以相与，今送猎白鹿、马十二匹并毡药等物。彼来马力不足，可乘之。"[①] 不久拓跋焘率士马四十万南下，与刘宋对峙于彭城。拓跋焘派人向刘宋主帅、安北将军刘骏求黄甘。刘骏致送黄甘等物后，"并就求马，曰：'……舟楫虽盛，寡于良驷，想能惠以逸足，令及此行。'"[②] 后拓跋焘自彭城至瓜步，又于阵前"遣使饷太祖（宋文帝）骆驼、名马，求和请婚"[③]。

南齐永明十一年（493）北魏派房景高、宋弁出使南朝，并向齐武帝贡献"良马"，但齐武帝"以虏献马不称"，令主客王融质问魏使，说："秦西冀北，实多骏骥，而魏主所献良马，乃驽骀之不若，求名检事，殊为未孚。将旦旦信誓，有时而爽，駉駉之牧，不能复嗣?"[④] 指责北魏以劣马冒充良马，有失两国的信用，魏使答称："不容虚伪之名，当是不习土地。"[⑤] 王融反唇相讥："周穆马迹遍于天下，若骐骥之性，因地而迁，则造父之策，有时而踬。"[⑥] 魏使无言以对。可见马匹是维系两国外交关系的重要因素。

从以上所述我们可以看到，北方政权是充分利用自己多马的优势而对六朝政权展开外交攻势，以此夸耀邻国，奚落乃至挟制南方政权。而且这类礼仪性的馈赠，只具有象征性意义，其数量是微不足道的，质量有时也是劣弱的。所以，六朝政权通过外交途径从北方政权那里是得不到多少马匹的。对于六朝政权来说，还需要利用外交关系，通过互市贸易而得到北方的马匹。

2. 互市

在孙吴时期，早在建安二十四年（219）孙权派"校尉梁寓奉贡于

---

① （梁）沈约撰：《宋书》卷九五《索虏传》，中华书局 1974 年版，第 2348 页。

② 《宋书》卷九五《索虏传》，第 2350 页。

③ 《宋书》卷九五《索虏传》，第 2352 页。

④ （梁）萧子显撰：《南齐书》卷四七《王融传》，中华书局 1972 年版，第 822 页。

⑤ 《南齐书》卷四七《王融传》，第 822 页。

⑥ 《南齐书》卷四七《王融传》，第 822 页。

汉”[1] 的同时，便“令王惇市马”[2]，这是利用“奉贡”的机会派人到北方购买马匹。嘉禾四年（235）秋七月，“魏使以马二百匹”[3]“求易珠玑、翡翠、瑇瑁，（孙）权曰：‘此皆孤所不用，而可得马，何苦而不听其交易？’”[4] 这是曹魏主动以马匹前来贸易，孙吴更乐得以南方所产珍宝换取军国之用的马匹。

东晋时，祖逖与石勒在边境“互市”，结果“收利十倍”[5]“公私丰赡，士马日滋”[6]。“互市”而使“士马日滋”，当有马匹贸易进行。

到了南朝，也曾企图通过互市以得到北方的马匹。宋文帝元嘉二十八年（451），北魏攻宋北归后，双方通好，恢复互市。刘宋政权同意开放互市的主要目的是要得到北方的马匹，以增强军力。但是，北方政权对此是警惕的，并不肯轻易让南方政权得到急需的马匹，所以这种互市的效果也是有限的，当时颜竣就明确地指出了这一点，他说：“议者不过言互市之利在得马，今弃此所重，得彼下驷，千匹以上，尚不足言，况所得之数，裁不十百邪。一相交关，卒难闭绝。寇负力玩胜，骄黠已甚，虽云互市，实觇国情，多赡其求，则桀慠罔已，通而为节，则必生边虞……”[7]，认为互市所得马匹有限而弊端无穷，坚决反对恢复互市。所以通过互市得到马匹困难重重，所得数量、质量也不尽如人意。

3. 战争俘掠

六朝时期，南北政权之间对抗多于友好，战争多于和平，南方政权通过正常渠道不可能获得太多的马匹，而通过战争俘掠不失为一个重要手段。

三国时，吴、魏在边境时有战争，战争中时有曹魏的马匹被俘掠。建安十四年（209）曹仁攻夷陵，周瑜率军援救，大败曹仁，“获马三百匹，方船载还”[8]。黄武七年（228）孙权使鄱阳太守周鲂诱曹魏大司马曹

---

① 《三国志》卷四七《吴书·吴主传》，第 1121 页。

② 《三国志》卷四七《吴书·吴主传》，第 1121 页。

③ （唐）许嵩撰，张忱石点校：《建康实录》卷二《吴中·太祖下》，中华书局 1986 年版，第 42 页。

④ 《三国志》卷四七《吴书·吴主传》，第 1140 页。

⑤ 《晋书》卷六二《祖逖传》，第 1697 页。

⑥ 《晋书》卷六二《祖逖传》，第 1697 页。

⑦ 《宋书》卷七五《颜竣传》，第 1959 页。

⑧ 《三国志》卷五四《吴书·吕蒙传》，第 1274 页。

休，曹休果然中计，大举入皖。孙权派陆逊迎击，大败之，“斩获万余，牛马骡驴车乘万两”①。建兴元年（252）魏三路攻吴，诸葛恪率兵迎击，大败魏军，“获车乘牛马驴骡各数千，资器山积”②。

东晋时，边境战争亦时有发生。沈约说：从西晋以来，“奸黠渐著，密迩畿封，窥候疆场，俘民略畜者，无岁月而阙焉”③。“略畜”是双方边境战争的重要目的之一。晋康帝建元元年（343），庾翼移镇襄阳，石赵军五六百骑出樊城，庾翼派军追击，“获马百匹”④。南顿太守桓石虔“击苻坚将王鉴于石桥，获马五百匹”⑤。后苻坚荆州刺史都贵、襄阳太守阎震攻竟陵，竟陵太守桓石虔率众大败敌军，“斩首七千级，俘获万人，马数百匹，牛羊千头”⑥。这些不过是边境上较小的接触。最大的一次战争是“淝水之战”，在这场战争中，东晋大败苻坚，俘获“牛马驴骡骆驼十万余”⑦，这是一次空前的虏获。

义熙六年（410）刘裕灭南燕，“斩其王公以下三千人，纳口万余，马二千匹，夷其城隍”⑧。这也是一次重大的缴获。元嘉二十七年（450）历城建武府司马申元吉率众进攻北魏碻磝戍，获“马二百余匹、驴骡二百、牛羊各千余头”⑨。

南齐高帝建元二年（480），北魏攻寿春，周盘龙率军迎战，“杀伤数万人，获牛马辎重”⑩。永泰元年（498）北魏徐州刺史广陵王来攻，裴叔业率军迎击，大败敌人，“斩首万级，获生口三千人，器仗驴马绢布千万计”⑪。

梁武帝天监五年（506），韦叡攻合肥北魏守军，城陷，“俘获万余级，牛马万数”⑫。天监六年（507）北魏中山王元英攻北徐州，围钟离，

---

① 《三国志》卷五八《吴书·陆逊传》，第1348页。
② 《三国志》卷六四《吴书·诸葛恪传》，第1435页。
③ 《宋书》卷九五《索虏传》“史臣曰”，第2358页。
④ 《晋书》卷七三《庾亮传》附《庾翼传》，第1935页。
⑤ 《晋书》卷七四《桓彝传》附《桓石虔传》，第1943页。
⑥ 《晋书》卷七四《桓彝传》附《桓石虔传》，第1944页。
⑦ 《晋书》卷七九《谢安传》附《谢玄传》，第2082页。
⑧ （北齐）魏收撰：《魏书》卷九七《岛夷刘裕传》，中华书局1974年版，第2131页。
⑨ 《宋书》卷九五《索虏传》，第2350页。
⑩ 《南齐书》卷二九《周盘龙传》，第544页。
⑪ 《南齐书》卷五一《裴叔业传》，第871页。
⑫ （唐）姚思廉撰：《梁书》卷一二《韦叡传》，中华书局1973年版，第222页。

梁军二十万相拒，大败之，“收其军粮器械，积如山岳，牛马驴骡，不可胜计”[①]，战后从梁军中搜出军人私自所得马即有千匹之多。天监十年（511）梁将马仙琕攻朐山，打败魏军，“收其兵粮牛马器械，不可胜数”[②]。大通元年（527）梁将兰钦进攻北魏笼城，“获马千余匹”[③]。陈庆之攻陷荥阳，“收荥阳储实，牛马谷帛不可胜计”[④]。

陈文帝天嘉五年（564），大败北齐陆骞，“虏获器械马驴，不可胜数”[⑤]。光大元年（567），陈击败北周及投靠后梁的华皎军队，“俘获万余人，马四千余匹，送于京师”[⑥]，俘马数量相当可观。

在战争中，当北方政权处于不利地位或失败时，有时也以马匹向南方政权求和。东晋义熙五年（409）刘裕北伐南燕，围攻燕都广固（今山东益都北），慕容超无奈，“求称藩，割大岘为界，献马千匹”[⑦]，但遭刘裕拒绝。元嘉七年（430）到彦之北伐时，宋军“斩托跋焘叔父英文特勤首，焘以马百匹赎之”[⑧]。

南齐明帝建武二年（495），北魏围钟离，于邵阳洲筑城，后北魏北撤，“洲上余兵万人，求输五百匹马假道”“乃听虏过”[⑨]。

西魏攻南郑，梁军大败之，“西魏相宇文黑泰致马二千匹，请结邻好”[⑩]。梁敬帝太平元年（556）北齐攻梁，陈霸先与战，“大破之，虏萧轨、东方老等。齐人请割地并入马牛以赎之，高祖（陈霸先）不许”[⑪]。天和二年（567）韦冲从“（北周）大将军元定度江伐陈，为陈人所虏。周武帝以币赎还之。帝复令（韦）冲以马千匹使陈，赎开府贺拔华等五

① 《梁书》卷九《曹景宗传》，第180页。

② 《梁书》卷一七《马仙琕传》，第280页。

③ 《梁书》卷三二《兰钦传》，第466页。

④ 《梁书》卷三二《陈庆之传》，第462页。

⑤ （唐）姚思廉撰：《陈书》卷一三《周炅传》，中华书局1972年版，第204页。

⑥ 《陈书》卷二〇《华皎传》，第273页。《通鉴考异》认为《陈书》所记此次俘获数量有所夸诞。

⑦ （唐）李延寿撰：《南史》卷一《宋本纪上·宋高祖武皇帝纪》，中华书局1975年版，第10页。

⑧ 《宋书》卷六五《杜骥传》，第1722页。

⑨ 《南齐书》卷五一《张欣泰传》，第883页。

⑩ 《梁书》卷三二《兰钦传》，第466页。

⑪ 《陈书》卷一四《南康愍王（陈）昙朗传》，第211页。

十人及元定之柩而还”①。

（二）东北方面

东北方面的辽东和高句骊等国也盛产马匹，史称辽东“多马”②“民习鞍马”③。高句骊“其马皆小，便登山”④。因此，六朝政权很重视从这些地区取得马匹。其主要方式为外交与互市二途。

1. 外交

三国时期，孙吴非常注意发展与辽东的关系，其时公孙氏割据辽东，与曹魏相抗衡。孙吴与公孙氏双方都有联合制曹的愿望，孙吴更乐于通过交好公孙氏以取得急需的马匹。

黄龙元年（229），孙权称帝后，即派“校尉张刚、管笃之辽东”⑤。嘉禾元年（232）又派周贺、裴潜“乘海之辽东”。同年，辽东亦派宿舒等“称藩于权，并献貂马”⑥。孙权大悦，加公孙渊爵位。嘉禾二年（233）孙权又派太常张弥、执金吾许晏、将军贺达等率领庞大使团出使辽东，“将兵万人，金宝珍货，九锡备物，乘海授渊”⑦，打算“立渊为燕王”⑧，企图进一步发展与辽东的关系，以取得更多的马匹。但是，公孙渊迫于曹魏的压力，“亦恐权远不可恃，且贪货物，诱致其使，悉斩送（张）弥、（许）晏等首”⑨，送于曹魏，使孙权与辽东发展关系的努力受到沉重打击。

但是这一事件对孙权来说也算因祸得福，意外地打开了与高句骊的关系。张弥、许晏的使团被劫杀后，使团成员秦旦等人辗转逃亡到达高句骊。高句骊王宫派人赐物并送秦旦等还吴。一年后，孙权又派谢宏为使拜宫为单于，作为回报，宫“上马数百匹”，但“是时（谢）宏船小，

---

① （唐）李延寿撰：《北史》卷六四《韦孝宽传附韦冲传》，中华书局1974年版，第2274页。

② 《三国志》卷五七《吴书·陆瑁传》，第1338页。

③ 《三国志》卷五三《吴书·薛综传》，第1253页。

④ 《三国志》卷三〇《魏书·东夷传》，第844页。

⑤ 《三国志》卷四七《吴书·吴主传》，第1134页。

⑥ 《三国志》卷四七《吴书·吴主传》，第1136页。

⑦ 《三国志》卷四七《吴书·吴主传》，第1138页。

⑧ 《三国志》卷八《魏书·公孙渊传》，第253页。

⑨ 《三国志》卷八《魏书·公孙渊传》，第253页。

载马八十匹而还”[1]。此后直到东晋南朝时，仍与高句骊保持着良好的关系。东晋安帝义熙九年（413），高句骊王高琏曾遣使“奉表献赭白马”[2]。刘宋元嘉十六年（439），宋文帝准备北伐，于是“诏琏送马。琏献马八百匹”[3]，这是一次非常慷慨的支援。

2. 互市

东吴与辽东的交往，是与购买马匹的互市活动密切相连的。孙权通辽东的目的，一是结好公孙氏，以牵制曹魏，二是进行互市，购买马匹，而后者是更直接的目的。陆瑁上孙权疏说：“今（公孙）渊东夷小丑，屏在海隅……国家所为不爱货宝，远以加之者，非嘉其德义也，诚欲诱纳愚弄，以规其马耳……夫所以越海求马，曲意于渊者，为赴目前之急，除腹心之疾也。”[4] 这道出了孙吴与辽东发展关系的真实目的。

双方的马匹贸易，随着交往关系的建立即已进行，太和（227—233）初年，魏明帝在给公孙渊的公文中指责道：孙权“比年已来，复远遣船，越渡大海，多持货物，诳诱边民，边民无知，与之交关，长吏以下，莫肯禁止”[5]。可见东吴与公孙氏的马匹贸易早已进行。史称“吴虽在远，水道通利，举帆便至，无所隔限”[6]，这条海上通道成为孙权取得辽东马匹的重要渠道，双方互市的重要地点在沓（或称沓渚、沓津，在今辽宁大连旅顺）。贸易的规模是相当可观的，如嘉禾元年（232）周贺使辽东时，“浮舟百艘，沈滞津岸，贸迁有无”[7]。嘉禾二年（233）孙权派张弥、许晏率庞大使团出使辽东时，“将兵万人”，并带着大量的“金宝珍货”。船队停泊于沓津后，一方面派少数人去见公孙渊，以“文书命服什物”授渊；另一方面主要人员留在沓津进行贸易，“别赍致遣货物，欲因市马”“使诸市买者五六百人”[8] 上岸交易，可见其规模之大。

曹魏对于孙吴与辽东的马匹贸易非常关注和警惕。周贺使辽东后，

---

① 《三国志》卷四七《吴书·吴主传》注引《吴书》，第1140页。
② 《宋书》卷九七《夷蛮·东夷高句骊国传》，第2392页。
③ 《宋书》卷九七《夷蛮·东夷高句骊国传》，第2393页。
④ 《三国志》卷五七《吴书·陆瑁传》，第1337—1338页。
⑤ 《三国志》卷八《魏书·公孙渊传》注引《魏略》，第255页。
⑥ 《三国志》卷八《魏书·公孙渊传》注引《魏书》，第259页。
⑦ 《三国志》卷八《魏书·公孙渊传》注引《魏略》，第255页。
⑧ 《三国志》卷八《魏书·公孙渊传》注引《魏略》，第256页。

曹魏指责公孙渊道："赍以名马，又使宿舒随（周）贺通好。"① 辛毗上书魏文帝警告说"孙权市马辽东，量其意指，似欲相左右"②，因此千方百计地进行破坏。嘉禾元年（232）周贺从辽东返吴，魏将田豫于成山设伏，周贺至此，"遇恶风，船皆触山沈没，波荡著岸，无所蒙窜，尽虏其众"③。嘉禾二年（233）张弥、许晏又大张旗鼓来辽东买马，自然为曹魏所不容。公孙渊迫于曹魏的压力和干涉，"且贪货物"，便设计用武力歼灭使团，劫掠互市，使孙权的目的彻底落空，以致孙权"大怒，欲自征渊"④。但从中可以窥见孙吴与辽东马匹贸易情况之一斑。

（三）西南方面

西南的益州也出产马匹，司马迁说："巴蜀亦沃野……西近邛笮，笮马、旄牛。"⑤ 庞统对刘备说，"今益州国富民强，户口百万，四部兵马，所出必具"⑥，马匹是刘备决定立国于益州的条件之一。蜀汉平定南中后，在那里"赋出叟、濮耕牛、战马"等物，"充继军资，于时费用不乏"⑦。梁武陵王萧纪在蜀十七年，竟然有"马八千匹"⑧，可见蜀地马匹数量之多。当时蜀马和巴滇马行销各地，非常著名。"竹林七贤"之一的王戎，"简脱不持仪形，好乘巴滇马"⑨。太宁二年（324），王敦将举兵内向，东晋明帝"乃乘巴滇骏马微行，至于湖，阴察（王）敦营垒而出"⑩。梁末有童谣曰："可怜巴马子，一日行千里。不见马上郎，但见黄尘起，黄尘污人衣，皂荚相料理。"及王僧辩被消灭，群臣以谣言上奏高祖陈霸先，陈霸先解释说："王僧辩本乘巴马以击侯景，马上郎，王字也，尘为陈也。"⑪ 远在西域的波路国也"有蜀马"⑫，波路即唐代史籍所称勃律，

① 《三国志》卷八《魏书·公孙渊传》注引《魏略》，第255页。
② 《三国志》卷二五《魏书·辛毗传》，第698页。
③ 《三国志》卷二六《魏书·田豫传》，第728页。
④ 《三国志》卷四七《吴书·吴主传》，第1138页。
⑤ 《史记》卷一二九《货殖列传》，第3261页。
⑥ 《三国志》卷三七《蜀书·庞统传》注引《九州春秋》，第955页。
⑦ 《三国志》卷四三《蜀书·李恢传》，第1046页。
⑧ 《南史》卷五三《梁武帝诸子·武陵王（萧）纪传》，第1332页。
⑨ 《太平御览》卷八九七《兽部九·马五》引《竹林七贤论》，第3983页。
⑩ 《晋书》卷六《明帝纪》，第161页。
⑪ 《建康实录》卷二〇《陈下·后主长城公叔宝》，第811页。
⑫ 《魏书》卷一〇二《西域传》，第2276页。

在今克什米尔。[①] 可见，巴马、蜀马在当时都十分有名。西南地区遂因此成为孙吴获取马匹的一个重要来源地。

1. 馈赠与俘掠

三国时期，益州为蜀汉所据。孙吴政权因北方和东北马匹来源困难，更着意于从巴蜀地区取得马匹。吴蜀联盟自有种种复杂原因所决定，但孙吴需要蜀马，也是一个重要原因。蜀汉李密"奉使聘吴，吴主问蜀马多少？对曰：'官用有余，民间自足。'"[②] 可见孙吴对于蜀马是非常关注和渴求的。有一次"蜀使至，群臣并会，权谓使曰：'此诸葛恪雅好骑乘，还告丞相，为致好马。'恪因下谢，权曰：'马未至而谢何也?'恪对曰：'夫蜀者陛下之外厩，今有恩诏，马必至也，安敢不谢。'"[③] 此虽属外交场合之言辞折冲，但"外厩"之说多少反映了孙吴对于蜀马的仰仗。

在两国的交往中，蜀汉常以马匹为赠。黄武二年（223）蜀使中郎将邓芝来聘，"致马二百匹""自是之后，聘使往来以为常。吴亦致方土所出，以答其厚意焉"[④]。

吴蜀之间也有战争发生，在战争中也能俘掠到一些蜀马。如建安二十四年（219），孙桓"从讨关羽于华容，诱羽余党，得五千人，牛马器械甚众"[⑤]。

据《襄阳记》，嘉禾五年（236）陆逊攻襄阳，襄阳西部中卢山白马穴有数十匹马出战，被陆逊俘"还建邺，蜀使有五部兵家滇池者，识其马色，云是已亡父所乘，对之流涕"[⑥]。这个记载略带传奇色彩，但多少反映了江左多蜀马的真实情况。

2. 贩买

在蜀汉赠与马匹的同时，孙吴也主动至蜀"求马"，如孙休永安三年

---

① 冯承钧：《西域地名》，中华书局1980年版，第16页。

② （晋）常璩著，任乃强校注：《华阳国志校补图注》卷一一《后贤志》，上海古籍出版社1987年版，第637页。

③ 《三国志》卷六四《吴书·诸葛恪传》，第1430页。

④ 《三国志》卷四七《吴书·吴主传》注引《吴历》，第1131页。

⑤ 《三国志》卷五一《吴书·孙恒传》注引《吴书》，第1217页。

⑥ 《太平御览》卷八九七《兽部九·马五》引《襄阳记》，第3983页。

(260) 春，“使五官中郎将薛珝聘蜀求马”[①]。

东晋南朝时，巴蜀地区除一度归于前秦及被谯纵割据外，基本上归属于江左政权，巴蜀地区自然也就成了江左政权马匹的重要供应基地。其时，江左与蜀地的马匹贩买非常活跃，民间商贾至蜀买马者非常多，史称“商人多至蜀土资货，或有直数百万者”，其中蜀马是大宗交易的货物。刘宋时，益州刺史刘道济听任下属聚敛兴利，他们限制商人交易，规定“马无善恶，限蜀钱二万”，以致“商旅吁嗟”[②]。沈攸之为荆州刺史，“渐怀不臣之迹，朝廷制度无所遵奉”[③]，他公然阻挡江左地区往蜀地买马。萧道成指责他说：“太妃遣使市马，赍宝往蜀，足下悉皆断折，以为私财。”[④] 可见当时公私商贾均前往蜀地贩马。

（四）西北方面

到了南朝时，江左政权又开辟了一个新的马匹来源——西北诸国，因为这时在对外关系上取得了一个重大的进展，打开了与西北诸国的交往，从而可以通过外交往还而得到一定数量的西北的马匹。

吐谷浑是鲜卑慕容氏西迁的一支，东晋南朝时游牧于甘、青、川一带，到首领阿豺（418—424）时，“兼并氐、羌，地方数千里，号为强国”[⑤]。东晋义熙九年（413），刘裕派朱龄石消灭割据巴蜀的谯纵，于是南朝国境与吐谷浑相接。景平元年（423）中，吐谷浑阿豺“遣使上表献方物”[⑥]。元嘉十六年（439）封之为河南王，故又称“河南国”。大明五年（461）河南王拾寅“遣使献善舞马”[⑦]。宋孝武帝诏群臣赋之，“皇太子、王公以下上舞马歌者二十七首”[⑧]，为一时盛事。所献马匹不多，且属赏玩之物，但其意义不容低估，这是西北地区的马匹第一次进入江左地区。刘宋末，遣武卫将军王世武使河南，于萧齐建元元年（479）才随河南王拾

---

① 《建康实录》卷三《吴中下·景皇帝（孙）休》，第 81 页。此事又见《三国志》卷五三《吴书·薛综附子（薛）珝传》注引《汉晋春秋》，第 1255 页。

② 《宋书》卷四五《刘道济传》，第 1381 页。

③ 《宋书》卷七四《沈攸之传》，第 1931 页。

④ 《南齐书》卷二五《张敬儿传》，第 472 页。

⑤ （唐）李延寿撰：《北史》卷九六《吐谷浑传》，中华书局 1974 年版，第 3180 页。

⑥ 《宋书》卷九六《鲜卑吐谷浑传》，第 2371 页。

⑦ 《宋书》卷九六《鲜卑吐谷浑传》，第 2373 页。

⑧ 《宋书》卷九六《鲜卑吐谷浑传》，第 2373 页。

寅使回到建康。齐高帝在答拾寅书中说："所上马等物悉至，今往别牒锦绛紫碧绿黄青等纹各十匹。"[①] 可知这次河南国的使团再次向南朝进贡了马匹。

邓至国是羌族的一支白水羌所建，其活动地域在川、甘之间，其政治中心邓至城在今川北南坪。宋文帝时，邓至"王象屈耽遣使献马"[②]。

河南、邓至的开通，使南朝得以进一步与西域建立了联系。大明三年（459）有"西域献舞马"[③]，但不知西域何国。大明（457—464）中，又有粟特国遣使来献汗血马，但"道中遇寇，失之"[④]。

到了萧梁时期，江左与西北的关系继续保持并发展。天监四年（505）三月，"河南国献舞马"，梁武帝诏群臣赋之，张率云："河南又献赤龙驹，有奇貌绝足，能拜善舞。天子异之，使臣作赋……"[⑤] 大同六年（540）"河南王遣使献马及方物"[⑥]。梁武帝幸乐游苑，"因赐（羊）侃河南国紫骝令试之。侃执矟上马，左右击刺，特尽其妙"[⑦]。可见河南所献亦有战马。

天监五年（506），邓至王舒彭"遣使献黄耆四百斤，马四匹"[⑧]。宕昌为西羌的一支，在邓至北面，风俗相近。宋孝武帝时"其王梁瑾忽始献方物"[⑨]。大同七年（541）三月，宕昌王"遣使献马及方物"[⑩]。西域高昌国，于大同中"遣使献鸣盐枕、蒲桃、良马、氍氀等物"[⑪]。

河南道与西域的开通，又使南朝得以绕过北朝政权而与漠北草原的柔然建立了联系。公元5世纪初，漠北兴起强大的柔然汗国，公元464年受罗部真可汗继位，实行联合南朝以制拓跋魏的政策，这也正是南朝政权的愿望。刘宋昇明二年（478）遣骁骑将军王洪范使芮芮（即柔然），

---

① 《南齐书》卷五九《河南传》，第1026页。
② 《南史》卷七九《夷貊下·邓至国传》，第1979页。
③ 《南史》卷二《宋本纪中》，第62页。
④ 《宋书》卷九五《索虏传》，第2358页。
⑤ 《梁书》卷三三《张率传》，第476页。
⑥ 《梁书》卷三《武帝纪下》，第84页。
⑦ 《南史》卷六三《羊侃传》，第1544页。
⑧ 《梁书》卷五四《诸夷·邓至国传》，第816页。
⑨ 《南史》卷七九《夷貊下·宕昌国传》，第1978页。
⑩ 《梁书》卷三《武帝纪下》，第85页。
⑪ 《南史》卷七九《夷貊下·高昌国传》，第1984页。

"经途三万余里"[①]，于永明元年（484）回到建康，历时7年。联合攻魏的计划虽然没有实现，但两国的交往却建立起来了，"芮芮常由河南道而抵益州"[②]。天监十四年（515），芮芮"遣使献马、貂裘"[③]。大同七年（541）"又献马一匹，金一斤"[④]。

（五）六朝政权境内

六朝政权除了从外部输入马匹外，也从自己境内取得马匹。其方式如下。

1. 州郡贡献

六朝政权所辖产马州郡，有向朝廷贡献马匹的义务。

孙吴时，交州为士燮所据，士燮"兄弟奉承节度"，经常"遣使诣（孙）权""无岁不至"。除贡献南方珍异特产外，"时贡马凡数百匹"，孙权"辄为书厚加宠赐，以答慰之"[⑤]。

东晋义熙十二年（416），荆州刺史刘道怜，"献名马三匹，并精丽乘具"，刘裕将其赐给功臣刘钟的三个儿子。[⑥]

宋明帝泰始元年（465），弋阳太守卜天生据郡叛逆，"断梁州献马得百余匹"[⑦]，可知梁州献马数量不在少数。

沈攸之为荆州刺史，准备反叛，故断绝向朝廷献马，萧道成指责道："况荆州物产，雍、嶓、交、梁之会，自足下为牧，荐献何品？良马劲卒，彼中不无，良皮美罽，商赂所聚，前后贡奉，多少何如？"[⑧] 可知马匹原是荆州向江左朝廷贡献的重要物资。

齐武帝时，"每远州献骏马""辄令（长沙王萧）晃于华林中调试"[⑨]。

2. 民间征调

东晋南朝时，由于战争的需要，常大规模向民间征调马匹。

---

① 《南齐书》卷五九《芮芮虏传》，第1025页。

② 《南齐书》卷五九《芮芮虏传》，第1025页。

③ 《南史》卷七九《夷貊下·蠕蠕传》，第1987页。

④ 《梁书》卷五四《诸夷·芮芮国传》，第817页。

⑤ 《三国志》卷四九《吴书·士燮传》，第1192—1193页。

⑥ 《宋书》卷四九《刘钟传》，第1440页。

⑦ 《宋书》卷八七《殷琰传》，第2204页。

⑧ 《南齐书》卷二五《张敬儿传》，第471页。

⑨ 《南齐书》卷三五《高帝十二王·长沙王（萧）晃传》，第624页。

东晋康帝时，庾翼欲北伐，“发所统六州奴及车牛驴马，百姓嗟怨”①。表称“所调借牛马皆远，百姓所畜”②。庾翼所说六州为江、荆、司、雍、梁、益诸州，在江左地区之外，故有马可供调发。

元嘉二十七年（450），拓跋焘率步骑 10 万围悬瓠（今河南汝南），时焘从弟库步真率步骑万余屯汝阳，宋文帝命令当时镇彭城（今徐州）的刘骏，“遣千骑，赍三日粮袭之”，刘骏便“发百里内马，得千五百匹”③。彭城在淮北，亦有马可调。这是在战场上紧急情况下调发马匹。

南朝的南境亦有马匹可征调。萧映镇广州，陈霸先为中直兵参军，萧映令其“招集士马”④。侯安都亦曾“自始兴内史主簿招集兵马……讨侯景”⑤。

刘骏即帝位后，周朗上书，主张增加马匹，以应付北敌，建议：“今宜募天下使养马一匹者，蠲一人役，三匹者，除一人为吏，自此以进，阶赏有差。”⑥ 尽管周朗“书奏忤旨，自解去职”⑦，但他关于征调马匹的建议还是被宋孝武帝部分采纳，孝建三年（456）“夏五月辛酉，制荆、徐、兖、豫、雍、青、冀七州统内，家有马一匹者，蠲复一丁”⑧。《建康实录》谓此是“初令”即首次下令此“七州养马，复其赋役”⑨。此 7 州均在江左地区之外，为南朝统治区内的产马之地。这一诏令使马匹的征调制度化。

南朝服兵役者常需自备马匹。宗越，南阳叶县人，出身补郡吏，“家贫无以市马，常刀楯步出，单身挺战，众莫能当”。后因“每一捷，郡将辄赏钱五千，因此得市马。后被召，出州为队主”⑩。家富多马者可获为将，武念，“新野人也，本三五门，出身郡将……后大府以念有健

---

① 《晋书》卷七三《庾亮附弟（庾）翼传》，第 1933 页。
② 《晋书》卷七三《庾亮附弟（庾）翼传》，第 1934 页。
③ 《宋书》卷九五《索虏传》，第 2344 页。
④ 《建康实录》卷一九《陈上・高祖武皇帝》，第 754 页。
⑤ 《建康实录》卷一九《陈上・世祖文皇帝》，第 764 页。
⑥ 《宋书》卷八二《周朗传》，第 2096 页。
⑦ 《宋书》卷八二《周朗传》，第 2101 页。
⑧ 《宋书》卷六《孝武帝纪》，第 118 页。
⑨ 《建康实录》卷一三《宋下上・世祖孝武皇帝》，第 477 页。
⑩ 《宋书》卷八三《宗越传》，第 2109 页。

名，且家富有马，召出为将”[①]。史称“南阳新野风俗出骑射”[②]，这里因“家富有马”而为将者当不在少数。萧衍起事之根据地所以在襄阳，其中一个重要原因即在于“雍州士马，呼吸数万”[③]，便于征集大量马匹。起事时很快就“收集得甲士万余人，马千余匹”[④]。这里的豪强军阀都有较多马匹，萧衍便得力于他们的支援，如华山（郡治今湖北宜城）太守康绚“举郡以应高祖（萧衍），身率敢勇三千人，私马二百五十匹以从”[⑤]。上庸（郡治今湖北竹山西）太守韦叡，“有众二千，马二百匹”“倍道来赴”[⑥]。

3. 虏掠蛮马

六朝时，蛮族“布荆、湘、雍、郢、司等五州界”[⑦]“至晋之末，稍以繁昌，渐为寇暴矣”[⑧]。东晋南朝曾不断镇压并虏掠蛮族，除了大量俘虏蛮族“生口”外，也掠夺他们的马匹。刘宋时沈庆之常讨蛮，一次就俘掠“牛马七百余头”[⑨]。随王诞在讨沔北诸蛮时，一次“获生蛮千口，牛马八十头。”[⑩]

二 江左政权输入马匹的作用与意义

综观六朝时期江左政权的马匹来源情况，我们可以看到，当时解决马匹供求矛盾的方法是多元的、多渠道的，是内外结合、内外并举的。仅靠内部是解决不了这一矛盾的，还必须从外部输入马匹，这就是六朝政权马匹来源的共同特点。因此六朝政权无不千方百计开拓从外部输入马匹的渠道，运用外交的、互市的乃至战争的手段以得到马匹。那么，六朝政权从外部输入马匹在历史上起了什么作用，有何意义呢?

---

① 《宋书》卷八三《武念传》，第2112页。
② 《南齐书》卷二五《张敬儿传》，第464页。
③ 《梁书》卷一《武帝纪上》，第4页。
④ 《梁书》卷一《武帝纪上》，第4页。
⑤ 《梁书》卷一八《康绚传》，第290页。
⑥ 《梁书》卷一二《韦叡传》，第221页。
⑦ 《南齐书》卷五八《蛮传》，第1007页。
⑧ 《魏书》卷一〇一《蛮传》，第2246页。
⑨ 《宋书》卷七七《沈庆之传》，第1998页。
⑩ 《宋书》卷九七《夷蛮·荆、雍州蛮传》，第2397页。

（一）对于加强六朝政权军事力量的积极作用

江左政权积极从外界输入马匹，对于加强武装力量，巩固政权并与北方政权相抗衡，起了重要作用。江左政权的主要敌人是北方政权，而北方政权都有较强大的骑兵，尤以少数民族政权为甚。江左政权要与北方政权相抗衡，就必须保证有相应的骑兵力量。南北战争大多数情况下是在江淮以北所进行的野战，是与北方的骑兵相角逐，没有骑兵是难以进行这种战争的。江左政权历次北伐之战，都必须有一定数量的马匹之后才能取得相应的胜利，马匹的多寡对于战争胜负起了很大作用。祖逖北伐时，晋元帝只“给千人廪，布三千匹，不给铠仗，使自招募”[①]，渡江后，祖逖除招募2000余人外，还从北方诸坞主那里得到一批马匹，并通过与石勒互市，而使“士马日滋”[②]，从而取得了北伐的胜利。桓温北伐取得一定成功，也是与他统率着“步骑四万”[③] 分不开的。刘裕北伐时，南燕主慕容超自恃有强大的骑兵，扬言“当引令过岘，我以铁骑践之，不忧不破也”。刘裕却胸有成竹地认为这正中下怀，所以当晋军一“入岘”，即举手指天曰：“吾事济矣!”[④] 这除了战略上的考虑之外，自然也因刘裕在战术上有所准备，有了足够的车骑以对付南燕铁骑。刘裕以四千辆车方轨而进，并“以轻骑为游军”，使慕容超“铁骑万余，前后交至”[⑤] 亦无济于事，最后以彻底失败告终。而刘裕在灭南燕中俘虏的二千余匹马，对其后北伐后秦之战无疑又起了积极作用。宋文帝在大举北伐之前，也曾大力筹措马匹，其中包括向高句骊要求“送马”，高句骊给了八百匹马的巨大援助，使得宋文帝的北伐有了保证。

马匹的输入对六朝政权巩固内部统治、镇压反抗也起了重要作用。刘裕灭南燕后，回军镇压卢循、徐道覆，晋军“使宁朔将军索邈领鲜卑具装虎班突骑千余匹，皆被练五色，自淮北至于新亭”，参加战斗。这些鲜卑装束的马军的出现，对起义军造成极大威慑，史称当时“贼并聚观，

---

① 《晋书》卷六二《祖逖传》，第1695页。
② 《晋书》卷六二《祖逖传》，第1697页。
③ 《晋书》卷九八《桓温传》，第2571页。
④ 《宋书》卷一《武帝纪上》，第15页。
⑤ 《宋书》卷一《武帝纪上》，第16页。

咸畏惮之"[①]。这对于加速起义军的失败，不能不说起了一定作用。而这1000余匹马，显然是不久前刘裕灭南燕所俘虏的2000匹马中的一部分。

总之，从孙吴立国江东到隋灭陈统一南北，六朝政权在江左能够立国300余年，保持着一种南北对峙的状态，与其从外部大量输入马匹不能说是没有关系的。

（二）军事上北强南弱的态势未能改变

我们虽然肯定江左政权积极从外部输入马匹对于加强其武装力量起了积极作用，但是江左政权从外部得到的马匹数量也不可能太多，还不足以从军事上根本改变北强南弱的态势。

马匹是当时重要的战略物资，敌对国家对此是要严加控制，而不希望对方得到的。

以互市而言，北方政权一直加以严格控制，不肯轻于假人，即使有少量的马匹贸易，亦如颜竣所说，得少而失多，孙吴与辽东的互市惨遭破坏，就是一个典型的事例。况且这种互市还经常受到战争的干扰和破坏。东晋时，"南北为互市，而诸将多相袭夺以为功"[②] 的情况是非常普遍的。南朝时，宋魏之间虽曾"通互市，纳和亲，而侵疆轶戍，于岁连属"[③]，道出了当时南北互市难以正常进行的真相。

外交上的馈赠，也有很大的局限。敌对国家之间自不必说，偶有馈赠也只是象征性的，甚至是污辱性的。友好国家虽然稍好一些，但也受种种条件的限制，如与高句骊的关系虽然良好，但由于海运艰难、遥远，"加又洪流滉瀁，有成山之难，海行无常，风波难免，倏忽之间，人船异势"[④]。加以当时海船较小，所运有限，也不可能有充足的保证。与西北诸国的关系也是友好的，那里也都是戎马之乡，但是路途遥远，加以沿途存在不少敌对政权，所以也很难有大宗马匹致送江左。如大同七年（541）芮芮所送只有马一匹就是生动的例证。西南方面的情况另有其特殊性，它只在三国时期独立于江左政权，此后除少数时间外，大部分时

① 《宋书》卷一《武帝纪上》，第20页。
② 《晋书》卷六一《周浚传》，第1658页。
③ 《宋书》卷九五《索虏传》"史臣曰"，第2359页。
④ 《三国志》卷五三《吴书·薛综传》，第1253页。

间属江左政权统辖区，故蜀马之供应就不属外来而属内部征取了。

至于战争中的俘掠，也是不可高估的，因为战争双方都可能有胜负，我们不能只看到南方俘虏了北方的马匹，同样，在南方失败时，也有马匹等军资被俘掠，这是不待多言的。

所以，江左政权从外部输入马匹的数量是不可能太多的，马匹的不足仍然是困扰江左政权，影响其军力的重要原因之一。孙吴在江东创业之初就很感缺乏马匹，以致其将领所统，一般每2000步卒，只能配给50骑，如程普随孙策转战淮南，“皆有功，增兵二千，骑五十匹”[①]。韩当，“及孙策东渡，从讨三郡，迁先登校尉，授兵二千，骑五十匹”[②]。吕范领湖熟相，孙策“定秣陵、曲阿，收笮融、刘繇余众，增范兵二千，骑五十匹”[③]。建安三年（198）周瑜被“授建威中郎将，即与兵二千人，骑五十匹”[④]。2000兵配50骑几成定制，而且只给有功将领。

北方拥有较多马匹。诸葛恪说，曹魏“皆得秦、赵、韩、魏、燕、齐九州之地，地悉戎马之乡”[⑤]。因此北方政权的军队都配备较多的骑兵，如与上述程普、韩当、吕范同时的袁绍，在进攻许时，却能“简精卒十万，骑万匹”[⑥]，即1000步卒配以100骑。裴注引《世语》于此役说“绍步卒五万，骑八千”[⑦]，则是千兵配160骑。西晋伐吴，贾充总统六师，给“兵万人，骑二千”[⑧]，为千兵200骑。西晋统一以后，千兵百骑成为定制。[⑨] 当少数民族入主中原后，其强大的骑兵对江左政权构成更大的威胁，如北魏军队的主力就是骑兵，所谓“魏军多骑，师行剽锐”[⑩]。元嘉二十七年（450），拓跋焘攻宋，驻跸彭城，宋使张畅与魏使李孝伯在阵前相会，张畅以“精甲十万”相夸，李孝伯答云：“我亦有良马百万，复

---

① 《三国志》卷五五《吴书·程普传》，第1283页。
② 《三国志》卷五五《吴书·韩当传》，第1285页。
③ 《三国志》卷五六《吴书·吕范传》，第1309页。
④ 《三国志》卷五四《吴书·周瑜传》，第1260页。
⑤ 《三国志》卷六四《吴书·诸葛恪传》，第1436页。
⑥ 《三国志》卷六《魏书·袁绍传》，第195页。
⑦ 《三国志》卷六《魏书·袁绍传》注引《世语》，第196页。
⑧ 《晋书》卷四〇《贾充传》，第1169页。
⑨ 见《晋书》卫瓘、司马亮、司马泰、陆晔等传。
⑩ 《晋书》卷一二四《慕容宝载记》，第3094页。

何以此相矜。”并说：“城守君之所习，野战我之所长，我之恃马，犹如君之恃城耳。”张畅不得不自我解嘲：“我本斗人，不斗马足。且冀之北土，马之所生，君复何以逸足见夸也?”[①] 可见北方的骑兵远胜于南方军队。宋孝武帝时，周朗上书，也痛切地指出，“令重车弱卒，与肥马悍胡相逐，其不能济，固宜矣。汉之中年能事胡者，以马多也，胡之后服汉者，亦以马少也”[②]，道出了马匹在军事上造成北强南弱的重要作用。沈约对此亦有一番评论，他说：北方政权“连骑百万，南向而斥神华”，南方政权，“举天下以攘之，而力犹未足也”，究其原因，“夫地势有便习，用兵有短长，胡负骏足，而平原悉车骑之地，南习水斗，江湖固舟楫之乡，代马胡驹，出自冀北，梗柟豫章，植乎中土，盖天地所以分区域也。若谓毡裘之民，可以决胜于荆、越，必不可矣；而曰楼船之夫，可以争锋于燕、冀，岂或可乎。虞诩所谓‘走不逐飞’，盖以我徒而彼骑也。因此而推胜负，殆可以一言蔽之。”[③] 沈约承认“我徒而彼骑”的军力差异无疑是正确的。

（三）促进了外交和经济文化交流的发展

江左政权从外部输入马匹的主要目的虽然在于军事方面，但是，它却同时促进了江左政权的外交与对外经济文化交流的发展。

为了更好地引进马匹，江左政权非常注意加强与外界的交往，发展外交关系。马匹促进了江左政权的外交，把这种外交称为“马匹外交”亦不为过。对于曹魏政权，孙权曾明确表示“而可得马，何苦而不听其交易”[④]，为得到马匹而尽力与曹魏保持外交关系。对蜀汉政权，孙权非常关心其马匹多少，亲自向蜀使求好马，并不断派人去蜀地买马，马匹成为维系吴蜀外交关系的重要因素之一。至于对辽东及高句骊的外交关系，更是通过马匹而打开，为了马匹而发展的。马匹外交还使南朝政权打开了与西北诸国和漠北草原国家交往的大门，大大扩展了其外交范围。沈约在评论南朝与吐谷浑的交往时说：“徒以商译往来，故礼同北面。”[⑤]

---

① 《魏书》卷五三《李孝伯传》，第 1169 页。

② 《宋书》卷八二《周朗传》，第 2096 页。

③ 《宋书》卷九五《索虏传》“史臣曰”，第 2359 页。

④ 《三国志》卷四七《吴书·吴主传》，第 1140 页。

⑤ 《宋书》卷九六《鲜卑吐谷浑传》“史臣曰”，第 2373 页。

强调了贸易对发展外交关系的意义。李延寿也盛赞“自晋氏南度，介居江左，北荒西裔，隔碍莫通”的情况，到刘宋以后则“鞮译相系，无绝岁时。以洎齐、梁，职贡有序”①。刘宋时王洪范出使芮芮，历时7年，行程3万余里，其气魄或可与前汉张骞相埒。

马匹外交也带动了江左与外界的经济文化交流，在输入马匹的同时，江左则以自己的“方土所出”作为回赠或报偿，自然推进了双方经济文化的交流。孙吴与辽东的马匹贸易，不仅辽东的马匹引进了江左，同时江左的物产也传至辽东，史称“葛越布于朔土，貂马延于吴会”②，就是生动的写照。辽东的桑种是从江左传去的，据崔鸿说：“先是，辽川无桑，及（慕容）廆通于晋，求种江南，平川之桑，悉由吴来。”③ 宕昌曾向南朝求书，齐武帝以《五经集注》《论语》各一部赐宕昌王。④ 河南国在“献马”的同时，曾向梁武帝“求释迦像并经论十四条”，梁武帝“敕付像并制旨涅槃、般若、金光明讲疏一百三卷”⑤。又因“其地与益州邻，常通商贾，民慕其利，多往从之，教其书记，为之辞译”⑥，在外交与互市的同时，也把汉族先进文化传入该地。这种经济文化的交流，对于各族人民的生产、生活和中华民族历史的发展，都是有积极意义的。

（原刊《中国史研究》1991年第1期。中国人民大学报刊复印资料《魏晋南北朝隋唐史》1991年第4期全文转载。后收入《魏晋南北朝史论》，学苑出版社1999年版。今以《魏晋南北朝史论》刊文为底本，并参校原刊文整理。李文才敬识。）

---

① 《南史》卷七九《夷貊传下》“论曰”，第1987页。

② 《晋书》卷五六《孙楚传》，第1540页。

③ 《太平御览》卷九五五《木部四·桑》引崔鸿《十六国春秋·后燕录》，第4240页。《艺文类聚》卷八八《木部上·桑》引《三十国春秋》，第1521页。

④ 《南齐书》卷五九《宕昌传》，第1033页。

⑤ 《南史》卷七《梁本纪中》，第215页。

⑥ 《梁书》卷五四《诸夷·河南王传》，第810页。

郑羲使宋述略

清人陆增祥《八琼室金石补正》著录有《兖州刺史荥阳文公郑羲下碑》，碑铭有云："又假员外散骑常侍、阳武子，南使宋国。宋主客郎孔道均，就邸设会，酒行乐作，均谓公曰：'乐其何如？'公答曰：'哀楚有余，而雅正不足，其细已甚矣，而能久乎？'均默然而罢。移年而萧氏灭宋。虽延陵之观昔诗，郑公之听宋乐，其若神明矣。朝廷以公使协皇华，原隰斯光，迁给事中、中书令……"① 这段文字材料详细地记述了郑羲出使刘宋的具体活动情况。

郑羲，字幼鳞，荥阳开封人，历仕北魏文成、献文、孝文三世。荥阳郑氏乃北方一等高门，郑羲为"河南民望"，联姻赵郡李孝伯、陇西李冲，以及北魏皇室。郑羲于太和十六年（492）卒。碑文云："以太和十七年四月廿四日归葬于荥阳石门东南十三里，三皇山之阳。"但此碑在今山东掖县寒同山上，磨崖刻之。这是因为郑羲第二子郑道昭，曾"出为平东将军、光州刺史"②。北魏光州，治东莱，即今山东掖县。郑道昭于光州刺史任内，将其父之碑文移刻于是山。碑文刻于"永平四年（511），岁在辛卯"，可知郑道昭是年在光州刺史任内。宋赵明诚曰："碑乃在今莱州南山上磨崖刻之。盖道昭尝为光州刺史，即今莱州也。故刻其父碑于兹山。余守是州，尝与僚属登山，徘徊碑下久之。"③ 寒同山在今掖县东南7.5千米处，今名文峰山，又名云峰山，俗称笔架山。从山麓至顶共

---

① （清）陆增祥撰：《八琼室金石补正》卷一四《兖州刺史荥阳文公郑羲下碑》，文物出版社1985年版，第79页。

② （北齐）魏收撰：《魏书》卷五六《郑羲传附郑道昭传》，中华书局1974年版，第1242页。

③ （宋）赵明诚撰：《宋本金石录》卷二一《后魏郑羲碑》，中华书局1991年版，第492页。

有磨崖石刻20余处，多为郑道昭手书。郑道昭于光州刺史任内，“于城南小山起斋亭，刻石为记”[①]，同时遍刻诸崖。及至北齐天保（550—559）初，郑道昭之子郑述祖为兖州刺史，“往寻旧迹，得一破石，有铭云：‘中岳先生郑道昭之白云堂。’述祖对之呜咽，悲动群僚”[②]。郑述祖亦刻石于是山。郑道昭之石刻，多为永平（508—512）中所刻。郑羲碑今仍存，高2.8米，宽3.6米，为诸刻之冠。郑羲碑文长1300余字，书法属魏体，但近于楷书，为书法艺术之珍贵资料。另有《上碑》在今山东平度县城北35千米之天柱峰上。上下两碑相距数十里，“文与下碑大同小异”[③]，均为郑道昭手书。“其子道昭，永平（508—512）中为光州刺史，为其父磨崖石刻二碑焉”[④]。

碑文所记此次出使事，或以为史传缺载，如《山左金石志》云：“又云羲奉使宋国，与孔道均论乐，传俱不载，可据此以补其阙也。”[⑤] 事实上，关于郑羲此次出使刘宋事，于史有徵，唯缺论乐事。《魏书·郑羲传》云：“高祖初，兼员外散骑常侍，假宁朔将军、阳武子，使于刘准。”[⑥]《北史》卷三五本传亦云：“孝文初，兼员外散骑常侍、宁朔将军、阳武子，使于宋。”[⑦] 两传所记相同，唯文字简略，未记其出使南朝之具体活动。两书本传所载与碑文所载即为一事。何以知之？碑文叙其出使刘宋之前，“以才望见陟，迁中书侍郎”，出使刘宋后，“迁给事中、中书令”。传文记其出使刘宋之前，“淮北平，迁中书侍郎”，使还，先后“征为中书令”，又“加给事中”。传文所记出使前后之官职，与碑文所记相同，所以碑文所记出使事，必是史传所载使宋事。

据本传所记，我们知道这次出使的时间是在北魏孝文帝初年，在南朝是刘宋顺帝刘准在位之时，但未记于何年何月出使。《魏书》卷七上《高祖纪》云：太和二年（478）“冬十月壬辰，诏员外散骑常侍郑羲使

---

① （唐）李百药撰：《北齐书》卷二九《郑述祖传》，中华书局1972年版，第397页。

② 《北齐书》卷二九《郑述祖传》，第398页。

③ 《八琼室金石补正》卷一四《兖州刺史荥阳文公郑羲下碑》，第80页。

④ 《宋本金石录》卷二一《后魏郑羲碑》，第493页。

⑤ （清）毕沅、阮元撰：《山左金石志》卷九《中书令郑羲碑》，《石刻史料新编》第1辑第19册，台北：新文丰出版公司1977年版，第14460页。

⑥ 《魏书》卷五六《郑羲传》，第1238页。

⑦ （唐）李延寿撰：《北史》卷三五《郑羲传》，中华书局1974年版，第1303页。

于刘准”[①]。《宋书·顺帝纪》未载此事。《资治通鉴》卷一三四宋顺帝昇明二年（478）载：“魏员外散骑常侍郑羲来聘。”[②] 当本诸《魏书·高祖纪》。

北魏政府何以于太和二年（478）派郑羲出使南朝呢？其直接原因是，是年四月“已丑，刘准遣使朝贡”[③]。此事《宋书》《南史》均未记载。《高祖纪》未载南朝派何人出使北魏。《魏书·刘裕传》记：“准遣员外散骑常侍何僩、员外散骑侍郎孔逷朝贡。”[④] 此事系于萧道成杀袁粲事后，昇明三年（479）殷灵诞、苟昭先出使北魏之前。袁粲死于昇明元年（477）十二月，则此次出使必在昇明二年（478）。因此，昇明二年十月郑羲出使刘宋，是对昇明二年四月何僩、孔逷来使之回报。

南北朝时期外交中的对等原则已为普遍遵循，报使制度即是其一。国家之间对于来使，一般均派使回报，是为当时之国际惯例。自刘宋永初元年（420）至宋顺帝昇明三年（479）宋亡，约60年间，宋聘魏35次，魏聘宋30次，[⑤] 基本相等。综观宋魏国家外交关系，除少数时期报使有缺外，大部分时期双方都是及时报使的。

这种对等原则还表现在双方使者职衔的对等上。魏聘宋30次，其中正使有职衔记载者26次，计有龙骧将军、通直常侍、殿中将军各1次，散骑侍郎、散骑常侍各5次，员外散骑常侍13次。宋聘魏35次，其中正使有职衔记载者21次，计奉朝请1次，散骑常侍4次，殿中将军5次，员外散骑常侍11次。在前期，职衔较杂，北魏多以散骑侍郎、散骑常侍使宋；刘宋多以殿中将军、散骑常侍使魏。而后期双方职衔均统一为员外散骑常侍。从北魏文成帝和平二年（461）以后，至刘宋灭亡的18年间，北魏均以员外散骑常侍使宋。刘宋则从明帝泰始四年（468）以后的11年间，均以员外散骑常侍使魏。据太和（477—499）

---

① 《魏书》卷七上《高祖纪上》，第146页。

② （宋）司马光编著，（元）胡三省音注：《资治通鉴》卷一三四，宋顺帝升明二年（478年），中华书局1956年版，第4219页。

③ 《魏书》卷七上《高祖纪》，第145页。

④ 《魏书》卷九七《岛夷刘裕传》，第2152页。

⑤ 郑钦仁：《宋魏交聘表》，（台）《大陆杂志》1961年第22卷第6期。

中所制前职员令官品，散骑常侍为第二品上，[①] 员外散骑常侍为从第三品上，[②] 散骑侍郎为第四品上。[③] 散骑原属门下省，在刘宋时属集书省，北魏前期属散骑省，散骑常侍“掌侍左右”，员外散骑常侍“魏末置，无员”[④]。使者一般均在出使时临时“假”以某官。郑羲在出使前官中书侍郎，中书侍郎为第四品上，出使时所“假”之员外散骑常侍为第三品上，[⑤] 可见出使时所“假”之官一般高于原职。

刘宋方面接待郑羲的是主客郎孔道均。此事不见于记载，孔道均其人其事，史亦阙载。孔氏为会稽大姓，刘宋时有孔道穰、孔道存、孔道隆、孔道征等人，均为会稽山阴人。孔道均似亦为会稽山阴人氏。主客曹属尚书省，“左仆射领殿中、主客二曹”[⑥]，其职掌，《续汉书・百官志三》谓：西汉“成帝初置尚书四人……客曹尚书主外国夷狄事”[⑦]，是负责外交事务的机构，魏晋南北朝相承无改。东晋末省主客曹，宋高祖初加置主客曹，宋文帝元嘉十年（433）又省主客曹，元嘉十一年（434）“又并置”[⑧]。可知郑羲使宋时，是有主客曹的设置的。

宴客奏乐是接待使人的重要礼仪，《周官》云：“以六律、六同、五声、八音、六舞大合乐，以致鬼神示，以和邦国，以谐万民，以安宾客，以说远人。”[⑨] 可见音乐有“和邦国”“安宾客”“说远人”的重要功能。郑羲评论刘宋之乐“其细已甚”，自有所本。春秋吴公子季札聘鲁，鲁人“为之歌《郑》，曰：美哉！其细已甚，民弗堪也，是其先亡乎！”杜预注云：“讥其烦碎，知不能久。”孔颖达疏云：“乐歌诗篇，情见于声……郑君政教烦碎，情见于诗，以乐播诗，见于声内。言其细碎已甚矣，下民

---

① 《魏书》卷一一三《官氏志》，第 2978 页。

② 《魏书》卷一一三《官氏志》，第 2981 页。

③ 《魏书》卷一一三《官氏志》，第 2982 页。

④ （梁）沈约撰：《宋书》卷四〇《百官志下》，中华书局 1974 年版，第 1244 页。

⑤ 《魏书》卷一一三《官氏志》，第 2981 页。

⑥ 《宋书》卷三九《百官志上》，第 1235 页。

⑦ （晋）司马彪撰，（梁）刘昭注补：《续汉书・百官志三》，点校本《后汉书志》第二十六，中华书局 1965 年版，第 3597 页。

⑧ 《宋书》卷三九《百官志上》，第 1237 页。

⑨ （晋）汉郑玄注，（唐）贾公彦疏，赵伯雄整理，王文锦审定：《周礼注疏》卷二二《春官宗伯下・大司乐》，北京大学出版社 2000 年版，第 679 页。

不能堪也。民不堪命，国不可久。是国其将在先亡乎！”①《史记·吴太伯世家》裴骃“集解”引贾逵曰：“《郑风》，东郑是。”引服虔曰：“其风细弱已甚，摄于大国之间，无远虑持久之风，将先亡也。”② 总之，这种音乐是一种亡国之音。从音乐的角度看，《宋书·乐志》说：“吴歌杂曲，并出江东，晋宋以来，稍有增广。”③ 刘宋的音乐吸收了不少江南俗乐，与古代中原的“雅乐”风格大有区别，故郑羲亦有“其风细弱”之感。

当然，郑羲主要是借论乐以评刘宋政治，他出使的重要任务是进一步了解南朝的政局发展。当时刘宋的政治形势如何呢？元徽五年（477）七月，萧道成与王敬则合谋，指使后废帝刘昱左右杨玉夫、杨万年刺杀刘昱。萧道成迎立安成王刘准，是为顺帝，改元昇明。萧道成至此已掌控了刘宋朝政大权。不久，沈攸之起兵，刘宋统治集团内部发生剧烈争斗，至昇明二年（478）正月才平定之。萧道成在使持节、太尉、骠骑大将军、录尚书、南徐州刺史之外，又被加以假黄钺、都督中外诸军事、太傅，领扬州牧，并给予“剑履上殿，入朝不趋，赞拜不名”④ 的殊礼，其篡位的形势已昭然若揭。刘宋的灭亡，已在人们的预料之中，刘宋西海太守、行青冀二州刺史刘善明当时就说：“宋氏将亡，愚智所辨。”⑤ 郑羲就是在这样的历史背景下出使刘宋，并公然在外交场合预言刘宋政权“而能久乎”的。孔道均“默然而罢”，实际上也是对郑羲的评论无可反驳，他对刘宋政权的命运也是心中有数的了。果然不出郑羲所料，在他出使后仅6个月，即昇明三年（479）四月，宋顺帝即禅位于萧道成，刘宋灭亡，萧齐建立。魏收称赞郑羲“机识明悟，为时所许”⑥。此次出使中郑羲的表现，证明了这个评语是恰当的。碑文赞誉“其若神明”也不太过分。不过碑文紧接着又说“朝廷以公使协皇华，原隰斯光，迁给事

---

① （周）左丘明传，（晋）杜预注，（唐）孔颖达正义，浦卫忠、龚抗云、胡遂、于振波、陈咏明整理，杨向奎审定：《春秋左传正义》卷三九，襄公二十九年，北京大学出版社2000年版，第1262页。

② （汉）司马迁撰，（南朝·宋）裴骃集解，（唐）司马贞索隐，（唐）张守节正义：《史记》卷三一《吴太伯世家》，中华书局1959年版，第1454页。

③ 《宋书》卷一九《乐志一》，第549页。

④ 《宋书》卷一〇《顺帝纪》，第198页。

⑤ （梁）萧子显撰：《南齐书》卷二八《刘善明传》，中华书局1972年版，第523页。

⑥ 《魏书》卷五六《郑羲传》“史臣曰”，第1257页。

中、中书令”云云，则与史籍所载有所龃龉。此次奉使回魏后，郑羲的官职并未升迁，仍继续担任中书侍郎之职。太和四年（480），王叡封爵中山王，“置王官二十二人，中书侍郎郑羲为傅”①。可见使还之后两年，郑羲才由中书侍郎转任中山王傅。但“是后历年不转，资产亦乏，因请假归，遂磐桓不返”②。后来“及李冲贵宠，与（郑）羲姻好，乃就家征为中书令”③。太和九年（485）文明太后召公卿讨论三长制时，郑羲得以中书令身份参加讨论。④ 后来文明太后派郑羲去长安为其父立庙，“还，以使功，仍赐侯爵，加给事中。”⑤ 可知郑羲并未因出使刘宋而升迁官职，相反的，出使回来后在仕途上还遇到一些坎坷，后以其他原因而迁中书令、给事中。

郑羲使宋后，昇明三年（479）正月，刘宋派员外散骑常侍殷灵诞、员外散骑侍郎荀昭先使魏。⑥ 同年又派人使魏，“夏四月壬申，宋人来聘……甲午，宋顺帝禅位于齐”⑦。刘宋两次来使，北魏均未报聘，所以郑羲是出使刘宋的最后一位北魏使者。

［原刊《文史哲》1993 年第 3 期。后收入《魏晋南北朝史论》，学苑出版社 1999 年版。此文篇幅不长，但为黎虎先生所看重，曾与整理者专门谈及此文，原因即在于文章所论属“汉唐外交制度史”的范畴。黎虎先生从 1980 年代后期开始致力于中国古代外交制度史的探研，经过长达十余年的辛勤付出，于 1998 年由兰州大学出版社出版了《汉唐外交制度史》，由此开创了中国古典外交制度的新学科（这里借用季羡林先生语）。在这部巨著出版之前，黎虎先生陆续发表了一些与汉唐外交制度相关的专题论文，并架构《汉唐外交制度史》的学术理论体系。本文就是在此期间所发表的一篇有关魏晋南北朝时期南、北政权外交使节往还的论文，

---

① 《魏书》卷九三《恩倖·王叡传》，第 1988 页。
② 《魏书》卷五六《郑羲传》，第 1238 页。
③ 《魏书》卷五六《郑羲传》，第 1238 页。
④ 《魏书》卷五三《李冲传》，第 1180 页。
⑤ 《魏书》卷五六《郑羲传》，第 1238 页。
⑥ 《魏书》卷九七《岛夷刘裕传》，第 2153 页。
⑦ 《北史》卷三《魏本纪》，第 95 页。

在此文发表之前，关于郑羲使宋的问题及其所蕴含的“外交”方面意义，从未引起学界的任何关注，而多以民族间的往来视之。以此言之，此文所论具体而微，所涉内容兹事体大，实为黎虎先生开创“中国古典外交制度”新学科的发凡起例之作之一，可谓斯义大焉！今以《魏晋南北朝史论》刊文为底本，并参校原刊文整理。李文才敬识。]

孙权对辽东的经略

孙权通辽东一事，历来为史家所诟病。裴松之认为“此役也，非惟闇塞，实为无道”，表现了孙权的“愎谏”和“昏虐”[①]。后世学者也往往以“刚愎自用”评论此事。近年来肯定孙权历史功绩的文章多起来了，但对于此事亦多避而不论。但是，如欲更全面地评价孙权，这桩历史公案似不能回避，故略述于后。

一　孙权通辽东始末

汉末孙吴时期，辽东一带曾为公孙氏所割据，从公孙度于中平六年（189）据辽东开始，中经其子公孙康、公孙恭，至其孙公孙渊于景初二年（238）被曹魏灭亡，共传三世四主，历时 50 年。恰在此时，孙吴亦崛起于江左。辽东与东吴横隔着一个强大的敌对政权——曹魏，孙权曾频繁越过曹魏，渡海与公孙氏政权交往，同时又带动了与其近邻高句丽的交往。其交往始末如次。

第一次，建安年间（196—220）首通辽东。孙权与辽东的交往，最早可以追溯到公孙康的时期。公孙渊在给魏明帝的上表中曾说：“臣父康，昔杀（孙）权使，结为仇隙。”[②] 这次通使时间具体在何年不详。公孙度于建安九年（204）卒，其子公孙康继位。公孙康卒年不详，万斯同以为卒于建安十二年（207）。[③] 但夏侯献表称：“奉车都尉鬷弘，武皇帝

---

① （晋）陈寿撰，（南朝·宋）裴松之注，陈乃乾校点：《三国志》卷四七《吴书·吴主传》注，中华书局 1959 年版，第 1139 页。

② 《三国志》卷八《魏书·公孙度传》注引《魏略》，第 256 页。

③ （清）万斯同撰：《三国汉季方镇年表》，《二十五史补编》第 2 册，中华书局 1955 年版，第 2599 页。

时始奉使命，开通道路。文皇帝即位，欲通使命，遣弘将妻子还归乡里……（弘）无有还意，乞留妻子，身奉使命。公孙康遂称臣妾。"[①] 则似公孙康在曹丕称帝（220）后仍在。据《三国志·公孙度传》，"康死，子晃、渊等皆小，众立恭为辽东太守。文帝践阼，遣使即拜恭为车骑将军……追赠康大司马"[②]。魏文帝拜公孙恭车骑将军事，《资治通鉴》系于黄初二年（221）三月。[③] 则公孙康可能卒于黄初元年（220）前后。孙权首通辽东的时间，必在建安九年（205）至建安之末的时期内。

第二次，黄龙元年（229）五月，孙权"使校尉张刚、管笃之辽东"[④]。这时辽东方面公孙渊已于上一年即曹魏太和二年（228）夺得公孙恭之位。曹魏于公孙渊即位当年，即拜公孙渊扬烈将军、辽东太守。第二年四月孙权称帝后，头一件事便是派人出使辽东。形成魏、吴双双争取公孙渊的局面。

第三次，嘉禾元年（232）三月，孙权"遣将军周贺、校尉裴潜乘海之辽东"[⑤]。关于此次通使，公孙渊在后来给孙权的表中称："前后裴校尉、葛都尉等到，奉被敕诫。"[⑥] 所言裴校尉即裴潜。据此可知，这次出使分先后两批，周贺、裴潜所率使团先到达后，又有葛都尉所率使团随后到达。曹魏得知吴人通公孙渊，派田豫督青州诸军讨之。魏文帝"以贼众多，又以渡海，诏（田）豫使罢军"[⑦]。田豫设伏于山东半岛东端的成山角，"秋九月，魏将田豫要击，斩（周）贺于成山"[⑧]。作为回报，公孙渊亦"遣使南通孙权，往来赂遗"[⑨]。同年冬十月，公孙渊"遣校尉宿舒、阆中令孙综称藩于权，并献貂马"，作为对周贺、裴潜来使的回

---

① 《三国志》卷八《魏书·公孙度传》注引《魏名臣奏》，第257页。

② 《三国志》卷八《魏书·公孙度传》，第253页。

③ （宋）司马光编著，（元）胡三省音注：《资治通鉴》卷六九，魏文帝黄初二年（221）三月，中华书局1956年版，第2185页。

④ 《三国志》卷四七《吴书·吴主传》，第1134页。

⑤ 《三国志》卷四七《吴书·吴主传》，第1136页。

⑥ 《三国志》卷八《魏书·公孙度传》注引《吴书》，第254页。

⑦ 《三国志》卷二六《魏书·田豫传》，第728页。

⑧ 《三国志》卷四七《吴书·吴主传》，第1136页。

⑨ 《三国志》卷八《魏书·公孙度传》，第253页。

报。孙权“大悦，加渊爵位”“大赦天下”①。

第四次，嘉禾二年（233）三月，辽东使者宿舒、孙综返命，同时，孙权派太常张弥、执金吾许晏、将军贺达等人“将兵万人，金宝珍货，九锡备物，乘海授渊”②“立渊为燕王”③。这是孙权派往辽东最庞大的一个使团。但是，张弥、许晏使团到达辽东后，公孙渊突然反目，用武力劫杀使团，几乎一网打尽。究其原因，一方面是迫于曹魏的压力，因曹魏对于孙权与辽东的交往极力反对；另一方面则因公孙渊“亦恐（孙）权远不可恃，且贪货物，诱致其使，悉斩送（张）弥、（许）晏等首”于曹魏。魏明帝“于是拜（公孙）渊大司马，封乐浪公，持节、领郡如故”④。这次事件，使孙吴与辽东的交往受到严重的挫折。但是，这次事件使孙吴意外地打开了与高句丽的交往。张弥、许晏使团被公孙渊劫杀后，使团成员秦旦等人逃脱，辗转逃亡至高句丽。时高句丽王宫在位，秦旦等人“因宣诏于句丽王宫及其主簿，诏言有赐为辽东所攻夺。宫等大喜，即受诏”⑤。高句丽是我国东北地区的古老民族之一，汉魏时期，“高句丽在辽东之东千里，南与朝鲜、濊貊，东与沃沮，北与夫余接。都于丸都之下，方可二千里”⑥。辖区大致为今辽宁东部、吉林东南和初鲜北部一带。“其年，宫遣皂衣二十五人送（秦）旦等还，奉表称臣，贡貂皮千枚，鹖鸡皮十具。”⑦

第五次，嘉禾四年（235），正式遣使通高句丽。秦旦等人回吴后，“间一年，遣使者谢宏、中书陈恂拜宫为单于，加赐衣物珍宝”，高句丽王“上马数百匹”，但由于使者船小，只能“载马八十匹而还”⑧。

第六次，嘉禾五年（236），孙权又派遣使者胡卫等人出使高句丽。“秋七月，高句骊王宫斩送孙权使胡卫等首，诣幽州。”⑨

---

① 《三国志》卷四七《吴书·吴主传》，第1136页。
② 《三国志》卷四七《吴书·吴主传》，第1138页。
③ 《三国志》卷八《魏书·公孙度传》，第253页。
④ 《三国志》卷八《魏书·公孙度传》，第253页。
⑤ 《三国志》卷四七《吴书·吴主传》注引《吴书》，第1140页。
⑥ 《三国志》卷三〇《魏书·东夷·高句丽传》，第843页。
⑦ 《三国志》卷四七《吴书·吴主传》注引《吴书》，第1140页。
⑧ 《三国志》卷四七《吴书·吴主传》注引《吴书》，第1140页。
⑨ 《三国志》卷三《魏书·明帝纪》，第107页。

第七次，赤乌二年（239），派羊衜等人往救公孙渊。张弥、许晏事件以后，孙吴与辽东关系中断。公孙渊与曹魏关系亦日趋紧张恶化。曹魏景初元年（237），“乃遣幽州刺史毌丘俭等赍玺书征（公孙）渊。渊遂发兵反……自立为燕王，置百官有司”[①]，并改元绍汉。公孙渊“知此变非独出（毌丘）俭，遂为备。遣使谢吴，自称燕王，求为与国”[②]。景初二年（238）春，曹魏派太尉司马懿率大军征讨公孙渊，公孙渊“闻魏人将讨，复称臣于吴，乞兵北伐以自救”[③]。辽东使者到孙吴以后，“吴人欲戮其使，羊衜曰：‘不可，是肆匹夫之怒而捐霸王之计也。不如因而厚之，遣奇兵潜往以要其成。若魏伐渊不克，而我军远赴，是恩结遐夷，义盖万里；若兵连不解，首尾离隔，则我虏其傍郡，驱略而归，亦足以致天之罚，报雪曩事矣。’孙权曰‘善。’乃勒兵大出”[④]。但是，孙权迟至第二年春三月才发兵，“遣使者羊衜、郑胄、将军孙怡之辽东”[⑤]。而公孙渊已于去年八月被司马懿灭亡，辽东一带已为曹魏所有。于是羊衜等人到达辽东后，“击魏守将张持、高虑等，虏得男女”[⑥] 而还。

二　孙权通辽东的背景、动机

由上所述，我们可以知道，除去建安年间（196—220）遣使公孙康之外，孙权通辽东主要发生于其称帝后的10年中，而其中又以前4年最为集中。何以建安年间公孙康杀孙权使者之后，孙权还要继续更加频繁地派人出使辽东？嘉禾元年（232）周贺使团覆灭于成山角之后，何以第二年（233）又派出更为庞大的张弥、许晏使团？张弥、许晏使团被“绝杀”之后，何以又不念旧恶而派羊衜率兵援救公孙渊？这一切，仅用孙权个人“刚愎自用”来加以解释，似不能真正揭示这一历史现象的真谛。我们还必须透过当时更广阔的历史背景去寻找孙权通辽东的历史动机，从而准确认识这一历史问题的本质。

---

① 《三国志》卷八《魏书·公孙度传》，第253—254页。
② 《三国志》卷八《魏书·公孙度传》注引《魏书》，第258页。
③ 《三国志》卷八《魏书·公孙度传》注引《汉晋春秋》，第260页。
④ 《三国志》卷八《魏书·公孙度传》注引《汉晋春秋》，第260页。
⑤ 《三国志》卷四七《吴书·吴主传》，第1143页。
⑥ 《三国志》卷四七《吴书·吴主传》，第1143页。

第一，孙权频繁通使辽东，是当时魏、蜀、吴三国关系发展变化的必然结果。曹、刘、孙三方的关系，自赤壁之战以来，经历了几次曲折变化。赤壁之战前后，孙、刘联盟抗曹的关系，由于孙、刘对于荆州的争夺而一度遭到破坏，孙权为了夺回荆州，调整了自己的外交策略，由联蜀而改为卑事曹魏。公元219年袭杀关羽之后，孙权夺回了对荆州的控制权，公元222年夷陵大捷后，蜀汉退守三峡以内，再无力东向与孙权争夺荆州。但是，从魏、蜀、吴三方关系的主流看，吴蜀交恶、孙吴联魏只能是暂时的，吴、蜀在对魏方面有着更多共同的利害关系。如果说吴蜀之间是平等的联盟关系，那么吴魏之间则是不平等的联合。这种联合自然不能持久。因此，当孙权解决了荆州问题后，便再次调整外交策略，重新恢复了吴蜀联盟，继续实行共抗曹魏的战略方针。公元229年孙权称帝时，吴蜀之间已建立了比较巩固的联盟关系，蜀使陈震赴吴祝贺，双方订立盟约，中分天下，造为盟曰："自今日汉、吴既盟之后，戮力一心，同讨魏贼……若有害汉，则吴伐之；若有害吴，则汉伐之。各守分土，无相侵犯。"[①] 吴、蜀联盟的再次确立，使孙权消除了西顾之忧，得以主要精力对付曹魏。因此，孙权在与曹魏的西南之敌蜀汉结盟后，又欲与曹魏的东北之敌公孙渊结盟，从而形成对曹魏的包围形势。

孙权通使辽东的主要目的，便是与公孙渊结盟。公孙渊僚属说：孙权"不远万里，连年遣使，欲自结援，虽见绝杀，不念旧怨，纤纤往来，求成恩好"[②]。应该说，在这方面，孙权是取得了一定成效的。孙权派人通辽东的同时，公孙渊亦"遣使南通孙权，往来赂遗"[③]。他接受了孙权封号，"以辽东叛"[④]，与吴结为"与国"[⑤]。由于有了孙权的支持，公孙渊"既恃险阻，又怙孙权，故敢跋扈，恣睢海外""敢违王命，废绝计贡"，公然与曹魏政权对抗，在孙吴与曹魏之间实行"挟两端"[⑥] 的策略。应该说，孙权与公孙渊已在一定程度上结成了联盟关系。

---

① 《三国志》卷四七《吴书·吴主传》，第1135页。
② 《三国志》卷八《魏书·公孙度传》注引《魏书》，第259页。
③ 《三国志》卷八《魏书·公孙度传》，第253页。
④ 《三国志》卷二六《魏书·田豫传》，第728页。
⑤ 《三国志》卷八《魏书·公孙度传》注引《魏书》，第258页。
⑥ 《三国志》卷八《魏书·公孙度传》注引《魏名臣奏》，第257页。

第二，孙权频繁通使辽东，是在战略上牵制曹魏的一个重要步骤。吴魏交恶后，孙权在前线不断出击曹魏。为此，在西线以蜀汉牵制曹魏的同时，在东北则以辽东牵制曹魏。孙权与辽东结盟，对于曹魏在战略上起到了一定的牵制作用。嘉禾元年（232）派周贺、裴潜出使辽东，导致魏明帝兴兵讨伐公孙渊，“遣平州刺史田豫乘海渡，幽州刺史王雄陆道，并攻辽东。”① “使（田）豫以本官督青州诸军，假节，往讨之。”②这次曹魏调动军事规模不小，以青州、幽州之军合攻公孙渊，但魏军“往皆无功，诏令罢军”③。同年，“吴将陆逊向庐江”④，在南线进攻曹魏。嘉禾二年（233），派张弥、许晏封公孙渊为燕王，曹魏“时闻公孙渊受孙权燕王之号，议者欲……遣兵讨之”⑤。是年，孙权又于南线出兵，“欲围新城”⑥，同时派全琮“督步骑五万征六安”⑦。而当曹魏于景初二年（238）派司马懿率四万兵征讨公孙渊时，曹魏方面所担心的就是孙权是否出兵援助。魏明帝问蒋济：“孙权其救辽东乎?”蒋济答道：“若大军相持，事不速决，则（孙）权之浅规，或能轻兵掩袭，未可测也。”⑧ 孙吴果然“勒兵大出”⑨，派军前往辽东，“击魏守将张持、高虑等，虏得男女”⑩。显然，从南北两面夹击曹魏，是孙吴频繁通使辽东的战略目的，这个目的在一定程度上是达到了的。

第三，孙权频繁出使辽东，是其统一天下的愿望的反映。历代史家在论孙权时，多以“偏安江东”“限江自保”目之。似乎孙权并不像曹操、刘备那样以统一天下为己任。这个看法是不全面的。事实上，“鼎足江东”“限江自保”不过是孙权实现统一天下的基础和条件，其最终目的还在于统一天下。早在建安五年（200），孙权统事之初，就已经与鲁肃

---

① 《三国志》卷一四《魏书·蒋济传》注引司马彪《战略》，第453页。
② 《三国志》卷二六《魏书·田豫传》，第728页。
③ 《资治通鉴》卷七二，魏明帝太和六年（232）九月，第2277页。
④ 《三国志》卷二六《魏书·满宠传》，第724页。
⑤ 《三国志》卷二一《魏书·刘劭传》，第618页。
⑥ 《三国志》卷二六《魏书·满宠传》，第724页。
⑦ 《三国志》卷六〇《吴书·全琮传》，第1382页。
⑧ 《三国志》卷一四《魏书·蒋济传》注引《汉晋春秋》，第454页。
⑨ 《三国志》卷八《魏书·公孙度传》注引《汉晋春秋》，第260页。
⑩ 《三国志》卷四七《吴书·吴主传》，第1143页。

议定了统一天下的战略计划。论者或以孙策临终对孙权所言，“举江东之众，决机于两阵之间，与天下争衡，卿不如我；举贤任能，各尽其心，以保江东，我不如卿”[①]，证明孙权以“保江东”为能事。似乎孙策倒有统一天下之志，孙权反不如孙策。其实，孙策之“与天下争衡”，与孙权相比还是有一定差距的。孙策之“与天下争衡”，基本上仍在建立“桓、文之功”的范畴内，而孙权则把它明确提升为“建号帝王，以图天下”。我们把孙策时张纮之“江都对策”，与孙权时鲁肃之“吴中对策”两相比较，就可以发现这种差距。张纮，广陵人，“孙策创业，遂委质焉”[②]，参与谋议，甚见信任。孙策在江都时，曾“数诣（张）纮，咨以世务”。孙策问曰：“方今汉祚中微，天下扰攘，英雄俊杰各拥众营私，未有能扶危济乱者也……策虽暗稚，窃有微志，欲从袁扬州求先君余兵，就舅氏于丹杨，收合流散，东据吴会，报雠雪耻，为朝廷外藩。君以为何如?”[③]张纮答道：“昔周道陵迟，齐、晋并兴；王室已宁，诸侯贡职。今君绍先侯之轨，有骁武之名，若投丹杨，收兵吴会，则荆、扬可一，雠敌可报。据长江，奋威德，诛除群秽，匡辅汉室，功业侔于桓、文，岂徒外藩而已哉?”[④] 由此可见，孙策之“微志”，不过是“扶危济乱”“为朝廷外藩”。张纮之对策虽然提出了“匡复汉室，功业侔于桓、文”“岂徒外藩”，但还是“犹抱琵琶半遮面”。而到了建安五年（200）孙权统事时，周瑜荐鲁肃于吴，“与语甚悦之……乃独引肃还，合榻对饮。因密议曰：‘今汉室倾危，四方云扰，孤承父兄余业，思有桓文之功。君即惠顾，何以佐之?’肃对曰：‘昔高帝区区欲尊事义帝而不获者，以项羽为害也。今之曹操，犹昔项羽，将军何由得为桓文乎？肃窃料之，汉室不可复兴，曹操不可卒除。为将军计，惟有鼎足江东，以观天下之衅。规模如此，亦自无嫌。何者？北方诚多务也。因其多务，剿除黄祖，进伐刘表，竟长江所极，据而有之，然后建号帝王以图天下，此高帝之业也。’”[⑤] 在这里鲁肃否定了“建桓文之业”以匡扶汉室的老生常谈，公然认为“汉室

① 《三国志》卷四六《吴书·孙策传》，第1109页。

② 《三国志》卷五三《吴书·张纮传》，第1243页。

③ 《三国志》卷四六《吴书·孙破虏讨逆传·孙策传》引《吴历》，第1102页。

④ 《三国志》卷四六《吴书·孙破虏讨逆传·孙策传》引《吴历》，第1103页。

⑤ 《三国志》卷五四《吴书·鲁肃传》，第1268页。

不可复兴”，提出了“建号帝王以图天下”的口号，这在东汉末年是最早的。而诸葛亮在日后的隆中对中仍以“汉室可兴”为号召。而且鲁肃对策比诸葛亮早7年已预见了天下三分的发展趋势，为孙权擘划了建国道路：第一步“鼎足江东，以观天下之衅”；第二步，“剿除黄祖，进伐刘表，竟长江所极，据而有之”；第三步，“建号帝王以图天下”。此后，孙权基本上按照这一建国方略以贯彻执行，一直以“统一天下”为己任。例如，陆逊建议“宽赋息调”，孙权答道：“至于发调者，徒以天下未定，事以众济。若徒守江东，修崇宽政，兵自足用，复用多为？顾坐自守可陋耳。若不豫调，恐临时未可便用也。”① 其不以“守江东”为限，而以“定天下”为职志，溢于言表，言之凿凿。他对贺齐说：“今定天下，都中国，使殊俗贡珍，狡兽率舞，非君谁与？”② 公孙渊的“称藩”，使他认为这个宿愿终于可以实现了。公元229年孙权称帝之前，收回了荆州，又与蜀汉建立了较为巩固的联盟关系，解除了西顾之忧之后，基本上完成了第一、二步计划，孙权便开始实施第三步计划。公元229年“建号帝王”以后的头一件事，便是派张刚、管笃出使辽东。通辽东之举集中于其称帝之后的10年中，看来不是偶然的。通辽东便是从战略上牵制曹魏，实现其“图天下”大计之一步骤。公孙渊之“称藩”，增加了孙权“图天下”之期望，以为“普天一统，于是定矣”③。故其不顾群臣反对而派庞大使团出使辽东。出使辽东，正是说明了孙权不以“限江自保”为囿。通使辽东有很大冒险性，从求稳角度来说，以不通为宜，但从进取角度来说，则不能不试。

第四，孙权通使辽东，是其海上开拓事业的一个组成部分。人们在评价孙权时，对于其远航夷洲和南海的事业，均给以肯定，作为其历史功绩来看待。然而，孙权之远航夷洲和南海，与远航辽东和朝鲜半岛，是密不可分的一个整体，它们都是孙权在称帝后大力开拓海上事业的组成部分，而且它们基本上是同时进行的。孙吴立国于东南沿海，尽管有发展海上事业的优越条件，但是在孙权建国的第一、二阶段，他还没有

① 《三国志》卷四七《吴书·吴主传》，第1133页。

② 《三国志》卷六〇《吴书·贺齐传》注引《吴书》，第1379页。

③ 《三国志》卷四七《吴书·吴主传》，第1137页。

可能把注意力放在开拓海上事业上，到了第三阶段时，他才有可能这样做，因此，这些海上事业基本上都进行于这一阶段。公元229年孙权称帝后，当年便通使辽东，第二年（黄龙二年，230），又“遣将军卫温、诸葛直将甲士万人浮海求夷洲及亶洲”[①]。接着，又派人远航南洋诸国。吕岱“既定交州，复进讨九贞……又遣从事南宣国化，暨徼外扶南、林邑、堂明诸王，各遣使奉贡”[②]。此即朱应、康泰出使南洋百余国之事。[③] 赤乌五年（242），又派兵攻打儋耳、珠崖（海南岛）[④]。由此可见，孙权在称帝后，开展了一系列大规模的海上活动，北通辽东、朝鲜，东求夷洲、亶洲，南使南洋诸国。这一系列的活动，与孙吴进入“建号帝王以图天下”的阶段，不能说是没有关系的。只有把通辽东与其求夷洲、通南海作为一个整体来观察，才能对其作出正确的理解。人们对于孙权求夷洲一事，均加以充分的肯定和赞扬，却对通辽东一事讳莫如深，或大加贬斥，这显然是不公平的。论者在贬斥孙权通辽东一事时，往往以吴国臣僚之谏阻和损失惨重作为佐证。须知吴国臣僚不仅对孙权通辽东曾加以大力谏阻，对于通夷洲、亶洲同样也加以谏阻，而且其理由大致也是相同的，认为“未见其利”“欲利反害”[⑤]，应以江东为本，不必越海远求。通辽东固然损失严重，通夷洲“士众死者十有八九”[⑥]，同样是“得不补失”[⑦]。我们今天评价孙权通夷洲，当然不能等同于古人见识，而评价孙权通辽东似亦应作如是观。

第五，孙权通使辽东，是为了从海上取得马匹。在当时的战争条件下，马匹是重要的战略物资，江左地区缺少马匹，对其军事力量来说是一个严重的缺陷。而孙吴面对的主要敌人，却有充足的马匹。因此，孙权一直千方百计从四面八方觅取马匹。[⑧] 辽东地区“多马”[⑨]，其“民习

---

① 《三国志》卷四七《吴书·吴主传》，第1136页。
② 《三国志》卷六〇《吴书·吕岱传》，第1385页。
③ （唐）姚思廉撰：《梁书》卷五四《诸夷传》，中华书局1973年版，第783页。
④ 《三国志》卷四七《吴书·吴主传》，第1145页。
⑤ 《三国志》卷五八《吴书·陆逊传》，第1350页。
⑥ 《三国志》卷六〇《吴书·全琮传》，第1383页。
⑦ 《三国志》卷五八《吴书·陆逊传》，第1350页。
⑧ 参见拙文《六朝时期江左政权的马匹来源》，《中国史研究》1991年第1期。
⑨ 《三国志》卷五七《吴书·陆瑁传》，第1337页。

鞍马"[1]。孙权通使辽东的重要目的之一便是得到辽东的马匹。陆瑁上疏孙权说："国家所以不爱货宝远以加之者，非嘉其德义也，诚欲诱纳愚弄，以规其马耳""夫所以越海求马，曲意于（公孙）渊者，为赴目前之急，除腹心之疾也"[2]。虞翻说通辽东是"入财以求马"[3]。陆逊也说，通辽东之举"乃远惜辽东众之与马"[4]。公孙渊也说孙权"致遣货物，欲因市马"，故"驱群马货物，欲与交市"[5]。通高句丽后，一次便得到"上马数百匹"，但因"船小，载马八十匹而还"[6]。对此，曹魏方面也非常清楚，辛毗上疏魏文帝说："孙权市马辽东，量其意指，似欲相左右。"[7]而马匹对于孙吴与曹魏抗衡"以图天下"的意义是不言而喻的。

只有把孙权通辽东，放在当时大的历史背景之下考察，才能理解其实质和意义，孙权通辽东不是一时糊涂和冲动，而是有深远目的的行动。公孙渊说："（孙）权之求郡，积有年岁。"[8] 可见这是一项孙权长期所追求的战略目标。孙权通辽东遇到了失败和挫折，我们对此似亦不能以成败论英雄。

三 孙权经略辽东的历史意义

孙权对辽东的经略，使当时东吴政权蒙受到一些损失，付出了代价，正如其通夷洲、亶洲时也曾蒙受损失一样，但是，它对于历史的发展，仍然具有积极的意义。

首先，是开辟了江左直通东北地区的海上交通。在孙吴以前，北部沿海的航线已经分段开通，先秦秦汉时期已先后开通了由山东半岛到辽东半岛的航道，以及由江浙沿海至山东半岛的航道。但是，由于东汉时期江左地区经济文化还比较落后，还没有形成强大的政治中心和大都会，因此这条航道的来往并不频繁，而且还没有开通从江左直达辽东的航路。

---

① 《三国志》卷五三《吴书·薛综传》，第 1253 页。
② 《三国志》卷五七《吴书·陆瑁传》，第 1337 页。
③ 《三国志》卷五七《吴书·虞翻传》注引《吴书》，第 1324 页。
④ 《三国志》卷五八《吴书·陆逊传》，第 1350 页。
⑤ 《三国志》卷八《魏书·公孙度传》注引《魏略》，第 256 页。
⑥ 《三国志》卷四七《吴书·吴主传》注引《吴书》，第 1140 页。
⑦ 《三国志》卷二五《魏书·辛毗传》，第 698 页。
⑧ 《三国志》卷八《魏书·公孙度传》注引《魏略》，第 257 页。

孙吴立国江左后，这里形成了三分天下有其一的政治中心，经济文化也得到了迅速的发展，形成了以建业为代表的大都会，因此有了进一步开通北部航海运输的需求。孙权频繁通使辽东，使江左与辽东地区的直通航线得以开通。这条航道傍东海、黄海北行，渡渤海海峡到达辽东半岛南端的沓津（或称沓、沓渚），即今辽宁省大连市旅顺附近。这里是孙吴与辽东通航通商的重要港口。孙吴出使辽东的船队即停泊于此，在这里进行互市。再由此处上岸由陆路至公孙渊首府襄平（今辽宁朝阳）。

这条海道的开通，大大便利了江左地区与东北地区的交通，史称“吴虽在远，水道通利，举帆便至，无所隔限”①。此后，历东晋南朝，这条航道便日益繁忙起来，成为六朝时期江左地区与东北地区交通的重要线路，出现了“乘舶汎海，使驿常通”② 的情景。有了这条海道，东晋南朝时期，得以越过北方的胡族政权，与东北地区的少数民族政权和朝鲜半岛诸国建立了交往关系，发挥了巨大的历史作用。

其次，孙权对辽东的经略，加速了江左与东北地区经济文化的交流。通过这种交往，孙权除了从东北地区得到马匹以外，双方又各以“方土所出”进行互市。孙权“比年已来，复远遣船，越渡大海，多持货物，诳诱边民。边民无知，与之交关”“浮舟百艘，沈滞津岸，贸迁有无”③。双方还互赠特产，辽东方面向孙权“献貂马”④。孙权也以“金宝珍货，九锡备物，乘海授（公孙）渊”⑤。高句丽也曾向孙权“贡貂皮千枚，鹖鸡皮十具”，孙权则向高句丽“赐衣物珍宝”⑥。这种交往，对于两地的物产文化交流产生了积极的意义，晋人孙楚在遗孙晧书中说：“昔公孙氏承藉父兄，世居东裔……不供职贡，内傲帝命，外通南国，乘桴沧海，交酬货贿，葛越布于朔土，貂马延于吴会。”⑦ 江左以纺织品为代表的物产文化传到了东北，东北以貂马为代表的物产文化传到了东南。这对于

---

① 《三国志》卷八《魏书·公孙度传》注引《魏书》，第259页。
② （梁）萧子显撰：《南齐书》卷五八《东夷·高句丽传》，中华书局1972年版，第1009页。
③ 《三国志》卷八《魏书·公孙度传》注引《魏略》，第255页。
④ 《三国志》卷四七《吴书·吴主传》，第1136页。
⑤ 《三国志》卷四七《吴书·吴主传》，第1138页。
⑥ 《三国志》卷四七《吴书·吴主传》注引《吴书》，第1140页。
⑦ （唐）房玄龄等撰：《晋书》卷五六《孙楚传》，中华书局1974年版，第1540页。

加快两地人民社会经济文化的发展是有积极意义的。后来，江左的蚕桑也是通过这条海道传至辽东地区的。

孙权对辽东的经略，与其浮海求夷洲一样，对于中国统一多民族国家的发展是有积极意义的，其历史作用是应该肯定的。

（原刊《北京师范大学学报》1994年第5期。中国人民大学报刊复印资料《中国古代史》1995年第2期全文转载；后转载于中国《三国演义》学会·浙江省富阳县人民政府·《明清小说研究》编辑部联合主办、谭洛非主编《明清小说研究》1993年增刊《孙吴与三国文化》论文集，中国文联出版公司1993年版。后收入《魏晋南北朝史论》，学苑出版社1999年版。今据《魏晋南北朝史论》刊文为底本，并参校原刊文整理。李文才敬识。）

客家聚族而居与魏晋北朝中原大家族制度

客家是西晋永嘉之乱（4 世纪初）以后陆续从中原地区南迁，现今聚居于粤、赣、闽交界处为中心的汉族的一支。由于其在语言、习俗等方面保存了丰富的中古时代中原遗风，颇具社会活化石的研究价值，因而探求其与中古时代中原地区社会历史文化的联系及区别、传承及变异，对于历史学和社会学来说都有重要的意义。本文试图从这个角度出发而作一点粗浅的尝试。

汉族民系之一的客家的居处方式，是一种以围堡式大屋为中心的聚族而居，融生产、生活与自卫于一体，具有独特的民系与地域色彩。

这种居处方式是客家人民在长期的生产、生活实践中形成的，一方面它是中原汉族传统居处方式的继承，另一方面又是迁居南方以后为适应当地的社会和生产、生活条件而发展形成的，而前者是它所由产生的根源。从继承传统而言，这一居处方式实渊源于魏晋北朝时期的中原地区。因此，探讨客家居处方式的历史渊源，对于研究魏晋南北朝历史和阐明客家与中原汉族的关系及客家历史的发展变化，都是有意义的。

客家人的聚居区，主要是在今闽、粤、赣交会地区，并由这一地区而辐射于广西、湖南、四川、台湾、海南等省的部分地区。① 就地区差异而论，客家民居建筑，各聚居区之间大同而小异。如闽西客家民居以家堡合一式的土楼和三堂二横式的群体住宅为典型；粤东客家民居以“围龙屋”为其典型；粤北地区以“村围”的建筑为其特色②；等等。但是，不论其建筑型制有多少差异，有几个要素则是共同的：第一，这种住宅

---

① 罗香林：《客家源流考》，中国华侨出版公司 1989 年版，第 59 页。

② 刘佐泉：《客家历史与传统文化》，河南大学出版社 1991 年版，第 281—296 页。

规模都是非常巨大的，一个大屋之内可容几十户至几百户人居住；第二，这些住宅都有坚固的外墙与封闭式结构；第三，这些住宅都具有多种功能，兼容居民的生产、生活的种种需要。这种客家居处方式，最具特征的地方有两点：一是它的聚族而居，二是它的自卫功能。本文拟先从第一个方面探讨其历史渊源。

客家人民之自中原南迁，肇始于西晋末年的永嘉之乱，史言“自中原乱离，遗黎南渡”①，时“洛京倾覆，中州士女避乱江左者十六七”②。其时南徙人民，主要有三大支流，即秦雍流人、司豫流人和青徐流人。据罗香林先生考证，“客家先民的南徙，是属东晋民族大迁移的第二支派的”③，即所谓司豫流人。由此推知，“客家先民东晋以前的居地，实北起并州上党，西届司州弘农，东达扬州淮南，中至豫州新蔡、安丰。换言之，即汉水以东，颍水以西，淮水以北，北达黄河以至上党，皆为客家先民的居地”④。这个地区恰处于人们通常所谓的中原地区，而客家的聚族而居习俗，就是渊源于以这个地区为中心的北方的大家族制度。

在客家先民第一次大规模南徙的时期，南方与北方的家族制度已经产生了差异，即“江南士大夫与庶人的异计、殊产”，与“北土保持大家族制度不变”的差异。⑤ 在东晋南北朝时期，大略而言，聚族而居的情况多在北方，而南方则已逐渐盛行小家庭制度。因此，客家先民南渡后，是把北方的大家族制度带到南方，并加以保持和发展，而与南方的小家庭制度有所区别。也就是说，客家人的聚族而居是直接渊源于北方，而不是在南迁之后才产生的。当时南北方家族制度的变化，史籍中有明显的反映。北朝人裴植，河东闻喜（今山西闻喜县）人，为瀛州（今河北河间）刺史，“虽自州送禄奉母及赡诸弟，而各别资财，同居异爨，一门数灶，盖亦染江南之俗也”⑥。可见时人眼中把兄弟分灶、同居异财看作

① （唐）房玄龄等撰：《晋书》卷一五《地理志下》，中华书局1974年版，第463页。

② 《晋书》卷六五《王导传》，第1746页。

③ 《客家源流考》，第14页。

④ 《客家源流考》，第33页。

⑤ 万绳楠整理：《陈寅恪魏晋南北朝史讲演录》，黄山书社1987年版，第328页。

⑥ （北齐）魏收撰：《魏书》卷七一《裴叔业附侄（裴）植传》，中华书局1974年版，第1571页。

江南地区的社会风俗。那么，当时“江南之俗”是怎样的呢?《宋书·周朗传》有这方面的记述，略云：“今士大夫以下，父母在而兄弟异计，十家而七矣。庶人父子殊产，亦八家而五矣。凡甚者，乃危亡不相知，饥寒不相恤，又疾谤谗害，其间不可称数。”[①] 这是南朝人对江南社会风气的概括。它清楚地表明，在刘宋时期，江南地区个体家庭已占十之七八，已取代大家族制度而成为社会的基本单位。

而当时北方，累世同居的大家族制度的传统仍然在很大程度上保存着。这种大家族制产生于东汉，清人赵翼在其所著《陔余丛考》中就说：“世所传义门，以唐张公艺九世同居为最，然不自张氏始也……此风盖起于汉末。”[②] 如南阳湖阳（今河南唐河县）人樊重，“三世共财，子孙朝夕礼敬，常若公家”[③]；汝南召陵（今河南偃城县）人缪肜，“兄弟四人，皆同财业”[④]；北海（今山东昌乐县）人孙宾硕，“阖门百口”[⑤] 等。东汉崔寔《四民月令》，即是对于当时洛阳一带的豪族地主大家族组织及其生产、生活情景的记述。这种大家族制度，在魏晋北朝继续存在。西晋颁布的官品占田与荫亲属制度，就是从法律上肯定并保护这种百室合户聚族而居的大家族制度。在北朝，如北魏范阳涿（今河北涿县）人卢度世，“父母亡，然同居共财，自祖至孙，家内百口”[⑥]。北魏恒农华阴（今陕西华阴县）人杨播，“一家之内，男女百口，缌服同爨，庭无间言”[⑦]。北魏东郡小黄县（今河南开封东）人董吐浑、董养兄弟，“三世同居，闺门有礼”[⑧]。河东蒲坂（今山西永济县）人石文德“五世同居，闺门雍睦”[⑨]。天水白石县（今甘肃成县）

---

① （梁）沈约撰：《宋书》卷八二《周朗传》，中华书局 1974 年版，第 2097 页。

② （清）赵翼撰，曹光甫校点：《陔余丛考》卷三九“累世同居”条，上海古籍出版社 2011 年版，第 772 页。

③ （南朝·宋）范晔撰，（唐）李贤等注：《后汉书》卷三二《樊宏传》，中华书局 1965 年版，第 1119 页。

④ 《后汉书》卷八一《独行传》，第 2685 页。

⑤ （晋）陈寿撰，（南朝·宋）裴松之注，陈乃乾校点：《三国志》卷一八《魏书·阎温传》注引《魏略·勇侠传》，中华书局 1959 年版，第 552 页。

⑥ 《魏书》卷四七《卢玄附子度世传》，第 1062 页。

⑦ 《魏书》卷五八《杨播传》，第 1302 页。

⑧ 《魏书》卷八六《孝感·阎元明附董吐浑、董养传》，第 1884 页。

⑨ 《魏书》卷八七《节义·石文德传》，第 1890 页。

人赵令安、孟兰强等“四世同居”[①]。博陵安平（今河北安平县）人李几，“七世共居同财，家有二十二房，一百九十八口，长幼济济，风礼著闻，至于作役，卑幼竞进”[②]。北海（今山东昌乐县）密人王闾“数世同居，有百口”；太山刘业兴“四世同居”；鲁郡（今山东曲阜）盖儁“六世同居，并共财产，家门雍睦”[③]。此类事例，不胜枚举。与南方大家族制度式微的情况相反，北方的大家族制度在不同程度上还有所发展。史家描绘十六国时期北方大家族聚族而居的情景，说：“百姓因秦晋之弊，迭相荫冒，或百室合户，或千丁共籍，依托城社，不惧熏烧。”[④] 北齐人宋孝王《关东风俗传》描绘了前代及北齐时期聚族而居的情况，说：“瀛、冀诸刘，清河张、宋，并州王氏，濮阳侯族，诸如此辈，一宗近将万室，烟火连接，比屋而居。”[⑤]

客家先民正是带着他们世代所居的上述中原地区的大家族制度的传统，来到江南的。迁居江南的北方流民，一部分居处于东晋南朝政治中心和社会经济发达地区，如江左地区，那里商品经济较为发达，因而使传统的大家族制度受到破坏较甚。前述的江南十之七八已行小家庭制度，主要就是在这些发达地区。在这些地区，不仅南方的士族地主已盛行小家庭制，北方南下的高门大族也日渐抛弃原来的旧习而改行小家庭制。以北方南下的一等高门琅邪王氏为例，《南史·王弘传》记述王僧祐赠王俭诗，云：“汝家在市门，我家在南郭；汝家饶宾侣，我家多鸟雀。”[⑥]《南齐书·王僧虔传》亦记载说：“王氏以分枝居乌衣者，位官微减。”[⑦] 这就证明第一流的名门望族琅邪王氏，到了南朝，便不再是聚族而居、“同宗共财”，而是“分枝”为一个个独立的个体家庭了，各家已有升沉、贫富的不同了。[⑧] 下面这个记载，最能反映当时南北方社会风气的不同以

---

① 《魏书》卷八七《节义·石文德传附》，第1890页。

② 《魏书》卷八七《节义·李几传》，第1896页。

③ 《魏书》卷八七《节义·王闾传》，第1896页。

④ 《晋书》卷一二七《慕容德载记》，第3170页。

⑤ （唐）杜佑撰，王文锦、王永兴、刘俊文、徐庭云、谢方点校：《通典》卷三《食货典三·乡党》，中华书局1988年版，第62页。

⑥ （唐）李延寿撰：《南史》卷二一《王弘传附王僧祐传》，中华书局1975年版，第580页。

⑦ （梁）萧子显撰：《南齐书》卷三三《王僧虔传》，中华书局1972年版，第592页。

⑧ 参见万绳楠《魏晋南北朝史论稿》，安徽教育出版社1983年版，第209页。

及北方士族南下后的变化。太原人王懿（字仲德）于苻秦败亡后南渡，"北土重同姓，谓之骨肉，有远来相投者，莫不竭力营赡，若不至者，以为不义，不为乡里所容。仲德闻王愉在江南，是太原人，乃往依之，愉礼之甚薄，因至姑孰投桓玄"①。王愉一族早在东晋初其曾祖王承之时已定居江南，至王愉已历四世，故已染江南之俗。这不完全是王愉个人品质问题，而是江南社会经济的发展使家族制度发生变化的结果。同一宗族之人，分居南北后，其宗族观念已迥然有别，恍如隔世。

但是，南下流民中，另一部分居处于不发达地区，尤其是深入山区的那部分人，他们所受江南社会风气的影响较小，而严酷的环境要求他们更需要加强宗族的团结，故聚族而居的习俗得以保持并发展。我以为客家应当是以这批迁于山区的那部分人为主而形成的，即由从长江中游渡江、深入群蛮地区而又保持原有社会结构的那部分北人为中心而发展起来的。有的学者认为"客家人的祖先往往依其南宋前的原籍相聚而居，结为一个与外界鲜有往来的闭塞的社会"②，而且"唯因其好聚族而居，以致其语言习尚，至今仍保持着他们祖先所遗传下来的"③。这些见解都是有道理的。我们可以认定，那些南渡以后定居于发达地区的北人，后来并没有演化为客家人，而只有那些深入山区并保持聚族而居传统的北人才有可能逐步演化为客家人，这就是为什么同样南渡而并没有都成为客家人的重要原因之一。根据罗香林先生的研究，司豫流人"渡江后，分布于江西的鄱阳湖区域，或顺长江而下，达皖苏的中部，或溯赣江，而至粤赣闽交界地"④。而这些地区的山区，当时居住着广大的蛮族人民，他们"分建种落，布在诸郡县……所在多深险"⑤。客家先民南下后，必然要与这些蛮族相处。而"蛮俗生子，长大多与父母异居"⑥。"蛮俗，婚娶之后，父母虽在，即与别居"⑦，可见蛮族没有实行似中原地区的大

① 《宋书》卷四六《王懿传》，第1391页。

② 陈运栋：《客家人》第四章《客家文化的探讨》，台北：联亚出版社1981年版，第367页。

③ 张祖基等：《客家旧礼俗·代序（客家人的由来）》，台北：众文图书公司1986年版。

④ 《客家源流考》，第10页。

⑤ 《宋书》卷九七《夷蛮传》，第2396页。

⑥ （唐）李延寿撰：《北史》卷八二《儒林下·乐逊传》，中华书局1974年版，第2746页。

⑦ 《北史》卷三六《薛慎传》，第1343页。

家族制度。显然，南迁之客家先民的大家族制度，并非受到蛮族影响而产生。因此，客家先民既不同于江南发达地区的汉族世家大族的家族制度，也不同于当地少数民族的家族制度，而是保持着自己从北方中原地区带来的家族制度。应当指出，后世客家人的“聚族而居”，与魏晋南北朝时期的聚族而居已发生了很大变化，如从同居共财的大家族制度向同居异财的小家庭制度的转化，就是其中的突出之点。然而当我们将后世客家人的聚族而居方式与魏晋南北朝时期的聚族而居相比较，我们仍然可以清楚地看到它们之间的共性和传承之处。

客家人一直保持着“合门百口……累世同堂”的大家族制度，数十人至数百人同居一屋，是极其普遍的现象。南宋时江西抚州金溪客家陆氏“其家累世义居”[①]“合门百口，男女以班各供其职，闺门之内严若朝廷”[②]“聚其族逾三千指，合而爨将二百年”[③]。所谓“义居”，就是不仅共居而且共财。

直到近代，客家人的家庭组织有的还保持着“在大家庭中，如家长健在，则虽子孙满堂，亦决不分居……一家之内，父子、祖孙、兄弟、叔侄、妯娌，济济一堂，少者十数人，多者数十人，俨然为一小社会。其五世同堂者，更为世所赞美”[④]。他们“往往世世代代就都群居在一幢建筑里。所以有三代、四代，甚而至于五代同堂的规模”[⑤]。现代如广西的客家人，“女方过男家后，一般是三世、四世同堂，如果男方以下还有弟妹，新娘、新郎必须随老人合灶一段时间才能分灶……分灶以后，每逢有好酒好菜，都要喊老人同吃或挟一份菜给老人”[⑥]。在这种“分灶”制中仍然保留着浓厚的“合门同爨”的遗风。显然，这些都同北方高门大族“合门百口”“数世同堂”的居处方式有着密切的渊源关系。

客家人的聚族而居，除了表现为一个大屋居住着同姓的几十户乃至

---

① （元）脱脱等撰：《宋史》卷四三四《儒林·陆九龄附弟（陆）九韶传》，中华书局 1985 年版，第 12879 页。

② 《宋史》卷四三四《儒林·陆九龄传》，第 12878—12879 页。

③ （宋）罗大经撰：《鹤林玉露》丙编卷五，中华书局 1983 年版，第 324 页。

④ 《客家旧礼俗》第十二篇《生活习惯》之“五、家庭组织”条，第 374—375 页。

⑤ 《客家人》，第 343 页。

⑥ 徐杰舜：《广西客家的源流、分布和风俗文化》，《客家学研究》第 2 辑，上海人民出版社 1990 年版，第 52 页。

几百户人之外，还表现为一个姓氏往往聚居于一个地区或村落。在这种地区或村落中，以一个祖居的大屋为中心，分布着若干大小不等的屋。客家人的这种聚族而居方式，可以广东兴宁为例。那里“一个村、一个乡，乃至相当大的地区，都是一个姓。典型的如：县城附近东门外罗姓，西河背陈姓，北门外洋垫塅张姓、饶姓；各墟镇，如泥陂东山寺陈姓，汤湖王姓，黄垌柏塘烟墩鲤塘刘姓，高沙岭李姓，永和墟环近何姓，大成社张姓，新陂李姓，叶塘刘桥头刘姓，龙田苑塘居公桥罗姓，大坪罗姓，罗岗袁姓，石马陈姓、何姓，新墟彭姓、廖姓……上述这些地区的同姓居民，多者达一万多人，如东门外罗姓，由东风塅一直到大圳、高陂、洋岗方圆五千米，约有万余人。其他各姓聚居在一处的，至少有一千数百人”①。这种情景，与北朝时期北方地区“一宗将近万室，烟火连接，比屋而居”② 的情景是多么的相似。

客家人为了聚族而居的需要，因此他们的住房都是可以容纳几十户至几百户人居住的大屋。“其经营屋宇，地基必求其敞，房间不求其多，厅庭必求其大，墙壁务极坚固，形式务极整齐；其著名的，往往有巨至内容有房子四五百间，能住男女四五百人；求之其他各地，真不易看见这类大屋。客人屋式，有围龙、棋盘、二字、四角楼、围楼、五栋、枕头杠、茶壶耳等名目，每式以正栋及横屋为主体。正栋或称正厅，制如宫殿，横屋制如宫殿的庑。客人屋宇，多由创业的人一手经营，而分给于众多的子孙，但无论分遗至如何繁细，其正厅仍属公有。”③ 这种建筑形式与汉晋北朝中原的宫殿建筑和院落及多进的形式有着继承关系，被有的学者称为“宫殿式遗风”“中原大家风趣”④，不是没有道理的。

客家大屋与汉晋北朝中原世家大族地主的居宅建筑有着明显的渊源关系。前已述及，汉晋北朝时期中原大族多聚族而居，那么必定需要巨大住宅才能满足“百室合户”的居住。例如，东汉樊重“三世共财”，而

---

① 《客家历史与传统文化》，第316页。

② 《通典》卷三《食货典三·乡党》引《关东风俗传》，第62页。

③ 罗香林：《客家研究导论》，上海文艺出版社1992年版（据希山书藏1933年初版影印），第180页。

④ 《客家人》，第344页。

"其所起庐舍，皆有重堂高阁"[①]。客家民居中的"二堂""三堂"，即是一种"重堂"，客家民居通常所有的"角楼"，应当是这种"高阁"的遗意。北魏时，范阳人卢度世"父母亡，然同居共财，自祖至孙，家内百口……亲从昆弟，常旦省谒诸父，出坐别室，至暮乃入"[②]。这个百口的大家族，子弟们每天早晨省谒诸父，这无疑是在公共的厅堂中进行，而行礼后则回到各自的"别室"去，这显然是一座巨大的宅第。弘农华阴杨氏的大家族，有"尊卑百口"，他们是怎样居处的呢？"兄弟旦则聚于厅堂，终日相对，未曾入内……厅堂间，往往帏幔隔障，为寝息之所，时就休偃，还共谈笑。（杨椿）年老，曾他处醉归，（杨）津扶侍还室，仍假寐冏前，承候安否。椿、津年过六十，并登台鼎，而津尝旦暮参问，子侄罗列阶下，椿不命坐，津不敢坐，椿每近出，或日斜不至，津不先饭，椿还，然后共食……一家之内，男女百口，缌服同爨，庭无间言。"[③]从杨氏大家族的居处方式，我们可以看到，这种屋宇中间有厅堂，这是公共场所，为兄弟聚会、小憩、谈笑和子侄拜谒的场所。而在"内"还有各个家庭自己的"室"。可见，这是一座能容纳百口居住的大屋。卢氏、杨氏大家族的居宅，与客家大屋无疑存在着某种渊源关系。它和客家人以中轴上的厅堂为公共场所，大屋内各户又有自己居室的结构是十分相似的。

客家的这种房屋形式，与南方当地居民的房屋形式是不同的。先秦至秦汉时期，江南百越民族的住宅以干栏式建筑为主[④]。而唐宋以后聚居于闽、粤、赣交界地区的畲族，均系"编荻架茅为居"[⑤]，"诛茅为瓦，编竹为篱，伐荻为户牖，临青溪，栖茂树"[⑥]。与客家人的大屋亦相去甚远。可见，客家人屋宇形制，与当地少数民族的居室建筑是完全不同的，实直接渊源于中原地区，而不过到了南方以后，根据当地社会、自然环

① 《后汉书》卷三二《樊宏传》，第1119页。

② 《魏书》卷四七《卢玄附子（卢）度世传》，第1062页。

③ 《魏书》卷五八《杨播传》，第1302页。

④ 参见蒋炳钊等《百越民族文化》，学林出版社1988年版，第210—218页。

⑤ （清）顾炎武撰：《天下郡国利病书》第38册《福建备录·防闽山寇议》，四部丛刊三编本。

⑥ （清）刘国光、谢昌霖等纂修：《长汀县志》卷三三《杂识一·畲客》，台北：成文出版社1967年版（据清光绪五年刊本影印），第528页。

境条件的变化而不断加以改进和发展，并且吸收南方汉族或少数民族屋宅的某些优点，从而形成今天独具特色的居宅形制。

（原刊《北京师范大学学报》1995年第5期。中国人民大学报刊复印资料《魏晋南北朝隋唐史》1996年第1期全文转载。今据原刊文整理，按《黎虎文集》文献引用规范统一了文献引用的格式；此外，原刊文有副标题“客家居处方式探源之一”，今删除。李文才敬识。）

北朝中央决策制度的演进

——以外交决策为中心论述

魏晋南北朝是我国中古时代中央决策制度由汉代三公九卿体制下的决策制度向隋唐三省六部体制下的决策制度转变的时期，外交决策作为中央行政决策中的一个子系统，在这一时期也是处于一种承上启下的状态之中。这一转变和承上启下的特点在北朝表现得尤为鲜明突出。外交决策与一般行政决策相较虽然有其一定的特殊性，但是其共性是基本的，因而通过对外交决策的剖析，将有助于加深认识其时的中央决策制度。外交方针政策是国家的重大政事，在封建专制主义中央集权政治制度下，[①] 外交决策与内政决策一样，其权力集中于中央政权，而其最高权力归于封建统治的代表者——皇帝，这是不言而谕的。但是，皇帝不可能包揽全部外交决策，他必须依靠和指挥中央政权庞大的决策群体和机构，才能保证外交方针政策决策的正确性，以维护封建国家和皇朝根本的、

---

① 【整理者按】“封建专制”“封建统治”“封建主义”“封建社会”“封建国家”等语汇乃是中华人民共和国成立以后，中国学术界统一、法定的用法，一般用以指称人类社会历史演变过程中的“五种社会形态”之第三个历史阶段。黎虎先生晚年构建了关于中国古史分期暨社会性质问题的新理论体系，提出中国古史自太古至清（鸦片战争前）先后经历了“无君群聚社会——王权众庶社会——皇权吏民社会”三个历史阶段，用以取代此前所沿用的“五种社会形态”论（“五种生产方式”论）。上述“五种社会形态”论理论体系中的“封建社会”大致与黎虎先生三阶段论中的“皇权吏民社会”相对应。不过，出于尊重历史考虑，对于本文中有关“封建专制”“封建统治”“封建皇帝”“封建国家”等说法，均保持原貌而不作修改。同时这也是黎虎先生最后的决定，2022 年 4 月学苑出版社拟出版黎虎先生的《魏晋南北朝史论（增订本）》，因为黎先生当时将修订的任务交由整理者负责，故整理者曾就此类问题和黎先生进行过交流，黎先生当时指示应尊重历史，盖因当年撰写此文时尚未形成其关于中国古史分期暨社会性质问题的理论体系，因而只能采用当时学术界习用的“五种社会形态”论的历史分期法。特此说明。

最大的利益。北朝在魏晋制度的基础上，中央三省制度有了进一步的发展，确立、形成了以三省制为核心的中央官僚群体，这是北朝中央政权赖以进行决策和施政的基本依靠力量和队伍。北朝的外交决策就是在这一政治体制的基础上，依靠这一群体而进行的。在此基础上形成了由最高决策者皇帝直接主持的决策、三省朝议决策和传统的公卿集议决策相配合的不同的决策层次，从而初步实现了由汉代的二级决策体制向三级决策体制的转变。职是之故，本文试图以北朝外交决策为中心进行论述，以期对于北朝中央决策制度的认识有所裨益。

经历魏晋十六国时期二百年的演进，到了南北朝时期，形成了南北隔江而治，相对强大、稳定的胡汉对立政权。这一政治态势导致这一时期外交呈现了某些特点：南北双方在军事对抗的同时，亦展开激烈的外交斗争，两者密切配合、相互为用，以争正统地位；各自向周边国家和地区展开频繁的外交活动，积极争取与国，以期在战略上包围、压制对方。因而这一时期的外交较前一时期活跃，有了长足的发展。

与此相应，这一时期的政治制度也呈现南北互有异同的某些特点。南朝为汉人政权，其政治制度是在继承魏晋制度的基础上逐步演进。北朝为胡族政权，其政治制度则是在不断改造浓厚的胡族色彩的同时，借鉴、吸收汉族传统政治制度，并最后与之并轨。皇权的加强与中央三省制度的日益发展并向着完成的门槛迈进，则是南北方的共同特点和发展趋势。

在这种历史条件下，南北朝的外交决策也呈现出互有异同的某些特点：在南朝的外交决策中，以皇帝专决和佞幸用事较为突出，而在北朝则运用御前会议这一方式较南朝为多。北朝虽然也建立了专制皇权政治，但因受鲜卑族早期军事民主制度的影响，决策中的民主、协商精神较南朝明显。与此同时，不论南北朝，在外交决策中都不同程度地逐步施行了三省博议制度，这标志着日后隋唐时期的宰相决策方式在这个时期已露端倪，为从汉代的二级决策体制向隋唐的三级决策体制的转变准备了条件。

北魏政权为鲜卑族所建，其政治制度一方面与魏晋南朝制度有着传承、借鉴和吸收的关系，另一方面又有诸多带有民族色彩而与汉制不同的地方，拓跋族早期的军事民主制度在其决策制度中存留着不同程度的影响，因而其外交决策也有着不少独特之处，兹将北魏及其后之北齐、北周的外交决策制度略述于下。

一　御前决策

北魏政权是由鲜卑游牧氏族部落逐步发展变化而来的，其皇帝也是由部落联盟酋长转化而来的。北魏的皇帝一方面有着汉族封建皇帝的专制本质，另一方面又保留不少部落联盟军事首长的特性，因而其皇权格外强大。在外交决策方面皇帝也是大权独揽的。

御前会议是北魏政权的最高决策形式。《魏书·崔浩传》载，泰常七年（422）明元帝拓跋嗣因病而立皇太子拓跋焘为国副主，代行皇帝职权，“居正殿临朝”。以司徒长孙嵩、山阳公奚斤、北新公安同“为左辅，坐东厢西面”；以崔浩和太尉穆观、散骑常侍丘堆“为右弼，坐西厢东面。百僚总已以听焉”。这“六辅”就是拓跋焘作为“国副主”而“临朝”听政决策的核心班子。这个班子安排好之后，明元帝“避居西宫，时隐而窥之，听其决断，大悦”。当时有的大臣还向明元帝“奏所疑”，明元帝说：“此非我所知，当决之汝曹国主也。”① 明元帝所谓“国主”即指拓跋焘。从这个材料可知，拓跋焘是在正殿中与六辅共同商讨政事，而进行决策的。群臣在施政中有何问题也是向这个决策班子请示报告的。当时拓跋焘虽然还未正式做皇帝，但是明元帝已把皇帝的很多权力移交给他，他临朝决策的这种方式，应是当时北魏前期皇帝进行决策的基本方式。因此，我们可以说这就是北魏前期的御前决策方式。不过，这种御前会议表面上看与汉代的御前会议相似，但实际上有很大不同，这“六辅”之中，有四位是鲜卑皇室贵族，长孙氏、奚氏、丘氏为拓跋魏室之宗族，穆氏为勋臣八姓之一；安同是鲜卑化之安息胡人；② 只有崔浩是汉族清河大姓。从“六辅”的构成成分可见这种御前会议实际上是拓跋部落联盟氏族贵族议事制度在新条件下的运用。

魏孝文帝实行汉化之后，北魏政治制度也完成了汉化改革进程，因而其御前会议也进行了相应的改革，仿效汉制并开始制度化。《魏书·穆

---

① （北齐）魏收撰：《魏书》卷三五《崔浩传》，中华书局 1974 年版，第 813 页。

② 姚薇元：《北朝胡姓考》，科学出版社 1958 年版，第 382—384 页。

亮传》载，太和十七年（493）“高祖临朝堂，谓（穆）亮曰：‘三代之礼，日出视朝，自汉魏已降，礼仪渐杀。《晋令》有朔望集公卿于朝堂而论政事，亦无天子亲临之文。今因卿等日中之集，中前则卿等自论政事，中后与卿等共议可否。’遂命读奏案，高祖亲自决之”①。孝文帝规定上午由公卿议政，下午则召开御前会议，由公卿“读奏案”，对于公卿所议之政事进行讨论，并由皇帝作出最后决断。从这时开始实行的御前会议已与汉族封建政治体制融为一体，成为北魏政权决策体系中的最高层次。

御前会议是北魏政权在外交决策中经常运用的一种方式。据诸史载，北魏泰常七年（422）七月，当刘宋出使北魏的使者返国途中，北魏方面获知宋高祖死，于是“魏主遣人追执之，议发兵取洛阳、虎牢、滑台”②。据《魏书·崔浩传》，在会上崔浩坚决反对明元帝“乘丧伐之”的主张，而提出“遣人吊祭，存其孤弱，恤其凶灾，布义风于天下”。主张采取以外交手段争取人心、等待时机，认为“若此，则化被荆扬，南金象齿羽毛之珍，可不求而自至”。但是“太宗锐意南伐，诘（崔）浩曰：‘刘裕因姚兴死而灭其国，裕死我伐之，何为不可？’”但崔浩仍坚持己见，曰：“（姚）兴死，二子交争，裕乃伐之。”认为当年刘裕之所以能克服后秦，是因其内部矛盾激烈，今天的刘宋与往日的后秦不同，故不能用武。于是“太宗大怒，不从浩言，遂遣奚斤南伐”③。明元帝在会上与崔浩直接辩论，显然这是其亲自主持的一次御前决策会议。值得注意的是这件事是在明元帝任命太子拓跋焘为国副主、组成“六辅”决策班子之后的当年，可见遇有外交大事时，皇帝即使是在交出日常权力之后，也要亲自召开御前会议以决策的，这种外交方针大事仍由明元帝亲自拍板。

太延二年（436）北魏灭北燕，北燕主冯文通投奔高丽，太武帝拓跋焘遣使要求高丽将冯文通遣送于魏。但是，据《魏书·世祖纪上》载：“高丽不送文通，遣使奉表，称当与文通俱奉王化。帝以高丽违诏，议将击之，纳乐平王（元）丕计而止。”④这类“议”应该也是太武帝主持的

---

① 《魏书》卷二七《穆崇传附穆亮传》，第670页。

② （宋）司马光编著，（元）胡三省音注：《资治通鉴》卷一一九，宋武帝永初三年（422）七月，中华书局1956年版，第3747页。

③ 《魏书》卷三五《崔浩传》，第813—814页。

④ 《魏书》卷四上《世祖纪上》，第87页。

御前外交决策会议。

据诸《资治通鉴》所载，北魏太和十年（486）七月，柔然遣使于魏，当时柔然可汗正领兵出击敕勒，北魏左仆射穆亮等人“请乘虚击之”。中书监高闾反对，魏孝文帝也不同意，说：“先帝屡出征伐者，以有未宾之虏故也。今朕承太平之业，奈何无故动兵革乎！”于是“厚礼其使者而归之”①。这是尚书省提出决策方案后，向孝文帝报告，孝文帝召开御前会议否决了这个方案。

遇有疑难问题时皇帝也会主动召开御前会议以作决断。《魏书·崔浩传》载，神䴥二年（429）“议击蠕蠕，朝臣内外尽不欲行”。而且尚书令刘洁、左仆射安源等又推举去年所俘夏主赫连昌之太史张渊、徐辩以天象不利为由劝说太武帝改变伐柔然的主意，只有崔浩赞成此计。在这种情况下，“世祖意不决，乃召（崔）浩令与（张）渊等辩之”②。此事《资治通鉴》记作：“魏主意不快，诏浩与渊等论难于前。”③ 可知这是太武帝亲自主持的御前会议。据《魏书·崔浩传》，在会上崔浩与张渊互相辩论，各自申述自己的理由，经过反复交锋，张渊等人理屈辞穷。崔浩最后质问张渊：在当年夏国灭亡之前有无向国君赫连昌提醒过有何天象征兆否？“时赫连昌在座，渊等自以无先言，惭赧而不能对。世祖大悦，谓公卿曰：‘吾意决矣。亡国之师不可与谋，信矣哉。’”④ 通过这次御前会议而最后作出了伐柔然的决断。恰在此时北魏派往刘宋的使者从江南回来，报告刘宋威胁北魏交还河南地，否则将发动进攻。《资治通鉴》记载此事云：“魏主方议伐柔然，闻之，大笑，谓公卿曰：‘龟鳖小竖，自救不暇，夫何能为！就使能来，若不先灭蠕蠕，乃是坐待寇至，腹背受敌，非良策也。吾行决矣。’”⑤ 使者的报告为太武帝说服群臣接受他的主张增添了根据，而这无疑又是一次御前会议。

北魏前期的御前会议还有两种补充形式。一为由监国主持的决策会议。前文已经谈到明元帝以太子拓跋焘为国副主，组成一个决策班子以

① 《资治通鉴》卷一三六，齐武帝永明四年（486）三月，第4272页。
② 《魏书》卷三五《崔浩传》，第815—816页。
③ 《资治通鉴》一二一，宋文帝元嘉六年（429）四月，第3807页。
④ 《魏书》卷三五《崔浩传》，第817页。
⑤ 《资治通鉴》卷一二一，宋文帝元嘉六年（429）四月，第3809页。

掌管日常政务，代行皇帝职权。《资治通鉴》卷一一九宋武帝永初三年条载，北魏泰常七年（422）明元帝亲自作出讨伐刘宋的决定后，“魏军将发，公卿集议于监国之前，以先攻城与先略地”。这里的“监国”即指拓跋焘。可见在重大方针由明元帝亲自决策之后，其次的问题则由“监国”负责决策。在这次会上，攻城与略地两种意见争执不下，最后因“公孙表固请攻城，魏主从之”①。最终还得由明元帝拍板定案。二为皇太后前会议。神䴥二年（429）太武帝锐意北伐柔然，不仅群臣反对，而且保太后也坚决反对。在太武帝召开以太史张渊、徐辩为一方，崔浩为另一方的辩论会议之后，已经作出了讨伐柔然的决定。《魏书·崔浩传》谓，但是“保太后犹难之”，于是太武帝“复令群臣于保太后前评议”②。《魏书·皇后传》载，保太后原为拓跋焘幼时保母，拓跋焘“感其恩训，奉养不异所生。及即位，尊为保太后，后尊为皇太后”③。在太武帝朝她在政治上有不小影响和权力，太延五年（439）太武帝亲征河西的北凉，留侍中穆寿辅太子监国，“决留台事，内外听焉”。柔然乘虚进犯，平城大骇，“穆寿不知所为”，欲弃都避敌，保太后“不听而止”④。同时调兵遣将，史称“世祖征凉州，蠕蠕吴提入寇，太后命诸将击走之”⑤。这次太武帝决心伐柔然，保太后坚执反对，太武帝不能不考虑，因而又令群臣在保太后面前再次讨论此事。《魏书·崔浩传》谓，会前太武帝对崔浩作了交待，说：“此等意犹不伏，卿善晓之令悟。”⑥ 其目的是让保太后等人理解并接受这个决策。这种决策方式的运用，当与包括拓跋族在内的北方少数民族普遍存在的尊重母权的古老习俗有某种渊源关系。

二　朝议决策

皇帝主持的御前会议虽然是最高的决策层次，但是决策的基本方式仍然是朝议决策。北魏的中央职官制度的发展变化可以孝文帝太和十七

① 《资治通鉴》卷一一九，宋武帝永初三年（422）十月，第3748—3749页。

② 《魏书》卷三五《崔浩传》，第817页。

③ 《魏书》卷一三《皇后传》，第326页。

④ 《资治通鉴》卷一二三，宋文帝元嘉十六年（439）六月、十一月，第3872、3876页。

⑤ 《魏书》卷一三《皇后列传·世祖保母窦氏传》，第326页。

⑥ 《魏书》卷三五《崔浩传》，第817页。

年（493）为界划分为前后两个阶段，前一阶段以鲜、汉杂糅为主要特色；后一阶段自太和二十三年（499）以后则完全为汉制。北齐、北周的制度则是在北魏后期制度基础上的发展变化。因此整个北朝的职官制度的发展变化基本上也可以太和改制为界而划分为前后两个阶段。北朝的朝议决策大体上也呈现这么两个相应的发展阶段。

（一）北魏前期的朝议决策

登国元年（386）拓跋珪复国，北魏建立。《魏书·官氏志》谓皇始元年（396）“始建曹省，备制百官”①，开始实行汉族封建职官制度，其中包括建立三省。但是在北魏前期三省制度并不完备，又兴废无常，因而其作用并没有得到很好的发挥。其时占主导地位的是鲜卑官制，即大人制和内侍官制。外交决策方面也以后者为主。道武帝时设立外朝大人一职，其重要职责之一即为外事工作，参与外交决策和奉命出使。《魏书·安同传》称他们“出入禁中，迭典庶事”②，《魏书·和跋传》谓其“参军国大谋”③。但是在外交决策上具有更大权力的是内朝而非外朝。泰常元年（416）东晋刘裕准备进攻后秦，舟师从淮河、泗水入清水，打算溯黄河西上，以便攻打关中的后秦。这条道路要通过北魏的辖区，于是东晋向北魏提出借道。《魏书·崔浩传》载，为此明元帝“诏群臣议之”，“外朝公卿咸曰”不可借，应断河上流，勿令晋军西过。然后“又议之内朝，咸同外计。太宗将从之。（崔）浩曰：‘此非上策……’议者犹曰”不可借道，“太宗遂从群议”④。这条材料所表达的外交决策程序非常明晰：先由外朝公卿集议，提出处理这一问题的方案，再由内朝集议进行审核，最后交由皇帝决断批准。虽然内外朝都参与决策，但是内朝的决策权力显然是居于外朝之上的。所谓内朝是指鲜卑官系的内侍官，这是北魏前期的权力核心，所谓外朝是指按照汉族官系而建立的三省，以及鲜卑官系中的外朝大人等。

虽然在北魏前期外朝的决策权力不如内朝，但是由于外朝负责日常

---

① 《魏书》卷一一三《官氏志》，第2972页。

② 《魏书》卷三〇《安同传》，第712页。

③ 《魏书》卷二八《和跋传》，第681页。

④ 《魏书》卷三五《崔浩传》，第809—810页。

外交事务，因而在外交决策方面常需预先提出建议或初步方案，报请皇帝审批。《魏书·西域传》载："太祖初，经营中原，未暇及于四表。既而西戎之贡不至，有司奏依汉氏故事，请通西域，可以振威德于荒外，又可致奇货于天府。"这里的"有司"即负责外交事务的外朝，他们根据当时外交的现状而提出了通西域的建议。但是"有司"这一发展对外关系的建议上报之后被否决了，道武帝不从，而且这一方针政策一直沿袭下来，"历太宗世，竟不招纳"①。直到太武帝时仍然采取这一方针，太延年间（435—439），西域等九国纷纷来朝，太武帝认为招之无益，不打算报使答之。在这种情况下，"有司奏九国不惮遐险，远贡方物，当与其进，安可豫抑后来，乃从之"②。从此才开始了北魏遣使通西域的新局面。可见外朝有司在外交决策中也是有很大作用的。《魏书·蠕蠕传》载，延兴五年（475）柔然可汗予成遣使来求婚，"有司以予成数犯边塞，请绝其使，发兵讨之"。这一建议被献文帝否决了，答应其求婚要求，但是"予成每怀谲诈，终显祖世，更不求婚"③。可见"有司"对于外情的了解还是比较深刻的。

北魏前期在外交决策中的另一方式是公卿会议。北魏有三公、八公，他们实际上是由部落大人转化而来的，不仅具有荣誉官号，而且参与政事谋议。北魏前期遇有重大外交问题往往召开公卿会议进行决策。《魏书·吐谷浑传》载，太武帝神䴥四年（431）吐谷浑王慕璝将所俘夏国君主赫连定送交北魏，北魏封慕璝为西秦王。次年（延和元年，432）慕璝上表称"爵秩虽崇而土不增廓，车旗既饰而财不周赏"，提出领土和财产等方面的要求。于是太武帝"诏公卿朝会议答施行"。太尉长孙嵩及议郎、博士二百七十九人议曰："前者有司处以为秦王荒外之君，本非政教所及，来则受之，去则不禁。皇威远被，西秦王慕义畏威，称臣纳贡，求受爵号。议者以为……今西秦王若以土无桑蚕，便当上请，不得言'财不周赏'……西秦所致，唯（赫连）定而已。塞外之人，因时乘便，侵入秦凉，未有经略拓境之勋，爵登上国，统秦、凉、河、沙四州之地，

---

① 《魏书》卷一〇二《西域传》，第2259页。
② 《魏书》卷一〇二《西域传》，第2260页。
③ 《魏书》卷一〇三《蠕蠕传》，第2296页。

而云‘土不增廓’。比圣朝于弱周，而自同于五霸，无厌之情，其可极乎?”根据公卿所议，太武帝作出决断，制曰：“公卿之议，未为失体。西秦王所收金城、枹罕、陇西之地，彼自取之，朕即与之，便是裂土，何须复廓。西秦款至，绵绢随使疏数增益之，非一匹而已。”①

这个材料所反映的决策过程是：（1）由于吐谷浑提出增加赏赐和领土等方面的要求，北魏须对此作出决策回应；（2）“有司”先行裁处，提出初步处理意见；（3）皇帝对“有司”的意见或直接作出裁决，或如果他认为还须斟酌商议，则下达公卿进行集议；（4）公卿就皇帝所下议题进行讨论，形成决议，上报皇帝；（5）皇帝根据公卿会议的决议作出决断，完成最终决策。从这一决策过程可见，公卿会议是高于有司决策的一个外交决策层次，它对有司提出的方案进行更深入的论证，成为统治集团的决策方案。参加公卿会议的成员广泛、人数众多，吸收百官乃至议郎、博士等人员参加，仅此次会议就有二百七十九人参加，规模颇为不小。这大体就是北魏前期公卿决策的程序。

献文帝皇兴四年（470）柔然进犯于阗，于阗遣使向北魏求援。于是北魏就是否出兵援助于阗问题进行决策。《魏书·西域传》载，“显祖诏公卿议之”，公卿将议案上奏曰：“于阗去京师几万里，蠕蠕之性，惟习野掠，不能攻城，若为所拒，当已旋矣。虽欲遣师，势无所及。”献文帝批准了公卿的议案，于是将此议案给于阗使者看，于阗使者看后亦以为然。于是根据这一议案精神，作诏答复于阗，文曰：“朕承天理物，欲令万方各安其所，应敕诸军以拯汝难。但去汝遐阻，虽复遣援，不救当时之急，已停师不行，汝宜知之。朕今练甲养卒，一二岁间当躬率猛将，为汝除患，汝其谨警候以待大举。”②

这里也是公卿会议在作出决议之后，要形成书面报告上呈，由皇帝最后审查决断，以“制”“诏”等形式颁布执行。

北魏前期的公卿会议与两汉制度在形式上有相似之处，但在实质上则有所不同，它是原始社会末期氏族部落大人民主制的残存与汉族封建制度相结合的产物。因而其决策中的协商、民主精神较为突出。

---

① 《魏书》卷一〇一《吐谷浑传》，第2235—2237页。

② 《魏书》卷一〇二《西域传》，第2263页。

《魏书·崔浩传》载，太延五年（439）因北凉沮渠牧犍表面臣服而“内有贰意，世祖将讨焉”。在征得其得力谋臣崔浩同意后，乃“命公卿议之”。在公卿会议上，弘农王奚斤等三十余人皆曰：“牧犍西垂下国，虽心不纯臣，然继父职贡，朝廷接以蕃礼。又王姬未厘降，罪未甚彰，谓宜羁縻而已。今士马劳止，宜可小息。又其地卤斥，略无水草，大军既到，不得久停。彼闻军来，必完聚城守，攻则难拔，野无所掠。”不同意出征北凉。尚书古弼、李顺等也附和奚斤等人的意见，皆曰：“（奚）斤等议是也。”在举朝公卿反对出征北凉的情况下，太武帝乃命崔浩“以其前言与（奚）斤共相难抑”，继续展开辩论。经过辩论，“诸人不复余言，唯曰‘彼无水草’”。强调其地荒凉无水草。崔浩又批驳了当地“无水草”的说法，指出“此言大抵诬于人矣”。李顺等人继续狡辩道：“耳闻不如目见，吾曹目见，何可共辩!”崔浩气愤地揭露了李顺接受北凉贿赂的底细：“汝曹受人金钱，欲为之辞，谓我目不见便可欺也!”在这场辩论中，太武帝一直在外“隐听，闻之乃出，亲见（奚）斤等，辞旨严厉，形于神色。群臣乃不敢复言，唯唯而已。于是遂讨凉州而平之”①。

从这一决策过程人们不难窥见其决策制度中包含的某些民主、协商精神。（1）太武帝事先征求了崔浩的意见，尽管崔浩的意见与其完全一致，他还是要通过公卿会议进行决策，以取得统治集团的认可。（2）这一议案遭到弘农王奚斤等三十余人及尚书古弼、李顺等人的反对，尽管反对派提出的凉州缺乏水草等理由并不正确，太武帝还是让崔浩与反对派进行辩论，以求统治集团认识之统一。辩论进行得非常激烈，以至崔浩把李顺因曾多次出使北凉，接受过他们的贿赂，有包庇之嫌的老底也揭了出来。（3）太武帝没有参加这个辩论会，他的回避有利于公卿们畅所欲言，充分辩论。他非常关注这一问题的辩论，因而在幕后窃听，只是在忍无可忍之时才出面斥责反对派。皇帝在决策中享有最高和最终的裁决权。

这种民主协商精神还表现在公卿会议决策在一定程度上实行从众的原则。神䴥三年（430），南边诸将报告宋军进犯，守兵不足，要求调发幽州以南精兵协助防守，并在漳水造船以拒宋军。《魏书·崔浩传》载，

① 《魏书》卷三五《崔浩传》，第822—823页。

"公卿议者佥然"，均表同意边将的请求。这时崔浩提出反对，认为此非上策，并从各个方面，反复申述自己的理由。但是"世祖不能违众，乃从公卿议，浩复固争，不从"①。这种从众的原则，与拓跋族早年的军事民主制度不无一定的渊源关系。

公卿会议虽然在北魏后期仍然发挥作用，但是从外交决策来看，它主要行用于北魏前期。

（二）北魏后期与北齐北周的朝议决策

自从孝文帝进行官制改革以后，北魏的中央官制基本上纳入汉族封建的三省制体系，因此在外交决策方面，也转变为主要是尚书省朝议与尚书、门下博议这两种形式。

1. 尚书省朝议

虽然三省制在太和改制后才得以全面确立，但是在此之前三省的某些部门也已有不同程度的发展，例如尚书省从太武帝拓跋焘开始即有了一定的发展，《魏书·官氏志》谓，神䴥元年（428）"置左右仆射、左右丞、诸曹尚书十余人，各居别寺"②，负责全国的政务，掌管有关决策权力。《魏书·崔浩传》谓，拓跋焘"乃敕诸尚书曰：'凡军国大计，卿等所不能决，皆先咨（崔）浩，然后施行。'"③ 可见军国大计已由尚书决策，尚书所"决"之"大计"当然包括外交在内。因而在外交方面由尚书省朝议决策的方式逐渐行用。《魏书·沮渠牧犍传》载，太延三年（437）北凉沮渠牧犍娶太武帝之妹武威公主，派其相宋繇出使北魏，并上表请求为武威公主以及沮渠牧犍的母亲定位号。"朝议谓礼母以子贵，妻从夫爵，牧犍母宜称河西国太后，公主于其国内可称王后，于京师则称公主。诏从之。"④《魏书·高闾传》载，太和十年（486）柔然遣使北魏，孝文帝曰："今欲遣蠕蠕使还，应有书问以不?"于是"群臣以为宜有，乃诏（高）闾为书"⑤。这种群臣会议实际就是尚书省朝议。这可以太和十三年（489）的"群臣会议"为证。《魏书·游明根传》载，是年

① 《魏书》卷三五《崔浩传》，第820—821页。
② 《魏书》卷一一三《官氏志》，第2975页。
③ 《魏书》卷三五《崔浩传》，第819页。
④ 《魏书》卷九九《沮渠牧犍传》，第2206页。
⑤ 《魏书》卷五四《高闾传》，第1203页。

孝文帝“诏以与萧赜绝使多年，今宜通否，群臣会议”。都曹尚书陆睿、仪曹尚书游明根都参加了这次会议，并建议应当与南齐通使，“高祖从之”①。此外据《魏书·高祖纪下》，太和十四年（490）“宕昌国遣使朝贡。诏议国之行次”②。同年文明太后崩，北魏遣使至吐谷浑告凶，《魏书·吐谷浑传》载，“群臣以其受诏不敬，不宜纳所献”等，③ 这些外交决策会议，都是以尚书省为主的朝议。

太和改制以后这种朝议成为定制，运用更加频繁。因而在外交决策中也经常采用这种朝议方式。正始元年（504）北魏围萧梁的钟离，俘虏了萧衍的舅子张惠绍。《魏书·岛夷萧衍传》称，萧衍“乃移书求之，朝议欲示威怀，遂听惠绍等还”④。永平元年（508）北魏悬瓠城民白早生反，执宣武帝派去宣慰的主书董绍送于萧衍。萧衍将董绍遣返北魏，并“请割宿豫内属，以求和好。时朝议或有异同，世宗以（萧）衍辞虽款顺，而不称藩，诏有司不许”⑤。《魏书·张伦传》载，熙平二年（517）柔然主丑奴“遣使来朝，抗敌国之书，不修臣敬。朝议将依汉答匈奴故事，遣使报之”⑥。《魏书·蠕蠕传》载，正光元年（520）十二月，“肃宗以阿那瓌国无定主，思还绥集，启请切至，诏议之。时朝臣意有同异，或言听还，或言不可”⑦。《周书·厍狄峙传》载，西魏大统元年（535）“时与东魏争衡，戎马不息，蠕蠕乘虚，屡为边患。朝议欲结和亲”⑧。《北史·李谐传》载，东魏天平四年（537）“欲与梁和好，朝议将以崔㥄为使主”⑨。这些都是通过朝议进行外交决策的事实。由此可见，北朝尚书省不仅总理外交政务，而且在外交决策中也起着重要作用。

北齐基本上承袭北魏制度。《北齐书·后主纪》载，武平二年（571）

---

① 《魏书》卷五五《游明根传》，第1214页。
② 《魏书》卷七下《高祖纪下》，第166页。
③ 《魏书》卷一〇一《吐谷浑传》，第2239页。
④ 《魏书》卷九八《岛夷萧衍传》，第2173页。
⑤ 《魏书》卷九八《岛夷萧衍传》，第2175页。
⑥ 《魏书》卷二四《张衮传附张伦传》，第617页。
⑦ 《魏书》卷一〇三《蠕蠕传》，第2300页。
⑧ （唐）令狐德棻等撰：《周书》卷三三《厍狄峙传》，中华书局1971年版，第569页。
⑨ （唐）李延寿撰：《北史》卷四三《李谐传》，中华书局1974年版，第1604页。

"陈遣使连和，谋伐周，朝议弗许"[1]，这是通过朝议进行决策。所谓朝议，实际上是以尚书省为中心举行的决策会议。武平四年（573）陈人进犯淮南，《北齐书·王紘传》载："诏令群官共议御捍"，领军将军封辅相主张出击，开府仪同三司王紘反对，他说："官军频经失利，人情骚动，若复兴兵极武，出顿江、淮，恐北狄西寇，乘我之弊，倾国而来，则世事去矣。莫若薄赋省徭，息民养士，使朝廷协睦，遐迩归心，征之以仁义，鼓之以道德，天下皆当肃清，岂直伪陈而已。"王紘发表意见后，高阿那肱"谓众人曰：'从王武卫者南席。'众皆同焉。"[2] 这一决策会议是由高阿那肱主持的，当时高阿那肱为录尚书事，可知是由尚书省主持决策会议。《隋书·百官志》谓，北齐时尚书省"又有录尚书一人，位在令上，掌与令同"[3]。此外，在这一决策会议中，运用了类似表决的方式，把"从众"的民主原则更加具体化、数量化。

北周虽然傅会周礼实行复古主义官制，但在实际上是"用六官来比拟尚书八座，用御正、纳言来比拟中书、门下"。而到了北周后期，"表面上尽管是《周礼》的一套六官制度，实际却还是依靠着魏晋以来所形成的三省制度在发挥封建地主阶级专政的作用"[4]。因而其外交决策亦大体仿照魏晋以来政治制度，以朝议的方式进行。北周与北齐为取得双方对抗中的优势地位而竞相结好突厥，为此它们围绕与突厥建立和亲关系而展开了外交领域的角逐，北周还为此举行了"朝议"，据《周书·王庆传》载，保定三年（563）"朝议以魏氏昔与蠕蠕结婚，遂为齐人离贰。今者复恐改变，欲遣使结之"[5]。这是经"朝议"而制定和亲突厥、抗衡北齐的外交方针。《周书·窦毅传》载，保定五年（565）北周派窦毅等出使突厥迎娶木杆可汗女阿史那，"及（窦）毅之至，齐使亦在焉。突厥君臣，犹有贰志。毅抗言正色，以大义责之，累旬乃定，卒以皇后（阿

① （唐）李百药撰：《北齐书》卷八《后主纪》，中华书局1972年版，第104页。

② 《北齐书》卷二五《王紘传》，第366—367页。

③ （唐）魏徵、令狐德棻撰：《隋书》卷二七《百官志中》，中华书局1973年版，第752页。

④ 王仲荦：《北周六典·前言》，中华书局1979年版，第4页。

⑤ 《周书》卷三三《王庆传》，第575页。

史那）归。朝议嘉之”①。这是经“朝议”而嘉奖外交使节。《周书·宇文护传》载，宇文护之母被扣押于北齐，北周向北齐交涉遣返宇文护之母，但“往返再三，而母竟不至。朝议以其失信，令有司移齐”②。这是经“朝议”决定向北齐提出交涉。

2. 尚书、门下博议

与南朝中书权重、门下权轻的情况相反，北朝则门下权重而中书权轻，《魏书·王遵业传》谓：“时政归门下，世谓侍中、黄门为小宰相。”③ 门下省在北魏后期中央决策中占有举足轻重的作用。这时在外交决策中实行了尚书、门下博议制度。早在北魏前期已经实行过这种博议制度。《魏书·崔玄伯传》载，天兴元年（398）东晋“遣使来朝，太祖将报之，诏有司博议国号”。崔玄伯参加了这次会议，建议国号为魏。“太祖从之。于是四方宾王之贡，咸称大魏矣。”④ 当时崔玄伯任黄门侍郎，与同居此官的张衮“对总机要，草创制度”⑤，黄门侍郎为门下省副长官，可见参加这次博议的“有司”是包括门下省在内的。到了北魏后期这种方式运用更多，《魏书·蠕蠕传》载，正光二年（521）柔然主阿那瓌因本国大乱，请求向北魏借兵一万人平定漠北。孝明帝“诏付尚书、门下博议”⑥。同年十月高阳王元雍等奏请处置归顺的柔然二主阿那瓌和婆罗门的办法，在这个奏请中署名者有：录尚书事高阳王雍、尚书令李崇、侍中侯刚、尚书左仆射元钦、侍中元叉、侍中安丰王延明、吏部尚书元脩义、尚书李彦、给事黄门侍郎元纂、给事黄门侍郎卢同等。这十一人中，尚书省五人，门下省六人，这显然又是一次尚书、门下博议。这种尚书、门下博议制度为日后隋唐三省或中书、门下共议外交决策的方式奠定了基础。

以上我们缕述了北朝外交决策的不同方式及其演变过程，从中可见在北朝的决策制度中蕴含着若干新鲜因素，其突出者有二，一是其决策

---

① 《周书》卷三〇《窦炽传附窦毅传》，第522页。
② 《周书》卷一一《晋荡公（宇文）护传》，第172—173页。
③ 《魏书》卷三八《王慧龙传附王遵业传》，第879页。
④ 《魏书》卷二四《崔玄伯传》，第620—621页。
⑤ 《魏书》卷二四《崔玄伯传》，第620页。
⑥ 《魏书》卷一〇三《蠕蠕传》，第2301页。

制度中保留不少拓跋族原始军事民主制度的遗风，如御前会议中的“六辅”制度及辅以太后前议政之制，公卿会议中浓厚的部落大人民主制等。二是在吸收汉魏两晋制度的基础上，巧妙地将本民族的传统与先进的汉族制度相结合，从而熔冶为一种颇具新意的、生机盎然的决策制度，这是拓跋族创造精神在中央决策制度上的一种体现。这一决策体制新意主要表现为在汉代确立的皇帝决策、公卿百官集议决策二级决策体制基础上，增加了以尚书、门下为中心的三省博议制度，为日后唐代的宰相决策制度奠定了基础，从而完成了由二级决策体制向三级决策体制的转变和过渡。

（原刊《北朝研究》1998 年第 1 期。今据原刊文整理，主要是按《黎虎文集》的统一格式对引文注释进行了规范，并校订原刊文中的错漏衍文，至于文章的文字内容、思想主旨均未加任何改动。李文才敬识。）

魏晋南北朝鸿胪寺及其外交管理职能

汉代所确立的以诸卿之一的大鸿胪掌管外交事务，及其与掌管外交政令的尚书主客曹双轨并行的中央专职外交管理体制，到了魏晋南北朝时期虽然基本上仍然如此，但也发生了某些变化，大鸿胪地位的陵替就是其突出变化之一。这一时期不仅大鸿胪的名称和机构有了变化，而且其职掌也发生了一些变化，其在外交工作中的地位和作用也因而相应有所变化，主要表现在鸿胪寺的地位和作用较汉代有所下降，而沦于尚书主客曹之左。不过，这个时期鸿胪寺仍为实职，仍然是中央外交专职管理机构之一。关于这方面的问题迄未引起学术界之注意，尚无专文论述之，故试略述这一时期鸿胪寺机构的变化及其外交管理职能。

一　从大鸿胪到鸿胪寺

据《晋书·职官志》，魏晋时期继续汉代的制度，在中央设置大鸿胪一职，为列卿之一。[①]《通典·职官典八·鸿胪卿》谓其在“魏及晋初皆有之”[②]。而到东晋时则省置无恒，《宋书·百官志上》谓：“晋江左初省。有事则权置，事毕即省。”[③] 这是偏安政权外交事务减少的反映。大鸿胪长官为卿，下置丞、功曹、主簿、五官等员。不过据《唐六典·鸿

① （唐）房玄龄等撰：《晋书》卷二四《职官志》：“太常、光禄勋、卫尉、太仆、廷尉、大鸿胪、宗正、大司农、少府、将作大匠、太后三卿、大长秋，皆为列卿，各置丞、功曹、主簿、五官等员。”（中华书局1974年版，第735页）

② （唐）杜佑撰，王文锦、王永兴、刘俊文、徐庭云、谢方点校：《通典》卷二六《职官典八·鸿胪卿》，中华书局1988年版，第724页。

③ （梁）沈约撰：《宋书》卷三九《百官志上》，中华书局1974年版，第1233页。

胪寺》注引《晋令》："大鸿胪置主簿、录事、史。"① 大鸿胪卿，三国时魏、蜀、吴均置此职，可考者魏有十人，蜀有三人，吴有四人。②

关于大鸿胪的属官，《晋书·职官志》记曰："大鸿胪，统大行、典客、园池、华林园、钩盾等令，又有青宫列丞、邺玄武苑丞。"③ 这里与外交工作关系最密切者为典客与大行。关于典客，《通典·职官典八·鸿胪卿》谓：汉"鸿胪属官有大行令、丞。魏改大行为客馆令，晋改为典客"④。可知汉代为大行令，曹魏为客馆令，晋为典客令。《晋书·李重传》载，西晋人李重卒，"家贫，宅宇狭小，无殡敛之地，诏于典客署营丧"⑤。这是晋惠帝永康年间（300—301）事，可见当时有典客署这一机构。但是，到了东晋后期典客又改为客馆，仍曹魏旧称。据《晋书·孝武帝纪》记载，孝武帝太元十三年（388）十二月，延贤堂及"螽斯则百堂、客馆、骠骑库皆灾。"⑥《晋书·五行志》亦有相同记载，并谓："于时朝多弊政，衰陵日兆……会稽王道子宠幸尼及姏母，各树用其亲戚，乃至出入宫掖，礼见人主。天戒若曰，登延贤堂及客馆者多非其人，故灾之也。"⑦ 可见当时有客馆这一官署。《五行志》作者认为，因为司马道子用事，登客馆者"多非其人"，因而造成此次灾害。关于大行，从上引《通典》的记载来看，"魏改大行为客馆令"，似乎大行已经撤消。但是《通典·职官典七·太常卿》条下又记道："汉大鸿胪有理礼郎四十七人，晋理礼郎四人，属大行令。"⑧ 这一记载与上引晋《志》所记大鸿胪属官相合，可见大行令还是有的。至于大鸿胪的其他属官，与外交工作

① （唐）李林甫等撰，陈仲夫点校：《唐六典》卷一八《鸿胪寺》注引《晋令》，中华书局1992年版，第505页。

② （清）洪饴孙撰：《三国职官表》卷上"大鸿胪"条，《二十五史补编》第2册，中华书局1955年版，第2756—2757页。

③ 《晋书》卷二四《职官志》，第737页。

④ 《通典》卷二六《职官典八·鸿胪卿》，第725页。

⑤ 《晋书》卷四六《李重传》，第1313页。

⑥ 《晋书》卷九《孝武帝纪》，第237页。

⑦ 《晋书》卷二七《五行志上》，第807页。

⑧ 《通典》卷二五《职官典七·太常卿》，第694页。按，（晋）司马彪撰，（梁）刘昭注补：《续汉书·百官志二》"大鸿胪"下属有"大行令"，其职"主诸郎。丞一人。治礼郎四十七人"。（点校本《后汉书志》第二十五，中华书局1965年版，第3583页）其中所说"治礼郎"，即《通典》此处所载"理礼郎"，盖杜佑修《通典》，避唐高宗李治讳，而改"治"为"理"。

关系不大，如钩盾令，据《通典・职官典八・司农卿》，在汉代属少府，“典诸近园苑游观之事”，为少府属官，到了晋代“大鸿胪属官有钩盾令，自后无闻”①，就不再论列了。

南朝前期继续东晋的状况，宋、齐两代均不常置大鸿胪，《南齐书・百官志》谓“有事权置兼官，毕乃省”②。这种状况直到梁武帝天监七年（508）才有了改变，据《梁书・武帝纪中》，是年“诏复置宗正、太仆、大匠、鸿胪，又增太府、太舟，仍先为十二卿”③，至此始恢复鸿胪的建制。又据《通典・职官典八・鸿胪卿》，与此同时“除大字，但曰鸿胪卿，位视尚书左丞”④。诸卿的称谓，《隋书・百官志上》谓“梁初犹依宋、齐，皆无卿名”⑤。至此大鸿胪改称鸿胪卿。陈承梁制，置鸿胪卿，品第三。鸿胪卿下置丞及功曹、主簿等。

南朝时期鸿胪的下属机构主要是客馆。《唐六典・鸿胪寺》“典客署”条注谓刘宋“永初中，分置南、北客馆令、丞”⑥。官制典籍一般均记载称晋改曹魏时的客馆令为典客令。我们在上文已指出，东晋后期已经改典客令为客馆令。那么，刘宋设客馆令当是承袭东晋后期之制。据《南齐书・百官志》，萧齐亦置客馆令。⑦ 萧梁改为典客馆令，《唐六典・鸿胪寺》“典客署”条注谓，“梁有典客馆令、丞，在七班之下，为三品勋位”⑧。

北朝的情况较为复杂。北魏前期已有大鸿胪，《册府元龟・外臣部・册封一》载，拓跋焘延和二年（433）“诏兼大鸿胪卿崔颐”拜杨难当为南秦王。⑨ 到了太和十五年（491），又置主客少卿，即鸿胪少卿。据《魏书・官氏志》所载前《职员令》，大鸿胪从第二品上，主客少卿第三品

① 《通典》卷二六《职官典八・司农卿》，第728页。

② （梁）萧子显撰：《南齐书》卷一六《百官志》，中华书局1972年版，第318页。

③ （唐）姚思廉撰：《梁书》卷二《武帝纪中》，中华书局1973年版，第47页。

④ 《通典》卷二六《职官典八・鸿胪卿》，第724页。

⑤ （唐）魏徵、令狐德棻撰：《隋书》卷二六《百官志上》，中华书局1973年版，第724页。

⑥ 《唐六典》卷一八《鸿胪寺》“典客署”注，第506页。

⑦ 《南齐书》卷一六《百官志》，第319页。

⑧ 《唐六典》卷一八《鸿胪寺》“典客署”注，第506页。

⑨ （宋）王钦若等编：《册府元龟》卷九六三《外臣部・封册一》，中华书局1960年版，第11334页。

上。[①] 太和二十三年（499）后《职员令》，大鸿胪降为第三品，主客少卿已改称大鸿胪少卿，降为第四品。[②] 据《隋书·百官志中》，北齐鸿胪为九寺之一，改称鸿胪寺，“置卿、少卿、丞各一人。各有功曹、五官、主簿、录事等员”[③]。北周依周官改制，《通典·职官典八·鸿胪卿》载：“司寇有蕃部中大夫，掌诸侯朝觐之叙；有宾部中大夫，掌大宾客之仪。”[④] 大抵蕃部中大夫、宾部中大夫相当于鸿胪之职。

北朝时期鸿胪统辖的机构主要有典客、司仪、典寺等部门，《隋书·百官志中》谓，北齐鸿胪寺“统典客、典寺、司仪等署令、丞”，而“后齐制官，多循后魏”[⑤]。

（一）典客署

《魏书》卷113《官氏志》谓，北魏设有典客监，从第五品上。又有典客舍人、典客参军，第九品中。[⑥] 杜佑《通典·职官典八·鸿胪卿》说：“后魏初曰典客监，太和中置主客令。”[⑦]《唐六典》的说法相同，并指出置主客令在太和十五年（491）。[⑧] 那么，北魏的主客令即典客监，为大鸿胪属官。不过这里存在两个问题须提出加以讨论：

一是主客令的统属问题。严耕望《北魏尚书制度考》把主客令视为尚书的属官，说：“主客曹，自太武，历文成至孝文时皆置之，盖属仪曹尚书或祠部尚书。其职称之可考者，有主客令，孝文太和改制以前极常见，直至末叶或尚未废；则与主客郎中并置，而职亦绝相同也。”[⑨] 此说不确。这是将“主客曹”与“主客令”混为一谈。事实上，主客令乃鸿胪属官，而非尚书属官。《魏书·李安世传》载，太和七年（483）萧齐

① （北齐）魏收撰：《魏书》卷一一三《官氏志》前《职员令》，中华书局1974年版，第2979、2980页。

② 《魏书》卷一一三《官氏志》后《职员令》，第2995、2996页。

③ 《隋书》卷二七《百官志中》，第755页。

④ 《通典》卷二六《职官典八·鸿胪卿》，第724—725页。

⑤ 《隋书》卷二七《百官志中》，第756、751页。

⑥ 《魏书》卷一一三《官氏志》前《职员令》，第2986、2992页。

⑦ 《通典》卷二六《职官典八·鸿胪卿》，第153页。

⑧ 《唐六典》卷一八《鸿胪寺》“典客署”注，第506页。

⑨ 严耕望：《北魏尚书制度考》，《严耕望史学论文集》上册，上海古籍出版社2009年版，第181页。

派遣刘缵出使北魏，当时李安世任主客令，负责接待工作，“缵等呼安世为典客，安世曰：‘三代不共礼，五帝各异乐，安足以亡秦之官，称于上国。’缵曰：‘世异之号，凡有几也?’安世曰：‘周谓掌客，秦改典客，汉名鸿胪，今曰主客。君等不欲影响文武，而殷勤亡秦。’”[①] 李安世把自己担任官职的来历讲得非常明白，北魏的主客令相当于汉代的鸿胪。《资治通鉴》中，胡三省注李安世接待刘缵事时也说：“主客令即典客令也”[②]。《唐六典·鸿胪寺》“典客署”条注在追述鸿胪寺属官典客署之沿革时亦曰：“后魏典客监从五品；太和十五年，置主客令。”[③] 北魏的主客令无疑为鸿胪属官。

另一问题是主客令始置于何时。据上引《唐六典》说是在太和十五年（491）置，事实上，早在太和十五年之前北魏已经有了主客令。李安世以主客令接待刘缵一事，《资治通鉴》系于齐武帝永明元年，即北魏之太和七年（483），则其出任主客令当更早些。窃意太和之前已置主客令。《魏书·裴修传》载：裴修“年十三，补中书学生，迁秘书中散，转主客令。以妇父李訢事，出为张掖子都大将”[④]。裴修是因岳父李訢事受到牵连而从主客令左迁为张掖子都大将的。据《魏书·李訢传》，太和元年（477）二月范檦在文明太后授意下，“希旨告（李）訢外叛。文明太后征（李）訢至京师，言其叛状……遂见诛”[⑤]。裴修当在是年受到李訢一案之株连，可知其出任主客令必在太和元年或此之前。由此可见，《唐六典》所谓太和十五年置主客令亦不确，在太和之前可能已经有了主客令，至少在太和初已有主客令。

北齐典客署有令、丞，《隋书·百官志中》谓，同时“典客署，又有京邑萨甫二人，诸州萨甫一人”[⑥]。《唐六典·鸿胪寺》“典客署”条注谓北周有东、南、西、北四掌客，各上士一人。[⑦]

---

① 《魏书》卷五三《李安世传》，第1175页。

② （宋）司马光编著，（元）胡三省音注：《资治通鉴》卷一三五，齐武帝永明元年（483）十月胡三省注，中华书局1956年版，第4257页。

③ 《唐六典》卷一八《鸿胪寺》“典客署”注，第506页。

④ 《魏书》卷四五《裴骏附子（裴）修传》，第1021页。

⑤ 《魏书》卷四六《李訢传》，第1042页。

⑥ 《隋书》卷二七《百官志中》，第756页。

⑦ 《唐六典》卷一八《鸿胪寺·典客署》，第506页。

北齐典客署属官"萨甫"为外来语，或译作"萨薄""萨保""萨宝"等，最早见于《法显传》，师子国章云："其城中多居士、长者、萨薄商人。"[①] 北魏前期昙觉译《贤愚经》中多有"萨薄"率队外出经商的记载。故"萨薄"的含义当为"商人长"[②]。北魏时"萨甫"已成为职官名称，《元和姓纂》卷四"安"条谓："后魏安难陀至孙盘娑罗，代居凉州，为萨宝。"[③] 可知，北魏凉州已有"萨宝"一职。高昌亦有"萨甫"官职设置，阿斯塔那524号墓出土文书《高昌永平二年十二月三十日祀部班示为知祀人名及谪罚事》一件，其所列举的"知祀人"有"萨薄□□"，与高昌的"谏议""参军"等职官并列。[④] 永平二年即公元550年，可知6世纪中叶高昌亦有"萨甫"一职。北齐典客署属官"萨甫"的职司，史志没有明确记载，不过《隋书·百官志下》记隋初官制曰："诸州胡二百户已上萨保，为视正九品。"[⑤] 那么，"萨保"所司当与"胡户"有关。隋初官制多依北齐，则北齐典客署之"萨甫"亦当与管理"胡户"有关。西域入居内地的胡人以商贾为多，以"萨甫"司之，与其为"商人长"之性质当有一定关系。

（二）司仪署

《魏书·官氏志》载，北魏太和"十五年七月，置司仪官"[⑥]。前《职员令》有典仪监，从第五品上。又有治礼郎，从第六品下。[⑦] 后《职员令》，治礼郎降为从第九品。[⑧]《隋书·百官志中》谓，北齐司仪署有令、丞，其属官"又有奉礼郎三十人"[⑨]。《唐六典·鸿胪寺》"司仪署"条注谓北周有司仪上士一人、中士二人。[⑩]

---

① （唐）释法显撰：《佛国记》，上海商务印书馆1937年版，第19页。

② 姜伯勤：《敦煌吐鲁番文书与丝绸之路》，文物出版社1994年版，第230页。

③ （唐）林宝撰，岑仲勉校记，郁贤皓、陶敏整理，孙望审订：《元和姓纂》卷四"安"条，中华书局1994年版，第500页。

④ 国家文物局文献研究室、新疆维吾尔自治区博物馆、武汉大学历史系编：《吐鲁番出土文书》（第二册），文物出版社1981年版，第45—47页。

⑤ 《隋书》卷二八《百官志下》，第791页。

⑥ 《魏书》卷一一三《官氏志》，第2976页。

⑦ 《魏书》卷一一三《官氏志》前《职员令》，第2986、2988页。

⑧ 《魏书》卷一一三《官氏志》后《职员令》，第3003页。

⑨ 《隋书》卷二七《百官志中》，第756页。

⑩ 《唐六典》卷一八《鸿胪寺·司仪署》，第507页。

（三）典寺署

《隋书·百官志中》载，北齐“典寺署，有僧祇部丞一人”①。《唐六典·宗正寺》“崇玄署”条注，谓北周有司寂上士、中士，掌法门之政；又有司玄中士、下士，掌道门之政。②

二 鸿胪寺的外交管理职能

魏晋南北朝时期的鸿胪寺（大鸿胪）与汉代一样是中央专职外交管理机构，西晋名士山涛在担任吏部尚书时曾说：“鸿胪职主胡事，前后为之者率多不善，今缺，当选御史中丞刁攸，旧能可参。”③ 这里所谓鸿胪“主胡事”，实际上就是汉代所谓掌“外国夷狄”事。所以魏晋南北朝时期鸿胪掌管外交的这一基本职能与汉代是一致的。不过，魏晋南北朝时期的外交不完全是“胡事”，也包括汉族政权之间的交往。《梁书·陈昕传》载：陈昕“十二随父入洛，于路遇疾，还京师。诣鸿胪卿朱异，异访北间形势，昕聚土画地，指麾分别，异甚奇之”④。陈庆之于梁武帝大通二年（528）受命将兵护送北魏宗室元颢还北，于次年入据洛阳，陈昕随父入洛即指此事。从鸿胪卿朱异向前线回京人士了解“北间形势”，陈昕汇报甚为周悉观之，北方形势是南朝鸿胪卿所十分关注的问题，表明北方政权亦为其职司之重点所在。兹鸠集载籍所见，具体论列其外交职责，主要有如下几个方面。

（一）接待来使

曹魏时期崔林曾任大鸿胪，据《三国志·魏书·崔林传》记载，当时“龟兹王遣侍子来朝，朝廷嘉其远至，褒赏其王甚厚。余国各遣子来朝，间使连属，（崔）林恐所遣或非真的，权取疏属贾胡，因通使命，利得印绶，而道路护送，所损滋多。劳所养之民，资无益之事，为夷狄所笑，此曩时之所患也。乃移书敦煌喻指，并录前世待遇诸国丰约故事，使有恒常”⑤。

---

① 《隋书》卷二七《百官志中》，第756页。

② 《唐六典》卷一六《宗正寺·崇玄署》注，第467页。

③ （唐）虞世南辑录：《北堂书钞·1》卷五四《设官部六·鸿胪二十八》引《山涛启事》，学苑出版社2015年版，第408页。

④ 《梁书》卷三二《陈庆之传附陈昕传》，第464页。

⑤ （晋）陈寿撰，（南朝·宋）裴松之注，陈乃乾校点：《三国志》卷二四《魏书·崔林传》，中华书局1959年版，第680页。

这个记载表明：（1）当时接待来使是由大鸿胪负责的；（2）大鸿胪有权下文书指示边郡太守有关接待事宜；（3）大鸿胪负责搜集、整理过去接待工作的有关法规，并制定接待条例，使接待工作有章可循。崔林任大鸿胪是在魏初文帝时期，这个时期承东汉余绪，大鸿胪还有颇大的权力。到了曹魏后期，随着尚书省权力的上升，接待工作的指挥权逐渐转入主客尚书，大鸿胪的权力亦随之相应削弱。

到了南北朝时期，接待来使的工作具体由大鸿胪的属官客馆令（主客令）负责。《南齐书·百官志》曰："客馆令，掌四方宾客。"[①]《北史·潘徽传》载，潘徽在陈朝任客馆令时，"隋遣魏澹聘于陈，陈人使徽接对之"。魏澹返国前给陈后主所上"启"中，潘徽认为用词有不够敬重之处，于是"却其启而不奏"。为此双方进行了激烈的辩论，最后魏澹"不能对，遂从而改焉"[②]。从中可见，来使的外交文书是先由鸿胪属官客馆令负责审查，经其审查无碍后再上呈皇帝的。如果发现问题，则由客馆令负责与对方来使进行交涉。陈制显然是继承了齐制。北朝的情况亦复如是。《南齐书·魏虏传》载，刘宋昇明年间，曾派殷灵诞、苟昭先出使北魏，恰值萧道成代宋建齐，消息传来，殷灵诞等人便"谓虏典客曰：'宋魏通好，忧患是同。宋今灭亡，魏不相救，何用和亲？'"[③] 北魏鸿胪属官，初曰典客监，后改为主客令。刘宋的使者向北魏的典客，即鸿胪官员提出抗议，可见北朝也是以鸿胪属官典客署负责接待来使工作。《梁书·元帝纪》载，南朝梁末，聘魏使徐陵自邺奉表称："东渐玄菟，西逾白狼，高柳生风，扶桑盛日，莫不编名属国，归质鸿胪，荒服来宾，遐迩同福。"[④] 这当然是吹嘘不实之辞，不过"归质鸿胪"，即接待来使（包括质子）这一传统还是继续着的。北魏时鸿胪官员在接待来使时还有过一些出色的表现，据《资治通鉴》记载，北魏孝文帝时李安世任鸿胪属官主客令，就曾负责接待齐使刘缵，"刘缵聘于魏，魏主客令李安世主

---

① 《南齐书》卷一六《百官志》，第319页。

② （唐）李延寿撰：《北史》卷八三《文苑·潘徽传》，中华书局1974年版，第2814—2815页。

③ 《南齐书》卷五七《魏虏传》，第988页。

④ 《梁书》卷五《元帝纪》，第130页。

之"[①]。据《魏书·李安世传》载，李安世在接待过程中言词锋利机警，频频折服刘缵。[②] 此外，接待来使中的事务工作仍然是鸿胪负责的，《魏书·成淹传》载，成淹在孝文帝、宣武帝世曾长期担任主客令，史称其"小心畏法，典客十年，四方贡聘，皆有私遗，毫厘不纳，乃至衣食不充。遂启乞外禄"[③]。可见作为主客令，他是负责四方来使之接待及收受其贡献之财物的，此即《陈书·高祖纪》"归賝天府，献状鸿胪"[④] 之谓也。由于职务关系，主客令还可以得到来使的许多馈赠。成淹不接受来使的馈赠，当属少数，故史家特予褒扬。

（二）礼宾司仪

魏晋南北朝时期继承汉代制度，鸿胪官员负责外交方面的礼宾和司仪工作。元正朝贺是外交宾客和使节参加的一项重大礼宾活动。《咸宁注》是西晋制定的礼仪大典，《晋书·礼志》谓："晋氏受命，武帝更定元会仪，《咸宁注》是也。"[⑤] 我们从《咸宁注》所载元正朝会的礼仪中，可以看到鸿胪官员在这种仪式中的职责和作用情况。在朝会中，大鸿胪及其属官大行令、治礼郎等均参与其事，各司其职。据《宋书·礼志》引《咸宁注》：这一"匈奴南单于子"及"诸蛮夷胡客"均出席的重大外交礼宾活动是从"大鸿胪跪奏：'请朝贺。'治礼郎赞：'皇帝延王登'"的赞礼声中开始的；朝贺者上殿行礼毕，依次下殿，由"治礼郎引公、特进、匈奴南单于子、金紫将军当大鸿胪西，中二千石、二千石、千石、六百石当大行令西，皆北面伏"；"王公置璧成礼时，大行令并赞"[⑥]。由此可见，大鸿胪及其属官在这个盛典上担负着重要的礼宾、司仪职责。

南北朝时期亦复如是。《南齐书·百官志》曰："鸿胪掌导护赞拜"[⑦]。据《隋书·百官志》，梁朝亦规定"鸿胪卿……掌导护赞拜"[⑧]。北齐

---

① 《资治通鉴》卷一三五，齐武帝永明元年（483）十月，第4257页。
② 《魏书》卷五三《李安世传》，第1175页。
③ 《魏书》卷七九《成淹传》，第1755页。
④ （唐）姚思廉撰：《陈书》卷一《高祖纪》，中华书局1974年版，第15页。
⑤ 《晋书》卷二一《礼志下》，第649页。
⑥ 《宋书》卷一四《礼志一》引《咸宁注》，第343—344页。
⑦ 《南齐书》卷一六《百官志》，第318页。
⑧ 《隋书》卷二六《百官志上》，第726页。

"鸿胪寺，掌蕃客朝会，吉凶吊祭"[①]。《通典·职官典八·鸿胪卿》谓北周的宾部"掌大宾客之仪"[②]。这都是指其所负礼宾司仪工作。《魏书·官氏志》没有载明鸿胪职掌，但北齐官制依照北魏，两者制度是一致的。杨舒于太和中担任"大鸿胪丞"，《杨舒墓志》称其"弼赞九仪，宾翼四门，蕃卫载缉，戎陌来庭"[③]，也强调其礼宾之责。这虽然是墓志中的溢美套语，但外交礼宾为鸿胪之职责则是无疑的。

由于鸿胪职掌礼宾、司仪，所以在鸿胪中特设礼宾官员。晋代设有治礼郎，属大行令。北魏太和年间特设司仪官，《隋书·百官志》载北齐设"司仪署，又有奉礼郎三十人"[④]。北周也设有司仪上士、中士专司其职。

（三）封拜册命

和汉代一样，对于边族和邻国的封拜册命也是魏晋南北朝时期大鸿胪的一项职责，但是由于这个时期册封制度的变化，我们没有看到它像汉代那样对册封负有更多的职责，主要是被朝廷派遣出使进行封拜册命，而且经常还是以它官兼鸿胪卿去进行。东晋时，《晋书·慕容皝载记》谓晋成帝曾派郭希兼大鸿胪持节册拜慕容皝为燕王。[⑤] 与此同时，北方的十六国政权也大多如此，《晋书·姚兴载记》载，后秦姚兴遣其兼大鸿胪梁斐拜南凉秃发傉檀为广武公、北凉沮渠蒙逊为西海侯、西凉李玄盛为高昌侯等，[⑥] 即属此类。而十六国大体是模仿魏晋制度。北朝的情况也是如此。北魏早在拓跋焘时即行此制，《魏书·公孙轨传》载，始光四年（427）遣公孙轨兼大鸿胪，持节拜氐王杨玄为南秦王[⑦]。此后屡见史册，如《魏书·高句丽传》载，太和十五年（491）高丽王琏卒，孝文帝遣大鸿胪拜琏孙云为高句丽王，并"赐衣冠服物车旗之饰，又诏云遣世子入

---

① 《隋书》卷二七《百官志中》，第756页。

② 《通典》卷二六《职官典八·鸿胪卿》，第725页。

③ 崔汉林、夏振英：《陕西华阴北魏杨舒墓发掘简报》，《文博》1985年第2期。又见赵超《汉魏南北朝墓志汇编》之《魏故镇远将军华州刺史杨（舒）君墓志铭》，天津古籍出版社1992年版，第95页。

④ 《隋书》卷二七《百官志中》，第756页。

⑤ 《晋书》卷一〇九《慕容皝载记》，第2821—2822页。

⑥ 《晋书》卷一一七《姚兴载记上》，第2983页。

⑦ 《魏书》卷三三《公孙表传附公孙轨传》，第784页。

朝，令及郊丘之礼”①。

（四）馆饩来使

来使来宾在京的生活服务工作，与汉代一样，在魏晋南北朝时期也是由大鸿胪负责的。而其中最重要的就是食宿等方面的安排照料。汉代在京师设有蛮夷邸，作为来使来宾的下榻场所，而蛮夷邸是归鸿胪管理的。魏晋南北朝时期各国也在都城设置客馆、宾馆等，以接待四方来使。

曹魏时期改大行令为客馆令，首次专设负责客馆事宜的官员。晋改为典客，至东晋后期又改称客馆令。客馆令或典客令均负责来使接待工作，其中便包括馆饩事宜。十六国政权的政治制度大都仿照魏晋制度，这些政权亦多有客馆设施，据《资治通鉴》记载，永和七年（351）二月，冉魏遣常炜出使前燕，前燕群臣企图杀掉他，燕主慕容儁不许，于是“使出就馆”②。《晋书·苻健载记》谓，前秦苻健称帝后，“西虏乞没军邪遣子入侍，（苻）健于是置来宾馆于平朔门以怀远人”③。这些都是接待来使的馆舍。

南北朝时期的客馆制度比魏晋时期有了更大的提高，其客馆之类型及管理体制、规模等方面都有所完善和进步。先看南朝的情况。南朝从刘宋开始分置南、北客馆令。刘宋以后的情况《通典·职官典八·鸿胪卿》只说：“齐、梁、陈皆有客馆令、丞。”④ 没有说其时是否也分置南、北客馆。南朝时期在客馆中还设有“馆司”以具体主持馆务，《北齐书·魏收传》载，北朝魏收出使梁时，“在馆，遂买吴婢入馆，其部下有买婢者，（魏）收亦唤取，遍行奸秽，梁朝馆司皆为之获罪”⑤。来使在客馆有违纪行为，要追究“馆司”的责任，可见“馆司”不仅负责管理客馆的具体事务，而且有监察来使活动的职责。

客馆不仅是来使下榻居住的地方，而且是外交活动场所。《魏书·温子昇传》载，北朝的温子昇“为中书郎，尝诣萧衍客馆受国书”⑥，可见

① 《魏书》卷一〇〇《高句丽传》，第2216页。
② 《资治通鉴》卷九九，晋穆帝永和七年（351）二月，第3113—3114页。
③ 《晋书》卷一一二《苻健载记》，第2871页。
④ 《通典》卷二六《职官典八·鸿胪卿》，第725页。
⑤ （唐）李百药撰：《北齐书》卷三七《魏收传》，中华书局1972年版，第485页。
⑥ 《魏书》卷八五《文苑传·温子昇传》，第1877页。

客馆也是授受国书的场所。接受来使的贡献也在这里进行，《周书·萧抟传》载，东魏派遣李谐、卢元明出使梁，梁武帝即命人“受币于宾馆”[①]。宴请来使有时也在客馆中举行，《八琼室金石补正·兖州刺史荥阳文公郑羲下碑》载，郑羲出使刘宋时，宋主客郎即“就邸设会”，以款待郑羲。[②] 因为客馆在外交中具有重要作用，所以当时统治者都很重视建造客馆，《南史·刘善明传》载，南齐高帝拟修建宣阳门，刘善明上表建议不如“开宾馆以接邻国”，齐高帝答曰：“饰馆以待遐荒，皆古之善政，吾所宜勉。”[③] 可见客馆的作用是“接邻国”“待遐荒”，为国家“善政”的体现。当时已经按照不同国家设置客馆，类似今天的某国驻华使馆，据《太平御览》引《建康地记》载，有“显仁馆，在江宁县东南五里青溪中桥东湘宫巷下，古高丽使处”[④]。这个显仁馆被称为“古高丽使处”，可见是专供高丽使下榻之所，有类高丽驻华使馆。那么，其他与南朝政权交往频繁的国家也可能有了自己的使馆。

北朝的客馆制度比南朝又有过之而无不及。北魏鸿胪下设典客监，后改为主客令，管理客馆事宜。北齐设典客署以司其事，北周的类似机构则是掌客。

北魏时已经明确为不同的国家设置专有的使馆。据《南齐书·东夷高句丽国传》记载，当时“虏置诸国使邸，齐使第一，高丽次之”[⑤]。这种“诸国使邸”就是各国驻北魏的使馆，这是我国历史上首次明确记载国别外交使馆的出现，而在此之前如汉代的蛮夷邸，魏晋时期的客馆等，都尚未专为一国而设，只是到了这个时期才正式出现了国别使馆。由此亦可进一步证明，南朝以显仁馆为代表的客馆也是各国驻南朝的国别使馆，在这方面南北朝大体是同步的。这说明到了南北朝时期使馆制度已日趋完善、成熟，这也是我国古代外交体制已发展到一个新阶段的标志。从这个记载我们还可以看到，北魏的诸国使邸还有等级的差别，这种差

① （唐）令狐德棻等撰：《周书》卷四二《萧抟传》，中华书局 1971 年版，第 751 页。

② （清）陆增祥撰：《八琼室金石补正》卷一四《兖州刺史荥阳文公郑羲下碑》，文物出版社 1985 年版，第 79 页。

③ （唐）李延寿撰：《南史》卷四九《刘善明传》，中华书局 1975 年版，第 1231 页。

④ 《太平御览》卷一九四《居处部二二·馆驿》引《建康地记》，第 936 页。

⑤ 《南齐书》卷五八《东夷高句丽传》，第 1009 页。

别的根据就是该国的国力强弱和地位大小，朝鲜古史《三国史记·高句丽本纪》说："时魏人谓我方强，置诸国使邸，齐使第一，我使者次之。"[①] 设置"诸国使邸"在我国古代外交制度史上是件重要事情，但是南、北史书都没有说明是在什么时候出现的，《三国史记》将此事系于长寿王七十二年，是年"冬十月，遣使入魏朝贡"[②]。接着就叙述了北魏设诸国使邸一事。据《三国史记》的《年表》，长寿王七十二年相当于南朝永明二年，[③] 北朝太和八年，即公元 484 年。太和八年（484）北魏国都还在平城，那么在平城时北魏就已创置"诸国使邸"了。北魏置"诸国使邸"之事还有一个旁证，据《南齐书·王敬则传》载，萧齐时王敬则曾以散骑的身份出使北魏，他在出使期间，"于北馆种杨柳，后员外郎虞长耀北使还，敬则问：'我昔种杨柳树，今若大小？'长耀曰：'虏中以为甘棠。'"[④] 王敬则在北朝使馆中种树，颇有长远打算的意味，故多年后仍关心此树生长情况；而其后的使者虞长耀仍下榻于此馆中，可见这个使馆是属南朝使者专用的。王敬则出使北魏大约也在永明（479—502）初，那么《三国史记》所记"诸国使邸"的设置时间是可信的。

北朝还设置"监馆"一职，以具体负责使馆的管理事宜。北朝著名的科技家綦母怀文曾任监馆，《北史·綦母怀文传》载，他"昔在晋阳为监馆，馆中有一蠕蠕客，同馆胡沙门指语怀文云：'此人别有异算术。'"[⑤]《北史·房彦询传》载，房彦询"少时为监馆，尝接对陈使江总。及陈灭，（江）总入关，见彦询弟彦谦曰：'公是监馆弟邪？'因惨然曰：'昔因将命，得申言款。'彦询所赠（江）总诗，今见载《（江）总集》"[⑥]。上述记载表明，客馆接待的对象除外交使节之外，尚有外国僧侣等胡客；监馆的职责，不仅负责管理客馆的具体事务，还负有外交接待的职责，房彦询作为监馆向来使赠诗，这是当时外交接待工作中的常

---

① ［朝鲜］金富轼：《三国史记》卷一八《高句丽本纪》，汉城：景仁文化社 1995 年版，第 191 页。

② 《三国史记》卷一八《高句丽本纪》，第 191 页。

③ 《三国史记》卷三〇《年表》（中），第 310 页。

④ 《南齐书》卷二六《王敬则传》，第 484 页。

⑤ 《北史》卷八九《艺术上·綦母怀文传》，第 2940 页。

⑥ 《北史》卷三九《房法寿传附房彦询传》，第 1416 页。

事。北朝的监馆，大体相当于南朝的“馆司”，唯其职责之记载较后者稍详。

北朝的使馆同南朝一样，也是一个外交活动场所。这里是接受国书的场所，《隋书·李德林传》记载：李德林于“齐天统中，兼中书侍郎，于宾馆受国书。陈使江总目送之曰：‘此即河朔之英灵也。’”① 这是双方于宾馆进行国书的交接仪式。使馆也是宴请来使的一个场所，《南史·徐陵传》载，徐陵出使东魏时，主客魏收即“授馆宴宾”②，款待徐陵。萧渊明即帝位后，遣使至北齐拜谢，北齐盛情招待梁使，《南史·萧明传》载，“在馆供给宴会丰厚，一同武帝时使”③。萧渊明在北齐支持下得登帝位，于使馆受到北齐盛情设宴款待固不待言，而此制“一同武帝时使”，表明这是一贯的制度。使馆也是双方进行外交角逐的场所。北齐、北周通好，天和三年（568）北周派兵部尹公正出使北齐，《周书·熊安生传》载其在北齐活动之一事云：“（尹公正）与齐人语及《周礼》，齐人不能对。乃令（熊）安生至宾馆与公正言……公正于是具问所疑，安生皆为一一演说，咸究其根本。公正深所嗟服，还，具言之于高祖。高祖大钦重之。”④ 北周使者尹公正以《周礼》难倒了北齐的接待官员，于是北齐改派《周礼》专家熊安生前往宾馆应敌。熊安生时为国子博士，博通《五经》。由于他逐一圆满回答了周使的问难，博得了周使的叹服，从而扭转了北齐在这一外交较量中的被动局面。尹公正回国向周武帝汇报了情况，周武帝对熊安生大为赏识，为周灭齐后对其信用埋下伏笔。使馆也是来使与出使国各界人士交往的场所，李延寿在《北史·李谐传》中形容南朝使节到了东魏邺都时的情况说：“梁使每入，邺下为之倾动，贵胜子弟盛饰聚观，礼赠优渥，馆门成市。”⑤ 使馆外交活动之频繁于此可见。所在国人士可以到使馆拜访来使，《陈书·姚察传》记载姚察曾奉陈朝使命出使北周，“江左耆旧先在关右者，咸相倾慕。沛国刘臻窃于公馆

---

① 《隋书》卷四二《李德林传》，第1208页。

② 《南史》卷六二《徐陵传》，第1523页。

③ 《南史》卷五一《梁宗室上·长沙武宣王萧懿传附萧明传》，第1272页。按，李延寿修《南史》，以避唐高祖李渊讳，改萧渊明为萧明。

④ 《周书》卷四五《儒林·熊安生传》，第813页。

⑤ 《北史》卷四三《李崇传附李谐传》，第1604页。

访《汉书》疑事十余条，竝为剖析，皆有经据”[①]。使者也可以主动约请有关人士到使馆叙谈，《周书·韦敻传》载陈朝周弘正出使北周，他素闻北周人韦敻名声，要求与他相见，经北周有关方面批准之后，便“请（韦）敻至宾馆”[②]。

除了使馆之外，北魏首都洛阳又有“四夷馆”的设置。四夷馆的性质与使馆不同，是为收容“附化之民”而设的，但它也有某些使馆的作用，如当时具有一定外交使者意义的质子就被安排住在四夷馆中。据《洛阳伽蓝记·城南》记载，这些“北夷酋长遣子入侍者”，就住在这里，他们“常秋来春去，避中国之热”，当时人们把他们戏称为候鸟般的“雁臣”[③]。鸿胪寺的职责之一是管理诸国侍子，这样鸿胪寺与“四夷馆”当也有一定的关系。

（五）侨民管理

魏晋时期鸿胪寺还有一项重要职责就是管理留居境内的各种侨民，这主要由其属官典客令负责。由于中外交流的发展以及周边民族的内迁，中原政权辖境内的四方侨民日益增多，于是侨民的管理也就提到统治者的议事日程上来。早在汉代即于藁街设置蛮夷邸，除接待来使和投附者之外，也有旅居汉朝的侨民。而蛮夷邸是归大鸿胪管辖的，那么汉代的大鸿胪也是兼管侨民事务的。到了晋时，侨民的管理已经明确归鸿胪的属官典客令负责，据《晋书·孔坦传》记载，东晋初万默曾任典客令，“时典客令万默领诸胡，胡人相诬，朝廷疑（万）默有所偏助，将加大辟”[④]。这条材料表明，典客令负责境内胡人的管理工作，胡人之间的诉讼亦由其处理。典客令所领的“诸胡”，不可能全是官方使节，大多应是侨居东晋的各类人员。此事发生于元帝太兴三年（320）。但是，北魏时洛阳南郊所置“四夷馆”为大规模的侨民居住区，我们却没有发现其受大鸿胪管辖的资料，而有一些迹象表明它是受尚书主客曹管理的。这当与这个时期大鸿胪职权地位的削弱，尚书主客曹凌驾于大鸿胪之上的情

---

① 《陈书》卷二七《姚察传》，第348—349页。

② 《周书》卷三一《韦敻传》，第545页。

③ 范祥雍校注：《洛阳伽蓝记校注》卷三《城南》，上海古籍出版社1978年版，第160页。

④ 《晋书》卷七八《孔坦传》，第2056页。

况有一定关系。不过到了北齐时，如前文所述其典客署属官有“京邑萨甫”与“诸州萨甫”[①]，其职责与管理“胡户”有关，这些“胡户”实际上也是入居北齐的外侨，从首都到各州都设官员进行管理。北齐以典客署负责侨民管理，当系继承晋制。

（六）翻译

汉代的外交翻译基本上是归大鸿胪管辖的，但是自东汉撤销译官令、丞之后，直到魏晋南北朝时期我们没有看到在鸿胪寺有这方面的官员设置，只是北周时，在相当于鸿胪寺的秋官宾部下有象胥一职，设象胥中士，正二命，象胥下士，正一命。这是依周礼而设的翻译官员。魏晋南北朝时期鸿胪寺继续负责来使的接待和馆饩事宜，其配备译员当无疑义，不过未见译官设置，大约只是一般吏员而已。

这个时期我们还可以看到，翻译不完全是由己方解决，来使往往自己也要准备译员，解决翻译问题。《三国志·齐王芳纪》记载：曹魏“景初三年（239）……二月，西域重译献火浣布”[②]。《晋书·四夷传》记载：西晋时倭国于“泰始初，遣使重译入贡”[③]。《旧唐书·音乐志》记载：十六国“张重华时，天竺重译贡乐伎”[④]。凡此种种，不一而足。虽然“重译入贡”一词常为封建统治者显示万国朝宗的套语，但上述记载显示当时各国来使常常需要通过辗转翻译才能通达，则是事实。《梁书·诸夷传》记：南朝时的滑国（即哌哒），“无文字，以木为契。与旁国通，则使旁国胡为胡书，羊皮为纸……其言语待河南人译然后通”[⑤]。这里的“河南人”指吐谷浑人。滑国与南朝交往，文字通过旁国胡写成胡书，言语则通过吐谷浑人才能翻译过来。可见“重译”决非夸张之辞。同书又记新罗国，“无文字，刻木为信。语言待百济而后通焉”[⑥]。新罗来使的翻译要通过百济人才能通。所以当时翻译工作需要诸多方面，甚至是邻国的配合才能完成，此即所谓“重译”，鸿胪寺不可能把各语种人才准备齐

---

① 《隋书》卷二七《百官志中》，第756页。
② 《三国志》卷四《魏书·三少帝纪·齐王（曹）芳纪》，第117页。
③ 《晋书》卷九七《四夷·倭人传》，第2536页。
④ （后晋）刘昫等撰：《旧唐书》卷二九《音乐志二》，中华书局1975年版，第1069页。
⑤ 《梁书》卷五四《诸夷·滑国传》，第812页。
⑥ 《梁书》卷五四《诸夷·新罗传》，第806页。

全。有的来使自带翻译的情况也见诸史册，《隋书·东夷传》载倭国于“魏时，译通中国。三十余国，皆自称王”①。《宋书·符瑞志》记载刘宋“孝武帝大明三年（459）十一月己巳，肃慎氏献楛矢石弩，高丽国译而至”②。肃慎是通过高丽国的翻译朝献的。这些都是明言他们是各自带着翻译前来通使的。

三 鸿胪官员任职条件及其地位变化

魏晋南北朝时期鸿胪寺的地位虽较汉代陵替，但其作为在中央重要的专职外交机构的性质并未发生变化，外交仍是其最重要的职能，因而鸿胪官员与汉代一样，其任职除了一般官员所须具备的条件之外，还另有某些特定的要求。

第一，在学识方面继续汉代的传统而要求鸿胪官员具有较高的素养。《三国志·孙晧传》注引《吴录》，谓张俨“弱冠知名，历显位，以博识多闻，拜大鸿胪”③。这里强调其拜大鸿胪的主要条件是“博闻多识”。《吴录》对张俨的评价可从《三国志·朱桓传》注引《文士传》的记载得到证实：张俨少时即有“才名”，曾与张纯、朱异往见骠骑将军朱据，朱据令他们各赋一物乃得坐，“三人各随其目所见而赋之，皆成而后坐，（朱）据大欢悦”④。其博学与机敏在日后的大鸿胪职务中，尤其在出使西晋时曾有出色的发挥。到了北魏，更把这一任职条件制度化、法典化，《太平御览·职官部》引北魏《职令》曰：“鸿胪少卿，第四品上，第二清，用雅学详当、明枢达理者。”⑤ 据《魏书·官氏志》，大鸿胪少卿为第四品上阶，⑥ 可知《御览》所引为太和二十三年（499）所定的后《职员令》。这里将学识和明理作为鸿胪少卿的必具条件。这是对汉魏两晋以来鸿胪官员任职条件的一个总结。

第二，在德行方面也继承前代而提出一定的要求。韩宣于魏明帝时

---

① 《隋书》卷八一《东夷·倭国传》，第1825页。
② 《宋书》卷二九《符瑞志下》，第873页。
③ 《三国志》卷四八《吴书·三嗣主传·孙晧传》注引《吴录》，第1166页。
④ 《三国志》卷五六《吴书·朱桓传》注引《文士传》，第1316页。
⑤ 《太平御览》卷二三二《职官部三〇·鸿胪少卿》引后魏《职令》，第1102页。
⑥ 《魏书》卷一一三《官氏志》，第2996页。

为尚书大鸿胪，《三国志·裴潜传》注引《魏略列传》谓："始南阳韩暨以宿德在（韩）宣前为大鸿胪，暨为人贤，及宣在后亦称职，故鸿胪中为之语曰：'大鸿胪，小鸿胪，前后治行曷相如。'"① 这个记载虽然只强调韩暨是以"德""贤"而任以大鸿胪之职，但从其后韩宣之与前任"治行"相似观之，则其德行亦与韩暨大体相当。北魏永熙二年（533）《乞伏宝墓志》云："鸿胪任掌诸侯，职兼归义，自非尚德厚贤，莫能居此，乃以君为大鸿胪卿。"② 这里也以"德""贤"作为鸿胪任职的必要条件。

第三，要求有较强的才干。《北史·薛琡传》，谓薛琡于北魏宣武帝时"以干用为典客令"③。他是以工作才干、办事能力强而得以任用为典客令的，这与典客令承担繁重的接待外宾事务的工作性质有密切关系。《北齐书·薛琡传》谓其"少以干用称"，其在官府"闲明簿领，当官剖断，敏速如流"④。是为其"干用"之具体表现。

第四，一定的外交工作经验。《北史·孟威传》，谓其"前后频使远藩，粗能称旨。普泰（531—532）中，除大鸿胪卿"⑤。他有长期的外交工作实践经验，因而被任命为大鸿胪卿。《魏书·孟威传》对其"频使远藩"有较具体的介绍，由于他通晓"北土风俗"，又"明解北人之语"，故早在孝文帝时他即奉命出使柔然，对投奔柔然的高车部人进行"晓喻"，从而"追还逃散"⑥。宣武帝永平（508—512）中又曾奉命出使高昌。孝明帝正光年间（520—525）柔然主阿那瓌来投，他又奉命为使副迎劳，并任使主护送其返国。这些外交经历无疑是其被选任大鸿胪卿的原因之一。

第五，仪容风度也是对鸿胪官员的要求之一。《北齐书·薛琡传》，谓薛琡"形貌魁伟，少以干用称。为典客令，每引客见，仪望甚美。魏帝召而谓之曰："卿风度峻整，姿貌秀异，后当升进，何以处官。'"⑦ 薛

---

① 《三国志》卷二三《魏书·裴潜传》注引《魏略列传》，第675—676页。

② 《汉魏南北朝墓志汇编》之《魏故使持节都督河凉二州诸军事卫大将军河州刺史宁国伯乞伏（宝）君墓志》，第304页。

③ 《北史》卷二五《薛琡传》，第921页。

④ 《北齐书》卷二六《薛琡传》，第369、371页。

⑤ 《北史》卷五〇《孟威传》，第1838页。

⑥ 《魏书》卷四四《孟威传》，第1005页。

⑦ 《北齐书》卷二六《薛琡传》，第369页。

珹之为典客令，与其仪表有一定关系，其在此职位上执行公务时因“仪望甚美”而颇受宣武帝的赞叹。北魏末年乞伏宝为大鸿胪卿，其墓志铭称其“府仰咸则，容止可模”[①]，亦强调其在执行公务中的仪表风度，从而可推知仪表在这一官职选拔中是考量因素之一。外交官员的仪表风度对于外交对方往往会产生重要影响，《魏书·李安世传》谓，李安世于北魏献文帝时为主客令，时逢“萧赜使刘缵朝贡，安世美容貌，善举止，缵等自相谓曰：‘不有君子，其能国乎?’”[②] 刘缵对李安世仪表的赞叹，已不仅是李安世个人的事情，而是系乎国家之形象了。由此可见，外交官员之仪容举止，在外交工作中具有不可忽视的重要性，关乎国家的形象和影响，自古已然。

从上文所述魏晋南北朝时期鸿胪寺的外交职能，我们可以看到这一时期鸿胪寺的外交职能与汉代大体上是一致的，即外交方面的接待和礼仪等事务工作。但是也发生了一些变化，其主要表现是有更多的外交事务被尚书主客曹所分割，如接待来使的工作，虽然鸿胪寺还有一定的职责，但是重要的接待工作却是由主客郎来承担，尤其到了南北朝时期基本上是由主客郎出面负责接待，形成主客郎活跃于外交舞台的情形，虽然鸿胪寺的主客令有时也出面接待来使，如北魏时的主客令李安世也曾有过出色的表现，但就整个接待工作来看，尚书主客曹已把重要的接待工作分割而去，其余的接待事务则仍归鸿胪寺。

鸿胪寺与尚书主客曹的关系，牵涉到一般所谓尚书与诸卿的关系。魏晋时期处于由三公九卿制向三省六部制转轨时期，两者之间不协调的情形比较突出，晋初关于两者关系的争论就是一个明证，其中以刘颂的说法较有代表性，《晋书·刘颂传》载其语曰：“秦汉已来，九列执事，丞相都总。今尚书制断，诸卿奉成，于古制为重。”[③] 但是到了南北朝时期，这种争议便日益沉寂，这是两者关系已逐步协调的反映。我们从尚书主客曹与鸿胪寺的关系来看，在南北朝时期已看不到两者之间有明显

---

① 《汉魏南北朝墓志汇编》之《魏故使持节都督河凉二州诸军事卫大将军河州刺史宁国伯乞伏（宝）君墓志》，第305页。

② 《魏书》卷五三《李安世传》，第1175页。

③ 《晋书》卷四六《刘颂传》，第1303页。

的冲突，相反地，两者在外交工作方面基本上是一种相互配合，相互补充的关系。尚书主客曹负责外交行政管理和外交接待，鸿胪寺负责外交接待礼仪和具体事务。虽然偶有重复与冲突之处，但总的来说是相互协作，密不可分的。所以尽管尚书台成为行政中枢，但列卿始终不废而且执掌实职，这说明它是中央行政机构运转过程中不可缺少的环节。《南齐书·倖臣传论》所谓“尚书八座五曹，各有恒任，系以九卿六府，事存副职”①，就是这个时期中央行政机构相互协调运转的大体情况。

（原刊《中国史研究》1998年第3期。中国人民大学报刊复印资料《魏晋南北朝隋唐史》1999年第2期全文转载。今据原刊文整理，原刊文为尾注，今按《黎虎文集》统一注释格式而改为页下注。李文才敬识。）

---

① 《南齐书》卷五六《倖臣传》“史臣曰”，第979页。

魏晋南北朝尚书主客曹及其外交管理职能

一　前言

汉代所确立的外交管理体制，到了魏晋南北朝时期虽然基本上被继承下来，但也发生了若干重要的变化。其中汉代以负责外交事务的九卿系统的大鸿胪为主、负责外交政务的尚书系统的主客曹为辅的中央外交管理体制，到了魏晋南北朝时期演变为以尚书主客曹为主、大鸿胪为辅的管理格局，尚书主客曹成为魏晋南北朝时期最重要的中央专职外交管理机构，就是其最突出的变化之一。发生这种变化的主要原因是，这一时期的政治制度正处于从两汉向隋唐的转变阶段，是三省六部制发育成长的重要时期，原为少府属官的尚书的地位日益重要，总管全国的政务，因此在外交管理机构方面，尚书主客曹的地位亦随之上升，它不仅负责主管外交政务，与大鸿胪形成对口管理的关系，而且取代大鸿胪而承担了许多外交事务。关于这方面问题迄未引起学术界之注意，尚无专文论述之，故试略述这一时期尚书主客曹的变化及其外交管理职能。

二　从客曹到主客曹

魏晋南北朝时期尚书省主管外交工作的机构，经历了由客曹到主客曹的嬗变过程。

曹魏和西晋前期继承东汉制度，在尚书台设置客曹尚书，负责外交工作。《宋书·百官志》曰："魏世有吏部、左民、客曹、五兵、度支五曹尚书。晋初有吏部、三公、客曹、驾部、屯田、度支六曹尚书。"① 但

① （梁）沈约撰：《宋书》卷三九《百官志上》，中华书局1974年版，第1235页。

是到了西晋太康年间客曹尚书被裁撤，《晋书·职官志》载："太康中，有吏部、殿中及五兵、田曹、度支、左民为六曹尚书，又无驾部、三公、客曹。"① 从此以后，尚书台中不再设置客曹尚书，外交工作由尚书主客曹郎负责。曹魏时设置尚书郎二十三人，青龙二年（234）又增置二曹郎，合为二十五曹郎，其中之一为南主客曹郎。西晋时增加为三十五曹，其中有四个主客曹，即左主客、右主客、南主客、北主客。曹魏时期只设南主客一曹，当与这个时期外交格局的变化以及处于分裂时期，外交事务相对减少不无关系。南主客曹可能与主要接待吴、蜀使者有关。西晋重建统一皇朝，主客曹增加为四。东晋偏安江左，又是只置一主客曹，而且只设主客曹郎一人。康、穆（343—361）以后尚有主客曹，但后来则取消了主客曹。东晋何时取消，不得而知。这种状况显然与东晋政权偏安一隅，外交事务相应减少有密切关系。

南朝恢复了尚书主客曹，《宋书·百官志上》谓："宋高祖初，加置骑兵、主客、起部、水部四曹郎。"② 与东晋旧有的十五曹，合为十九曹。但宋文帝（424—453 年在位）元嘉十年（433）曾一度裁撤尚书主客曹，次年又恢复了建置。此后历齐、梁、陈均沿置而不替。整个南朝时期只设主客曹郎一人，所以杜佑在《通典·职官典五·尚书下》说："宋、齐、梁、陈单有主客。"③

南朝时期任主客郎者，宋时有：《宋书》卷五四《羊玄保传》所载羊崇、《宋书》卷五五《臧焘传》所载臧賁、《八琼室金石补正》卷一四《兖州刺史荥阳文公郑羲下碑》所载孔道均等。另据《宋书·张畅传》载：张畅曾除"司徒祭酒，尚书主客郎。未拜，又除度支左民郎。"④ 齐时有：《南齐书》卷五六《倖臣传·纪僧真传》所载纪僧真、《魏书》卷六二《李彪传》所载刘绘、《南齐书》卷四七《王融传》所载王融、《梁书》卷四二《臧盾传》所载臧未甄、《南史》卷四九《庾杲之传》所载庾杲之、《梁书》卷五三《良吏传》所载范述曾等。梁时有：《梁书》卷

① （唐）房玄龄等撰：《晋书》卷二四《职官志》，中华书局 1974 年版，第 731 页。

② 《宋书》卷三九《百官志上》，第 1237 页。

③ （唐）杜佑撰，王文锦、王永兴、刘俊文、徐庭云、谢方点校：《通典》卷二三《职官典五·尚书下·礼部尚书》"主客郎中"条，中华书局 1988 年版，第 640 页。

④ 《宋书》卷五九《张畅传》，第 1599 页。

四二《臧盾传》附《臧厥传》所载臧厥、《梁书》卷四七《孝行传》所载刘霁、《梁书》卷四八《儒林传·范缜传》所载范胥、《酉阳杂俎》卷一一《广知》所载陆缅、《酉阳杂俎续集》卷四《贬误》引《聘梁记》所载贺季、《酉阳杂俎》卷三《贝编》所载王克、《梁书》卷四一《萧介传》所载萧介、《梁书》卷四八《儒林传》所载孔子祛等。陈时有：《陈书》卷二九《蔡徵》所载蔡徵等。

主客曹归左仆射领导，《宋书·百官志》谓，宋时“仆射、尚书，分领诸曹。左仆射领殿中、主客二曹”①。《南齐书·百官志》载，齐时“左仆射领殿中、主客二曹事。”②《宋书·百官志上》载，魏晋南朝“郎以下则有都令史、令史、书令史、书吏干”等办事人员协助曹郎工作，“分曹所掌如尚书也”。其人员数，“晋初正令史百二十人，书令史百三十人。自晋至今，或减或益，难以定言。”③《楼兰尼雅出土文书》有“泰始四年七月四日……客曹史张抚”④的记载，此即客曹令史。主客曹同样有这些办事人员。主客令史见于史传者有《宋书》卷五三《庾登之传》附《庾炳之传》所载刘宋时的周伯齐。

北朝的情况比南朝复杂。北魏前期官制胡汉杂糅，姑置不论。从太武帝拓跋焘（471—499年在位）到太和官制改革之前，其尚书省的建置始有较大改进，但与汉制仍有不少差异。这个期间在尚书省中设有主客一曹。《魏书·卢统传》载，卢统于“高宗（文成帝）即位，典选部、主客二曹。兴安二年（453）卒”⑤。不过，这个主客曹与魏晋以来的主客曹不同，它不是列曹尚书之下的郎曹，而是相当于魏晋时期列曹尚书之一的客曹。⑥ 这种主客曹实际就是主客尚书，所以有时就径直把它称为主客尚书，《北史·刘乞归传》载，刘乞归于“献文末，除主客

---

① 《宋书》卷三九《百官志上》，第1235页。

② （梁）萧子显撰：《南齐书》卷一六《百官志》，中华书局1972年版，第319页。

③ 《宋书》卷三九《百官志上》，第1237页。

④ 林梅村编：《楼兰尼雅出土文书》之《楼兰尼雅出土文书释文》第570号，文物出版社1985年版，第76页。

⑤ （北齐）魏收撰：《魏书》卷三四《卢鲁元传》附《卢统传》，中华书局1974年版，第802页。

⑥ 按：严耕望认为此主客曹“盖属仪曹尚书或祠部尚书”，即尚书之下的郎曹。似不确。见严耕望《北魏尚书制度考》，《严耕望史学论文集》上册，上海古籍出版社2009年版，第181页。

尚书"[①]。北魏前期又另有"主客给事"，《魏书·尉羽传》载，尉羽"起家秘书中散，驾部令，转主客给事，加通直散骑常侍"[②]。还有"主客给事中"，《魏书·李安世传》谓李安世曾"迁主客给事中"[③]。原来北魏前期有内外朝之分，与外朝的尚书省相对应，在内廷亦设置一套班子，负责对外朝相关部门进行指导或监察，"给事""给事中"就是内朝官员，"主客给事""主客给事中"亦当是内廷官员。

北魏前期尚有"主客折纥真"一职，据北魏和平二年（461）《南巡碑》，所列从行官员中有"主客折纥真"[④]，疑即主客给事或主客给事中。

北魏自孝文帝太和十七年（493）、太和二十三年（499）两次官制改革之后，基本上确立了汉化的政治体制，在魏晋制度的基础上设置三省，其中的尚书省也已成为宰相机构，负责全国的政务。不过尚书省的主客部门，则早在孝文帝初年便已设主客郎中一职，与南朝之制相仿。《魏书·裴宣传》载，裴宣于"高祖初，徵为尚书主客郎"[⑤]。《魏书·薛驎驹传》载："太和九年，萧赜使至，乃诏（薛）驎驹兼主客郎以接之。"[⑥]《魏书·崔休传》载："高祖纳（崔）休妹为嫔，以为尚书主客郎。"[⑦]《魏书·酷吏传》载，郦道元于"太和中，为尚书主客郎"[⑧]。这样看来，孝文帝初已设置主客曹。《魏书·李彦传》载，李彦于孝文初入仕，后"行主客曹事，徙郊庙下大夫。时朝仪典章咸未周备，彦留心考定，号为称职"[⑨]。其后方载"高祖南伐"事，则李彦行主客曹事显在太和改革之前。太和官制改革后，主客曹被一分为四，设左、右、南、北主客郎中，远效西晋制度，这一方面表明到此时北魏官制已趋成熟，另一方面也是

---

① （唐）李延寿撰：《北史》卷二〇《刘库仁传》附《刘乞归传》，中华书局1974年版，第734页。

② 《魏书》卷五〇《尉元传》附《尉羽传》，第1116页。

③ 《魏书》卷五三《李孝伯传》附《李安世传》，第1175页。

④ 山西省考古研究所、灵丘县文物局：《山西灵丘北魏文成帝〈南巡碑〉》，《文物》1997年第12期。

⑤ 《魏书》卷四五《裴骏传》附《裴宣传》，第1023页。

⑥ 《魏书》卷四二《薛辩传》附《薛驎驹传》，第944页。

⑦ 《魏书》卷六九《崔休传》，第1525页。

⑧ 《魏书》卷八九《酷吏·郦道元传》，第1925页。

⑨ 《魏书》卷三九《李宝传》附《李彦传》，第888页。

北魏推行改革政策之后国势强盛，外交发展的需要，与西晋立国相似，东西南北四方都需要发展外交关系。

关于北魏主客分曹之事，《唐六典》卷四《尚书礼部》“主客郎中”条注引《职品令》曰：“太和中，吏部管南主客、北主客，祠部管左主客、右主客。”[①] 从太和以后北魏王朝频见南、北、左、右主客郎中。任南主客郎中者如：《李璧墓志》所载李璧[②]、《邢伟墓志》所载邢伟[③]、《魏书》卷五五《郑长猷传》所载郑长猷、《魏书》卷四六《许彦传》附《许琰传》所载许琰、《魏书》卷一〇八之四《礼志四》所载游思进、《魏书》卷八五《文苑传》所载温子升、《魏书》卷四九《李灵传》附《李系传》所载李系、《魏书》卷四一《源贺传》附《源子恭传》所载源子恭、《魏书》卷六五《李平传》附《李庶传》所载李庶、《北史》卷三五《郑羲传》附《郑元礼传》所载郑元礼等。任北主客郎中者如：《魏书》卷四一《源子恭传》所载源子恭、《元洛神墓志》所载穆某[④]、《魏书》卷一〇四《自序》所载魏收等。任左主客郎中者如：《魏书》卷六九《裴延儁传》附《裴夙传》所载裴夙、《魏书》卷五六《崔楷传》所载崔楷、《魏书》卷四七《卢玄传》附《卢道舒传》所载卢道舒、《魏书》卷一〇八之四《礼志四》所载元韡、《北史》卷一〇〇《序传》所载李晓等。任右主客郎中者如：李晓（同上）、《魏书》卷四五《辛绍先传》附《辛子馥传》所载辛子馥等。由此可见，从孝文帝直至北魏末年均有此官。

这里有一个问题须提出略加讨论，即与此同时史籍中又还常见尚书主客郎的记载，如《魏书·昭成子孙列传》载，元晖“世宗即位，拜尚书主客郎”[⑤]。以及《魏书》卷四七《卢玄传》附《卢文符传》所载卢文符、《魏书》卷四八《高允传》附《高师传》所载高师、《魏书》卷四九《李灵传》附《李子仁传》所载李子仁、《北齐书》卷三五《裴让之传》

---

① （唐）李林甫等撰，陈仲夫点校：《唐六典》卷四《尚书礼部·主客郎中》注，中华书局1992年版，第129页。

② 赵超：《汉魏南北朝墓志汇编》，天津古籍出版社1992年版，第118页。

③ 《汉魏南北朝墓志汇编》，第78页。

④ 《汉魏南北朝墓志汇编》，第218页。

⑤ 《魏书》卷一五《昭成子孙列传·常山王元遵传附元晖传》，第378页。

所载裴让之等人均曾担任此职。那么是否北魏末年已省四曹为一曹了呢?似未必然，一则从宣武至魏末，不论南北左右四主客郎还是尚书主客郎，均同时见于载籍，虽然前者多于后者，但不可能同时两设；二则记载中省称左右南北主客郎为主客郎是可能的，兹举一例证之：邢伟的官职，《魏书·邢峦传》和《北史·邢峦传》均记为“尚书郎中”①，但是出土的《邢伟墓志》却明确记载其为“尚书南主客郎中”②。可见两书的记载均有所省略。

北齐官制多循北魏，但对北魏的南北左右四主客曹作了并省调整，据《唐六典》卷四《尚书礼部》“主客郎中”条注引北齐《河清令》曰：“改左主客为主爵，南主客为主客。”③ 这样外交工作便又由一个主客曹负责，而划归祠部统辖。④ 清四库馆臣《历代职官表》卷九《礼部》“北齐”条按语说：“历代主客曹，南北左右各有分署，故不统于一尚书。齐始合为一曹，领之祠部，则后代主客司之专属礼部，实自北齐始也。”⑤过去封爵之事无专官负责，多由主客曹兼管，现在设立主爵曹以司其事，则主客曹的外交职能更为集中。北齐主客曹的设置，可以说是魏晋南北朝主客官制发展的总结。此外，北齐在首都邺城之外又于晋阳另立一套机构，形成都省与并省两套班子，平起平坐。因此在并省也有主客曹，据《北史·文苑传序》，卢思道就曾任“并省主客郎中”⑥。

三　尚书主客曹的外交职能

魏晋时期客曹尚书继承汉制“主外国夷狄事”⑦，南北朝时期主客曹“掌诸蕃杂客等事”⑧，一脉相承主管外交工作。但是各种官志记载对于主

---

① 《魏书》卷六五《邢峦传》，第1448页；《北史》卷四三《邢峦传》，第1585页。

② 《汉魏南北朝墓志汇编》，第78页。

③ 《唐六典》卷四《尚书礼部·主客郎中》注引北齐《河清令》，第129页。

④ （唐）魏徵、令狐德棻撰：《隋书》卷二七《百官志中》，中华书局1973年版，第753页。

⑤ （清）纪昀等撰：《历代职官表》卷九《礼部》“北齐”条按语，上海古籍出版社1989年版，第180页。

⑥ 《北史》卷八三《文苑传序》，第2780页。

⑦ 《晋书》卷二四《职官志》，第730页。

⑧ 《隋书》卷二七《百官志中》，第753页。

客曹如何掌管“外国夷狄事”均语焉不详，兹鸠集散见于载籍之有关史料，略述其如何掌管这一工作，以概见其外交管理之职能。

（一）外交行政管理

魏晋南北朝时期尚书省成为正式的宰相机构，总管全国的政务，与诸卿形成领导与被领导的关系，正如《晋书·刘颂传》载西晋人刘颂所说：“今尚书制断，诸卿奉成。”① 而作为尚书省一个部门的客曹或主客曹，自然也成为外交行政的领导部门，因此它在外交工作中的首要任务便是负责外交行政的管理。《宋书·百官志》曰：“晋西朝八坐丞郎，朝晡诣都坐朝，江左唯旦朝而已。”② 由此可知，客曹尚书及其下的主客曹郎，每天都要到都坐（即尚书省的办公厅）参加朝会（尚书省的办公会议），讨论行政事务。外交行政事务当然也是在这种朝会中进行商议并作出决定的。客曹尚书和主客曹郎主要是通过收发文书来管理外交政务的。一方面他们要负责接受各方送来的有关外交方面的文书，另一方面则将都坐朝会的议决通过下达尚书符等形式以指挥外交政务。《晋书·荀奕传》载东晋时“将缮宫城，尚书符下陈留王，使出城夫。”③ 陈留王是曹魏的后人，晋篡魏后封王以礼遇之。魏晋南朝继承汉制，封国王侯事务仍归主客曹负责，《南齐书·武陵昭王（萧）晔传》载，南齐时武陵王萧晔参加“冬节问讯”迟到，齐武帝“敕主客：自今诸王来不随例者，不得复为通”④。《陈书·袁枢传》载，陈霸先的长女死于梁朝，他当上皇帝后，追封其为永世公主，“将葬，尚书主客请详议”⑤，欲加公主之夫及他们已死之子官爵。这些都是主客曹掌管封国王侯事务的事实。由此可知，令陈留王出城夫助修宫城的“尚书符”，必定是由主客曹草拟之后由尚书省发出的。此事虽然不属外交事务而属封国王侯事务，不过主客曹在管理外交事务时，同样运用这一方式，应该是没有疑问的。

---

① 《晋书》卷四六《刘颂传》，第1303页。

② 《宋书》卷三九《百官志上》，第1237页。按，此处“晋西朝八坐丞郎”，应该句读点断，作“晋西朝八坐、丞、郎”。

③ 《晋书》卷三九《荀勖传》附《荀奕传》，第1161页。

④ 《南齐书》卷三五《高帝十二王·武陵昭王（萧）晔传》，第625—626页。

⑤ （唐）姚思廉撰：《陈书》卷一七《袁敬传》附《袁枢传》，中华书局1972年版，第240页。

尚书主客郎就是这种管理外交工作的尚书符的起草者。这种文案工作是尚书郎的重要职责之一，《太平御览》卷二一五《职官部十三·总叙尚书郎》引曹操《选举令》说："国家旧法，选尚书郎，取年未五十者，使文笔真草，有才能谨慎，典曹治事，起草立义，又以草呈示令仆讫，乃付令史书之耳。"① 这里强调尚书郎要有很好的文字能力，负责"起草立义"，工作重要。起草之后经令仆审查后，交由令史抄写誊正。《晋书·职官志》谓，当尚书郎缺员时，"白试诸孝廉能结文案者五人，谨封奏其姓名以补之"②。由此可见，文案工作是尚书郎的重要职事。陈朝吏部尚书姚察曾说："魏正始及晋之中朝，时俗尚于玄虚，贵为放诞，尚书丞郎以上，簿领文案，不复经怀，皆成于令史。逮乎江左，此道弥扇。"③ 虽然由于魏晋门阀士族发展的影响，尚书郎一度疏于文案工作，于是东晋时"簿领文案"多由寒素出身的尚书令史来负责。但此事恰恰表明，"簿领文案"原本应是尚书郎应尽职分。事实上，从整个魏晋南北朝来看，尚书郎负责"簿领文案"的情况并没有改变。《南齐书·武十七王传》载南齐竟陵王萧子良说："尚书列曹，上应乾象。如闻命议所出，先咨于都，都既下意，然后付郎，谨写关行。愚谓郎官尤宜推择。"④ 皇帝的有关命令或尚书都省的决议，最后都要交给尚书郎"谨写关行"，所以尚书郎的选拔十分严格。《南齐书·百官志》在叙述尚书台工作运转时说："应须命议相值者，皆郎先立意，应奏黄案及关事，以立意官为议主。"⑤ 尚书郎负责对有关命令先拿出具体方案，并在有关会议上就该问题作主要发言。可见尚书郎是尚书台中"簿领文案"的具体负责人，尚书符的实际起草者。

尚书主客郎的外交行政管理职责还体现在各部门、各方面的有关外交文书均由其负责接受，并据此提出处理意见。《魏书·源子恭传》载，

---

① （宋）李昉等撰：《太平御览》卷二一五《职官部十三·总叙尚书郎》引《魏武集·选举令》，中华书局 1960 年版，第 1028 页。

② 《晋书》卷二四《职官志》，第 732 页。

③ （唐）姚思廉撰：《梁书》卷三七《谢举、何敬容传》"陈吏部尚书姚察曰"，中华书局 1973 年版，第 534 页。

④ 《南齐书》卷四〇《武十七王传·竟陵王萧子良传》，第 697 页。

⑤ 《南齐书》卷一六《百官志》，第 321 页。

北魏时源子恭任尚书北主客郎中，同时摄南主客事，当时梁朝有许周、许团等人投奔北魏，许周自称在梁任给事黄门侍郎，朝士咸共信待。源子恭提出质疑，上奏道："徐州表投化人许团并其弟周等。究其牒状，周列云已萧衍黄门侍郎……比加采访，略无证明，寻其表状，又复莫落。案牒推理，实有所疑……请下徐、扬二州密访，必令获实，不盈数旬，玉石可睹。"于是"诏推访，周果以罪归阙，假称职位，如子恭所疑"①。这里我们可以清楚地看到尚书主客郎处理外交政务的具体过程：边境地区关于敌国投诚事件的上报文件转到了尚书主客郎中那里，他研究了这份报告，并进行了调查研究，发现了疑点，于是草奏提出处置意见上报皇帝，经皇帝批准下文徐、扬二州复查，终于查实了问题，使事件获得圆满解决。这就是尚书主客郎管理外交行政事务的具体运作过程。所以我们可以说，尚书主客曹是魏晋南北朝时期的外交行政指挥机关。

（二）外交接待事务

汉代外交接待事务是由大鸿胪负责的，到了魏晋南北朝时期尚书主客曹也负责外交接待工作了。不过，这种情况在魏晋时期尚不多见，而到了南北朝时期却已经非常普遍了。这样主客郎中就不仅通过行政管理指挥外交工作，而且亲自参与外交事务，大鸿胪的职权更多地转到了尚书主客曹。

1. 接待来使

接待来使是主客郎经常承担的职责。《魏书·裴宣传》载，裴宣于"高祖初，徵为尚书主客郎，与萧赜使颜幼明、刘思效、萧琛、范云等对接。"②《魏书·李系传》载，"萧衍遣使朝贡，侍中李神儁举（李）系为尚书南主客郎。系前后对接凡十八人，颇为称职"③。《魏书·元澄传》载，南齐派庾荜出使北魏，他见任城王元云长子元澄"音韵遒雅，风仪秀逸"，便对北魏主客郎张彝说："往魏任城以武著称，今魏任城乃以文章见美也。"④ 这必是主客郎在接待来使过程中的谈助。这是北朝以主客

---

① 《魏书》卷四一《源贺传》附《源子恭传》，第932—933页。

② 《魏书》卷四五《裴骏传》附《裴宣传》，第1023页。

③ 《魏书》卷四九《李灵传》附《李系传》，第1100页。

④ 《魏书》卷一九中《景穆十二王列传·任城王元云附子（元）澄传》，第464页。

郎负责接待南朝使节。同样南朝也以主客郎负责接待北朝来使。《酉阳杂俎》卷一一《广知》记梁主客郎陆缅在接待魏使尉瑾时，双方曾就彼此石阙高低而论及荀勖所造尺之长短问题，亦必是接待过程中的谈资。此类记载甚多，不烦一一列举。

特别值得提出的是，南朝已经形成了主客郎在完成接待任务之后的工作总结报告制度。当时规定在接待工作完毕后，接待来使的负责人要把接待过程中的谈话内容记载下来，写成书面报告——《语辞》。《南齐书·王融传》载，王融（467—493）于永明十一年（493）以主客郎身分接待北朝来使后，便写了一篇《接虏使语辞》。后来王融参与拥立萧子良失败，郁林王继位后将王融投入监狱，并指使人历数王融罪状，其中有“动迹惊群，抗言异类”“诽谤朝政”等。王融在答辩中称：“但圣主膺教，实所沐浴，自上……《接虏使语辞》，竭思称扬，得非‘诽谤’?”①可知王融曾特撰《接虏使语辞》，以记述他在担任主客郎时接待北朝使者过程中的言辞往还，这是记述外交接待、谈判的外交工作报告。报告称其“竭思称扬”，即在接待来使的会谈中竭力宣扬己方的种种业绩与荣耀，以在外交上处于凌驾对方之有利地位。主客郎在接待来使之后，撰述接待来使《语辞》在南朝已经形成一种制度，《南齐书·刘绘传》载，萧齐时刘绘以主客郎身分接待北朝来使后，“事毕，当撰《语辞》。绘谓人曰：‘无论润色未易，但得我语亦难矣。’”② 这里所说的《语辞》，与王融的《接虏使语辞》是同样性质的，都是在接待来使之后追记接待过程中的交涉、谈判、辩难情形的报告。从中可知，按照规定主客郎在接待工作完毕之后，都要撰写这样的报告，这表明我国古代外交的接待、谈判，发展到南北朝时期已经相当规范，以及主客郎在外交接待工作中已经起着相当重要的作用。

接待工作中的另一项重要活动是宴接来使。北朝遣使到南朝，南朝常以主客郎负责宴接。宋顺帝昇明二年（478）北魏派遣郑羲来使，此事南朝史籍不载，《魏书·高祖纪》载：太和二年（478）“冬十月壬辰，

---

① 《南齐书》卷四七《王融传》，第823—824页。

② 《南齐书》卷四八《刘绘传》，第842页。

诏员外散骑常侍郑羲使于刘准”①。但郑羲到了南朝的具体活动情况，南、北史乘均付阙如，赖今山东掖县寒同山磨崖石刻《兖州刺史荥阳文公郑羲下碑》保存了这方面的史实，碑铭云：郑羲“南使宋国，宋主客郎孔道均就邸设会，酒行乐作，均谓公曰：‘乐其何如?’公答曰：‘哀楚有余，而雅正不足，其细已甚矣，而能久乎?’均默然而罢。”② 可知刘宋方面是以主客郎负责宴接来使的。《魏书·李彪传》载，齐永明九年（北魏太和十五年，491），北魏遣李彪来使，齐武帝“遣其主客郎刘绘接对，并设燕乐。（李）彪辞乐。及坐，彪曰”③ 云云。其时北魏值文明太后丧期，故李彪辞乐并作了一番解释，于是刘绘与李彪就丧服问题相互反复答问。《酉阳杂俎》卷一二《语资》载，北魏遣李骞、崔劼使梁，“梁宴魏使李骞、崔劼。乐作……梁主客王克曰：‘听音观俗，转是精者。’劼曰：‘延陵昔聘上国，实有观风之美。’”④ 同样，南朝遣使至北朝，北朝也常以主客郎负责宴接。《陈书·徐陵传》载，东魏武定六年（548），梁遣通直散骑常侍徐陵来使，“魏人授馆宴宾，是日甚热，其主客魏收（506 或 505—572）嘲陵曰：‘今日之热，当由徐常侍来。’陵即答曰：‘昔王肃至此，为魏始制礼仪；今我来聘，使卿复知寒暑。’收大惭”⑤。由此可见双方在宴接对方使节时，每于折冲樽俎之间进行外交较量。因此这种宴会是十分重要的外交方式，主持宴接工作的主客郎的外交职责之重要可见一斑。

来使在京期间的其他活动，如参观访问等，亦由主客郎负责陪同。《酉阳杂俎》卷三《贝编》载，魏使李骞、崔劼出使梁时，曾至建康同泰寺参观，“主客王克、舍人贺季友及三僧迎门引接”⑥。然后陪同进寺参观，并在参观过程中对宾客作了介绍，相互交谈。

2. 礼宾安排

礼仪工作原是大鸿胪的专职，到了南北朝时期尚书主客郎也负起这

---

① 《魏书》卷七上《高祖纪上》，第 146 页。

② （清）陆增祥撰：《八琼室金石补正》卷一四《兖州刺史荥阳文公郑羲下碑》，文物出版社 1985 年版，第 79 页。

③ 《魏书》卷六二《李彪传》，第 1389 页。

④ （唐）段成式撰，许逸民校笺：《酉阳杂俎校笺·前集》卷一二《语资》，中华书局 2015 年版，第 879 页。

⑤ 《陈书》卷二六《徐陵传》，第 326 页。

⑥ 《酉阳杂俎校笺·前集》卷三《贝编》，第 395 页。

方面的职责来了。《魏书·成淹传》载，北魏文明太后死后（490），萧齐派遣裴昭明、谢竣等人前来吊唁，他们“欲以朝服行事”，北魏主客不同意，执之云：“吊有例程，何得以朱衣入山庭！”裴昭明等说：“本奉朝命，不容改易。”双方发生争执，“如此者数四，执志不移。”[①] 来使服饰不合礼仪，经主客发现并加以制止，为此双方进行了反复的交涉。《南齐书·高丽国传》载，公元489年，萧齐遣颜幼明、刘思斅出使北魏，在参加元会时，北魏方面把齐使与高丽使安排在一起，齐使提出抗议：“幼明谓伪主客郎裴叔令曰：‘我等衔命上华，来造卿国，所为抗敌，在乎一魏。自余外夷，理不得望我镳尘。况东夷小貊，臣属朝廷，今日乃敢与我蹑踵！’”[②] 礼仪安排不当，来使也是找主客郎进行交涉，可见主客郎也负礼仪之责。

3. 交涉、谈判

既然来使由主客郎负责接待、陪同，那么对方使节在京期间如有交涉、谈判事宜，亦由主客郎出面进行。上述北魏主客与齐使裴昭明关于服饰问题的谈判，主客裴叔令与齐使颜幼明关于元会坐次问题的谈判，都是主客郎负责与来使交涉、谈判的事实。南朝情况也是如此。《南齐书·王融传》载，王融在接待魏使房景高、宋弁时，齐武帝嫌北魏所赠马匹不好，便派他去与魏使交涉此事，“上以虏献马不称，使融问曰：‘秦西冀北，实多骏骥。而魏主所献良马，乃驽骀之不若。求名检事，殊为未孚。将旦旦信誓，有时而爽，駉駉之牧，不能复嗣?’宋弁曰：‘不容虚伪之名，当是不习土地。’融曰：‘周穆马迹遍于天下，若骐骥之性，因地而迁，则造父之策，有时而蹶。’弁曰：‘王主客何为勤勤于千里?’融曰：‘卿国既异其优劣，聊复相访。若千里日至，圣上当驾鼓车。’弁曰：‘向意既须，必不能驾鼓车也。’融曰：‘买死马之骨，亦以郭隗之故。’弁不能答。”[③] 这个记载生动地反映了主客郎与对方来使交涉谈判的具体情况，同时表明主客郎必须具备良好的谈判技巧和才能。由此可见，

---

① 《魏书》卷七九《成淹传》，第1751—1752页。“山庭”，第1767页《校勘记》：“《通鉴》卷一三七‘山’。作‘凶’，当是。”

② 《南齐书》卷五八《东夷·高丽国传》，第1009页。

③ 《南齐书》卷四七《王融传》，第822页。

南朝主客郎也负有与对方谈判的职责。

主客郎与来使在外交会谈之余，还经常进行广泛的交流，包括对彼此风土人情、地理物产之了解。北魏太和年间曾担任尚书主客郎的郦道元（466或472—527），在其所著《水经注·浿水注》中写道："若浿水东流，无渡浿之理（指汉武帝元封二年遣军讨灭右渠事）。其地（王险城）今高句丽之国治。余访番使，言城在浿水之阳。"① 这是他利用访问高句丽使者所得到的第一手资料，以纠正浿水"东入于海"的说法。据《魏书·郦道元传》，郦道元曾"于太和中，为尚书主客郎"②。郦道元访问高句丽使者，当是在其担任尚书主客郎期间。可见主客郎在外交接待的同时，还要利用接待来使机会，了解别国的各方面情况。

（三）降附与侨民管理

南北朝时期，由于中外交流的发展以及周边民族的内迁，中原政权辖境内的四方侨民日益增多，又由于南北政权的对立，双方均以优惠条件吸引政治上的降附者，于是降附者与侨民的管理也就更加受到统治者的重视。而降附者实际上也是一种侨民，不过是高级侨民。北魏对于降附和侨民的管理最为突出，"四夷馆"就是这方面的重要设施，而"四夷馆"当时是归尚书管辖的。

北魏迁都洛阳以后，在洛阳城南建造了"四夷馆"，以作为降附者与外侨的居住区。据《洛阳伽蓝记》卷三《城南》记载："四夷馆"在洛阳城南，永桥以南，圜丘以北，伊、洛两水之间，夹峙于城南御道两侧，御道东有四馆，为金陵馆、燕然馆、扶桑馆、崦嵫馆；御道西有四里，为归正里、归德里、慕化里、慕义里。这四馆、四里的使用安排是这样的，"吴人投国者处金陵馆，三年已后，赐宅归正里"；"北夷来附者处燕然馆，三年已后，赐宅归德里"；"东夷来附者处扶桑馆，赐宅慕化里"；"西夷来附者处崦嵫馆，赐宅慕义里"③。由此可见，"四夷馆"主要是用来安置四方的投附者，而这些投附者被授以官爵、赐宅居住、娶

---

① （北魏）郦道元注，（民国）杨守敬、熊会贞疏，段熙仲点校，陈桥驿复校：《水经注疏》卷一四《浿水注》，江苏古籍出版社1989年版，第1280页。

② 《魏书》卷八九《酷吏·郦道元传》，第1925页。

③ 范祥雍校注：《洛阳伽蓝记校注》卷三《城南》，上海古籍出版社1978年版，第160页。

妻生子，在洛阳安家立业，因此成为北魏的侨民。这是根据传统的四夷观念，按照四方不同国家、民族与地区分别安置侨居者。四馆与四里相互配套，密切配合为用。这些投附者先被安置于四馆中，待三年之后才安置于四里中，成为北魏的正式居民。萧衍（464—549）攻下萧齐都城建业后，齐明帝之子萧宝夤（？—530）为逃避萧衍加害，渡江投奔北魏，被北魏封为会稽公，后来才正式为其在归正里筑宅，后又进爵为齐王，娶了南阳长公主。同书卷二《城东》载，跟他同来的会稽山阴人张景仁，后来也被“赐宅城南归正里”[①]。同书卷三《城南》载，萧衍之子萧正德（？—549）因统治集团内争而投奔北魏，也是被“处金陵馆，为筑宅归正里”[②]。《北齐书·徐之才传》载，梁武帝子萧综（480—528）投靠北魏后，向北魏举荐其旧部徐之才，于是徐之才于孝昌二年（526）“至洛，敕居南馆，礼遇甚厚”[③]。这个“南馆”应是四夷馆之一的金陵馆。当时北魏对于吸引南朝投奔者格外用心，据同书卷二《城东》载：“时朝廷方欲招怀荒服，待吴儿甚厚，褰裳渡于江者，皆居不次之位。”所以当时南朝投附之人被安置于归正里的相当多，由于“南来投化者多居其内”，故“民间号为吴人坊”[④]。归正里的规模在四里中是最大的，里内竟有三千余家居民，俨然一个南朝人的居民小区。金陵馆与归正里是如此配套使用，其他各馆、各里也是如此，如正光元年（520）柔然主阿那瓌（？—552）因内乱而投奔北魏，据同书卷3《城南》所载，则被“处之燕然馆，赐宅归德里”[⑤]。阿那瓌来时跟随之人很多，也被安置于此。待其返国时，《魏书·蠕蠕传》谓北魏决定其“在京馆者任其去留”[⑥]，允许愿留者继续居住于四夷馆。后来另一柔然主婆罗门也投奔北魏，于正光五年（524）“死于洛南之馆”[⑦]。这个“洛南之馆”应是四夷馆之一的燕然馆。由此可见，这四馆、四里不同的相应安排是确如其事

① 《洛阳伽蓝记校注》卷二《城东》，第117页。
② 《洛阳伽蓝记校注》卷二《城东》，第160页。
③ （唐）李百药撰：《北齐书》卷三三《徐之才传》，中华书局1972年版，第444页。
④ 《洛阳伽蓝记校注》卷二《城东》，第117页。
⑤ 《洛阳伽蓝记校注》卷二《城东》，第160页。
⑥ 《魏书》卷一〇三《蠕蠕传》，第2302页。
⑦ 《魏书》卷一〇三《蠕蠕传》，第2302页。

的，并非文人的夸张之词。四馆具有宾馆的性质，四里则是侨民居住区。

“四夷馆”除了接待上述高级侨民之外，也居住着许多普通侨民，《洛阳伽蓝记》卷三《城南》称当时“自葱岭已西，至于大秦，百国千城，莫不欢附，商胡贩客，日奔塞下，所谓尽天地之区已。乐中国土风，因而宅者，不可胜数。是以附化之民，万有余家”[①]。这里成了洛阳城一个特定的外侨居住区，这些侨民被统称为“附化之民”。他们来自四面八方，风俗习惯各异，所谓“四方风俗，万国千城”。这个侨民特区的规模是相当巨大的，这里聚居着一万多家外侨，如以一家五口计算，则有五万余人，这在今天看来也是一个不小的城镇了。由于这里是外侨居住区，所以馆区的建设、生活服务设施的配置都比较完善。馆区内“门巷修整，阊阖填列，青槐荫陌，绿树垂庭”[②]。建筑整齐，环境幽雅。为了满足不同国家民族人民生活的需求，又特意“别立市于洛水南，号曰‘四通市’，民间谓永桥市。”这是为四馆、四里居民特设的市。洛阳珍贵的土产在这里上市，“伊、洛之鱼，多于此卖，士庶须脍，皆诣取之。鱼味甚美，京师语曰：‘洛鲤伊鲂，贵于牛羊。’”加以侨民聚荟，外商云集，于是“天下难得之货，咸悉在焉”[③]。除了四通市这个大市之外，在归正里内还有一个市，同书卷二《城东》称它“自立巷市，所卖口味，多是水族，时人谓为鱼鳖市也”[④]。归正里所住为吴人，这是为了满足南方人喜吃鱼虾之类水产而特设的。

“四夷馆”究竟属哪个部门管理，并无明确的记载。《历代职官表》卷一七《理藩院》“北魏”条按语在谈及四夷馆的归辖问题时说：“魏世鸿胪，实主藩国一切馆饩朝谒，当为其专职，盖如今之理藩院矣。”[⑤]认为“四夷馆”属鸿胪管辖，但是它并没有提出根据以支持这一推测。事实上，“四夷馆”是受尚书管辖的。其根据如下：前面我们谈到萧宝夤投奔北魏后被安置于“四夷馆”，而景明三年（502）宣武帝（500—515年在位）在派人到寿春去迎接他到洛阳来之前，据《魏书·萧宝夤传》载，

① 《洛阳伽蓝记校注》，第161页。

② 《洛阳伽蓝记校注》，第161页。

③ 《洛阳伽蓝记校注》，第161页。

④ 《洛阳伽蓝记校注》卷二《城东》，第117页。

⑤ 《历代职官表》卷一七《理藩院》“北魏”条按语，第327页。

曾为此下诏曰："其资生所须之物，及衣冠、车马、在京邸馆，付尚书悉令豫备。"① 这"在京邸馆"显然就是指"四夷馆"。可见萧宝夤被安置于"四夷馆"是由尚书负责的，这就证明"四夷馆"是归尚书管辖的。与萧宝夤同样安置于"四夷馆"的柔然主阿那瓌在返国前，据《魏书·肃宗纪》载，孝明帝（516—528年在位）的诏书中指示："其行装资遣，付尚书量给。"② 可知投附者的遣送也由尚书负责。那么，这些诏书中的"尚书"是指尚书的哪一级、哪一部门呢？前面我们已经谈到由主客郎负责处理南朝降人事宜，如源子恭处理萧衍降人许团、许周事就是其例。那么，像萧宝夤等人投附之事，也当是由主客郎具体负责的。这样我们可以推知"四夷馆"很可能就是由主客郎具体管理的。北魏制度主客郎统辖于吏部尚书，而吏部尚书则统辖于尚书左丞。③ 上述诏书中的"尚书"当指尚书左丞、吏部、主客郎这一系统。"四夷馆"由尚书的这一系统负责，而由这一系统的主客郎具体管理是很可能的。柔然主阿那瓌返国的途中，迁延于边境，要求救济，据《魏书·常景传》，当时北魏就是派尚书左丞元孚前往赈恤的④。可见，尚书左丞这个系统是负责管理外事及与此有关的降附者等问题的，那么由这一系统具体分管这方面工作的主客郎管理"四夷馆"，应当是没有疑义的。

四 尚书主客郎

（一）主客郎职责的分工

主客郎所负外交职责，主要为上述三个方面。但这里还有一个问题需略作说明，即主客郎职责分工问题。在只设一个主客曹时，如东晋南朝和北齐时期，这个问题不会存在，外交工作当然均由此一曹掌管，但是在西晋和北魏时期却是多曹并设，均有南、北、左、右四主客，而曹魏则只设南主客一曹。那么他们是如何分工管理的呢？史籍并没有明确的交代。所幸北魏时期关于南主客郎中的职责，透露出来一些线索，使

---

① 《魏书》卷五九《萧宝夤传》，第1314页。

② 《魏书》卷九《肃宗纪》，第231页。

③ 参见《通典》卷二二《职官典四·尚书左右丞》，第132页。此由北齐制度推测。

④ 《魏书》卷八二《常景传》，第1803页。

我们得知南主客郎中就是具体负责对于南朝诸国外交事务的部门。前面我们已经提到北魏时源子恭曾担任尚书北主客郎中，同时摄南主客事，恰在此时发生了南朝人假冒官职投奔北魏的事情，于是南边州镇关于此事的报告上报到了他那里，由他负责处理了这件事情。很可能他是以南主客郎中的身份，负责处理对南朝的外交行政管理工作。而同时对于南朝来使的接待工作，也是由南主客郎中来承担的。《魏书·李系传》载，李系曾任南主客郎，史称："萧衍遣使朝贡，侍中李神儁举（李）系为尚书南主客郎。系前后对接凡十八人，颇为称职。"① 这里明指李系是因接待南朝来使而被任命为南主客郎中的，而且接待了南朝使者十八人之多。可知南主客郎中负责南朝使节的接待工作。正因为南主客郎中是负责对南朝的外交，所以在选拔南主客郎中时，有时也可能考虑到其在南朝的影响声望，如北魏孝文帝时李元和（即李璧，元和为其字）担任南主客郎就可能与此有关。李元和其人其事在正史中仅《南齐书》卷四七《王融传》中提及，且语焉不详，幸赖其墓志铭对其生平事迹有较详细的记述，其中关于他与南朝关系及其转授尚书南主客郎事有如下记载："十八举秀才，对策高第，入除中书博士。誉溢一京，声辉二国。昔晋人失驭，群书南徙。魏因沙乡，文风北缺。高祖孝文皇帝追悦淹中，游心稷下，观书亡落，恨阅不周，与为连和，规借完典。而齐主昏迷，孤违天意。为中书郎王融思狎渊云，韵乘琳瑀，气轹江南，声兰岱北，耸调孤远，鉴赏绝伦，远服君风，遥深纻缟，启称在朝，宜借副书。转授尚书南主客郎"②。这里谈到的北魏向萧齐求书遭到拒绝一事，上述《王融传》有较详细的记述：时"虏使遣求书，朝议欲不与"。于是王融上书齐武帝主张将书送予北魏。在其上书中同时还提及李元和事，文曰"李元和、郭季佑上于中书……今经典远被，诗史北流，冯、李之徒，必欲遵尚"③ 云云，此殆墓志铭所谓王融"远服君风，遥深纻缟"以及李元和"誉溢一京，声辉二国"的事实依据之一。由此可见，李元和在南朝人心目中还是有一定地位的，墓志铭所强调的也正在于此。墓志铭中何以在其"入

① 《魏书》卷四九《李灵传》附《李系传》，第1100页。

② 《汉魏南北朝墓志汇编》之《李璧墓志》，第118页。

③ 《南齐书》卷四七《王融传》，第818—819页。

除中书博士”和“转授尚书南主客郎”之间，加入如此详细记述此次求书及其与李元和关系的一大段记述？看来墓志铭撰述者认为此事与他之转授南主客郎中似有一定的联系。既然南主客郎负责南朝事务，那么北主客郎自然就是负责北方如柔然、高车、突厥等事务。曹魏时期也设有南主客郎，而且只此一曹，很可能它是主管对南方吴、蜀政权的，曹魏的外交重点在南方，而北方诸族其时纷纷入居中原，尚无劲敌，故不设北主客郎。西晋的南、北主客也可能是分别负责南、北民族和国家事务的。北魏左右主客的职责未见记载，不过根据北齐《河清令》“改左主客为主爵”[①] 来看，很可能北魏的左主客郎就是负责封爵事务的。杜佑在《通典》卷二三《职官典五·吏部尚书》“司封郎中”条谈到“汉尚书有封爵之任而无其官”之后，紧接着便说：“晋尚书有左右主客曹，北齐河清中改为主爵……主封爵之事。”[②] 看来他是把西晋的左右主客与北齐的主爵郎中联系在一起的，西晋的左右主客亦当负责封爵事务。以上推测还有待更多的史料证据，故只能暂时存疑。

（二）主客郎的人选要求

由于主客郎负责外交管理和接待的工作，因此对于主客郎的人选，除了一般郎官所要求的文案工作能力之外，还有一些特殊的要求，即为了胜任外交接待工作而必须具备的一些素质和条件。主要是如下几个方面。

1. 容仪蕴藉

主客郎因为需要参加对来使的接待和各种外交礼仪活动，而俊雅沉稳的仪表、风度对于外交工作所起的作用是不言而喻的，所以对其仪表、风度就有较高的要求，这在当时南北双方都是非常留意的。《魏书·裴夙传》载，北魏裴夙“沉雅有器识。仪望甚伟，高祖见而异之。自司空主簿，转尚书左主客郎中。”[③]《北齐书·裴让之传》谓东魏裴让之“容仪蕴藉”[④]，《北史·裴让之传》载其与杨愔友善，两人“相遇则

① 《唐六典》卷四《尚书礼部》，第129页。

② 《通典》卷二三《职官典五·吏部尚书》“司封郎中”条，第136页。

③ 《魏书》卷六九《裴延儁传》附《裴夙传》，第1530页。

④ 《北齐书》卷三五《裴让之传》，第466页。

清谈竟日。愔每云：‘此人风流警拔，裴文季为不亡矣。’梁使至，常令让之摄主客郎”[①]。南朝如前文提及的刘宋时曾除主客郎的张畅，据《宋书·张畅传》，不仅善于辞令，而且“风仪华润”[②]。后他在彭城前线与北魏尚书李孝伯数相周旋，以其言谈风度而令对方赞叹不已。《南齐书·庾杲之传》谓萧齐时的庾杲之“风范和润，善音吐。世祖（齐武帝，483—493）令对虏使。”[③] 此殆《南史·庾杲之传》所载“杲之尝兼主客郎对魏使”[④] 之事。

但也并非担任主客郎者均为风仪俊雅之选，亦有少数容貌寝陋者。《魏书·甄琛传》载：北魏甄琛“形貌短陋，尠风仪”，却于“高祖（魏孝文帝）时兼主客郎，迎送萧赜使彭城刘缵”。其担任主客郎当与其“明解有干具，在官清白”，并为孝文帝所“知赏”有关。不过他在接待萧齐使节刘缵时却“钦其器貌，常叹咏之”[⑤]。毕竟外交官员之仪表风度是重要的。

2. 口齿辩捷

由于南北朝时期主客郎往往亲自参与外交接待工作，而在这个过程中经常需要与对方交谈、辩难、谈判，因此主客郎除了需要具备优雅的仪表风度之外，还要有良好的口头表达能力，要能言善辩。当时出任主客郎者多有这方面的才具。南朝方面：《宋书·张畅传》载，刘宋时曾选为主客郎的张畅是一位出色的谈判能手，在宋、魏前线与拓跋焘的代表多次周旋，“随宜应答，吐属如流，音韵详雅”，令北魏的对手李孝伯“及左右人并相视叹息”[⑥]。《陈书·蔡徵传》载，陈朝主客郎蔡徵，“美容仪，有口辩，多所详究。至于士流官宦，皇家戚属，及当朝制度，宪章仪轨，户口风俗，山川土地，问无不对”[⑦]。北朝亦复如是。《魏书·屈道赐传》谓，早在太武帝时任主客的屈道赐，就“机辩有辞气”[⑧]。《北

---

① 《北史》卷三八《裴佗传》附《裴让之传》，第 1384 页。

② 《宋书》卷五九《张畅传》，第 1605 页。

③ 《南齐书》卷三四《庾杲之传》，第 615 页。

④ （唐）李延寿撰，《南史》卷四九《庾杲之传》，中华书局 1975 年版，第 1210 页。

⑤ 《魏书》卷六八《甄琛传》，第 1509、1514、1516 页。

⑥ 《宋书》卷五九《张畅传》，第 1605 页。

⑦ 《陈书》卷二九《蔡徵传》，第 392 页。

⑧ 《魏书》卷三三《屈遵传》附《屈道赐传》，第 778 页。

史·裴宣传》载，孝文帝初年的主客郎裴宣，“通辩博物，早有声誉”[①]。《北齐书·裴让之传》谓，东魏主客郎裴让之，“少好学，有文俊辩，早得声誉”[②]。

3. 博学高才

魏晋时期由于处于外交格局和职官制度的急剧转变阶段，客曹尚书与主客郎的人选还不见有十分明显的、特别的要求，到了南北朝时期，我国古代外交进入一个新的发展阶段，其突出表现之一是南北双方以文化、学术为外交竞争的手段，尤其当北朝政权在魏孝文帝改革和汉化成功之后，随着北方政权文化、学术水平提高之后更为突出，因此对于主客郎的人选，除了一般对于外交官员的要求之外，还特别注重具有渊博的学识和才具。

我们先看北朝的情况。《魏书·李彦传》，李彦“颇有学业。高祖初，举司州秀才，除中书博士……寻行主客曹事”[③]。《魏书·薛驎驹传》，薛驎驹“好读书。举秀才，除中书博士。太和九年，萧赜使至，乃诏驎驹兼主客郎以接之”[④]。他们的经历大体相同，都是由秀才而中书博士而主客。《魏书·许琰传》载，许琰“初除太学博士，累迁尚书南主客郎”[⑤]。他则由太学博士而为主客。其他人选也大多学养有素。《魏书·源子恭传》，源子恭“聪惠好学”[⑥]，后出任北主客郎中，摄南主客事。《魏书·裴宣传》，裴宣“高租初，徵为尚书主客郎”。他不仅“家世以儒学为业”，而且“素明阴阳之书”，通晓佛经，“甚有理诣”[⑦]。《魏书·辛子馥传》，辛子馥“早有学行”，任右主客郎中，后“以三《传》经同说异，遂总为一部，《传》注并出，校比短长，会亡未就”[⑧]。《魏书·高师传》，高师“有学识”[⑨]，任尚书主客郎。《魏书·李系传》，李系“少聪惠，有

---

① 《北史》卷三八《裴骏传》附《裴宣传》，第1374页。
② 《北齐书》卷三五《裴让之传》，第465页。
③ 《魏书》卷三九《李彦传》，第888页。
④ 《魏书》卷四二《薛辩传》附《薛驎驹传》，第944页。
⑤ 《魏书》卷四六《许彦传》附《许琰传》，第1038页。
⑥ 《魏书》卷四一《源贺传》附《源子恭传》，第932页。
⑦ 《魏书》卷四五《裴骏传》附《裴宣传》，第1023—1024页。
⑧ 《魏书》卷四五《辛绍先传》附《辛子馥传》，第1028—1029页。
⑨ 《魏书》卷四八《高允传》附《高师传》，第1092页。

才学”[①]，任南主客郎。《北史·魏彦传》，魏彦“博学善属文”，以《晋书》著作多家，欲勒成一家之典，“俄而彭城王闻李崇称之，复请为掾，兼知主客郎中，书遂不成”[②]。《北史·序传》谓，李晓“博涉经史，早有时誉”[③]，永安初任左右主客郎。《北史·郑元礼传》，郑元礼“少好学，爱文藻，有名望”[④]，为南主客郎中。《魏书·昭成子孙传》载，元晖出身拓跋皇室，但“少沉敏，颇涉文史。世宗即位，拜尚书主客郎”。他还“颇爱文学，招集儒士崔鸿等撰录百家要事，以类相从，名为《科录》，凡二百七十卷”[⑤]。《魏书·温子昇传》载，孝庄帝时出任南主客郎的温子昇更是一代“大才士”，名震南北，萧衍称叹之曰：“曹植、陆机复生于北土。恨我辞人，数穷百六。”[⑥] 太和年间出任主客郎的郦道元则是撰述《水经注》的著名学者。孝庄帝时出任北主客郎的魏收，更是一代史学大家。从上引事例可以看到，以博学文士出任主客郎中，主要发生于魏孝文帝以后，这是北魏汉化在外交职官制度上的反映，也是北朝外交进入一个新阶段的必然要求。

南朝更是如此。南朝政权一向以文化、学术陵轹北朝，随着北方文化、学术水平的提高，更不容北朝在外交领域的文化、学术竞争中占了上风，故其选拔博学高才出任主客郎更是不遗余力。《梁书·范述曾传》，范述曾“幼好学，从余杭吕道惠受《五经》，略通章句。”[⑦] 齐初，任主客郎，注《易·文言》，著杂诗赋数十篇。《梁书·萧介传》，萧介“少颖悟，有器识，博涉经史，兼善属文”[⑧]。天监十二年（513）任主客郎。《梁书·刘霁传》，刘霁“年九岁，能诵《左氏传》，宗党咸异之……既长，博涉多通”[⑨]。天监中为主客郎，著《释俗语》八卷、文集十卷。《梁书》卷四八《儒林·孔子祛传》，主客郎孔子祛为一代儒师，

---

① 《魏书》卷四九《李灵传》附《李系传》，第1100页。
② 《北史》卷五六《魏长贤传》附《魏彦传》，第2040—2041页。
③ 《北史》卷一〇〇《序传》，第3339页。
④ 《北史》卷三五《郑羲传》附《郑元礼传》，第1307页。
⑤ 《魏书》卷一五《昭成子孙列传·常山王元遵传附元晖传》，第378、380页。
⑥ 《魏书》卷八五《文苑·温子昇传》，第1875、1876页。
⑦ 《梁书》卷五三《良吏·范述曾传》，第769页。
⑧ 《梁书》卷四一《萧介传》，第587页。
⑨ 《梁书》卷四七《孝行·刘霁传》，第657页。

著书四种、三百卷。《陈书·蔡徵传》，蔡徵"幼聪敏，精识强记""聪敏才赡"[①]，天嘉初为主客郎。

（三）主客郎职务的兼摄

主客郎职务的兼摄是南北朝时期的一个突出现象，这在魏晋时期尚未见到。在南朝主要是从萧齐时，北朝主要是从魏孝文帝时开始盛行的。《南史·庾杲之传》载，齐武帝时庾杲之"尝兼主客郎对魏使"[②]。据《南齐书》卷三四《庾杲之传》，庾杲之本官为御史中丞，主客郎是其临时兼职。钱大昕在《廿二史考异》卷三六《南史二》，在解释《南史·庾杲之传》谓其"尝兼侍中夹侍"的"兼"字时说："此'兼'字当读去声，盖假职未真授之称，与一人兼两职之兼有别。"[③] 庾杲之兼主客郎的含义也是如此，并非身兼二职，而是以御史中丞而临时代行主客郎职事，负责接待北魏来使。下面这个材料，把"兼主客郎"的临时代理性质说得更为明白。《南史·范胥传》谓，范胥于萧梁"大同中，常兼主客郎，应接北使"[④]。关于范胥此次应接北使的具体情况，据《魏书·李谐传》载，当时东魏派李谐出使萧梁，"谐至石头，萧衍遣其主客郎范胥当接。谐问胥曰：'主客在郎官几时？'胥答曰：'我本训胄虎门，适复今任。'谐言：'国子博士不应左转为郎。'胥答曰：'特为应接远宾，故权兼耳。'谐言：'屈己济务，诚得事宜。由我一介行人，令卿左转。'胥答曰：'自顾菲薄，不足对扬盛美，岂敢言屈。'"[⑤] 范胥的本官是国子博士，主客郎只是临时的兼职，这个"兼"的含义他自己已经说得非常明白，即"特为应接远宾，故权兼耳"，摄主客郎大体亦复如是。

北朝是从魏孝文帝时始见这种情况的。《魏书·薛驎驹传》，"太和九年，萧赜使至，乃召（薛）驎驹兼主客郎以接之"[⑥]。《魏书·甄琛传》，

---

① 《陈书》卷二九《蔡徵传》，第391、393页。

② 《南史》卷四九《庾杲之传》，第1210页。

③ （清）钱大昕著，孙开萍、孙永如、张连生、陈文和点校：《廿二史考异》（上）卷三六《南史二·庾杲之传》，陈文和主编《嘉定钱大昕全集》第2册，江苏古籍出版社1997年版，第792页。

④ 《南史》卷五七《范胥传》，第1422页。

⑤ 《魏书》卷六五《李平传》附《李谐传》，第1460页。

⑥ 《魏书》卷四二《薛辩传》附《薛驎驹传》，第944页。

甄琛“高祖时兼主客郎，迎送萧赜使彭城刘缵”①。此后，如：《魏书·崔长谦传》，东魏时崔长谦于“天平中，被徵为兼主客郎，接萧衍使张皋等”②。《北齐书·魏收传》载，东魏武定六年（548），史官魏收被“敕兼主客郎接梁使谢珽、徐陵”③。《北齐书·裴让之传》谓裴让之，“梁使至，帝令让之摄主客郎”④。《北史》本传谓“常令让之摄主客郎”⑤。《北史·薛道衡传》称，北齐时薛道衡于“武平初……除尚书左外兵郎。陈使傅縡聘齐，以道衡兼主客郎接对之”⑥。

主客郎职务的兼摄何以在南北朝时期频繁出现呢？其原因主要是到了南北朝时期，南北方的外交进入了一个新的阶段，这个新阶段的突出特征就是在外交领域中进行高层次的文化、学术交锋。

自从秦汉建立统一帝国之后，到南北朝时期为止，我国古代外交大体经历了两个发展阶段。第一阶段秦汉时期，那时外交的主要对象是周边的民族政权以及四方远国。那时的外交是不同民族、不同文化之间的交锋，双方在文化、学术上并无多少共同语言，还谈不上在文化、学术上一争高下。到了魏晋南北朝时期，进入外交发展的第二阶段，由于汉族统一政权的分裂，外交对象除了继续前一阶段的之外，又增加了新的内容，即各个分裂政权之间的外交，而且后者还占居了更重要的地位。这是同一民族、同一文化之间的交锋，因此双方就以文化、学术为手段进行外交竞争。三国时期魏、蜀、吴之间是这种形式的外交的早期，由于当时文化、学术发展和外交机制与水平的限制，因而这种交锋还处于较低的层次。“永嘉之乱”后，文化、学术随之南迁，南方政权不仅在政治上，而且在文化、学术上也以正统自居。北方政权为少数民族所建，十六国时期在这些问题上尚无资格与南方争衡。但是随着北魏统一北方，尤其是魏孝文帝改革、汉化的成功，北方政权的文化、学术水平大为提高。这时南北政权之间不仅在政治上争正统，在文化、学术上也争高低。

---

① 《魏书》卷六八《甄琛传》，第1514页。

② 《魏书》卷六九《崔休传》附《崔长谦传》，第1528页。

③ 《北齐书》卷三七《魏收传》，第487页。

④ 《北齐书》卷三五《裴让之传》，第465页。

⑤ 《北史》卷三八《裴佗传》附《裴让之传》，第1384页。

⑥ 《北史》卷三六《薛辩传》附《薛道衡传》，第1337页。

这反映到外交领域，则是双方在外交竞争中的文化、学术交锋。南北聘使接触过程中，相互以文化、学术问题陵轹对方，论难所及包括文化、学术的各个方面和领域，上至天文，下至地理，诸子百家、文学艺术、诗词歌赋、历史知识、释道经义……几乎无所不包。

因此当时南北交聘中，双方都要“妙简行人”[①]，选拔学识渊博、能言善辩、仪容风流之士充任使节。针对这种情况，那么接待来使的主客者，在这些方面自然也不能逊于对方，必须精心选拔优异人才充任其职，史称“既南北通好，务以俊乂相矜，衔命接客，必尽一时之选，无才地者不得与焉”。当时南北统治者对于这种接待工作都是非常重视的，如梁使至北朝，“宴日，齐文襄使左右觇之，宾司一言制胜，文襄为之拊掌。魏使至梁，亦如梁使至魏，梁武亲与谈说，甚相爱重”[②]。其时对于接待礼宾及遴选主客的高度重视可见一斑。前文我们已经谈到，当时的主客郎一般都是具备上述学识、口才、仪容三项条件的，但是一则不见得每位主客郎都具备这些条件，在封建政治下官员的任用受到错综复杂关系的制约和影响。二则一个人的知识才能毕竟有所偏向或局限，而对方的来使都是经过精心挑选，而且随时变换各种具有不同专长和才具的人选，一个主客郎也未必能应付这些各具特长的来使，因此根据对方来使的情况和己方当时的需要，选派恰当人选充任主客，负责临时的接待工作，就是很自然的事情。这是南北朝时期主客郎职务临时兼摄频繁的一个重要原因。

当时被临时派遣充兼主客郎者，的确是“尽一时之选”[③]，多为出色的外交礼宾人才。南朝如：《南齐书·王融传》载，王融“神明警惠，博涉有文才”“文藻富丽，当世称之”。永明十一年（493）“上以融才辩”“使兼主客，接虏使房景高、宋弁”。王融在接待中的确充分发挥了其“才辩”的特长：“（宋）弁见融年少，问主客年几？融曰：‘五十之年，久逾其半。’因问：‘在朝闻主客作《曲水诗序》。’景高又云：‘在北闻主客此制，胜于颜延年，实愿一见。’融乃示之。后日，宋弁于瑶池堂谓

① 《北史》卷四三《李崇传》附《李谐传》，第1604页。
② 《北史》卷四三《李崇传》附《李谐传》，第1604页。
③ 《北史》卷四三《李崇传》附《李谐传》，第1604页。

融曰：‘昔观相如《封禅》，以知汉武之德，今览王生《诗序》，用见齐王之盛。’融曰：‘皇家盛明，岂直比踪汉武；更惭鄙制，无以远匹相如。’”① 原来永明九年（491）王融曾作《曲水诗序》，可见北朝方面事先已经掌握了这方面的情况，而王融的诗文在这次兼主客郎工作中也着实发挥了良好的作用。可见这次选拔王融出面接待北朝使节是有针对性的。《南齐书·刘绘传》载，刘绘不仅文才被誉为“祢衡何以过此”，而且口才出众，“应接流畅”，言吐“顿挫有风气”，因而“北虏使来，绘以辞辩，敕接虏使”②。此即《魏书·李彪传》所载太和年间李彪出使南齐，齐“遣其主客郎刘绘接对”③ 一事。《南齐书·庾杲之传》称庾杲之“少而贞立，学涉文义”④，《南史·庾杲之传》谓其“美容质，善言笑”⑤，《南齐书》本传称，因其“风范和润，善音吐”，故“世祖令对虏使”⑥。《南史》本传记其在接待中的表现谓：有一次北魏遣使来，萧齐派庾杲之兼主客郎负责接待，魏使见建康城中许多住宅门口张贴告示出卖，问庾杲之曰：“百姓那得家家题门帖卖宅?”庾杲之答道：“朝廷既欲扫荡京洛，克复神州，所以家家卖宅耳。”谈锋虽锐，然矫饰太露，以致“魏使缩鼻而不答”⑦。《梁书·范胥传》载，南朝杰出的无神论者范缜之子范胥，“传父学，起家太学博士。胥有口辩，大同中，常兼主客郎，对接北使”⑧。

北朝的情况亦然。《魏书·薛驎驹传》载，薛驎驹“好读书。举秀才，除中书博士。太和九年，萧赜使至，乃诏驎驹兼主客郎以接之”⑨。《北齐书·裴让之传》载，裴让之文采风流，能言善辩，风度翩翩，曾任主客郎，“省中语曰：‘能赋诗，裴让之。为太原公开府记室。与杨愔友善，相遇则清谈竟日。愔每云：‘此人风流警拔，裴文季为不亡矣。’梁

① 《南齐书》卷四七《王融传》，第817、821—822页。
② 《南齐书》卷四八《刘绘传》，第841—842页。
③ 《魏书》卷六二《李彪传》，第1389页。
④ 《南齐书》卷三四《庾杲之传》，第615页。
⑤ 《南史》卷四九《庾杲之传》，第1210页。
⑥ 《南齐书》卷三四《庾杲之传》，第615页。
⑦ 《南史》卷四九《庾杲之传》，第1210页。
⑧ 《梁书》卷四八《儒林·范缜传》附《范胥传》，第671页。
⑨ 《梁书》卷四二《薛辩传》附《薛驎驹传》，第944页。

使至，帝令让之摄主客郎”①。他当时已经不任主客郎，“摄主客郎”即为临时兼职。

能赋诗、善清谈，这是南北朝时期外交官员需具备的重要条件之一。接待过程中，赋诗是重要的一个项目，《魏书·卢昶传》谓，魏孝文帝在派遣卢昶出使南朝之前，担心其“无多文才”，不善赋诗，遂特嘱咐其随行副使王清石曰：“或主客命卿作诗，可率卿所知，莫以（卢）昶不作，便复罢也。”② 可见作诗是外交场合必不可少的内容，以致使节出发之前君主需殷殷嘱咐。《隋书·薛道衡传》载，北齐时“陈使傅縡聘齐，以（薛）道衡兼主客郎接对之。縡赠诗五十韵，道衡和之，南北称美，魏收曰：‘傅縡所谓以蚓投鱼耳。’”③ 南北使节之间以诗词唱酬，蔚为风气。

尽管南北双方都很重视物色人才兼任主客，以期折服对方，取得外交胜利。但是杰出的人才也仍然不免有失误之时，如：魏收号称“硕学大才”④，又曾担任过北主客郎，并曾数次出使南朝，可是在他受“敕兼主客郎接梁使谢珽、徐陵”⑤ 时，据《南史·徐陵传》谓，因在接待宴会上谈及天气，被南使徐陵乘机嘲辱，以致魏收“大惭。齐文襄为相，以收失言，因之累日”⑥。由此可见，当时统治者是多么重视外交接待工作的，即使樽俎折冲之间言谈有失，亦严惩不贷，他们所以如此殚精竭虑物色人才兼主客郎，以负责接待来使的原因也就很清楚了。赵翼《廿二史札记》卷一四〇“南北朝通好以使命为重”条评论南北通使时的言词交锋有云：“此等犹不过以言语文学见长，无大关系，若事涉朝政边事，而能以片言全国体，折敌谋，则尤有足尚者。”⑦ 后者固然重要，而前者亦并非无关宏旨，一言制胜则增国之光，统治者为之拊掌，反之则有损国格，受到惩处，离开南北朝时期外交竞争的新特点，就不能深刻理解它。

---

① 《北齐书》卷三五《裴让之传》，第 465 页。

② 《魏书》卷四七《卢玄传》附《卢昶传》，第 1055 页。

③ 《隋书》卷五七《薛道衡传》，第 1406 页。

④ 《北齐书》卷三七《魏收传》，第 495 页。

⑤ 《北齐书》卷三七《魏收传》，第 487 页。

⑥ 《南史》卷六二《徐摛传》附《徐陵传》，第 1523 页。

⑦ （清）赵翼著，王树民校证：《廿二史札记校证》卷一四“南北朝通好以使命为重”条，中华书局 1984 年版，第 296 页。

除了上述主客郎临时兼摄的主要原因之外，还由于当时尽管南北政权对立，但两方人士之间仍有着不可割断的千丝万缕联系，因此有时也要根据对方来使的身分，而选拔相应的合适人员去兼主客郎负责接待。亲族关系就是其中被考虑利用的一种因素，文明太后时刘芳被遣兼主客郎即属这种情况，《魏书·刘芳传》谓，“会萧赜使刘缵至，芳之族兄也，擢芳兼主客郎，与缵相接”[1]。刘芳之被拔擢兼主客郎以负责接待刘缵，乃因萧齐使者刘缵为刘芳之族兄。

五　结论

南北朝时期外交方面的文化学术交锋，一方面是这个时期北方民族融合发展的结果，这种融合进程导致南北文化、学术水平的接近和平衡，从而使外交竞争增添了新的内容与方式，把我国古代外交推进到了一个新的阶段。另一方面这种新型的外交竞争方式，反过来又进一步推动、促进了民族融合的发展和南北鸿沟的消弭，为南北文化、心理的趋同和最终实现南北的统一创造了条件，起了积极的作用。

（原刊《汉学研究》第17卷第2期，1999年12月。今据原刊文整理。原刊文的注释方式采用页下注与正文标注古籍卷数相结合的格式，今按《黎虎文集》统一格式要求，对原刊文的引文注释进行适当处理，以期全书风格相近。李文才敬识。）

① 《魏书》卷五五《刘芳传》，第1220页。

南北朝中书省的外交管理职能

魏晋南北朝时期中央外交管理机构，除了尚书主客曹和大鸿胪（鸿胪寺）等专职机构之外，尚有若干关涉机构，其中中书省作为这一时期兴起的中央机要部门，也同样负责一定的外交政令与外交事务，成为重要的中央外交关涉机构之一。其地位和权力到南北朝时臻于颠峰。这一问题迄未引起学术界之注意，尚未有专文论及者。故草此文，略述这一时期中书省及其相关机构与官员之外交管理职能。由于南北朝时期南北方中书省的情况有所不同，故拟分别论述之。

一 南朝的中书舍人

中书与尚书一样原是汉代宫中掌文书、通章奏的办事人员，到魏晋时发展为中书省，与尚书、门下并称为三省。曹魏时中书省长官监、令的职权有了很大发展。《通典·职官典三·中书令》谓“号为专任，其权重矣”，主要职务是“掌赞诏命，记会时事，典作文书”①。但从东晋以后，典作文书的权力转入其副手中书侍郎之手，监、令逐渐演变为清闲华贵之职。降及南朝，中书省的权力更落入出身寒素的中书舍人手中。南朝时高门旧族式微，寒族兴起，而南朝君主亦出身寒人，为了恢复和强化君权，大举擢用寒人掌机要，出身寒素的中书舍人就是在这种背景下脱颖而出的。刘宋时中书舍人已逐渐排挤中书侍郎而掌握机要。《唐六典·中书省·中书舍人》引《晋令》曰“中书通事舍人品第七”，至“宋初又置通事舍人四人，品秩同晋氏，入直阁内，出宣诏命，而侍郎之

① （唐）杜佑撰，王文锦、王永兴、刘俊文、徐庭云、谢方点校：《通典》卷二一《职官典三·中书省·中书令》，中华书局1988年版，第561页。

任轻矣"[①]。据《南齐书·倖臣传序》称，到萧齐时已经发展到"权倾天下"的地步，云："建武世，诏命殆不关中书，专出舍人。省内舍人四人，所直四省，其下有主书令史，旧用武官，宋改文吏，人数无员。莫非左右要密，天下文簿板籍，入副其省，万机严秘，有如尚书外司。"[②]《通典·职官典三·中书令》谓这四位舍人"各住一省，时谓之四户，权倾天下"[③]，而且居然自立为"舍人省"[④]。中书舍人原称中书通事舍人，至梁时去"通事"而只称中书舍人。《通典·职官典三·中书令》谓"自是诏诰之任，舍人专之"[⑤]，到了陈朝发展到登峰造极的地步。《隋书·百官志》谓："国之政事，并由中书省。有中书舍人五人，领主事十人，书吏二百人。书吏不足，并取助书。分掌二十一局事，各当尚书诸曹，并为上司，总国内机要，而尚书唯听受而已。"[⑥] 这样权势熏灼的部门对于外交这一国家大事是不能不干预的，除了参与外交决策，也掌管若干外交行政事务，主要有下述两个方面。

（一）外交文书起草

中书的职责之一就是起草诏诰文书，那么，外交文书由其负责起草是很自然的。前面我们提到东晋时起草文书权力已转入中书侍郎之手，外交文书的起草亦然。《晋书·赫连勃勃载记》载，刘裕灭后秦占长安后，遣使携文书至大夏，与赫连勃勃"请通和好，约为兄弟"。赫连勃勃复函刘裕，其过程是"命其中书侍郎皇甫徽为文而阴诵之，召（刘）裕使前，口授舍人为书，封以答裕"[⑦]。由此可见夏国答复刘裕的文书起草过程是：第一步由中书侍郎负责起草，第二步由中书舍人正式书写誊正。这虽然是赫连勃勃玩弄的一种外交手腕，但所反映的外交文书起草过程大体还是符合当时实际情况的。这里起草人是侍郎而非舍人，舍人还只

---

① （唐）李林甫等撰，陈仲夫点校：《唐六典》卷九《中书省·中书舍人》引《晋令》，中华书局1992年版，第276页。

② （梁）萧子显撰：《南齐书》卷五六《倖臣传序》，中华书局1972年版，第972页。

③ 《通典》卷二一《职官典三·中书省·中书令·中书舍人》，第563页。

④ 《南齐书》卷五六《倖臣·吕文显传》，第978页；（唐）李延寿撰：《南史》卷二一《王弘传附王融传》，中华书局1975年版，第578页。

⑤ 《通典》卷二一《职官典三·中书省·中书令·中书舍人》，第564页。

⑥ （唐）魏徵、令狐德棻撰：《隋书》卷二六《百官志上》，中华书局1973年版，第742页。

⑦ （唐）房玄龄等撰：《晋书》卷一三〇《赫连勃勃载记》，中华书局1974年版，第3208页。

是担任书吏之类的角色。十六国的制度模仿魏晋制度，夏国外交文书起草制度可视为东晋制度的反映。

南朝自萧齐以后外交文书起草权归中书舍人。《南齐书·刘係宗传》载，刘係宗在宋末即任中书通事舍人，“使写诸处分敕令，及四方书疏。使主书十人、书吏二十人配之，事皆称旨”。萧齐建国后继续担任中书通事舍人，“永明中，虏使书常令（刘）係宗题答，秘书书局皆隶之”①。不过，这种起草工作一方面是根据皇帝的命令和意图，另一方面最后还要经过中央决策集团的批准。《梁书·裴子野传》载，梁代中书舍人裴子野“敕掌中书诏诰”，即负责外交文书的起草。以普通七年（526）起草移北魏的文书为例，是年“王师北伐，敕子野为喻魏文，受诏立成，高祖以其事体大，召尚书仆射徐勉、太子詹事周舍、鸿胪卿刘之遴、中书侍郎朱异，集寿光殿以观之，时并叹服”。只因裴子野文才甚高，故在决策集团中顺利通过。不久，梁武帝又命裴子野“为书喻魏相元叉，其夜受旨，子野谓可待旦方奏，未之为也，及五鼓，敕催令开斋速上，子野徐起操笔，昧爽便就。既奏，高祖深嘉焉。自是凡诸符檄，皆令草创”②。可见当时中书舍人的文字能力是很强的。这里还须指出，由于中书舍人责任繁重，故从梁代以后颇重才能选拔。《通典·职官典三·中书令》称中书舍人“用人殊重，简以才能，不限资地，多以他官兼领”③。以裴子野为例，他不仅文笔过人，而且学识渊博，他是史学家裴松之的曾孙，有家学渊源，他任著作郎，掌国史及起居注，而兼任中书舍人。他不仅于传统学术渊博，外交知识也很丰富。《梁书·裴子野传》载：“是时西北徼外有白题及滑国，遣使由岷山道入贡。此二国历代弗宾，莫知所出。子野曰：‘汉颍阴侯斩胡白题将一人。服虔《注》云：“白题，胡名也。”又汉定远侯击虏，八滑从之，此其后乎。’时人服其博识。”因为他负责外交文书起草，又有渊博的外交知识，故梁武帝命他撰写《方国使图》，“广述怀来之盛，自要服至于海表，凡二十国”④。

---

① 《南齐书》卷五六《倖臣·刘係宗传》，第975、976页。

② （唐）姚思廉撰：《梁书》卷三〇《裴子野传》，中华书局1973年版，第443页。

③ 《通典》卷二一《职官典三·中书省·中书令·中书舍人》，第563页。

④ 《梁书》卷三〇《裴子野传》，第443页。

（二）外交接待

南朝的中书舍人不仅负责外交文书起草，而且进一步侵夺了外交接待事务，而这原是鸿胪或尚书主客郎的职分。这种情况主要发生于萧梁以后。《梁书·王锡传》载，梁武帝普通初（520—527），与北魏连和，当时北魏派遣刘善明来聘，梁武帝“敕使中书舍人朱异接之”。南北朝时期接待来使的工作常常临时差遣他官兼任，那么，朱异接待刘善明是否也是临时差遣呢？不是，他是以中书舍人职分所属而负责接待工作的，当时“预宴者皆归化北人。（刘）善明负其才气，酒酣谓（朱）异曰：‘南国辩学如中书者几人？’异对曰：‘异所以得接宾宴者，乃分职是司。二国通和，所敦亲好；若以才辩相尚，则不容见使。’”[①] 朱异的话说得非常明白，他之所以出来接待魏使，不是因为口辩之才被临时差遣，而是职分所定。可见，在梁代中书舍人负责外交接待工作已是制度所规定的。因此在梁、陈时期多见中书舍人接待来使的情形，《梁书·傅岐传》载，傅岐在梁长期兼任中书舍人，“大同中，与魏和亲，其使岁中再至，常遣岐接对焉”[②]。《陈书·傅縡传》载，陈朝中书舍人傅縡因统治集团内部矛盾，施文庆等人“因共谮（傅）縡受高丽使金，后主收縡下狱”[③]。这证明傅縡曾负责接待过高丽使者。《北史·崔瞻传》载，北齐时崔瞻出使陈朝，因其“雍容可观，辞韵温雅，南人大相钦服。陈舍人刘师知见而心醉，乃言”云云。[④] 这是陈朝中书舍人接待来使之例。除了在京城接待宴请来使外，也出京迎送宾客或使节。《梁书·元法僧传》载，北魏镇将元法僧乘魏室大乱而称帝，魏发兵攻之。元法僧遣使梁朝，“请为附庸”“高祖遣中书舍人朱异迎之”[⑤]。《北史·元彧传》载，北魏宗室元彧因“河阴之变”奔梁，梁武帝“遣其舍人陈建孙迎接，并观（元）彧为人”[⑥]。

与接待来使相关的一项任务是奉命宣诏。奉命宣诏是中书舍人的基本职责之一，故外交宣诏亦常由其担当。据《酉阳杂俎》载：“魏使陆操

---

① 《梁书》卷二一《王份传附王锡传》，第326页。

② 《梁书》卷四二《傅岐传》，第602页。

③ （唐）姚思廉撰：《陈书》卷三〇《傅縡传》，中华书局1972年版，第405页。

④ （唐）李延寿撰：《北史》卷二四《崔逞传附崔瞻传》，中华书局1974年版，第876页。

⑤ 《梁书》卷三九《元法僧传》，第553页。

⑥ 《北史》卷一六《太武五王·元彧传》，第606页。

至梁，梁王坐小舆，使再拜，遣中书舍人殷炅宣旨劳问。”[①] 即转达皇帝意旨并代致问候。此事在北朝更为多见。

二　北朝的中书监令与舍人

北朝中书省的情况与南朝有所不同，一是中书省的权力不像南朝那么膨胀；二是权力不似东晋南朝那样由监令而侍郎而舍人层层下移，因而中书省各级掌管外交事务的情况与南朝也有所区别。现将北朝中书省各级官员掌管外交行政事务的情况分述如下。

（一）外交文书起草

北魏掌管外交文书起草的是中书监、令。《魏书·屈遵传》称早在道武帝拓跋珪时中书令就已“出纳王言，兼总文诰”[②]。到文明太后和孝文帝时，这一职能更有所加强，这是魏晋制度的传承。《魏书·高闾传》载，高闾于承明初[③]为中书令，“诏令书檄碑铭赞颂皆其文也”[④]。外交文书无疑也是中书监、令的职掌范围。太和（477—499）初高闾任中书监时，就开始负责起草外交文书，太和九年（485）柔然遣牟提出使北魏，孝文帝在牟提返国前征求群臣意见，是否应有文书报答柔然？群臣认为应该有，于是孝文帝“乃诏（高）闾为书”。当时柔然部真可汗去世不久，还在丧服期间，可是高闾所草文书“不叙凶事”，孝文帝看后说道：“卿为中书监，职典文词，所造旨书，不论彼之凶事。若知而不作，罪在灼然；若情思不至，应谢所任。”这里孝文帝明确指出中书监是“职典文词”。对于在国书中提不提柔然国丧的问题，孝文帝和高闾之间还有一段争论，“（高）闾对曰：‘昔蠕蠕主敦崇和亲，其子不遵父志，屡犯边境，如臣愚见，谓不宜吊。’高祖曰：‘敬其父则子悦，敬其君则臣悦。卿云不合吊慰，是何言欤！’闾遂引愆，免冠谢罪。高祖谓闾曰：‘蠕蠕使牟提小心恭慎，甚有使人之礼，同行疾其敦厚，每至陵辱，恐其还北，必

① （唐）段成式撰，许逸民校笺：《酉阳杂俎校笺·前集》卷三《贝编》，中华书局2015年版，第392页。

② （北齐）魏收撰：《魏书》卷三三《屈遵传》，中华书局1974年版，第777页。

③ 按，“承明”为北魏孝文帝元宏第二个年号，共一年，公元476年六月至十二月，是年十二月改元“太和”。

④ 《魏书》卷五四《高闾传》，第1198页。

被谤诬……今为旨书，可明年提忠于其国，使蠕蠕主知之。'"[①] 这里把外交文书的起草过程表达得非常清楚：首先经皇帝与决策集团作出决策，然后交由中书监起草，起草内容必须符合皇帝的旨意，故孝文帝把它迳称为“旨书”。如果违反皇帝的旨意则可能受到惩处。文书的最后批准权当然在皇帝之手。

北魏后期，据《魏书·徐纥传》载，徐纥、郑俨等任中书舍人，“军国诏命，莫不由之”[②]。是中书舍人已负责起草诏书。《唐六典·中书省·中书舍人》谓北齐置中书舍人十人，“品同魏氏，并掌诏诰”[③]。当亦为北魏后期事。与此同时，我们也看到中书舍人已负责起草外交文书。《周书·冀儁传》载，宇文泰为了平定侯莫陈悦，想借用费也头的军队，于是命其记室冀儁伪造魏孝武帝的敕书给费也头，令其出兵助宇文泰。冀儁“依旧敕模写，及代舍人、主书等署，与真无异……费也头已曾得魏帝敕书，及见此敕，不以为疑”[④]。冀儁仿照旧敕模写时，要模仿中书舍人和主书笔迹在敕书上署名。可见，这时的外交文书是由中书舍人起草的，舍人下面的主书令史也要联署。费也头接到这种敕书以后便“不以为疑”，表明这是当时文书的正规制度。那么，到北魏后期外交文书的起草已由中书监、令逐渐转入舍人手中了。

（二）外交宣诏

北魏中后期常见中书舍人在外交场合承担宣诏的任务。前面我们谈到南朝后期中书舍人在外交中宣诏的情况，但是似不及北朝之频繁。据《魏书·蠕蠕传》记载：熙平二年（517）柔然派遣巩顾礼等到北魏朝贺，神龟元年（518）二月孝明帝“临显阳殿，引顾礼等二十人于殿下，遣中书舍人徐纥宣诏，让以蠕蠕藩礼不备之意”[⑤]。这是由中书舍人出面代表皇帝向蠕蠕使节提出抗议。这是中书舍人在皇帝接见来使时承担宣诏的职责，可见所谓“宣诏”就是在皇帝与来使、宾客之间传达旨意。在盛大的外交场合，担任宣诏的中书舍人还不止一人，正光元年（520）十

---

① 《魏书》卷五四《高闾传》，第1198、1203页。

② 《魏书》卷九三《徐纥传》，第2008页。

③ 《唐六典》卷九《中书省·中书舍人》，第276页。

④ （唐）令狐德棻等撰：《周书》卷四七《艺术·冀儁传》，中华书局1971年版，第838页。

⑤ 《魏书》卷一〇三《蠕蠕传》，第2297页。

月，柔然主阿那瓌来朝北魏，孝明帝于显阳殿举行盛大宴会，参加者有五品以上清官、皇宗、藩国使客等，坐次排定后，孝明帝“遣中书舍人曹道宣诏劳问”，阿那瓌通过曹道向孝明帝要求让随从其来的从兄亦升殿预会，“诏听之”。宴会将结束时，阿那瓌又“执启立于座后”，于是“诏遣舍人常景问所欲言，阿那瓌求诣殿前，诏引之”。阿那瓌到了皇帝跟前，陈述了希望北魏帮助其复国的要求后，“仍以启付舍人常景，具以奏闻”①。在这次宴会上先后有曹道和常景两位中书舍人进行宣诏。来使、来宾辞见时也由中书舍人负责宣诏，正光二年（521）正月，“阿那瓌等五十四人请辞，肃宗临西堂，引见阿那瓌及其伯叔兄弟五人，升阶赐坐，遣中书舍人穆弼宣劳”②。

中书舍人不仅在皇帝接见外交使节时宣诏，也常奉命出使宣诏。神龟元年（518）柔然使者巩顾礼回国时，北魏即派中书舍人曹道出使柔然宣诏，正光元年（520）阿那瓌来朝时向孝明帝追述此事道：“是以曹道芝北使之日，臣与主兄即遣大臣五人拜受诏命。”③ 梁敬帝绍泰元年（555）以萧庄出质于北齐。梁敬帝禅位、陈武帝建陈之后，王琳向北齐求援抗陈。永定二年（558）王琳请纳出质于北齐的萧庄为梁主，北齐派兵援送。《北齐书·王琳传》载，同时遣“舍人辛悫、游诠之等赍玺书江表宣劳，自琳以下皆有颁赐”④。这也是以中书舍人出使“宣劳”。

（三）外交接待

在东魏北齐时期中书舍人经常承担外交接待任务。前文我们提到北朝的中书省不像南朝那样明显地呈现权力逐级下移的情景，但是到了北魏后期监、令之下的舍人的外交权力仍有所上升，上面提到北魏舍人已代替监、令掌管外交文书以及其所负宣诏之责就是其具体表现。这种情况到东魏北齐还在发展，因此这一时期外交接待工作也常由其负责。《魏书·刘鹭传》载，刘鹭于东魏武定（543—550）初任中书舍人，“于时与

---

① 《魏书》卷一〇三《蠕蠕传》，第2298—2299页。

② 《魏书》卷一〇三《蠕蠕传》，第2300页。

③ 《魏书》卷一〇三《蠕蠕传》，第2299页。曹道芝即前引之曹道，参见《魏书》卷一〇三《校勘记》〔一二〕，第2316页。

④ （唐）李百药撰：《北齐书》卷三二《王琳传》，中华书局1972年版，第434页。

萧衍和通，鸷前后受敕接对其使十六人”[①]。《北齐书·陆印传》谓，陆印为中书舍人，兼中书侍郎，“自梁、魏通和，岁有交聘，（陆）印每兼官燕接”[②]。《北史·陆彦师传》载，陆彦师“为中书舍人、通直散骑侍郎。每陈使至，必高选主客，彦师所接对者，前后六辈”[③]。《北史·李谔传》谓，李谔“仕齐，为中书舍人，有口辩，每接对陈使”[④]。这些都是以中书舍人出面接待来使的事实。

三　传诏

南北朝时期在中书省系统中又有“传诏”一职常负外交之责。其在外交方面所见主要有两方面的职责。

一是奉皇帝之命出使。《宋书·朱脩之传》载，刘宋滑台戍将朱脩之被北魏俘虏后逃至北燕，受到冷遇。在北燕“留一年，会宋使传诏至，（朱）脩之名位素显，传诏见即拜之，彼国敬传诏，谓为‘天子边人’，见其致敬于脩之，乃始加礼”[⑤]。当时北燕正遭到北魏的频繁进攻，意欲遣使刘宋求援，据《南史·朱脩之传》，“脩之乃使传诏说而遣之”[⑥]。于是朱脩之得以回到南朝。从这件事我们可以看到，“传诏”是代表皇帝出使的，故被称为“天子边人”，他在所出使之国颇受尊敬，有很大影响力，他不仅使北燕对朱脩之刮目相看，而且能说动北燕以朱脩之为使，联络刘宋抗魏。《宋书·林邑国传》载，林邑国王范阳迈桀骜不驯，元嘉二十三年（446）宋文帝派檀和之率军伐之，阳迈求和，檀和之“军至朱梧戍，遣府户曹参军日南太守姜仲基、前部贼曹参军蟜弘民随传诏毕愿、高精奴等宣扬恩旨，阳迈执仲基、精奴等二十八人，遣弘民反命”[⑦]。这两位“传诏”是代表皇帝来向林邑“宣扬恩旨”的。《魏书·董绍传》载：北魏中书舍人董绍被叛乱城民白早生囚送萧梁，永平二年（509）北

---

① 《魏书》卷五五《刘芳传附刘鸷传》，第1228页。
② 《北齐书》卷三五《陆印传》，第469页。
③ 《北史》卷二八《陆俟传附陆彦师传》，第1019页。
④ 《北史》卷七七《李谔传》，第2613页。
⑤ （梁）沈约撰：《宋书》卷七六《朱脩之传》，中华书局1974年版，第1970页。
⑥ 《南史》卷一六《朱脩之传》，第463页。
⑦ 《宋书》卷九七《夷蛮·林邑国传》，第2378页。

魏提出以所俘梁将齐苟儿等交换董绍，梁武帝召见董绍，表示愿与北魏通好，并对之曰："卿宜备申此意，故遣传诏周灵秀送卿至国，迟有嘉问。"[①] 梁武帝准备派遣"传诏"护送俘虏返回。由此可见，"传诏"常代表皇帝出使，执行各种外交任务。

传诏的另一职责是参与外交礼仪工作。据《酉阳杂俎·礼异》记载，北齐迎接南朝使节的仪式中，有"传诏二人骑马荷信在前，羊车二人捉刀在传诏后。监舍一人，典客令一人，并进贤冠。……使主、副各乘车"[②]。"传诏"在这里起着引导来使的傧赞作用。

那么，"传诏"是一种什么官职呢？"传诏"不见于职官制度记载，只能根据零星资料稍事钩稽。关于"传诏"的记载，南朝较北朝稍详。据《梁书·谢朏传》记载：昇明三年（479）宋顺帝禅位于萧道成那天，恰逢侍中谢朏直日。侍中的职责之一是"负玺陪乘"。在这种禅代仪式上，"侍中当解玺"，但谢朏反对萧道成篡宋，因而"佯不知，曰：'有何公事?'传诏云：'解玺授齐王。'朏曰：'齐自应有侍中。'乃引枕卧。传诏惧，乃使称疾，欲取兼人。朏曰：'我无疾，何所道。'"[③] 从这个记载我们可以看到，"传诏"是皇帝的贴身人员，负责御前传宣诏旨，其地位并不高。这与前述"天子边人"的记载是吻合的。从其奉命传宣皇帝诏旨的工作性质来看，与中书舍人的"宣诏"职务相似。《资治通鉴》卷一三五齐高帝建元元年（479）四月辛卯条胡注谓："传诏，属中书舍人，出入宣传诏旨。又考《南史》，郡府谓之传教，天台谓之传诏。"[④] 这一说法是符合事实的。不过，"传诏"还有由童子担任者，《酉阳杂俎·礼异》载："梁主常遣传诏童赐群臣岁月旦酒、辟恶散、却鬼丸三种。"[⑤] 则又有类宫中侍童了。由上所述我们可以得出如下认识："传诏"是中书舍人属下之成员，由各种年龄段的人担任，其地位并不高，为皇帝贴身侍臣；其职务主要乃负责传宣皇帝诏旨，故名为"传诏"；其职责范围，

① 《魏书》卷七九《董绍传》，第1758页。

② 《酉阳杂俎校笺·前集》卷一《礼异》，第53页。

③ 《梁书》卷一五《谢朏传》，第262页。

④ （宋）司马光编著，（元）胡三省音注：《资治通鉴》卷一三五，齐高帝建元元年（479）四月胡注，中华书局1956年版，第4224页。

⑤ 《酉阳杂俎校笺·前集》卷一《礼异》，第71页。

或在禁省，或奉使四方，上自军国大事，下至宫廷琐屑。

综上所述可见，在南北朝时期，中书省的外交管理职权主要围绕起草与出宣诏令这一中心而展开，体现了其作为“机要之司”的特点，同时也在一定程度上承担了部分外交行政事务。随着中书省权力的日益上升，其在外交管理方面的地位和权力也有了相应的提高和扩张，从而成为中央外交关涉机构中的一个重要部门。

（原刊《安徽史学》1999 年第 3 期。原刊文限于刊物的格式要求，所引用的文献资料只是在正文中直接标注卷数，而没有采用页下注或尾注的方式。今按《黎虎文集》统一格式，补充引文注释，并修订其中的文字错讹。李文才敬识。）

魏晋南北朝时期都督的外交管理职能

魏晋南北朝时期的地方机构主要有三个系统，即作为行政系统的州、郡、县和行台；作为军事与边防系统的都督、总管、军镇等；作为边境镇抚系统的校尉郎将诸官。它们都在不同程度上负有一定的外交职责。关于魏晋南北朝地方机构之外交管理职能，迄未引起学术界之注意，尚无专文论述者。其中这一时期缘边州郡及边境镇抚系统的外交管理职能问题已有拙文另述，故这里只拟论述作为地方军事与边防机构的都督的外交管理职能。

都督是魏晋南北朝时期地方的领兵统帅，西晋都督制度最为典型，其等级和职权，据《宋书·百官志》云："晋世则都督诸军为上，监诸军次之，督诸军为下。使持节为上，持节次之，假节为下。使持节得杀二千石以下；持节杀无官位人，若军事得与使持节同；假节唯军事得杀犯军令者。"① 都督区最初主要设置于边境地区，其边防意义相当突出。都督所统区域包括数州，这是一种军事区划而非行政区划，但是都督往往兼领刺史，甚或郡守，同时行使地方行政权力，因此当时都督在事实上成为凌驾于州之上的高级行政长官，形成如《晋书·范宁传》所谓"府以统州，州以监郡，郡以莅县"② 的四级行政体系。都督虽然名义上属于军事系统，但它实际上已是军政合一的地方行政机构。魏晋南北朝时期都督同州郡一样也具有外交方面的职权，而且这种职权还相当突出。兹鸠集载籍所见零散资料，以期勾勒这一时期都督外交管理职能之轮廓。

---

① （梁）沈约撰：《宋书》卷三九《百官志上》，中华书局1974年版，第1225页。

② （唐）房玄龄等撰：《晋书》卷七五《范汪附子（范）宁传》，中华书局1974年版，第1987页。

一　使命交通

都督的外交权力颇大，他既可遣使出境，又可接受来使，与对方使命交通。吴主孙皓时，陆抗为都督信陵、西陵、夷道、乐乡、公安诸军事，屯驻于乐乡，与西晋的都督荆州诸军事羊祜在长江中游地区对峙。他们各自所负之主要责任当然是在军事上防备对方，但同时双方也积极开展外交活动。《晋书·羊祜传》称当时“祜与（陆）抗相对，使命交通”①。频繁的使命交通密切了他们之间的关系，《三国志·吴书·陆抗传》注引《晋阳秋》：“抗与羊祜推侨、札之好。抗尝遗祜酒，祜饮之不疑。抗有疾，祜馈之药，抗亦推心服之。于是以为华元、子反复见于今。”② 在他们的努力之下，“于是吴、晋之间，余粮栖亩而不犯，牛马逸而入境，可宣告而取也”③。陆抗与羊祜的密切交往引起了吴国皇帝的不满，“孙皓闻二境交和，以诘于抗，抗曰：‘夫一邑一乡，不可以无信义之人，而况大国乎？臣不如是，正足以彰其德耳，于祜无伤也。’”④ 可见陆抗是在违背皇帝旨意的情况下执行睦邻政策的，表明都督拥有相当大的外交权力。

东晋时由于门阀士族势力发展，皇权衰弱，导致地方分权势力的抬头，于是都督的权力更加膨胀。如《晋书·石勒载记》，谓咸和五年（330）“荆州牧陶侃遣长史王敷聘于（石）勒，致江南之珍宝奇兽”⑤。当时陶侃为都督荆、雍、益、梁、交、广、宁七州军事，荆州刺史。又据《晋书·陶侃传》载，同年苏峻部将冯铁杀陶侃之子投奔石勒，石勒收留了冯铁并任他为戍将。陶侃遣使把冯铁的底细告知石勒，石勒便召回冯铁并将其杀掉。⑥ 这是东晋都督与后赵通使。《晋书·庾翼传》载，庾翼为都督江、荆、司、雍、梁、益六州诸军事、荆州刺史时，曾“遣

---

① 《晋书》卷三四《羊祜传》，第1017页。

② （晋）陈寿撰，（南朝·宋）裴松之注，陈乃乾校点：《三国志》卷五八《吴书·陆逊附子（陆）抗传》注引《晋阳秋》，中华书局1959年版，第1357页。

③ 《三国志》卷五八《吴书·陆逊附子（陆）抗传》注引《汉晋春秋》，第1357页。

④ 《三国志》卷五八《吴书·陆逊附子（陆）抗传》注引《汉晋春秋》，第1357页。

⑤ 《晋书》卷一〇五《石勒载记下》，第2747页。

⑥ 《晋书》卷六六《陶侃传》：“苏峻将冯铁杀（陶）侃子奔于石勒，勒以为戍将。侃告勒以故，勒召而杀之。”（第1776页）

使东至辽东，西到凉州，要给二方，欲同大举。慕容皝、张骏并报使请期”[①]。这是东晋都督与前燕、前凉通使，以联合对付后赵。对于庾翼的来使，前燕、前凉均曾遣使回报。荆州都督区是东晋的上游重镇，号称国之“西藩”，均为权臣所居，故其权力甚大。它可以直接对外，商谈联盟与和战大计。东晋都督外交权力之大，还可以从杨佺期的自白中窥其一斑。《魏书·张济传》载，隆安三年（399）后秦将进攻洛阳，东晋都督梁、雍、秦三州诸军事、雍州刺史杨佺期遣使向北魏的常山王拓跋遵求救，道武帝拓跋珪遂以散骑侍郎张济为拓跋遵的从事中郎以报之。张济到了襄阳后，杨佺期与他进行谈判，向他询问了北魏的军事、政治、外交以及迁都与否等问题。在谈及援救洛阳之事时，杨佺期表示自己兵弱粮寡，而“洛城救援，仰恃于魏，若获保全，当必厚报。如其为羌（指后秦）所乘，宁使魏取”。并向魏使表白道：“晋之法制，有异于魏。今都督襄阳，委以外事，有欲征讨，辄便兴发，然后表闻，令朝廷知之而已。如其事势不举，亦不承台命。”[②] 公然向魏使表明自己有权直接对外，在外交问题上可以先斩后奏，自作主张，不必完全听命于中央朝廷。从杨佺期的自白中可以看到，东晋都督在外交上专权自恣已到何等地步。

南朝君主鉴于东晋的历史经验教训，大力强化皇权的同时，采取措施削弱都督的权力。因此南朝都督的权力不如东晋那么膨胀，但是它作为凌驾于州之上的军政机构的地位和基本权力与魏晋时期亦相差无几。《南齐书·萧遥昌传》载，齐明帝建武二年（495），北魏孝文帝率军进攻寿春，当时萧遥昌为督豫州郢州之西阳、司州之汝南二郡军事，豫州刺史，屯驻于寿春。孝文帝“遣使呼城内人”，萧遥昌便派遣其参军崔庆远、朱选之二人出城至孝文帝行在所。双方进行了长时间的会谈，内容涉及北魏何以南犯，萧齐皇位废立，内部矛盾，两国关系等广泛的问题。孝文帝“设酒及羊炙杂果”款待萧遥昌的使者。第二天，孝文帝“引军向城东，遣道登道人进城内施众僧绢五百匹”，并赐给崔庆远、朱选之“各袴褶络带”[③]。这是一次别开生面的、活跃的前线外交。

---

① 《晋书》卷七三《庾亮附弟（庾）翼传》，第1932页。

② （北齐）魏收撰：《魏书》卷三三《张济传》，中华书局1974年版，第787—788页。

③ （梁）萧子显撰：《南齐书》卷四五《宗室·萧遥昌传》，中华书局1974年版，第792—794页。

北魏前期偶尔实行都督制，孝文帝时开始普遍推行。北朝政权亦假都督以较大的外交权力。《周书·宇文测传》载，西魏大统六年（540）宇文测为大都督、行汾州事。其“地接东魏”，原先双方经常相互抄寇。宇文测到任后，采取睦邻政策，“自是东魏人大惭，乃不为寇。汾、晋之间，各安其业。两界之民，遂通庆吊，不复为仇雠矣。时论称之，方于羊叔子”。将其与西晋羊祜、孙吴陆抗于边境睦邻之事相比。但是，“或有告（宇文）测与外境交通，怀贰心者”，宇文泰闻之，“怒曰：‘测为我安边，吾知其无贰志，何为间我骨肉，生此贝锦！’乃命斩之。仍许测以便宜从事”①。表明都督有在外交方面“便宜从事”之权力。

都督也负责接转对方来使。《北齐书·斛律羡传》载，北齐河清三年（564），斛律羡为都督幽、安、平、南营、北营、东燕六州诸军事，幽州刺史。突厥十万余众进攻州境，斛律羡率军抵御。“突厥望见军威甚整，遂不敢战，即遣使求款。虑其有诈，且喻之曰：‘尔辈此行，本非朝贡，见机始变，未是宿心。若有实诚，宜速归巢穴，别遣使来。’于是退走。”次年（天统元年，565）五月，“突厥木汗遣使朝献，（斛律）羡始以闻”。斛律羡认为突厥上次遣使并非真意，遂加拒绝，这次来使乃出于真诚，遂将此事上报朝廷。从此突厥“朝贡岁时不绝，羡有力焉”②。可见突厥与北齐通使是通过斛律羡才得以实现的，都督在接转来使方面的权力和作用是相当大的。

北周改都督为总管，《周书·明帝纪》谓，北周明帝武成元年（559）正月，“初改都督诸州军事为总管”③。总管的职权、地位与都督是相同的，《通典·职官典十四·都督》谓“总管为都督之任矣”④。因而北周时期总管与都督一样，行使着相同的外交职权。据《周书·杨忠传》载，北周保定四年（564），杨忠为“总管泾、豳、灵、云、盐、显六州诸军事，泾州刺史”。北周为了向东伐齐，令杨忠出沃野镇以应接突厥共同伐

---

① （唐）令狐德棻等撰：《周书》卷二七《宇文测传》，中华书局1971年版，第454页。

② （唐）李百药撰：《北齐书》卷一七《斛律金附子（斛律）羡传》，中华书局1972年版，第227页。

③ 《周书》卷四《明帝纪》，第56页。

④ （唐）杜佑撰，王文锦、王永兴、刘俊文、徐庭云、谢方点校：《通典》卷三二《职官典十四·都督》，中华书局1988年版，第894页。

齐。当时军粮缺乏，杨忠设计招诱稽胡首领来到军帐就坐，然后“令突厥使者驰至而告曰：‘可汗更入并州，留兵马十余万在长城下，故遣问公，若有稽胡不服，欲来共公讨之。’坐者皆惧，忠慰喻而遣之”。他这一计果然有效，稽胡害怕遭到周与突厥共同讨伐，于是“诸胡相率归命，馈输填积”，纷纷献出粮草，解决了杨忠部队军粮的问题[①]。这里我们看到杨忠接待突厥使者及其至杨忠军帐报告使命的情况，这虽然是杨忠设计所为，但杨忠可以与突厥使命往还则是无疑的事实。杨忠所统泾州总管府，即为防备突厥而设，因而他同时负有对突厥的外交职责。

由于都督有较大的外交权力，因而在其治所亦仿照首都设置“客馆”及相关官员以负外交接待之责。《晋书·庾翼传》载，东晋庾翼为都督江、荆、司、雍、梁、益六州诸军事、荆州刺史时，“绥来荒远，务尽招纳之宜，立客馆，置典宾参军”[②]。不仅设置客馆，而且设置典宾参军以管理宾客接持。如果不是都督外交频繁，是不可能特设这种官职以司其事的。

二 互通文书

都督的另一重要外交职能是直接对外发出或接受文书，这方面的权力也明显大于州郡长官。《三国志·吴书·陆逊传》载，孙吴时陆逊为上大将军、右都护，“并掌荆州及豫章三郡事，董督军国”[③]，实际上就是都督。当时曹魏的江夏太守逯式“颇作边害”，陆逊得知他与曹魏旧将文聘之子文休不和，即“假作答（逯）式书云：‘得报恳恻，知与（文）休久结嫌隙，势不两存，欲来归附，辄以密呈来书表闻，撰众相迎。宜潜速严，更示定期。’以书置界上，式兵得书以见示，式惶惧，遂自送妻子还洛”[④]。陆逊给逯式文书虽然是一种计谋，但说明当时他们之间是可以通文书的，不过这种文书并非通过外交途径正式送出，而是以非正规的方式送出的。

---

① 《周书》卷一九《杨忠传》，第318—319页。

② 《晋书》卷七三《庾亮附弟（庾）翼传》，第1935页。

③ 《三国志》卷五八《吴书·陆逊传》，第1349页。

④ 《三国志》卷五八《吴书·陆逊传》，第1352页。

都督的外交文书大多是通过外交途径交换的正式文书。东晋安帝隆安三年（399），后秦进攻襄阳。当时郗恢为都督梁、秦、雍、司、荆、扬、并等州诸军事，雍州刺史，驻扎于襄阳。《魏书·崔逞传》谓郗恢“驰使乞师”于北魏常山王拓跋遵，使者携带郗恢致拓跋遵的文书。拓跋遵将此事报告道武帝，道武帝命崔逞、张衮二人以拓跋遵的名义起草文书，以答郗恢。[①] 可见都督可以通过正式的外交途径往来文书。

刘宋元嘉十九年（442），平定仇池，氐王杨难当投奔北魏。据《宋书·索虏传》载：北魏镇东将军、武昌王宜勒库莫提[②]移书益、梁二州，“而移书越诣徐州”。刘宋方面当时臧质为都督徐兖二州诸军事、徐兖二州刺史。北魏的移书就刘宋平灭仇池事提出抗议，扬言要为杨难当复仇，发十路大军进攻刘宋。徐兖都督臧质接到移书后，即答移北魏，对平定仇池一事作了辩护，指责北魏伐宋为无理。[③] 这实际上是两国之间通过边境都督而进行交涉。又同传载：元嘉二十五年（448），北魏宁南将军、豫州刺史北井侯若库辰树兰移书刘宋豫州刺史南平王刘铄，时刘铄任都督南豫、豫、司、雍、秦、并六州诸军事，豫州刺史。当时双方边境人民越界、侵扰之事频繁，北魏的移书就此事向刘宋提出照会，指出：“比者以来，边民扰动，互有反逆，无复为害，自取诛夷。死亡之余，雉菟逃窜，南入宋界，聚合逆党，频为寇掠，杀害良民，略取资财，大为民患。”指责刘宋方面：“料其奸源，而彼国牧守，纵不禁御，是以遂至滋蔓，寇扰疆埸。”提出：“当今上国和通，南北好合，唯边境民庶，要约不明……自今以后，魏、宋二境，宜使人迹不过。自非聘使行人，无得南北。”接获北魏移文后，刘宋都督刘铄随即答移，指责北魏：“但彼和好以来，矢言每缺，侵轶之弊，屡违义举……或有狐奔鼠窜，逃首北境，而辄便包纳，待之若旧，资其粮仗，纵为寇贼……来示所云，彼并行之，虽丰辞盈观，即事违实，兴嫌长乱，实彼之由，反以为言，将违躬厚之义。”认为“宜先谨封守，斥遣诸亡，惊蹄逸镞，不妄入境，则边城之

---

① 《魏书》卷三二《崔逞传》：“天兴初，姚兴侵司马德宗襄阳戍，戍将郗恢驰使乞师于常山王（拓跋）遵，遵以闻。太祖诏逞与张衮为遵书以答。”（第758页）

② 据《宋书》卷九五《索虏传》校勘记〔三二〕：“‘宜勒’当是‘直勤’之讹。”（第2363页）

③ 《宋书》卷九五《索虏传》，第2334—2337页。

下，外户不闭”①。可见双方可就双边问题通过都督交换照会，进行交涉。齐明帝建武四年（497），北魏孝文帝亲率大军进攻沔北。据《南齐书·曹虎传》载，当时萧齐方面，曹虎为监雍州、郢州之竟陵、司州之随郡军事，雍州刺史，驻扎于襄阳。因他与南阳太守房伯玉不和，便没有及时前往救援，而移顿樊城不进。于是孝文帝写给曹虎一封文书，谓：“皇帝谢伪雍州刺史”云云，讥讽他“婴闭穷城，忧顿长沔，机勇两缺”，扬言“入彼春月，迟迟扬旆，善修尔略，以俟义临”。曹虎接文后也“使人答书”，指责北魏对齐的战争，并为自己的做法进行辩驳，声称“若遂迷复，知进忘退，当金钲戒路，云旗北扫，长驱燕代”②。这是都督与对方皇帝互通文书。都督还可以向对方边境发布文告，《梁书·萧景传》载，梁武帝普通年间（520—527），萧景为都督郢、司、霍三州诸军事，郢州刺史，其辖境之“齐安、竟陵郡接魏界，多盗贼”，于是萧景“移书告示”，魏方看到告示之后，“即焚坞戍保境，不复侵略”③。

北魏在南边的都督区主要是防备南朝，因而也兼管对南朝的外交。《南齐书·魏虏传》载，太和十七年（493）北魏扬言进攻萧齐，时值齐武帝卒，北魏关中危急，于是借机“称闻丧退师”。为此，北魏的都督徐、青、齐三州诸军事、徐州刺史、带淮阳太守鹿树生，“移齐兖州长史府”，当时的兖州刺史是刘灵哲。鹿树生在移书中称“奉被行所尚书符腾诏”，意即他根据随从孝文帝出征的尚书台所转来的诏旨，奉命向齐兖州发出移文。诏旨称“以《春秋》之义，闻丧寝伐。爰敕有司，辍銮止轫，休马华阳，戢戈嵩北”④ 云云。可见皇帝发给对方的外交文书，有时是通过边境都督转致对方的。

三　交涉谈判

都督的另一外交职权，是可以代表己方与对方进行面对面的交涉、谈判，此为边境之间常用的外交方式。刘备与孙权在争夺荆州时，关羽

① 《宋书》卷九五《索虏传》，第2342—2343页。

② 《南齐书》卷三〇《曹虎传》，第562—563页。

③ （唐）姚思廉撰：《梁书》卷二四《萧景传》，中华书局1973年版，第369—370页。

④ 《南齐书》卷五七《魏虏传》，第993页。

与鲁肃就曾代表双方在边境进行过激烈的谈判。刘备占据益州之后，孙权提出交还长沙、零陵、桂阳三郡，刘备不答应。据《三国志・蜀书・关羽传》，当时关羽负责“董督荆州事”[①]，实际上就是都督。鲁肃则接替周瑜领兵，负责西部军事以防备关羽。《三国志・吴书・鲁肃传》载：“（关）羽与（鲁）肃邻界，数生狐疑，疆场纷错”，刘备“遣羽争三郡。肃住益阳，与羽相拒”。在这种军事对峙下，双方就归还三郡问题举行了谈判，“肃邀羽相见，各驻兵马百步上，但诸将军单刀俱会”。在会议上，鲁肃“责数（关）羽曰：‘国家区区本以土地借卿家者，卿家军败远来，无以为资故也。今已得益州，既无奉还之意，但求三郡，又不从命。’语未究竟，坐有一人曰：‘夫土地者，惟德所在耳，保常之有！’肃厉声呵之，辞色甚切。羽操刀起谓曰：‘此自国家事，是人何知！’目使之去”。可见谈判桌上的斗争还是相当激烈的。最后刘备不得不与孙权方面缔结和约，“割湘水为界，于是罢军”[②]。

南北朝时期宋、魏在彭城前线的一场外交对话则又别具一格。元嘉二十七年（450），北魏太武帝率部南攻，进至彭城。当时刘宋方面镇守彭城的有都督徐兖青冀幽五州、豫州之梁郡诸军事、安北将军、徐兖二州刺史刘骏[③]和前来支援的太尉、江夏王刘义恭。太武帝登上城南亚父冢，于戏马台立毡屋，居高俯视彭城。《魏书・李孝伯传》载，太武帝派遣此前在萧城所俘宋军之队主蒯应至彭城小市门，“宣世祖（即太武帝拓跋焘）诏，劳问义恭等，并遣自陈萧城之败”。第二天，太武帝便派遣以尚书李孝伯为首的使团再至小市门，刘骏也派出以其沛郡太守张畅为首的使团在城上与魏使遥相对话。双方在长时间的对话中，极尽折冲口舌之能事。双方互道姓名官位之后，李孝伯说：“主上有诏：‘太尉、安北可暂出门，欲与相见……’”提出太武帝要与刘义恭、刘骏相见。对此张畅从两个方面加以回敬，一方面指出其称“诏”悖理：“有诏之言，政可

---

① 《三国志》卷三六《蜀书・关羽传》，第940页。

② 《三国志》卷五四《吴书・鲁肃传》，第1272页。

③ 据《宋书》卷六《孝武帝纪》：元嘉二十五年（448），刘骏“改授都督南兖徐兖青冀幽六州、豫州之梁郡诸军事、安北将军、徐州刺史，持节如故，北镇彭城。寻领兖州刺史。始兴王濬为南兖州，上解督南兖”（第109页）。据此则刘骏所督原来还有南兖州，后始兴王刘濬为南兖州，刘骏始解督此州。

施于彼国，何得称之于此?”另一方面则对魏方的要求巧妙地加以拒绝：“二王敬白魏帝，知欲垂见，常愿面接，但受命本朝，忝居藩任，人臣无境外之交，故无容私觌。”他们之间自始至终进行着类似的辩难，李孝伯还提出诸如：宋方何以“杜门绝桥”？讥讽彭城因遭“白贼”之乱而断绝了与建康的联系，提出：“有诏：‘太尉、安北，久绝南信，殊当忧悒。若欲遣信者，当为护送，脱须骑者，亦当以马送之。’”借北魏在汝阳所俘虏之宋将程天祚，提出“闻其弟在此，如何不遣暂出”？提出北魏永昌王进攻淮南，宋方寿春守将闭门不敢出战，魏军入境七百里，而宋方竟不能抵挡，魏军当南下饮马江湖，等等。对于上述问难张畅也一一加以机智的辩驳反诘。李孝伯“风容闲雅，应答如流，畅及左右甚相嗟叹”①。《宋书·张畅传》称，张畅亦“随宜应答，甚为敏捷，音韵详雅，魏人美之”②。这是刘宋都督的使者与北魏皇帝的使者在前线军事对抗的同时所进行的一场外交较量，虽然双方没有正式的议题和达成什么协定，但对于当时的军事斗争和国家声誉都是有意义的。胡三省曾评述此事道：“兵交，使在其间。史言行人善于辞令，亦足以增国威。”③

四 馈遗往还

馈赠礼品是重要的外交方式之一，它在外交工作中起着催化剂和润滑剂的作用。边境都督作为地方最高军政长官，负有较重大的外交职责，在外交往还中，与对方相互馈赠礼品乃常有之事。这种馈赠因公因私均有，而以前者为多。前述宋、魏之间在彭城前线的外交接触中，就曾频繁地相互馈赠。双方一边进行紧张激烈的言辞交锋，一边又相互频繁馈赠礼物。据《宋书·张畅传》载，太武帝在遣送蒯应至小市门时，即“致意求甘蔗及酒”，于是刘骏“遣送酒二器，甘蔗百挺”，与此同时刘骏他们又向北魏方面“求骆驼”④。《魏书·李孝伯传》载，第二天李孝伯

① 以上见《魏书》卷五三《李孝伯传》，第1168—1172页。

② 《宋书》卷四六《张邵传附张畅传》，第1399页。

③ （宋）司马光编著，（元）胡三省音注：《资治通鉴》卷一二五，宋文帝元嘉二十七年（450）十一月胡注，中华书局1956年版，第3957页。

④ 《宋书》卷四六《张邵传附张畅传》，第1397页。此事《魏书》卷五三《李孝伯传》亦载：“（刘）骏遣人献酒二器、甘蔗百梃，并请骆驼。”（第1168页）

与张畅在城头对话时，李孝伯即以刘骏所请求的骆驼转致宋方，并赠送“骆驼及貂裘杂物”[①]。《宋书·张畅传》谓，然后“魏主又求酒及甘桔”，刘骏“又致螺杯杂物，南土所珍”。此后不久，太武帝又让李孝伯传话，向刘骏“借博具”。刘骏即派人送去。[②] 据《魏书·李孝伯传》载，太武帝收到博具后，又回赠刘义恭、刘骏等人“毡各一领，盐各九种，并胡豉”，并通过李孝伯详细介绍这些盐的食用和医疗价值。[③]《宋书·张畅传》谓其同时“又求黄甘”，这次宋方在回赠其蜡烛十挺的同时，通过张畅回绝了其求黄甘的要求，说：“知更须黄甘，若给彼军，即不能足；若供魏主，未当乏绝，故不复致。”[④]《南史·张畅传》载，太武帝又要求甘蔗、安石榴，张畅又回绝道：“石榴出自邺下，亦当非彼所乏。”[⑤] 据《资治通鉴》所载，北魏方面还曾要求借乐器，刘义恭回绝道：“受任戎行，不赍乐具。”[⑥] 这次宋魏在彭城前线的馈遗往还，恰似展示了一幅当时南北物产、文化大交流的图景，这种相互馈赠固然是外交工作之所须，但北魏方面的诛求无厌，已近于勒索了，故尔遭到宋方的拒绝。

对于对方馈赠之物，都督有时并不私受，而是转致朝廷或有关部门。东晋都督徐、兖、青三州诸军事的谢玄，于太元九年（384）为前锋都督出屯彭城，经略中原。当时前秦苻丕为慕容垂所逼，于是苻丕“自邺遣参军焦远进谢玄青铜镜、黄金椀、宛转绳床、玉如意，请救，玄使送于京师”[⑦]。苻丕因向谢玄求救而遣使馈赠珍宝器物，谢玄将其转致朝廷。这是因公馈赠。此外在外交过程中亦有因私馈赠者。《周书·贺兰祥传》载，西魏大统年间（535—551），贺兰祥为都督三荆、南襄、南雍、平、

① 《魏书》卷五三《李孝伯传》，第1168页。此事《宋书》卷四六《张邵传附张畅传》亦载：“明日，魏主又自上戏马台，复遣使至小市门，求与孝武（刘骏）相见，遣送骆驼，并致杂物，使于南门受之。”（第1397页）

② 《宋书》卷四六《张邵传附张畅传》，第1398页。

③ 《魏书》卷五三《李孝伯传》，第1170页；《宋书》卷四六《张邵传附张畅传》，第1398页。

④ 《宋书》卷四六《张邵传附张畅传》，第1398页。

⑤ （唐）李延寿撰：《南史》卷三二《张邵传附张畅传》，中华书局1975年版，第831页。

⑥ 《资治通鉴》卷一二五，宋文帝元嘉二十七年（450）十一月，第3955页。

⑦ （唐）许嵩撰，张忱石点校：《建康实录》卷九《晋中下·烈宗孝武帝皇帝》，中华书局1986年版，第274页。

信、江、随、二郢、淅十二州诸军事、荆州刺史，“州境南接襄阳，西通岷蜀，物产所出，多诸珍异。时既与梁通好，行李往来，公私赠遗，一无所受。梁雍州刺史、岳阳王萧督，钦其节俭，乃以竹屏风、絺绤之属及以经史赠之。祥难违其意，取而付诸所司。太祖后闻之，并以赐祥”[①]。这位都督在办外交中，不论因公因私的馈赠均不私自接受。这次萧督乃因私馈赠，贺兰祥也将其转交有关部门收受，后经朝廷赏赐才为贺兰祥所接受。但并非所有都督都能如此，乘机中饱私囊者仍属多数，《周书·韦瑱传》称，西魏时的瓜州，“州通西域，蕃夷往来，前后刺史，多受赂遗”。唯魏恭帝三年（556）韦瑱为瓜州诸军事、瓜州刺史时，却能“蕃夷赠遗，一无所受。”[②]

从上述几个方面的论述，我们大体可以看到魏晋南北朝时期作为封疆大吏的都督具有颇大的外交权力，他可以通过使节与文书的往还而与对方展开频繁的外交活动，也可直接与对方进行交涉谈判，解决双边之间的有关争执和问题。虽然作为地方边防与军事长官，其外交活动须接受中央朝廷的领导，但是由于这一时期中央集权的削弱和地方分权势力的扩张，因而其外交权力较之于前及同时期地方行政系统的缘边州郡，显得更为膨胀和突出，这是这一时期以士族门阀为基础的地方分权势力发展在外交管理领域的一个反映。

（原刊《齐鲁学刊》1999年第5期。原刊文因刊物格式限制，引用文献均采用正文叙述的方式。今据原刊文整理，文中所涉引用文献资料，均按《黎虎文集》统一规范的页下注方式予以标注，其它则一仍不变。李文才敬识。）

---

① 《周书》卷二〇《贺兰祥传》，第337页。

② 《周书》卷三九《韦瑱传》，第694页。

客家民居特征探源

——与汉魏晋北朝中原宗族聚居、大宅、坞堡关系

一　前言

关于汉族民系之一客家的民居，论者已经不少，然而尚无对其历史渊源作深入的探讨，偶而涉及者亦多语焉不详。[①] 探讨客家民居特征的历史渊源，不仅有助于对这一独具特色的建筑、居处方式及客家民系特点之深入认识，亦将有助于对客家先民南迁、客家民系成因等问题的探讨，对于探索乃至复原中古时代中原社会面貌亦有一定参考价值。

客家民居的典型形制是一种具有坚固、严密防御体系，实行宗族共同体聚居的围堡式大屋。尽管客家民居建筑形制因聚居地域不同而存在这样那样的一些差异，如赣南之土围、粤东之围垄屋、闽西南之圆楼等，但是有两个基本要素则是共同的：一是这种住宅规模非常巨大，一个大屋之内可容几十户甚或几百户人居住，而且都是同一父系血统的族人；二是这些住宅都具有坚固的、封闭的外围和严密的防御体系。因而这种

---

① 罗香林《客家研究导论》谓："客家因受礼教影响，于族统最为注意，南来后，又以与主户或土族，不相融洽，时起纠纷，以为非族大人众，互相守助，不足抵抗外侮，竞争生存；唯其有此环境，故于居室及祖坟的建筑，亦不能不特别考究……正栋或正厅制如宫殿，横屋制如宫殿的庑。"（上海文艺出版社 1992 年据希山书藏 1933 年版影印版，第 179—180 页）陈运栋《客家人》谓其为中原"宫殿式遗风""中原大家风趣"（台北：联亚出版社 1981 年版，第 344 页）。黄汉民《客家土楼民居》谓其"包含了古代中原合院建筑的传统"（福建教育出版社 1995 年版，第 152 页）。

居宅就具有两个最为突出的基本特征：其社会特征是宗族共同体聚居，其建筑特征是围堡式大屋。

这两个基本特征当然是为了适应南迁之后在当地生存、发展的需要而形成和确立起来的，但是它们又不是凭空产生的，而是有着源远流长的、深厚的历史渊源的。笔者认为前者源于汉魏晋北朝中原的宗族共同体聚居制度和坞堡宗族聚居方式，后者源于汉魏晋北朝中原大宅与坞堡建筑。中古时代中原地区的这两种住宅和居处制度与南迁后的生存、发展需要相结合，从而形成了具有浓厚客家民系特色的住宅和居处方式。

客家先民之南迁肇始于西晋末年的“永嘉之乱”①，此后历十六国、北朝仍陆续南迁。故“永嘉之乱”前后中原地区的汉民族文化、社会习俗正是客家民系特征形成的文化基因。

二　汉魏晋北朝中原宗族聚居与客家宗族聚居

客家民居的第一个特征，即其实行宗族共同体聚居的社会特征，源于汉魏晋北朝中原地区的宗族聚居制度和坞堡宗族聚居方式。后者容下文论述，兹请先论前者。东汉时期由于世家豪族势力的发展，与个体核心家庭发展的同时，中原地区累世同居、“阖门百口”② 的宗族聚居情况有了很大发展。《四民月令》是反映东汉时期以洛阳为背景的世家豪族生产、生活面貌的作品，从中可以看到当时宗族聚居的现象：

> 正月之旦，是谓“正日”，躬率妻孥，絜祀祖祢。前期三日，家长及执事，皆致斋焉。及祀日，进酒降神。毕，乃家室尊卑，无小无大，以次列坐于先祖之前；子、妇、孙、曾，各上椒酒于其家长，称觞举寿，欣欣如也。③

---

① 罗香林：《客家源流考》，中国华侨出版公司1989年版，第13页。

② （晋）陈寿撰，（南朝·宋）裴松之注，陈乃乾校点：《三国志》卷一八《魏书·阎温传》注引《魏略·勇侠传》，中华书局1959年版，第552页。又，《三国志》卷三六《蜀书·马超传》注引《典略》，第945页，等等。

③ （汉）崔寔撰，石声汉校注：《四民月令校注》之《正月》，中华书局2013年版，第1页。

可见这是四世同堂之大家族共居。这种宗族聚居之风，历魏、晋而相沿不衰，北朝时期仍有一定程度的存在，如范阳卢度世“同居共财，自祖至孙，家内百口”①；弘农杨播“一家之内，男女百口，缌服同爨，庭无间言”②；河中蒲坂人石文德“五世同居，闺门雍睦”③；博陵安平人李几“七世共居同财，家有二十二房，一百九十八口，长幼济济，风礼著闻，至于作役，卑幼竞进”④。北海密县人王闾“数世同居，有百口”。又泰山刘业兴“四世同居”；鲁郡盖儁“六世同居，并共财产，家门雍睦”⑤。此类记载，可谓史不绝书。

客家人继承了这一传统，也实行同一父系血统宗族成员在同一大屋内共居同财的居处方式。尽管随着时代的推移和社会的发展变化，客家人在保持“共居”制度的同时，“同财”的成分虽然有所削弱，但是直到现代还在不同程度上保持着宗族同财共居的遗俗：“客家人的一般风尚，都是家族制的数世同堂”“大家庭的烹饪洗扫，通常都由媳妇们分担，每人轮值十日或半月，年节则共同操作。”⑥ 台湾客家人“传统的大家庭制度……使得兄弟之间恪遵‘三兄四弟一条心，门前土地变黄金’的古训，为维持已有的家庭产业，或做深度性、外延性的扩展，而同心努力地合作田间工作”⑦。广西有些地方的客家人还保持这样的风俗：“女方过男家后，一般是三世、四世同堂，如果男方以下还有弟妹，新娘、新郎必需随老人合灶一段时间才能分灶……分灶以后，每逢有好酒好菜，都要喊老人同吃或挟一份菜给老人。”⑧ 在这种“合灶”“分灶”制中仍然残存

---

① （北齐）魏收撰：《魏书》卷四七《卢玄传附卢度世传》，中华书局 1974 年版，第 1062 页。

② 《魏书》卷五八《杨播传》，第 1302 页。

③ 《魏书》卷八七《节义·石文德传》，第 1890 页。

④ 《魏书》卷八七《节义·李几传》，第 1896 页。

⑤ 以上均见《魏书》卷八七《节义传》，第 1896 页。

⑥ 陈运栋：《客家人》第四章第三节之“四、《家族制度》”，台北：联亚出版社 1981 年版，第 364—365 页。

⑦ 徐瑞雄：《本省客家乡村社会的若干变迁》，载《中原文化丛书》第三集《客家风土》，第 120—128 页，转引自陈运栋《客家人》，第 369 页。

⑧ 徐杰舜：《广西客家的源流、分布和风俗文化》，《客家学研究》第 2 期，上海人民出版社 1990 年版，第 52 页。

着浓厚的“同居合爨”遗风[1]。显然，客家人的这种宗族共同体聚居遗俗与汉魏晋北朝的宗族共同体聚居制度有着密切的渊源关系。

但是，在东晋南北朝客家先民大规模南渡的时期，与北方中原地区盛行宗族共同体聚居的同时，江南地区却已盛行小家庭制度，南北方的

---

① 笔者曾于2000年7月28日至31日到江西安远、龙南，广东南雄、始兴等地对客家民居进行考察，共访得八例“同财合爨”之事实：(1) 广东梅县德馨堂。坐落于梅县南口镇侨乡村，是由其十四世祖立斋公在南洋经商发达后返乡于1905年动工兴建，至1917年才全部建成。建筑面积为1690平方米，是一座一层的二堂四横二围龙式的客家民居（以上由梅州市建设委员会提供）。据屋主人潘振锋（男，1946年生）说：他们在1940年以前还未分家，盛时有一百多人，土地雇人耕种，集体吃饭，敲钟为号。做饭由各家轮流承担。1940年才分家，因抗战时期南洋不能接济，生活拮据，不得不分家。(2) 广东梅县南华又庐。坐落于梅县南口镇侨乡村，建于1904年（清光绪三十年），为二层楼的三堂四横一后枕式的十厅九井的大型客家民居建筑（由梅州市建设委员会提供）。据屋主人潘孟昌（男，1930年生）说：听其母亲讲，以前没有分家时，全屋各家集体吃饭，雇人作饭，开饭时吹哨为号，用饭地点在上堂后面、花胎两侧的凉亭中，男女各在一边。其母曾经历此事，他本人未曾经历。(3) 江西安远县镇岗乡东生围。坐落于安远城南20千米镇岗乡老围村，建于1842年（清道光二十二年），落成于1849年（清道光二十九年），为陈朗庭所建。围子长94.4米，宽73米，占地面积6891.2平方米。现围内居民均系陈朗庭后裔，77户，325人（参见安远县博物馆钟荣昌《赣南客家围屋——安远县镇岗东生围简介》打印稿）。据屋主人陈会丰（男，1929年生）说：清朝时屋内住有两大家，每家一百多人，其祖一家五兄弟在一起过活。集体吃饭，请长工做饭。民国以后才分的家。另一屋主人陈斗清（男，1930年生）说：其曾祖父时仍然是大家庭，四代人一起过活。(4) 江西安远县镇岗乡光裕第。据屋主人钟家生（男，1922年生）说：听其父亲说，其父亲小时曾经吃过大锅饭。其祖父有5个儿子，大儿、二儿早死，还剩三兄弟在一起过活，有三四十人在一起吃饭。屋内有一大厅作为吃饭场所，做饭的炉灶也设在那里。(5) 江西安远县镇岗乡磐安围（现又称河坝围）。据屋主人陈彩林（男，1941年生）说：此屋为其六世祖陈茂芳于咸丰年间所建，牌匾所书“桂茂兰芳”，即取自他及他的夫人桂兰之名。听上辈人讲，陈茂芳有6个儿子，没有分家，集体在上堂吃饭，由媳妇们轮流做饭。土地则雇工耕种。到其孙子成家之后才分的家。此屋现住38户，176人。(6) 江西安远县孔田乡丹林围。据屋主人叶树华（男，1926年生）说：早年间他父亲成家后，仍与祖父和伯、叔等五个家庭合在一起生活，有30多人，集体吃饭，他小时曾经历此事。(7) 江西龙南县关西新围。此屋为徐老四（徐名钧）于嘉、道年间所建，房屋百余间，面积10000平方米。现住二百余人。据屋主人徐显镇（男，1940年生）说：徐老四有10个儿子，在一起生活，大儿子结婚以后分的家，小儿子不分家。他的祖父徐永煌有5个儿子，没有分家，当时伯父在家，有的叔父则外出谋生，在大厅集体吃饭，大约有15口人，由祖母负责做饭。祖父死后才分的家，那时他已8岁。(8) 江西龙南县杨村磐石围。建于明万历年间，坐落于杨村东牌。据屋主人赖吉生（男，1921年生）说：现在70余家，200多人。以前大多数分家，只有少数不分家。他家在未分家时有30多人，不分田，有事时一起去做。集体吃饭，在一张大桌上，各人盛饭，自找地方吃。由当家的和媳妇们轮流做饭。各家轮流砍柴。他家并不富裕。他家在1949年以前也已经分了家。由此可见在晚清、民国时期仍有一些客家人在不同程度保持着“同居共财”的传统。

家族制度有了较大的差异。[①] 北朝人裴植，河东闻喜（今山西闻喜县）人，为瀛州（今河北河间县）刺史时，“虽自州送禄奉母及赡诸弟，而各别资财，同居异爨，一门数灶，盖亦染江南之俗也”[②]。在当时北方人看来，如果家族内部“同居异爨，一门数灶”是沾染了江南的风俗。也就是说，当时北方还盛行同居共财的大家族制度，而南方已经盛行同居异财或异居异财的小家庭制度，大家族制度已经受到破坏，转化为个体小家庭制度了。南朝初期人指出当时南方的社会风气是：“今士大夫以下，父母在而兄弟异计，十家而七矣。庶人父子殊产，亦八家而五矣。凡甚者，乃危亡不相知，饥寒不相恤，又嫉谤谗害，其间不可称数。”[③] 家族内部异计、殊产的现象已经占据主要地位了，尤以江左一带经济发达地区和政治中心地区为甚。这种情况在南朝史籍中已经有了相当明显的反映，例如义兴（今江苏宜兴）人许昭先，“叔父肇之，坐事系狱，七年不判。子侄二十许人，昭先家最贫薄，专独料诉，无日在家。饷馈肇之，莫非珍新，家产既尽，卖宅以充之。肇之诸子倦怠，昭先无有懈息，如是七载。尚书沈演之嘉其操行，肇之事由此得释”[④]。从这个记载中我们可以看到，这个许氏家族虽有二十余人，但已经析分为几个互无财产关系、互无共同住宅的个体小家庭，许肇之吃官司以后，其侄许昭先倾力相助，以至变卖了自己的家产和住宅，尽管他的家庭在许氏家族中是最为贫穷的。那些家境比他好的家庭并没有像他这样尽力营护，甚至许肇之的亲生儿子也已表现了不耐烦的情绪。再如，吴郡唐（今浙江杭州）人范叔孙，“少而仁厚，周穷济急。同里范法先父母兄弟七人，同时疫死，唯余法先，病又危笃，丧尸经月不收。叔孙悉备棺器，亲为殡埋。又同里施渊夫疾病，父母死不殡；又同里范苗父子并亡，又同里危敬宗家口六人俱得病，二人丧没，亲邻畏远，莫敢营视。叔孙并殡葬，躬恤病者，并皆得全”[⑤]。在范叔孙所在的这个里中，居住着不同姓氏的成员，

---

① 参见万绳楠整理《陈寅恪魏晋南北朝史讲演录》第二十篇《南北社会的差异与学术的沟通》，黄山书社 1987 年版，第 327—329 页。

② 《魏书》卷七一《裴叔业传》附《裴植传》，第 1571—1572 页。

③ （梁）沈约撰：《宋书》卷八二《周朗传》，中华书局 1974 年版，第 2097 页。

④ 《宋书》卷九一《孝义·许昭先传》，第 2255 页。

⑤ 《宋书》卷九一《孝义·范叔孙传》，第 2252—2253 页。

即使同一姓氏的族人也已分析为不同的家庭，其中范氏宗族就已析为范叔孙、范法先、范苗等若干个家庭，范叔孙对范氏族人施救，完全是出于道义，而非因宗族或财产关系；这个里中的居民是由一个个小家庭组成，范法先家有八口人，危敬宗家有六口人。施渊夫、范苗家未记口数，但从他们死后不能殡葬的情形来看，当分别为三口、二口之家。这几个家庭遭受灾难后，均无本家族成员前来照看，即使有也不是住在同一里中，"畏远"而不肯前来，真可谓"危亡不相知，饥寒不相恤"[①] 了。可见这个时期的江南社会，个体家庭已经是基本单位，故史称"江南之俗……父子或异居"[②]。显然，客家宗族共同体聚居的习俗与江南汉族的习俗是有所不同的。

江南少数民族也是实行分居制度的，当时广泛分布于长江中游地区的蛮族，史称"蛮俗生子，长大多与父母异居"[③]"蛮俗，婚娶之后，父母虽在，即与别居。"[④] 岭南地区"其俚人则质直尚信，诸蛮则勇敢自立……父子别业，父贫，乃有质身于子。诸獠皆然。"[⑤] 可见江南地区的蛮、俚、獠等少数民族都不实行大家族制度，而是实行个体小家庭制度。这与客家宗族共同体聚居亦大相径庭。客家先民南渡时，先后接触的少数民族就是这些蛮、俚、獠等族。

由此可见，客家宗族共同体聚居的习俗既非受到江南汉族的影响，也不是受到江南少数民族的影响，而是继承了中原地区的传统。

三　汉魏晋北朝中原大宅与客家大屋

客家民居的第二个特征，即围堡式大屋的建筑特征，一方面源于中原"大宅"，而与江南民居有所不同；另一方面则源于中原地区的坞堡，而与江南地区的坞堡亦有所不同。

---

① 《宋书》卷八二《周朗传》，第2097页。

② （唐）魏徵、令狐德棻撰：《隋书》卷三一《地理志下》，中华书局1973年版，第886页。

③ （唐）李延寿撰：《北史》卷八二《儒林下·乐逊传》，中华书局1974年版，第2746页。

④ 《北史》卷三六《薛慎传》，第1343页。

⑤ 《隋书》卷三一《地理志下》，第888页。

汉代由于世家豪族的发展，为了适应其合门百口、数世同居的需要而建造的“大宅，逐渐发展起来，如北海“大姓公孙舟造起大宅”①。“郭详为太尉长史，起大宅在高陵城西，世称曰长史宅。”② 这种“大宅”的具体形制如何呢？据文献记载所见，汉代“三世共财”的南阳樊重，其“所起庐舍，皆有重堂高阁”③。这是有多进厅堂和高大楼阁的大宅。北魏时，范阳人卢度世“父母亡，然同居共财，自祖至孙，家内百口……亲从昆弟，常旦省谒诸父，出坐别室，至暮乃入”④。这个百口的大家族，子弟们每天早晨省谒诸父，当是在公共的厅堂中进行，行礼后，则回到各自的“别室”去，这显然是一座容纳百口居住的巨大宅第。弘农华阴杨椿、杨津家族“尊卑百口”“不异居、异财”。“兄弟旦则聚于厅堂，终日相对，未曾入内。有一美味，不集不食。厅堂间，往往帏幔隔障，为寝息之所，时就休偃，还共谈笑。（杨）椿年老，曾他处醉归，（杨）津扶侍还室，仍假寐阁前，承候安否。椿、津年过六十，并登台鼎，而津尝旦暮参问，子侄罗列阶下，椿不命坐，津不敢坐。椿每近出，或日斜不至，津不先饭，椿还，然后共食。食则津亲授匙箸，味皆先尝，椿命食，然后食。”⑤ 这是一幅北方高门大族宗族聚居于大宅之中的生活方式的生动图景，从中可见其住宅有公用的“厅堂”，为家庭成员“旦暮参问”“子侄罗拜”及日常聚会、休息、谈笑的场所，而在“内”还有各个家庭成员自己的起居之“室”。可见这是能够容纳百口以上家庭成员居住的“大宅”。考古发掘所见大宅之实例，如河北安平出土东汉熹平五年（176）墓壁画中“房屋栉比，层层进深”⑥ 的庭院图应是这种大宅的具体形制。这所大宅“庭院深邃广阔，重叠错落。整组建筑，四面由房屋合拢成大四合院，其内又分割成许多小四合院。中心院有堂、厢、廊

---

① （宋）李昉等撰：《太平御览》卷一八〇《居处部八·宅》引《陈留耆旧传》，中华书局1960年版，第878页。

② 《太平御览》卷一八〇《居处部八·宅》引《三辅决录》，第877页。

③ （南朝·宋）范晔撰，（唐）李贤等注：《后汉书》卷三二《樊宏传》，中华书局1965年版，第1119页。

④ 《魏书》卷四七《卢玄传附卢度世传》，第1062页。

⑤ 《魏书》卷五八《杨播传》，第1283、1289、1302页。

⑥ 河北省博物馆、文物管理处：《河北省出土文物选集》，文物出版社1980年版，第52页。

庑和通往各处的甬道”[①]。客家大屋与这类中原大宅显然有着极其密切的亲缘关系。

汉魏晋时期豪族地主的“大宅”不仅规模巨大，而且一般均具备相应的防御功能。据《四民月令》记载，东汉时北方豪族地主每年三月，“农事尚闲，可利沟渎，葺治墙屋，以待雨；缮修门户，警设守备，以御春饥草窃之寇”[②]。可见其屋宇有御敌之设备与功能。同书十月条记载，是月需“培筑垣、墙，塞向，墐户”[③]。十一月条记载，“冬至日平量五谷各一升，小罂盛，埋垣北墙阴下”[④]。可见其屋宇墙外周围还有“垣”。《尚书·梓材》“既勤垣墉，惟其涂塈茨”句注引马融云：“卑曰垣，高曰墉。”[⑤]“垣”是保卫屋宇安全的、较城墙低矮的围墙。这种大宅内的居民负有习武御敌的责任，五月“乃弛角弓、弩，解其徽、絃；张竹、木弓，弛絃。以灰藏旃、裘、毛毳之物及箭羽”[⑥]。八月，“得凉燥，可上角弓弩，缮、治、檠正，缚徽絃，遂以习射。弛竹木弓及弧”[⑦]。九月，“缮五兵，习战射，以备寒冻穷厄之寇”[⑧]。家族成员需制造各种守备之器械，并习武以御寇。这些大宅的防御设施和功能，在考古资料中也有明显的表现，它们一般均建有望楼、碉楼等防御设施。上述东汉晚期安平墓壁画中的大宅，“不但周绕围墙，还有高耸的望楼，看来像是一座设防的坞堡”[⑨]。湖北鄂城出土的魏晋之际的青瓷院落模型，“整体平面呈横长方形，外绕围墙……在围墙四角，各设一座碉楼”[⑩]。客家围屋一般均具备的坚固围墙和高耸的角楼与此如出一辙。

---

① 中国美术全集编辑委员会编：（本卷主编宿白）《中国美术全集·绘画编·墓室壁画》，一六《庭院建筑》，文物出版社 1989 年版，第 8 页。

② 《四民月令校注》之《三月》，第 29 页。

③ 《四民月令校注》之《十月》，第 67 页。

④ 《四民月令校注》之《十一月》，第 72 页。

⑤ （汉）孔安国传，（唐）孔颖达疏，廖名春、陈明整理，吕绍纲审定：《尚书正义》卷一四《梓材》，北京大学出版社 2000 年版，第 456 页。

⑥ 《四民月令校注》之《五月》，第 35 页。

⑦ 《四民月令校注》之《八月》，第 63 页。

⑧ 《四民月令校注》之《九月》，第 65 页。

⑨ 中国社会科学院考古研究所编：《新中国的考古发现和研究》第四章《秦汉时代·汉代的壁画墓》，文物出版社 1984 年版，第 450 页。

⑩ 鄂城县博物馆：《鄂城东吴孙将军墓》，《考古》1978 年第 3 期。

江南士庶的居宅则与此不同。东晋南朝时士族官僚的住宅不再突出楼阁堂室，而是追求自然，向庄园、别墅等园林式住宅发展。刘宋人孔灵符，会稽山阴人，“产业甚广，又于永兴立墅，周回三十三里，水陆地二百六十五顷，含带二山，又有果园九处”[①]。这是东晋南朝士族地主典型的庄园，在包括山林、水陆耕地和园艺的大面积的庄园范围内，建筑各式住宅和别墅。不独江南吴姓士族为然，北方南下的高门士族亦然，以一等侨姓高门陈郡谢氏为例，谢安早年即“寓居会稽”“放情丘壑”，后虽身登台辅，仍“于土山营墅，楼馆竹林甚盛，每携中外子侄往来游集”[②]。其侄谢玄虽建大功于淮、肥，亦于叔父谢安薨后，“解驾东归”“选神丽之所，以申高栖之意”。谢玄一门“经始山川，实居于此”[③]。谢玄于会稽创建的田园别墅，至其孙谢灵运（385—433）时已被经营得规模更为巨大，景色更为幽美，史称其“父祖并葬始宁县，并有故宅及墅，遂移籍会稽，修营别业，傍山带江，尽幽居之美”[④]。其《山居赋》对这个庄园的山水、园林之美极尽摹写。关于其内之屋宇建筑，他写道：南山为其“开创卜居之处”“南北两处，各有居止。”“抗北顶以葺馆，瞰南峰以启轩。罗曾崖于户里，列镜澜于窗前。”南山“江楼”之外，“去岩半岭，复有一楼”[⑤]。可知在其庄园内各式宅宇、楼、馆点缀于山水林壑之间，主要突出其观赏游玩之功能，为此甚至把山崖也构筑于屋宇之内。由此可见，不论侨旧士族在这个时期都已经将住宅建筑向园林化方向发展了。这与客家民居之求生存与自卫之实用目的大相径庭。

江南的一般民宅，由于兄弟分居，故多为小型宅院。如前所述，江南地区大家族制度式微，盛行小家庭制度，这在住宅上也有相应的反映。梁代官僚徐勉（466—535）在诫子书中说：“慧日、十住等，既应营婚，又须住止，吾清明门宅，无相容处。”明言其住宅不能满足儿子结婚成家之需。一个大官僚何以不能建造大宅以满足儿孙居住所需呢？这除了江

① 《宋书》卷五四《孔季恭附子（孔）灵符传》，第1533页。

② （唐）房玄龄等撰：《晋书》卷七九《谢安传》，中华书局1974年版，第2072、2075页。

③ 《宋书》卷六七《谢灵运传》，第1756页。

④ 《宋书》卷六七《谢灵运传》，第1754页。

⑤ 《宋书》卷六七《谢灵运传》，第1766—1767页。

南社会风尚使然，也与他的思想观念有关，他说："古往今来，豪富继踵，高门甲第，连闼洞房，宛其死矣，定是谁室?""意亦谓此逆旅舍耳，何事须华?"这是士族官僚在玄、佛思想影响下的一种心态，在当时具有一定的代表性。正因为如此，徐勉的住宅"所以内中逼促，无复房宇"。为了解决这个问题，于是他一方面"聊于东田间营小园"以为自己"悬车致事"之后的归宿，另一方面又"近营东边儿孙二宅，乃藉十住南还之资，其中所须，犹为不少……此吾所余，今以分汝"①。显然，这位士族官僚建筑住宅的指导思想是满足自身居住所需，并没有将儿孙后代包括在内而建筑几代同堂、合门百口的大型住宅。在儿孙需要成家立业之时，只得另营居室以满足他们的需要。士族官僚如此，其他一般庶民亦大体如此。从东晋南朝时期社会基层实行的里伍制度中可以窥知这种民居情况，这个制度规定五家为伍，二伍为什，十什为里，十里为亭，十亭为乡。② 在这种乡里基层组织中士庶错居，"君子小人""杂为符伍"③。同里之中不仅居住着不同阶层和身份的居民，而且居住着各种不同家族与姓氏之人，前述钱唐范叔孙所居住的里中，除了范氏之外，还有施氏、危氏等其他姓氏居民，即使同为范氏也已析为不同家庭。再如，南齐时会稽永兴倪翼之所居住的里中，除了倪氏之外，尚有陈、王、左等姓氏居民，他们在急难时因"孤单无亲戚"等原因而受到倪翼之母亲丁氏的周济。④ 这些不同姓氏的个体家庭聚居一个里中，各有自己的住宅。这些个体居民的住宅必然不能太大。史称在里伍之中"比屋邻居"，相互之间"比门接栋"，因而他们之间的各种讯息和情况"小以为意，终自闻知，不必须日夕来往也"⑤。表明这些住宅并不大，多为小型宅院，相互邻接。而且江南普通民居多为草屋。东晋时，孔愉"出为镇军将军、会稽内史……在郡三年，乃营山阴湖南侯山下数亩地为宅，草屋数间，便弃官居之"⑥。 陶渊明（365—427）自谓："方宅十余亩，草屋八九

① （唐）姚思廉撰：《梁书》卷二五《徐勉传》，中华书局1973年版，第384—385页。
② 《宋书》卷四〇《百官志下》，第1258页。
③ 《宋书》卷四二《王弘传》，第1318页。
④ （梁）萧子显撰：《南齐书》卷五五《孝义传》，中华书局1972年版，第959页。
⑤ 《宋书》卷四二《王弘传》，第1318、1320页。
⑥ 《晋书》卷七八《孔愉传》，第2053页。

间。”[①] 这并非诗人的浪漫之辞，他在《五柳先生传》中说其住宅“环堵萧然，不蔽风日”。史家认为此文盖“以自况”“时人谓之实录”[②]。刘宋人何子平“世居会稽”，辞官归乡里，因母丧久未能葬，“所居屋败，不蔽雨日，兄子伯与采伐茅竹，欲为葺治，子平不肯，曰：‘我情事未申，天地一罪人耳，屋何宜覆，”[③] 可知其屋顶乃以茅竹覆盖。以茅竹搭盖之草屋必不能太大。因而江南士庶的普通民宅，与客家那种宗族共同体聚居的超大型屋宅亦不可同日而语。

客家大屋与江南少数民族屋宇也不相同。江南腹地的众多少数民族，在秦汉时期统称为“百越”，在《后汉书》中被称为蛮族，列入《南蛮传》中，《隋书·南蛮传》谓：“南蛮杂类，与华人错居，曰蜒，曰獽，曰俚，曰獠，曰㐌，俱无君长，随山洞而居，古先所谓百越是也。”[④] 可知秦汉时期的百越，从东汉以后被称为南蛮，包括蛮、俚、獠等众多少数民族在内。南北朝时期，俚、獠等族主要分布于岭南、西南地区。而这些民族的居室以干栏式建筑为主，“獠者，盖南蛮之别种……依树积木，以居其上，名日‘干兰’，干兰大小，随其家口之数”[⑤]。“干兰”建筑又被称为“麻栏”，据《桂海虞衡志·西原蛮》：岭南俚僚“民居苫茅为两重棚，谓之‘麻栏’，上以自处，下畜牛豕……深广民居亦多如此”[⑥]。或称“阁阑”，据《太平寰宇记·剑南东道七·昌州》：其俗“无夏风，有獠风，悉住丛菁，悬虚构屋，号‘阁阑’”[⑦]。这类建筑由竹、木、茅草搭盖，分为上下两层，上层住人，下层畜养牲畜，故又被称为“楼居”，“广州，镇南海……虽民户不多，而俚獠猥杂，皆楼居山险，不肯宾服”[⑧]。

---

① 逯钦立辑校：《先秦汉魏晋南北朝诗》之《晋诗》卷一七（陶潜）《归园田居》，中华书局1983年版，第991页。

② 《宋书》卷九三《隐逸·陶潜传》，第2286—2287页。

③ 《宋书》卷九一《孝义·何子平传》，第2257—2258页。

④ 《隋书》卷八二《南蛮传》，第1831页。

⑤ 《魏书》卷一〇一《獠传》，第2248页。

⑥ （元）马端临撰：《文献通考》卷三三〇《四裔七·西原蛮》引《桂海虞衡志》，中华书局1986年版，第2588页。

⑦ （宋）乐史撰，王文楚点校：《太平寰宇记》卷八八《剑南东道七·昌州·风俗》，中华书局2007年版，第1747页。

⑧ 《南齐书》卷一四《州郡志上》，第262页。

或称为“巢居”，《隋书·地理志》谓：岭南地区的俚、獠、诸蛮皆“巢居崖处，尽力农事”[①]。《太平寰宇记·剑南东道七·泸州》谓：“其夷獠则与汉不同……巢居岩谷，因险凭高。”[②] 唐人张籍《蛮州》诗云：“瘴水蛮中入洞流，人家多住竹棚头。”[③] 这种“竹棚”也属干栏式建筑物。隋唐时期散居闽、粤、赣交界的“蛮僚”（又称“洞蛮”），南宋后被称为“畲民”，即今畲族先民，多数学者认为他们源于汉晋时代的长沙、武陵蛮。[④] 他们“随山迁徙，去瘠就腴，无定居”。“结庐山谷，诛茅为瓦，编竹为篱，伐荻为户牖。”[⑤]“猺人……随山种插，去瘠就腴，编荻架茅为居。”[⑥] 由此可见，客家大屋与江南蛮、俚、獠、畲、猺等少数族民居也是不相同的，而是源于他们祖居的中原地区。

四 汉魏晋北朝中原坞堡与客家围屋

客家民居建筑特征另一方面的渊源乃是中原地区的坞堡。早在西汉末年强宗豪族就开始建筑坞堡，“时赵、魏豪右往往屯聚，清河大姓赵纲遂于县界起坞壁，缮甲兵。”[⑦] 此外史籍记载强宗豪族所建之“营堑”“营垒”等，其性质与坞堡基本上也是一致的。樊宏，南阳湖阳人，“更始立……（樊宏）与宗家亲属作营堑自守，老弱归之者千余家。时赤眉贼掠唐子乡，多所残杀，欲前攻宏营。”[⑧] 第五伦，京兆长陵人，“王莽末，盗贼起，宗族闾里争往附之。伦乃依险固筑营垒，有贼，辄奋厉其众，引强持满以拒之，铜马、赤眉之属前后数十辈，皆不能下。”[⑨] 东汉末年的战乱和基层组织的破坏，导致一些以血缘关系为基础的地方性武

---

① 《隋书》卷三一《地理志下》，第 888 页。

② 《太平寰宇记》卷八八《剑南东道七·泸州·风俗》，第 1740 页。

③ （唐）张籍撰：《张文昌文集》卷二《杂诗·蛮州》，上海古籍出版社 2013 年版，第 55 页。

④ 卢勋、萧之兴、祝启源：《隋唐民族史》，四川民族出版社 1996 年版，第 251 页。

⑤ （清）刘国光、谢昌霖等纂修：《长汀县志》卷三三《杂识二·畲客》引范绍质《瑶民纪略》，台北：成文出版社 1967 年版（影印清光绪五年刊本），第 528 页。

⑥ （清）顾炎武撰：《天下郡国利病书》原编第 26 册《福建二十八·猺人》，见《续修四库全书》编纂委员会编《续修四库全书》第 597 册《史部·地理类·天下郡国利病书》，上海古籍出版社 1987 年版，第 526 页。

⑦ 《后汉书》卷七七《酷吏·李章传》，第 2492 页。

⑧ 《后汉书》卷三二《樊宏传》，第 1120 页。

⑨ 《后汉书》卷四一《第五伦传》，第 1395 页。

装自卫集团的出现，强宗豪族率领宗族据险守隘，因而坞堡有了很大发展。西晋末年战乱和社会基层组织的破坏更为严重，坞堡壁垒更是遍布于北方地区，在十六国时期达到它的高峰，成为战乱时代一种特殊的聚居方式，史称“永嘉之乱，百姓流亡，所在屯聚”。长广郡掖县人苏峻“纠合得数千家，结垒于本县。于时豪杰所在屯聚，而（苏）峻最强”①。诸如此类，不胜枚举，因而诸如“关中堡壁三千余所”②“冀州郡县，堡壁百余”③，这类记载，史不绝书。北方坞堡及其制度大略有如下三个特点。

（一）具有坚固、周密防御设施和功能的城堡式建筑

“坞”为后出之字，原作“隖”。《说文解字》：“隖，小障也。一曰庳城也。”段注引《通俗文》曰：“营居为隖。”④ 元人胡三省（1230—1302）说：“城之小者曰坞。天下兵争，聚众筑坞以自守。”⑤ 可见这是一种具有防御性设施的城堡式建筑。坞堡又有坞壁、堡壁、壁垒等名称，胡三省在解释“壁垒”时说：“壁垒，盖时遭乱离，豪望自相保聚所筑者。”⑥ 可见它们的性质都是相同的。坞堡既然是在战乱、流离之中兴起，故其建筑之时首先就考虑到它的防御设施。郦道元（约469—527）在注释索水所经大栅城时说：“晋荥阳民张卓、董迈等遭荒，鸠聚流杂堡固，名为大栅坞。”据熊会贞疏“堡固”云：“全、戴改‘堡’作‘保’……《集韵》，堡，障小城也。固即下卷黄巾固，《易水》篇石泉固之固。此堡固并称，谓聚流人于堡固也，堡字不误，不必改。”杨守敬疏“大栅坞”云：“《史记·项羽本纪》京索，《集解》引晋灼曰，索音栅，则大索即

---

① 《晋书》卷一〇〇《苏峻传》，第2628页。

② 《晋书》卷一一四《苻坚载记下》，第2926页。

③ 《太平御览》卷三三五《兵部六六·营垒》引崔鸿《后赵录》，第1539页。

④ （汉）许慎撰，（清）段玉裁注：《说文解字注》十四下《阜部》，上海古籍出版社1988年版，第736页。按，《说文解字》中无“坞”字，表明其为后出之字。“隖”之意涵为“小障”“庳城”，古代修筑城、障，开始多以土夯筑，故后来“隖”多以“土”字旁代“阜（阝）”旁，从而出现新字“坞”，原“隖”字反而较少使用了。下引胡三省注《资治通鉴》，便书为“坞”字。

⑤ （宋）司马光编著，（元）胡三省音注：《资治通鉴》卷八七，晋怀帝永嘉四年（310）七月胡注，中华书局1956年版，第2749页。

⑥ 《资治通鉴》卷一〇〇，晋穆帝升平元年（357）九月胡注，第3166页。

大栅。故《元和志》大索城下云，晋末荥阳人张卓、董遇（与《注》迈异）鸠集流散，守固此城，因名大栅坞……即以大索城为大栅坞。"[①] 表明坞堡建筑首要目的就在于"鸠聚流杂堡固"，亦即"聚流人于堡固"之谓，在中国古代军事史上，"城、堡、坞、障、栅、镇、崮（固）"等，在很多情况下意涵相通，都有军事堡垒的性质。西晋"八王之乱"时，"齐王冏之唱义也，张泓等肆掠于阳翟，（庾）衮乃率其同族及庶姓保于禹山……于是峻险厄，杜蹊径，修壁坞，树藩障……缮完器备"[②]。表明坞堡除有相应的防卫性建筑和设施外，还要选择险要地址。考古发掘所见坞堡建筑形制，如嘉峪关魏晋墓出土了七幅"坞"的画像砖，其中一幅榜题红色"坞"字，"坞"的四周都画有高墙厚壁，"有的在'坞'内还有高层碉楼，有的坞壁上设有望楼或敌楼"[③]。俨然一座小城堡，是为当时北方坞堡建筑之外观。文献所见，如董卓（？—192）在关中所建的郿坞，"高厚七丈，号曰'万岁坞'"[④]。或谓其坞"高与长安城埒"[⑤]。公孙瓒（？—199）在易京所筑，也是一种坞堡。公孙瓒被袁绍击败，"乃走还易京固守。为围堑十重，于堑里筑京，皆高五六丈，为楼其上；中堑为京，特高十丈，自居焉"[⑥]。同《传》注引《英雄记》曰：时"（公孙）瓒诸将家家各作高楼，数以千计。瓒作铁门，居楼上，屏去左右，婢妾侍侧，汲上文书"[⑦]。可见坞堡都有坚固的围墙和高大的碉楼，显示了其聚众保固的特征。

坞堡具有良好的防御功能，是老百姓在战乱中团结、自卫行之有效的居处方式。东汉末年谯国谯县人许褚"聚少年及宗族数千家，共坚壁以御寇"。当时"汝南葛陂贼万余人攻（许）褚壁，褚众少不敌，力战疲极。兵矢尽，乃令壁中男女，聚治石如杅斗者置四隅。褚飞石掷之，所

---

① （北魏）郦道元注，（民国）杨守敬、熊会贞疏，段熙仲点校，陈桥驿复校：《水经注疏》卷七《济水》，江苏古籍出版社 1989 年版，第 663—664 页。按，董遇，《水经注》原作"董迈（邁）"，故杨守敬疏云"与《注》迈异"。

② 《晋书》卷八八《孝友·庾衮传》，第 2282—2283 页。

③ 嘉峪关市文物清理小组：《嘉峪关汉画像砖墓》，《文物》1972 年第 12 期。

④ 《后汉书》卷七二《董卓传》，第 2329 页。

⑤ 《三国志》卷六《魏书·董卓传》，第 176 页。

⑥ 《三国志》卷八《魏书·公孙瓒传》，第 243 页。

⑦ 《三国志》卷八《魏书·公孙瓒传》注引《英雄记》，第 245 页。

值皆摧碎。贼不敢进”[①]。一个坞堡可以抵御一万余人的进攻，在力量对比悬殊的情况下仍能立于不败之地，可见其防御设施之坚固与有效。常林，河内温人，“依故河间太守陈延壁。陈、冯二姓，旧族冠冕。张杨利其妇女，贪其资货。（常）林率其宗族，为之策谋。见围六十余日，卒全堡壁”[②]。一个坞堡坚守两个多月而未被强悍的军阀攻陷，可见其防御功能之完善和可靠。坞堡的防御设施和功能还表现在它的整体性方面，即除了坞堡建筑本身的防御设施之外，还需选择既险要又能保障给养之地。此诚如陈寅恪（1890—1969）先生所论：“凡聚众据险者因欲久支岁月及给养能自足之故，必择险阻而又可以耕种及有水泉之地。其具备此二者之地必为山顶平原，及溪涧水源之地，此又自然之理也。”[③] 东汉末，田畴（169—214）在徐无山所建坞堡，即“营深险平敞地而居，躬耕以养父母”[④]。庾衮在禹山的坞堡，为坞众制定的规章之一是“无樵采人所植”，表明坞堡附近有供坞民种植之地。后来庾衮又在大头山立坞，而“田于其下”[⑤]。为了应付强敌长期的围攻，故坞堡需储备足够的食物和其他生活用品。董卓的郿坞可“积谷为三十年储。自云：‘事成，雄据天下；不成，守此足以毕老。’” 此外，“坞中珍藏有金二三万斤，银八九万斤，锦绮缋縠纨素奇玩，积如丘山”[⑥]。公孙瓒在易京所建坞堡内亦“积谷三百万斛”[⑦]。这两个军阀所建坞堡虽与一般坞堡相比有一定的特殊性，但尽可能储藏充足的粮食等物资则是大多数坞堡所共同的。许褚之坞堡在抵御围攻时，曾因“乏食，伪与贼和，以牛与贼易食”[⑧]。因储备不足而处于被动，表明储备足够的粮食乃是固守坞堡的必要条件；但是也表明许褚坞堡还畜养牲畜，此亦属必要储备之一。此外，为了持久防守，坞堡内还需有水源，赫连勃勃（？—425）攻打王奚的敕奇堡时，“于是

① 《三国志》卷一八《魏书·许褚传》，第542页。

② 《三国志》卷二三《魏书·常林传》，第659页。

③ 陈寅恪：《桃花源记旁证》，原刊《清华学报》11卷1期，今据氏著《金明馆丛稿初编》，上海古籍出版社1980年版，第171页。

④ 《三国志》卷一一《魏书·田畴传》，第341页。

⑤ 《晋书》卷八八《孝友·庾衮传》，第2283页。

⑥ 《后汉书》卷七二《董卓传》，第2329、2332页。

⑦ 《三国志》卷八《魏书·公孙瓒传》，第243页。

⑧ 《三国志》卷一八《魏书·许褚传》，第542页。

堰断其水，堡人窘迫，执奚出降”[①]。敕奇堡的陷落就是因为坞堡水源被敌人截断所致。

（二）坞堡建筑规模宏大

坞堡的规模究竟有多大呢？各个时代和各个地区不尽相同。前燕时，“张平跨有新兴、雁门、西河、太原、上党、上郡之地，垒壁三百余，胡晋十余万户”[②]。据此平均每个坞堡 330 户左右，前燕每户平均口数为 4.06[③]，则平均每个坞堡为 1340 人。后赵时“三辅豪右多杀其令长，拥三十余壁，有众五万以应（晋梁州刺史司马）勋”[④]。据此则平均每个坞堡有 1700 人左右。西晋末年“乌丸张伏利度亦有众二千，壁于乐平”[⑤]。东汉末，曹操（155—220）以满宠（？—242）为汝南太守，率兵“攻下二十余壁……得户二万”[⑥]。据此平均每个坞堡为 1000 户，东汉汝南郡每户平均口数为 5.19[⑦]，则平均每个坞堡为五千一、二百人。永嘉初，“胡部大张訇督、冯莫突等拥众数千，壁于上党。”[⑧]“平阳人李洪有众数千，垒于舞阳。”[⑨]后秦姚兴（366—416）的将领王奚“聚羌胡三千余户于敕奇堡，（赫连）勃勃进攻之”[⑩]。后秦无具体户口数字，如以同为十六国时期的前燕每户平均口数为 4.06 计算，则敕奇堡有 12000 人左右。西晋末，郗鉴（269—339）“举千余家俱避难于鲁之峄山”，后“众至数万”[⑪]。永嘉之乱时，长广掖县人苏峻（？—328）“纠合得数千家，结垒于本县”[⑫]。从上述数例观之，一个坞堡的人数从一千多人到数万人都有，

---

① 《晋书》卷一三〇《赫连勃勃载记》，第 3204 页。

② 《晋书》卷一一〇《慕容儁载记》，第 2839—2840 页。

③ 梁方仲编著：《中国历代户口、田地、田赋统计》甲编《甲表 13. 三国、西晋、南北朝的户口数及每户平均口数》，上海人民出版社 1980 年版，第 38 页。

④ 《晋书》卷一〇七《石季龙载记下附子（石）遵载记》，第 2790 页。

⑤ 《晋书》卷一〇七《石季龙载记下》，第 2790 页。

⑥ 《三国志》卷二六《魏书·满宠传》，第 722 页。

⑦ 《中国历代户口、田地、田赋统计》甲编《甲表 7. 后汉各州郡国户口数及每平均户数和每户平均口数》，第 22 页。

⑧ 《晋书》卷一〇四《石勒载记上》，第 2709 页。

⑨ 《晋书》卷一〇四《石勒载记上》，第 2713 页。

⑩ 《晋书》卷一三〇《赫连勃勃载记》，第 3204 页。

⑪ 《晋书》卷六七《郗鉴传》，第 1797 页。

⑫ 《晋书》卷一〇〇《苏峻传》，第 2628 页。

而以三四百户、二千人左右者居多，由此可见坞堡建筑规模之巨大。当然并非所有坞堡壁垒，特别是一些超大型的、众至数万人的坞堡壁垒，都是修建居室以屯聚的，更非以一座建筑物而容纳之，如郗鉴屯聚之峄山，据载其山“东西二十里，高秀独出，积石相临，殆无土壤，石间多孔穴，洞达相通，往往有如数间屋处，其俗谓之峄孔。遭乱，辄将家入峄，外寇虽众，无所施害。晋永嘉中，太尉郗鉴将乡曲保此山，胡贼攻守不能得”①。可知郗鉴在峄山之坞壁即主要是利用天险以自保。

（三）坞堡组织具有浓厚的宗族共同体色彩

坞堡内的居民有以宗法血缘关系为纽带而实行宗族聚居的，也有以乡党关系或宗族、乡党兼而有之聚居的，而以宗族聚居者或以宗族为基础吸收乡党或其他人员加入而组成者较为普遍。如许褚，谯国谯人，“汉末，聚少年及宗族数千家，共坚壁以御寇”②。东汉末年田畴“率举宗族他附从数百人”③入徐无山结坞。曹魏时，杜恕“遂去京师，营宜阳一泉坞，因其垒堑之固，小大家焉”④。西晋“八王之乱”时，庾衮“乃率其同族及庶姓保于禹山”⑤。前赵光初三年（320），关中有“句氏宗党五千余家保于阴密”⑥。北魏末年，“及葛荣起，（李）元忠率宗党作垒以自保”⑦。由于以宗族关系聚居，因而有的坞就迳以姓氏命名，前秦苻坚（338—385）“率步骑二万讨姚苌于北地，次于赵氏坞”⑧，即是其例。

史籍记述坞堡之人员规模时，常以其有多少“家”、多少“户”为言，“可见坞中的基本组织或单位为家庭，举同族者，虽然上有宗主，族中仍旧是一个个独立的家庭组织”，而非宗族。⑨虽然如此，但是它与一

① 《水经注疏》卷二五《泗水注》引《地理志》，第2116页。《太平御览》卷四二《地部七·峄山》引《地理志》略同，第202页。

② 《三国志》卷一八《魏书·许褚传》，第542页。

③ 《三国志》卷一一《魏书·田畴传》，第341页。

④ 《三国志》卷一六《魏书·杜恕传》注引《杜氏新书》，第506页。

⑤ 《晋书》卷八八《孝友·庾衮传》，第2282页。

⑥ 《晋书》卷一〇三《刘曜载记》，第2687页。

⑦ 《魏书》卷三三《李灵传附李元忠传》，第1202页。

⑧ 《晋书》卷一一四《苻坚载记下》，第2921页。

⑨ 万绳楠：《魏晋南北朝史论稿》，安徽教育出版社1983年版，第138页。

般个体家庭又有所不同，在坞堡的社会、经济生活中具有浓厚的共同体色彩。[①] 这些个体家庭之间的财产、身份地位表现得比较平均与平等，坞民之间的团结互助精神亦较为突出，尤以迁徙它乡异地坞堡为然。如，东汉末田畴在徐无山由坞民公推其为坞主，他与坞众共同制订"约束"，然后"班行其众，众皆便之，至道不拾遗"。田畴与坞众一样也需"躬耕以养父母"[②]。西晋末庾衮禹山坞亦然，他也是由坞众推为坞主，然后与坞众誓曰："无恃险，无怙乱，无暴邻，无抽屋，无樵采人所植，无谋非德，无犯非义，戮力一心，同恤危难。"于是"考功庸，计丈尺，均劳逸，通有无……而身率之"。因而"上下有礼，少长有仪"。后来他又率家人与林虑之人在大头山结坞，"田于其下"。年谷未熟之时，他与坞众一样"食木实，饵石蘗，同保安之"。在一次下山收获途中因眩晕坠崖而死。[③] 由此可见，这些坞堡中的个体家庭土地占有比较平均，坞主与坞众一样参加劳动，他们在生产中的均平劳逸，生活中的互恤危难，社会关系和政治关系中的相对平等和民主，都体现了坞堡的共同体色彩。

何以坞堡内部组织会呈现这样的特征呢？一方面，前文我们谈到东晋南北朝时北方大家族制较南方盛行，但是与此同时北方的小家庭制度本身也在发展；更主要的是，在战乱、流离的情况下，导致原有社会基层组织、社会关系、土地占有关系和宗法血缘关系的变化或破坏，势必不能继续保持宗族同居共财的生活方式，从而加速了大家族制度的崩坏和小家庭制度的发展。因而在这种适应战乱、流亡之需而兴起的坞堡之中，其基本组成单位乃是个体小家庭。另一方面，也正因为坞堡是适应战乱、流离的需要而形成的特殊的居处方式，是脱离旧的社会环境和土地关系，而在新的社会环境和土地关系基础上形成的新的社会群体，而且出于风雨同舟、团结自保的特殊需要，因而其经济、社会生活等方面平均与平等的特征，以及相互之间的团结互助精神就比较突出，从而具有不同程度的共同体色彩。

典型的客家民居也具有上述北方坞堡的三个特征，体现了其与古代

---

① 赵克尧：《论魏晋南北朝的坞堡》，《历史研究》1980 年第 6 期。

② 《三国志》卷一一《魏志。田畴传》，第 341 页。

③ 《晋书》卷八八《孝友·庾衮传》，第 2283 页。

中原坞堡一脉相承的性质和特征。兹略述于下。

（一）客家民居也是具有坚固、周密的防御设施和功能的城堡式建筑

首先，它具有坚固、封闭的外围。客家民居不论其具体形制为方形或圆形，都具有这个共同特征，其外围墙壁均极其高大、厚重、坚固，其门窗的数量和面积均减少、减小至极限，以便最大限度地发挥其防御功能。正因为如此，故客家大屋有“围屋”“围龙屋”“土围”等形制和名称，或径称屋名为“××围”。各种所谓圆楼、方楼也是一种“围屋”。围字之初文作“囗”，《说文解字》：“囗，回也。象回帀之形。”[①] 客家围屋之四周封闭或环环相套的特征与此义完全相合。同书又云：“围，守也。”[②]义为防守自卫。前者为形，后者为义，两者互为作用，密不可分。具有围堡特征的客家大屋，就是坚固、封闭的外围及其防守功能的结合体。

其次，屋内还有其他相关的防御设旋。它不仅在房屋周围设置瞭望和射击的小孔，而且在屋中必有高大的角楼，以为登高瞭望和射击之用。为了应付长期的被围困，而建造仓储，屯积粮草，掘井凿池，保证水源。不仅屋内的水井是其水源所赖，不少客家居宅门口必有之“门口塘”，也是水源之一。这些水井、池塘不仅是饮用和洗涤所赖，也是防火之必备。客家大屋之内一般都有饲养牲畜的“猪栏”“牛栏”，有晾晒粮食的“禾坪”，有巨大的“天井”“花胎”以保证充足的采光。总之，客家大屋对于人祸天灾均有着极其周密、精细的因应之道和防备手段，关起大门也足以维持相当时日的生存，一个大屋就是一个自给自足的小社会，此与北朝人颜之推所谓“闭门而为生之具以足，但家无盐井耳”[③]，是多么相像。正因为如此，所以其防御功能极其突出，如江西省安远县镇岗乡的尊三围，在土地革命时期曾是镇岗乡苏维埃政府所在地，1933 年陈济棠部 44 师围剿尊三围，每天出动飞机十余架次，对准尊三围狂轰滥炸，并用大炮机枪等轰击，长达 40 余天，只是因围内弹尽粮绝才被攻破。[④] 又如，“20 世纪 30 年代，（福建）永定上洋的‘遗经楼’内曾驻扎数百名

---

① 《说文解字注》六下《囗部》，第 276 页。

② 《说文解字注》六下《囗部》，第 278 页。

③ 王利器撰：《颜氏家训集解》卷一《治家第五》，中华书局 1993 年版，第 43 页。

④ 林多贤、罗勇主编：《客家社会与文化研究》（下）《赣南围屋研究》（万幼楠），黑龙江人民出版社 2006 年版，第 173—174 页。

红军战士和赤卫队员，楼内粮食充足，国民党张贞部和当地民团用炸药包攻楼，连爆3次，大门边才崩塌一个小角，连续围困两个多月仍无法攻克”①。此与汉魏晋北朝中原坞堡在这方面的特征和表现是多么相似。

最后，它的防御功能不仅表现在单个大屋的坚固、严密的防御设施和功能上，而且表现为广义的防御体系构成上。有的村落是由几座这种大屋构成相互配合、支援的防御体系。② 它选址于既能避开四战之地、都会所在、土著势力相对强大，又有樵采、耕植和水源之便的“深险平敞”之地，也是一种战略上的自我防卫。总之，巨大的客家民居所具有的这些防御设施和体系与汉魏晋北朝中原豪族大宅和坞堡中常见的建筑形制及防御功能是非常相似的。

出于防御的需要，客家人也有农隙讲武的习俗。清代徐旭曾《丰湖杂记》云：“客人多精技击，传自少林真派。每至冬月农暇，相率练习拳脚、刀剑、矛梃之术，即昔人农隙讲武之意也。”③ 一般农家均备有刀枪棍棒等器械。这与《四民月令》所记东汉豪族田庄于农隙习武的情形可谓如出一辙。

（二）客家民居的规模也非常巨大

客家民居的规模不是一般意义上的巨大，而是一种超大型的建筑物，在一个大屋之内，“有巨至内容有房子四五百间，能住男女四五百人”④。这种规模或大于这种规模的房子在客家地区是相当普遍的，闽西客家土楼“规模最大的有四百个房间，可住八十户人家，六百多人”⑤。粤北曲江的客家大屋“翰亨围”“周长625米，面积约2.74万平方米……今屋内仍住有一百四十多户农民”⑥。粤东梅县曾氏的大围龙屋，民国时曾有“一团人（千多人）住进去，仍未住满”⑦。此类大屋，不烦枚举。对此人们不能不惊叹：“求之其他各地，真不易看见这类大屋。”⑧ 如此大规模

---

① 《客家土楼民居》，第104页。

② 《客家土楼民居》，第103—104页。

③ 转引自罗香林《客家研究导论》，第182—183页。

④ 转引自罗香林《客家研究导论》，第180页。

⑤ 刘佐泉：《客家历史与传统文化》，河南大学出版社1991年版，第289页。

⑥ 《客家历史与传统文化》，第296页。

⑦ 《客家历史与传统文化》，第295页。

⑧ 《客家研究导论》，第180页。

的房屋，只有汉魏晋北朝时期中原豪族大宅和坞堡壁垒可与之相提并论。

客家围屋，除常见的独立围屋之外，尚有以整个村落为围的巨大的村围，其规模更是大得惊人。笔者于2000年7月于粤北、赣南实地考察客家民居时所见之栗园围即是其例。栗园围座落于江西省龙南县里仁乡，始建于宋末，围内为一大村落，总面积约150亩，为李氏一姓所居，现住有200多户。村落四周为高大坚固之围墙，墙高四五米，上下两层射击孔，开东西南北四门，设置八个炮楼，俨然一座巨大的城堡。村中有祠堂一、水井二，有巨大的池塘。今见村落内各户住房独立，有街巷门牌编号，有店铺。这种村围散布于客家地区，但总的数量并不多。这种村围，多以一姓一围，但也有少量为杂姓一围的。后者则与中古时代坞堡之有以乡党关系聚居的情况颇为类似。

（三）客家居处制度也具有浓厚的宗族共同体色彩

客家人一方面继承中原大宅的居处传统，实行宗族的同居共财；另一方面又继承中原坞堡制度的居处传统，在宗族共同体的基础上实行小家庭制度，即同居异财制度。因而客家人的宗族聚居方式就表现为同居共财与同居异财的交互结合，大家族与小家庭的相互为用。虽然因时代的不同，客家人的同居异财在不断发展，但是在其宗族内部的“共财”成分却始终是非常突出的，具有浓厚的宗族共同体色彩。其个体家庭制度与一般的个体家庭制度不同，是建立在宗族共同体基础上的个体家庭制度。其具体表现约有如下数端：

1. 房屋方面

“客人屋宇，多由创业的人，一手经营，而分给众多的子孙，但无论分遗至如何繁细，其正厅仍属公有。”① 一座大屋之内包括正厅在内的公共房间甚多，据《兴宁东门罗氏族谱》卷八《礼俗·居室》所载有：（1）“龙厅”——“围龙房屋之中心一间，正对祖龛龙神龛者，为龙厅，其厅常为屋人所公有。”（2）“上堂”——供奉祖先神主及祭祀所在。（3）“中堂”——“屋中人有大喜庆事，行礼宴客，均在于此。”（4）“下堂”——“为公共出入之地”。（5）“南北厅”——有二或四间，“此亦为一屋公有之地”。（6）“花厅”——亦有二或四间，“此为屋人应酬宾客之

① 《客家研究导论》，第180页。

所，故屋中房间可分为私有，而花厅必归于众”。(7) “老人间”——“凡男妇年老病，至弥留时，其子孙即抬于是，以俟其终，此无特别建筑之房间，或以上堂正间为之，或以南北厅及其他一间为之。” (8) “浴室”“厨房”——“初造时常以花厅附近，择其地为特别之浴室，左右横屋之余内，选出一二间为合式之厨房，及后丁口浩繁，各择便当房间为之，不能限于一处。”(9)“角楼”及“楼棚”——“不许私人住眷及安放家私，以便有事时，众人得以登楼御敌。”除此之外，还有“门廊”“骑马廊”“后廊”“伸手廊”“禾坪”“池塘”等均为公共所有。① 由此可见，在客家大屋之中公共建筑所占比例极大，可以说屋内居民除了分给自己的几间居室之外，其余都是公共房屋。

2. 土地方面

客家人虽然每个个体家庭占有一定数量的土地，但是宗族公有土地依然占居主要份额。客家的宗族公有财产非常广泛、庞大，包括土地、山林、居室、祠堂、学校、水利设施、桥梁道路等。其中最主要的就是土地，土地中最主要的是“族田”和“义田”。族田有“祭田、蒸尝田、学租田、儒租田、祠田、桥田、渡田等等，不一而足”②。据称，“闽西客家人的宗族土地约占总耕地面积的30%—40%，有的乡高达70%—80%”③。据1945年闽西适中镇的调查，“宗族田地占7/10，私人地主仅占3/10”④。土地改革时，“据调查，闽西共有族田占田地总面积的50%以上”⑤。民国时期，广东兴宁的黄陂、黄槐、岗背合为一区，“共有大小祖尝一千七百十二三个，占全区百分之四十一点二的土地。除此之外，祖尝还占有外区土地三千二百十二市亩”⑥。此外，宗族还有公共之“义田”，将其收获物设立“义仓”，“以备饥荒煮赈，贫乏赖焉”⑦，体现了同宗相恤的精神。

---

① 《客家研究导论》，第180—181页。

② 孔永松、李小平：《客家宗族社会》，福建教育出版社1995年版，第84—85页。

③ 孔永松、李小平：《客家宗族社会》，第85页。

④ 章振乾：《调查日记》，转引自孔永松、李小平《客家宗族社会》，第83—84页。

⑤ 华东军政委员会土地改革委员会编：《福建农村调查》，第109页，转引自孔永松、李小平《客家宗族社会》，第84页。

⑥ 1950年冬土地改革时统计。转引自《客家历史与传统文化》，第318—319页。

⑦ 连城：《新泉张氏族谱》卷首，转引自《客家宗族社会》，第89页。

3. 分家析产制度

客家宗族内部同居共财与同居异财的交互结合以及“共财”成分之得以保持不坠，与其所实行的分家析产制度有密切关系。客家人“一般讲来，一个大家庭的分家析产，大都在家长、祖父母、父母死后行之，但偶而也有在生前分家析产的，则须抽出部分家产作为奠（疑为‘尊’之讹）长们养赡及丧葬之用”①。分家时采取拈阄方式、兄弟每人一份平均分配的原则，有的地方甚至“在父母健在尚未分家前，兄弟所置的产业，到析产时也一应加在一起，进行平均分配”②。“至于父母名下一份产业，待老人百年之后，田地即作‘蒸尝’；房屋如已分定者，按父母遗嘱指定归属办理，如无指定归属者亦作尝产。”③ 不仅如此，“他们在分家析产时，只把一小部分土地分给子孙，留出大部分土地作为尝田，而且规定不准变卖，尝簿内庄严声明：‘子孙变卖，不吉不昌，他人购买，绝子绝孙。’”④ 这种分家析产制度带来的结果是，一方面每个个体家庭的财产大体是均衡的，另一方面则保证宗族共有财产世代不绝，甚至在不断的分家析产中使得共有财产部分还有所膨胀。这种分家析产制度表明：客家人虽然已经实行小家庭制度，但是其宗族同财共居的历史传统依然非常顽强和深厚，这是其宗族共同体聚居得以世代延续不断的经济基础和奥秘所在。

还必须指出，非客家民系某些地区也有一些大型住宅，这在中国的南北方均有，其外形与客家民居有相似之处，而且也有采取聚族而居的方式，如福建华安、南靖、诏安一带的闽南土楼，就是这类民宅。但是它们与客家民居有本质的差别，一方面它们不具有作为民系特征的普遍性、广泛性，只被局部地区或少数姓氏与家族采用；另一方面，更重要的是它们与客家民系的聚居性质有所区别。以闽南土楼与闽南客家土楼为例，有的学者从建筑特征方面作了深入的分析，指出两者虽然“外观造型有许多相似之处”，但是它们之间不仅建筑方式与技术有所不同，而且内部结构有很大区

① 《客家人》，第 365 页。

② 《客家宗族社会》，第 127 页。

③ 黄火兴、罗碧云、李烈原：《客家风情志》，香港：中华书局 1991 年版，第 65—66 页。

④ 《客家历史与传统文化》，第 318 页。

别，“客家土楼为内通廊式，家族内各户之间联系密切。分户很不明确；而闽南土楼为单元式，每户为一独立的单元，分户明确有很强的私秘性。所以决不能把这二者混为一谈”。“这是两种截然不同的平面布局型式，它表明在大家族聚居中，客家人‘模糊’的分户，反映出更强烈的公共性和群居性，闽南人严格的分户单元，表现出住户之间较多的独立性与私秘性。”①这种房屋建筑内部结构的不同，正是反映了它们之间在聚居性质上的区别，客家民系是在宗族共同体基础上的聚居，而非客家民系的宗族聚居则只是个体家庭集合体而已。非客家民系的聚居还有另一种类型——地缘性聚居，如山西阳城县的郭峪城就属这种类型。郭峪城位于阳城县东北 15 千米的郭峪村，明崇祯十一年（1638）为防御陕西农民起义军，由本村富户集资兴建。四周筑有高大坚固的城墙和角楼，中心建七层敌楼，形如城堡，故称郭峪城。城内总面积 17．9 万平方米，现住有 500 余户，2400 口人。城中住户分属多个姓氏，每个家庭完全独立，他们既非以血缘关系而结合，也没有公共的经济相维系，仅是为了防御的需要而结坞相保，俨然汉魏晋北朝以乡里关系结合之坞堡再现。② 这种地缘性的聚居与客家的宗族共同体聚居的性质更是大相径庭。

南朝时期江南地区也有坞堡，但它与中原坞堡是不同的类型。南朝后期江南豪族兴起，坞堡也有了很大发展，“郡邑岩穴之长，村屯坞壁之豪，资剽掠以致强，资陵侮而为大”③。但是南方的“坞壁”大多是一些“栅”“寨”“砦”等。熊昙朗（？—560）“豫章南昌人也，世为郡著姓……侯景之乱，稍聚少年，据丰城县为栅，桀黠劫盗多附之”④。这位土著豪强的坞堡是“栅”，丰城在今江西丰城县。“时巴山陈定亦拥兵立寨”⑤。这位土著豪强的坞堡是“寨”，巴山在今江西崇仁县西南。与此同时，“闽中豪帅，往往立砦以自保”⑥。在今福建一带豪强所立坞堡被称

---

① 《客家土楼民居》，第 5、28 页。

② 笔者于 2001 年 5 月 4 日参观山西阳城“相府”时途经郭峪城下，但见角楼耸峙，雉堞森然，承蒙陪同的山西晋城市地矿局刘俊亭副局长详细介绍了郭峪城的情况，后又蒙其将晋城市档案馆有关郭峪城的资料复印惠赐，谨致谢忱。

③ （唐）姚思廉撰：《陈书》卷三五“史臣曰”，中华书局 1972 年版，第 490 页。

④ 《陈书》卷三五《熊昙朗传》，第 477 页。

⑤ 《陈书》卷三五《熊昙朗传》，第 477 页。

⑥ 《陈书》卷二一《萧乾传》，第 278 页。

为“砦”。这些“栅”“寨”“砦”是什么样的建筑物呢？东汉段颎伐羌时，“乃遣千人于西县结木为栅”①。梁末，始兴曲江“著姓”侯安都（？—563），追随陈霸先（503—559）讨伐萧梁在豫章的残余势力南江州刺史余孝顷时，“孝顷俄断后路，安都乃令军士多伐松木，竖栅”②。由此可见，所谓“栅”是以木材构筑栅栏所成，其建筑形制与中原坞堡是不同的。南朝史籍中频见这种土著豪强所建之“栅”。江南的坞堡何以是这种由木材构筑的“栅”呢？这与江南土著人民的日常居宅即以竹木构筑有密切关系，而且那种“干兰”式建筑也就是“栅”或“栏”，或者说这种“干兰”式建筑就可称为“栅”或“栏”，史称岭南“俗多构木为巢，以避瘴气。豪渠皆鸣金鼎食，所居谓之栅”③。“地滨炎海，人惟夷獠，多居栏，以避时郁。”④ 由此可见岭南少数民族所居住的“干兰”式建筑就是“栅”或“栏”，故江南土著的坞堡形式是由木材构筑而成的“栅”也就是很自然之事。“寨”也是一种“栅”，“寨”也写作“砦”。所以江南的坞堡一般是用木材构筑的“栅”“寨”“砦”等。显然，客家围屋并非取法于这种江南坞壁，而与中原坞堡建筑有继承关系。

五 结语

客家宗族共同体聚居的社会特征和围堡式大屋的建筑特征相互依存，相辅相成，互为因果，缺一不可。宗族共同体聚居以围堡式大屋为依托，围堡式大屋以宗族共同体聚居为前提。这两个特征在客家民系的形成中具有决定性意义。同为北方南下流民，何以唯独这一支形成为客家人，关键就在于这支南下流民采取了兼备这两个特征的居处方式，前者是其形成的内在条件，后者是其形成的外在条件。宗族共同体聚居使其不致被淹没、同化于江南各族之中，从而丧失其固有的社会、文化、习俗、语言特征，得以持久地、较完整地保持其从中原带来的中古时代的传统，成为在南方腹地独具特色的汉族民系。围堡式大屋这种建筑特征，则是

---

① 《后汉书》卷六五《段颎传》，第 2152 页。

② 《陈书》卷八《侯安都传》，第 144 页。

③ 《太平寰宇记》卷一六一《岭南道五·贺州》“风俗”，第 3083 页。

④ 《太平寰宇记》卷一六九《岭南道十三·雷州》“风俗”，第 3230 页。

保证其上述社会特征得以传承不坠的最重要条件。如果没有这种特征的居室建筑，则独具客家特征的宗族共同体聚居方式亦不可能存在和持久，其固有之社会、文化、习俗、语言也不可能保持，也就不可能有今日之客家民系。这种围堡式大屋，满足了客家人宗族共同体聚居和自卫防御的需要，不仅保证了他们在深入蛮荒之地后的生存、发展，而且因其具有的封闭性、独立性，使其有可能较少受到当地社会、文化、习俗、语言的影响或同化，始终保持其固有的民系特征，而瓜瓞绵绵，百世其昌。“福佬好食粥，客人好起居”的民谚表明建造客式房屋对于客家人来说是多么重要，这种房屋不仅把客家人与其他汉族民系区别开来，也是客家人之所以成为客家人的必不可少的条件和原因。这种围堡式大屋，犹如潜艇在深海中仍能保持其陆上的生存环境，使得这支南迁人民历尽时代沧桑和地域环境的巨变仍能保持其固有的社会生态系统，生生不息，成为不可多得的“社会化石”。我们可以认为：凡是实行这种居处方式的南下流民，就有可能形成为客家人，包括那些晚渡北人接受并实行了这种居处方式者，也就有可能陆续融入这一民系之中而成为客家人。因为这支早渡北人所采取的这种居处方式，是被长期的实践证明既适应南迁后当地条件，又能保持其宗族和文化传统不坠的一种最佳选择，晚渡北人必须认同并实行这一居处方式才能融入这一群体而成为客家人；凡是没有实行这种居处方式的南下流民，则不可能成为客家人，而成了吴人、蜀人、闽人、广府人……同为北方南下的移民，何以并非都成为客家人的原因应从这里去寻找。

客家人之所以能够实行这两个特征相结合的居处制度，与其所迁入之地域与社会环境亦有密切关系。陈寅恪先生在论述南北朝时期南北士族的差异时指出，南方士族“主要与城市，商业相联系，宗族则已分解”，因而大家族制度破坏；北方士族“主要与农村、土地、宗族相联系”，因而大家族制度得以继续维持，“北方士族的势力可以延长或延续下来”①。同理，从北方南下的移民，如果顺应江南之俗而与城市和商业相联系，则其与宗族的联系就将受到破坏，其大家族制度便难以维持；

① 万绳楠整理：《陈寅恪魏晋南北朝史讲演录》，贵州人民出版社2007年版，第329—330页。

如果继续与农村、土地相联系，则其与宗族就有难分的关系，其大家族制度就将得以保持。因此，那些迁于江南政治、经济中心和发达地区，与城市、商业联系密切的南下移民，其与宗族的联系亦受到破坏，从而深受江南习俗影响，使他们没有也不可能成为客家人。只有那些迁入相对落后、偏僻地区，继续与农村、土地相联系，自然也与宗族有不可分割联系的那部分南下移民，才有可能继续实行宗族聚居，其大家族制度和宗族共同体亦得以延长或延续下来，从而保持其固有的文化传统和习俗，才有可能成为客家人。

（原刊北京师范大学历史系编《史学论衡》，北京师范大学出版社2002年版。后收入《先秦汉唐史论》上编“古史卷”，北京师范大学出版社2016年版。黎虎先生身为客家人，对客家历史颇有关注，早在20世纪90年代就曾撰写了《客家聚族而居与魏晋北朝中原大家族制度——客家居处方式探源之一》，发表于《北京师范大学学报》1995年第5期，中国人民大学报刊复印资料《魏晋南北朝隋唐史》1996年第1期全文转载。从篇幅看，刊发于《北京师范大学学报》的这篇文章实际上只是本文的最初框架，后来又经过补充完善，形成最终定稿，先以全文刊发于《史学论衡》，部分内容以《汉魏晋南北朝中原大宅、坞堡与客家民居》为题先期发表于《文史哲》2002年第3期，《文史哲》刊出后引起学术界广泛关注，被中国人民大学报刊复印资料《魏晋南北朝隋唐史》2002年第5期全文转载；《中国社会科学文摘》2002年第5期作了详细摘录；后收入《文史哲》编辑部所编辑的丛刊《门阀、庄园与政治：中古社会变迁研究》，商务印书馆2011年版。黎虎先生关于客家问题的研究，还引起了民俗学界的密切关注。整理者当年在北京师范大学攻读博士学位期间，与民俗学泰斗钟敬文先生的高足同室而居，其间他曾多次言及黎虎先生的客家研究，言语间颇为推许，此为整理者所亲身经历者。这篇论文具有十分鲜明的“跨界性”特征，从民俗学出发而不局限于民俗学，具有历史学洞幽烛微的深邃而又有社会学的宏阔视阈，既有精致严密的理论阐释又有生动真实的实践调查，从而真正打通了民俗学、历史学和社会学等诸多学科的壁垒，完美融汇古代与现代、理论与实践、历史学与民俗学于一体，并通过上述“三结合”，对迄今仍然保留下来的客家聚族而居的民俗，给予了深刻而全面的揭示，从而成为客家聚族而居“探源”问题研究的里程碑式的标志性成果，某种意义上代表了这个问题研究的最新进展。

为全面展示黎虎先生这篇客家研究论著的全豹，也是为了保证《黎虎文集》的整体性，兹将《北京师范大学学报》《文史哲》等所刊发者，以不同篇目分别编入文集。这里还有一点需要说明，我们在整理《黎虎文集》的过程中，从黎虎先生遗存文稿中，发现了同名文章，经过与原刊文的比对，发现有些地方进行了修订，当系黎虎先生最后的修订稿。今据黎虎先生刊后最新修订稿，并参校原刊文整理。李文才敬识。)

慕容鲜卑音乐论略

音乐是民族文化的重要组成部分之一，是民族特性及其外在的一种艺术表现形式，因此研究一个民族的音乐，是探索该民族的心态、性格和文化特征的重要方面。原先狩猎、游牧于北方森林、草原，十六国时期在北部中国建国的鲜卑族一支的慕容鲜卑，与中国古代北方许多少数民族一样，也有自己的音乐和相应的歌辞，但是他们虽有自己的语言，却没有自己的文字，因而他们的歌辞很少留传下来，只有少数翻译成汉语的歌辞才得以留传下来。这就给研究慕容鲜卑的古代音乐带来极大的困难。关于慕容鲜卑的音乐，到目前为止学术界还很少有人进行研究，本文试图通过对历史资料的钩稽，探索慕容鲜卑音乐的发展变化过程，以见慕容鲜卑文化与汉文化和其他民族文化之间的相互影响、吸收及其在文化上的汉化历程。

慕容鲜卑是在公元2—5世纪时期活跃于北部中国政治舞台的一支北方少数民族，我们大体可以公元337年慕容皝称王和公元410年南燕灭亡为分界，将其历史发展划分为三个阶段，在慕容皝称王之前为第一阶段，是其由部落联盟逐渐向封建国家[①]的过渡时期；在此之后为第二阶段，是

① 整理者按："封建社会""封建国家""封建专制""封建统治""封建主义""封建王朝"等语汇乃是中华人民共和国成立以后，中国学术界统一、法定的用法，一般用以指称人类社会历史演变过程中的"五种社会形态"之第三个历史阶段。黎虎先生晚年构建了关于中国古史分期暨社会性质问题的新理论体系，提出中国古史自太古至清（鸦片战争前）先后经历了"无君群聚社会——王权众庶社会——皇权吏民社会"三个历史阶段，用以取代此前所沿用的"五种社会形态"论（"五种生产方式"论）。上述"五种社会形态"论理论体系中的"封建社会"大致与黎虎先生三阶段论中的"皇权吏民社会"相对应。不过，出于尊重历史考虑，对于本文中有关"封建国家""封建社会""封建王朝"等说法，均保持原貌而不作修改。同时这也是黎虎先生的决定，2022年4月学苑出版社拟出版黎虎先生的《魏晋南北朝史论（增订本）》，因为黎先生当时将修订的任务交由整理者负责，故整理者曾就此类问题和黎先生进行过交流，黎先生当时指示应尊重历史，盖因当年撰写此文时尚未形成其关于中国古史分期暨社会性质问题的理论体系，因而只能采用当时学术界习用的"五种社会形态"论的历史分期法。特此说明。

其入主中原建立封建国家的时期；以南燕亡于东晋为标志而进入第三阶段，随着慕容国家的消亡，慕容民族也基本上完成了汉化进程，融合于汉族及其他民族之中。慕容鲜卑的音乐基本上也经历了这样三个发展阶段，即由第一阶段的早期慕容鲜卑民歌向第二阶段的宫廷音乐的发展变化，具体说来其早期的音乐主要是具有浓郁民族风格的慕容鲜卑民歌。第二阶段的音乐则是在此基础上吸收了汉族的传统音乐，并逐渐将两者结合起来，上升为汉化了的宫廷音乐。而第三阶段随着慕容国家的消亡，慕容音乐也逐渐完成了与汉族和其他民族音乐融合的进程，融入中华民族的古代音乐之中了。

一　慕容鲜卑早期的民歌

慕容鲜卑同其他民族一样也有着悠久的音乐发展历史，其先民早在原始社会就已创造了原始音乐。鲜卑与乌丸同出于东胡民族，“其言语习俗与乌丸同”①，史载他们的习俗“贵兵死，敛尸有棺，始死则哭，葬则歌舞相送……至葬日，夜聚亲旧员坐，牵犬马历位，或歌哭者……”②，可见鲜卑族在举行葬礼时必以歌舞表达哀思，这种质朴粗犷的原始歌舞，无疑是源于其生产、生活，并成为其思想感情流露和宣泄的一种艺术形式。由于慕容鲜卑没有文字，作为时间艺术的音乐也随着时间的流逝而消失，因而其原始音乐不可能留传下来。随着慕容鲜卑与汉民族接触的增加和入主中原，慕容鲜卑音乐也就逐渐见诸汉文字记载。慕容鲜卑民歌，见于文献记载的有《阿干之歌》③《慕容可汗》《吐谷浑》④《慕容垂》《慕容家自鲁企由谷》⑤ 等。这里的《吐谷浑》歌也是慕容鲜卑歌

---

① （晋）陈寿撰，（南朝・宋）裴松之注，陈乃乾校点：《三国志》卷三〇《乌丸鲜卑东夷传》注引《魏书》，中华书局 1959 年版，第 836 页。

② 《三国志》卷三〇《乌丸鲜卑东夷传》注引《魏书》，第 832—833 页。（南朝・宋）范晔撰，（唐）李贤等注《后汉书》卷九〇《乌桓鲜卑列传》所载略同，云：“俗贵兵死，敛尸以棺，有哭泣之哀，至葬则歌舞相送。”（中华书局 1965 年版，第 2980 页）

③ 见（唐）房玄龄等撰《晋书》卷九七《四夷・西戎・吐谷浑传》，中华书局 1974 年版，第 2537 页；（北齐）魏收撰《魏书》卷一〇一《吐谷浑传》，中华书局 1974 年版，第 2233 页；（梁）沈约撰《宋书》卷九六《鲜卑吐谷浑传》，中华书局 1974 年版，第 2370 页。

④ （宋）欧阳修、宋祁撰：《新唐书》卷二二《礼乐志十二》，中华书局 1975 年版，第 479 页。

⑤ （宋）郭茂倩编：《乐府诗集》卷二五《横吹曲辞五・梁鼓角横吹曲六十六首》，中华书局 1979 年版，第 367、371 页。

曲。吐谷浑是从慕容鲜卑中分离西迁的一支，后立国于西北地区，至唐龙朔三年（663）被吐蕃所灭，存在三百余年。《旧唐书》卷二九《音乐志二》对这首歌进行解释说："吐谷浑又鲜卑别种，知此歌是燕、魏之际鲜卑歌。"认为这首歌是慕容诸燕国家至北魏建国之际的鲜卑歌，这实际上就是慕容鲜卑的歌曲。而且这首《吐谷浑》歌可能就是《阿干之歌》，或者至少包括《阿干之歌》在内的吐谷浑歌曲。《太平御览》卷五七〇《乐部八·歌一》引崔鸿《十六国春秋·前燕录》说：慕容廆"以孔怀之思，作《吐谷浑阿于歌》"。（"于"当为"干"之讹）可见《阿干之歌》的全称是《吐谷浑阿干歌》，省称为《阿干歌》，或可省为《吐谷浑歌》。除了这些留下有歌名、内容可解者之外，还有其内容"不可解者，咸多可汗之辞"[①]的一些鲜卑民歌，这里面也应当包含歌颂慕容可汗的歌曲。可见慕容鲜卑民歌数量应当是不少的。这些歌原来都是用鲜卑语演唱的，所谓"其辞虏音不可晓"[②]。这些歌谣不少产生于慕容鲜卑早期狩猎、游牧生活时代，因而被称为"马上之声"[③]，是一种适于狩猎、游牧民族演唱的歌谣。

慕容鲜卑早期的民歌可以《阿干之歌》为代表。在慕容鲜卑早期的民歌中，以《阿干之歌》留下可供探讨的线索相对来说比较多，故我们试通过这首民歌来探讨慕容鲜卑早期的音乐。

《阿干之歌》虽然在《十六国春秋》和《晋书》《魏书》《宋书》《北史》等史籍中均有歌名的记载，但是都没有记载其歌辞内容。据陈澄之《伊犁烟云录》说，在甘肃兰州附近的阿干镇一带，曾流行一首《阿干之歌》，其歌辞曰：

阿干西，我心悲，
阿干欲归马不归。
为我谓马何太苦？
我阿干为阿干西。

---

① （后晋）刘昫等撰：《旧唐书》卷二九《音乐志二》，中华书局1975年版，第1072页。

② （唐）杜佑撰，王文锦、王永兴、刘俊文、徐庭云、谢方点校：《通典》卷一四六《乐典六》，中华书局1988年版，第3725页。

③ 《新唐书》卷二二《礼乐志十二》，第479页。

阿干身苦寒，
辞我土棘住白兰。
我见落日不见阿干，
嗟嗟！人生能有几阿干！

著者认为这就是当年慕容廆所作的《阿干之歌》。[①] 可惜著者没有说明此歌的来历和出处，因此我们无法确定它就是慕容廆的原作。有的学者根据歌辞内容与历史事实大体相符，而断定这首歌辞应当是慕容廆的原作。[②] 虽然从歌辞内容来看，大多是符合当时历史事实的，但我们仍然不能据此认为它就是慕容廆的原作，因为后人根据历史资料也可以写出上述内容的歌辞来。事实上，包括《阿干之歌》在内的大多数慕容鲜卑歌，在古代一直是用鲜卑语演唱而没有翻译成汉语的，因而早在唐代对于它们就已经是“虽译者亦不能通知其辞，盖年岁久远，失其真矣”[③]。可见从它产生直至唐代都没有被翻译成汉语，那么一千多年后的这首汉译歌辞就不能不令人怀疑了。在没有可靠的证据之前，我们还不能断定其为慕容廆的原作。不过这首歌发现于兰州附近，也不会是空穴来风。据《水经注》卷二《河水二》王先谦《合校》引全氏云：“阿步干，鲜卑语也。慕容廆思其兄吐谷浑，因作阿干之歌，盖胡俗称其兄曰阿步干。阿干者，阿步干之省也。今兰州阿干峪、阿干河、阿干城、阿干堡，金人置阿干县，皆以《阿干之歌》得名。阿干水至今利民，曰溥惠渠。又有沃干岭，亦阿干之转音。”[④] 可见《阿干之歌》曾在这一地区广泛流传。这个地区是在吐谷浑的活动范围和影响之内，流传《阿干之歌》的可能性是存在的。

关于《阿干之歌》的产生，《晋书·吐谷浑传》有如下的记载：

吐谷浑，慕容廆之庶长兄也，其父涉归分部落一千七百家以隶

① 陈澄之：《伊犁烟云录》，中华建国出版社1948年版，第23页。
② 阿尔丁夫：《关于鲜卑慕容〈阿干之歌〉真伪及其他》，《青海社会科学》1987年第1期。
③ 《旧唐书》卷二九《音乐志二》，第1072页。
④ （北魏）郦道元注，（民国）杨守敬、熊会贞疏，段仲熙点校，陈桥驿复校：《水经注疏》卷二《河水二》，江苏古籍出版社1989年版，第179页。

之。及涉归卒，廆嗣位，而二部马斗，廆怒曰：“先公分建有别，奈何不相远离，而令马斗！”吐谷浑曰：“马为畜耳，斗其常性，何怒于人！乖别甚易，当去汝于万里之外矣。”于是遂行。廆悔之，遣其长史史那楼冯及父时耆旧追还之。吐谷浑曰：“先公称卜筮之言，当有二子克昌，祚流后裔。我卑庶也，理无并大，今因马而别，殆天所启乎！诸君试驱马令东，马若还东，我当相随去矣。”楼冯遣从者二千骑，拥马东出数百步，辄悲鸣西走。如是者十余辈，楼冯跪而言曰：“此非人事也。”遂止。鲜卑谓兄为阿干，廆追思之，作《阿干之歌》，岁暮穷思，常歌之。①

这段记载告诉我们，由于慕容廆与其庶兄吐谷浑发生了争夺牧场的矛盾，导致吐谷浑率部西迁，后来慕容廆后悔，怀念其兄吐谷浑，鲜卑语谓兄为“阿干”，于是作《阿干之歌》，以抒发和寄托其怀念之思。这个事件发生于何时呢？或认为“大概在西晋武帝太康六年（285）稍后”②，或认为在太康四年（283）至太康十年（289）之间。③但我以为此事似应在太康十年（289）之后。据《旧唐书·吐谷浑传》记载，“吐谷浑，其先居于徒河之清山，属晋乱，始度陇，止于甘松之南，洮水之西”④，可知吐谷浑是从徒河之青山开始西迁的。如所周知，鲜卑慕容部在吐谷浑、慕容廆之父慕容涉归时居于辽东北，慕容廆于太康六年（285）继位后，才于太康十年（289）从辽东北徙居徒河之青山。那么，这一兄弟阋墙事件应当发生在太康十年慕容廆迁居徒河之青山以后。汉之徒河县城在今辽宁锦州附近，青山为今义县、北票、阜新一带群山，⑤其地在西晋时均属昌黎郡辖境内，故吐谷浑之孙叶延说：“吾祖始自昌黎，光宅于此。”⑥其说法与《旧唐书·吐谷浑传》的说法是一致的。叶

① 《晋书》卷九七《四夷·西戎·吐谷浑传》，第2537页。

② 王仲荦：《魏晋南北朝史》，上海人民出版社1980年版，第683页。

③ 周伟洲：《吐谷浑史》，宁夏人民出版社1985年版，第3页。

④ 《旧唐书》卷一九八《西戎·吐谷浑传》，第5297页。

⑤ 冯永谦总纂，孙进己著：《东北历史地理》第二卷，黑龙江人民出版社1989年版，第45页。

⑥ 《晋书》卷九七《四夷·西戎·吐谷浑传》，第2539页。

延于咸和四年（329）继位时，上距吐谷浑西迁当不超过40年，时其叔祖慕容廆尚在世，故其从父、祖那里得知的西迁历史应当是准确可靠的。而且叶延其人“好问天地造化，帝王年历”①，是位勤学好问的有心人，他对于自己家族的历史自然也是熟悉的。

关于慕容廆创作《阿干之歌》的时间，上引阿尔丁夫的文章认为：“基本上是公元二八六年下半年之后，二八九年五月之前，慕容廆为追思西去的长兄吐谷浑而作。”我认为这个时间不可能是创作《阿干之歌》的时间，公元289年慕容廆才开始由辽东北迁居徒河之青山，慕容廆兄弟之间发生上述矛盾事件，最早也只能在这年，或在这年之后，而创作《阿干之歌》的时间，则应当更在其后。我认为《阿干之歌》不是在吐谷浑西迁时立即创作的，而是在事后“追思”而作，而且可能是在吐谷浑于永嘉之乱南迁陇右之后才创作的。崔鸿《十六国春秋·前燕录》在叙述《阿干之歌》的创作时是这样记载的：吐谷浑“遂附阴山，面黄河，晋永嘉之乱南迁陇右。廆以孔怀之思，作《吐谷浑阿干歌》，岁暮穷思，常歌之”②。从这个记载可知，《阿干之歌》是在永嘉之乱、吐谷浑南迁陇右之后，慕容廆怀念其兄而创作的。《魏书·吐谷浑传》也说：吐谷浑“于是遂西附阴山，后假道上陇。若洛廆（慕容廆）追思吐谷浑，作《阿干歌》，徒河以兄为阿干也”③。《宋书·鲜卑吐谷浑传》说得更明确：吐谷浑“于是遂西附阴山。遭晋乱，遂得上陇。后（慕容）廆追思浑，作《阿干之歌》。鲜卑呼兄为‘阿干’。”④ 此二书的记载与《十六国春秋·前燕录》的记载都是一致的。据《旧唐书·吐谷浑传》记载：“吐谷浑自晋永嘉之末，始西渡洮水，建国于群羌之故地”⑤，时在公元313年。那么，《阿干之歌》应当是在这年吐谷浑南迁陇右之后才创作的。各种文献记载都说慕容廆愈到晚年愈加追念此事，常唱《阿干之歌》以抒发自己的思念之情。慕容廆卒于咸和八年（333），永嘉之末吐谷浑南迁陇右至

① 《晋书》卷九七《四夷·西戎·吐谷浑传》，第2539页。

② （宋）李昉等撰：《太平御览》卷五七〇《乐部八·歌一》引崔鸿《十六国春秋·前燕录》，中华书局1960年版，第2579页。

③ 《魏书》卷一〇一《吐谷浑传》，第2233页。

④ 《宋书》卷九六《鲜卑吐谷浑传》，第2370页。

⑤ 《旧唐书》卷一九八《西戎·吐谷浑传》，第5301页。

咸和八年的20年间，正是慕容廆的晚年阶段。

慕容廆何以步入晚年之后愈益思念其兄吐谷浑？他创作和歌唱《阿干之歌》的目的是什么呢？从文献的记载来看，似乎是他后悔早年兄弟阋墙之事，怀念其西去的庶长兄。但我认为这只是表面上的原因，在这一表象后面还应当有更为深刻的原因：他不是一般的为怀念而作，而是有着一定的政治目的的。这与慕容氏统治集团内部长期的、激烈的家族内争，特别是嫡庶之争有关。据《晋书·慕容皝载记》："慕容皝字元真，廆第三子也……廆为辽东公，立为世子。""初，皝庶兄建威翰骁武有雄才，素为皝所忌，母弟征虏仁、广武昭并有宠于廆，皝亦不平之。"[①]可见在慕容廆的晚年，慕容氏统治集团家族内部又在重演兄弟阋墙之事，日后继承慕容廆之位的慕容皝也在排挤其庶兄慕容翰，甚而排挤其同母弟慕容仁、慕容昭等。这看来似乎在重新上演当年慕容廆排挤其兄吐谷浑的一幕，可见在慕容氏统治集团内部的嫡庶之争、家族斗争已是一种经常现象。这当然会引起慕容廆的疑虑，他担心他的继承人之间的矛盾，将不利于慕容氏统治的巩固和发展。何况慕容廆不仅曾经排斥过自己的庶兄吐谷浑，而且自己也曾遭受过这种家族内部矛盾斗争之害，据《晋书·慕容廆载记》的记载，慕容廆的父亲慕容涉归死后，其叔慕容耐"篡位，将谋杀廆，廆亡潜以避祸。后国人杀耐，迎廆立之"[②]。从慕容廆前后的经历可以想见，他对这种家族内部的矛盾斗争是有切身体验和深刻了解的。事实证明他的担心不是没有道理的，果然慕容廆死后不久，慕容翰等人"并惧不自容。至此，翰出奔段辽，仁劝昭举兵废皝。皝杀昭，遣使按检仁之虚实，遇仁于险渎。仁知事发，杀皝使，东归平郭。皝遣其弟建武幼、司马佟寿等讨之"[③]，慕容氏统治集团内部果然爆发了激烈的矛盾斗争。慕容廆出于这种政治上的担心，为了使他的儿子们摒弃相互间的猜疑争斗，能够相互和睦团结起来，于是以这一自己亲自经历、参与制造的历史事件为题材，创作了歌谣，表达他对其庶兄的怀念之情和兄弟相争事件的追悔，运用音乐这一艺术形式，以期更好地教育、

① 《晋书》卷一〇九《慕容皝载记》，第2815页。

② 《晋书》卷一〇八《慕容廆载记》，第2804页。

③ 《晋书》卷一〇九《慕容皝载记》，第2815页。

感化这些不和的儿子们和慕容氏统治集团的成员们，维护慕容氏家族内部的团结，以利于巩固和发展慕容氏的势力和政权。中国古代非常强调音乐的教育、感化作用，认为其中尤以在调和感情、团结和睦方面的作用最为突出，所谓“乐者为同……同则相亲”[①]，认为音乐具有化解矛盾、融洽情感的特殊功能。因而“乐在宗庙之中，君臣上下同听之，则莫不和敬；在族长乡里之中，长幼同听之，则莫不和顺；在闺门之内，父子兄弟同听之，则莫不和亲。故乐者……所以合和父子君臣，附亲万民也”[②]。已经受到汉族文化较深刻影响的慕容廆，对于音乐的这一特殊教育功能也应当是了解的，更何况中国古代的少数民族也同汉族一样，不仅以音乐作为娱乐形式，同时也运用它作为交流感情、进行教化的一种手段。总之，慕容廆不是因为一般的思兄之情，而是出于政治上的原因，为警戒、教育慕容氏统治集团而创作并演唱这首歌谣的。

二　慕容鲜卑建国后的宫廷音乐

慕容鲜卑建国后的音乐，一方面吸收了中原王朝[③]的传统音乐，另一

---

① （汉）郑玄注，（唐）孔颖达疏，龚抗云整理，王文锦审定：《礼记正义》卷三七《乐记》，北京大学出版社2000年版，第1264页。

② 《礼记正义》卷三九《乐记》，第1334页。

③ 整理者按：黎虎先生晚年构建了关于中国古史分期暨社会性质问题的新理论体系，在《文史哲》2020年第1期发表《中国古史分期暨社会性质论纲——兼论中国传统社会的主要矛盾问题》一文，提出中国古史自太古至清（鸦片战争前）先后经历了“无君群聚社会——王权众庶社会——皇权吏民社会”三个历史阶段。在这个理论体系中，黎虎先生认为尽管“王权”与“皇权”都具有“专制”“集权”的特征，但前者是一种“相对专制”“相对集权”，后者则是“绝对专制”“绝对集权”，故二者不可混淆，从“王权”进入“皇权”是中国古史发展的两个不同阶段，只有夏商周三代才是典型的“王权时代”，秦始皇统一中国、建立第一个皇权专制政权以后，直到1911年辛亥革命推翻清朝，都属于“皇权时代”，夏商周三代之后、秦统一之前的“春秋战国”则为“王权”向“皇权”过渡的时期。因此，凡自秦统一之后所建立的专制政权，都应称为“皇朝”，而不宜称为“王朝”。对于“王权”“王朝”与“皇权”“皇朝”之关系，黎虎先生在其后的文章，以及在同整理者的多次谈话中，曾不止一次地强调了这一点。2022年4月学苑出版社拟出版黎虎先生的《魏晋南北朝史论（增订本）》，因为黎先生当时将修订的任务交由整理者负责，故整理者曾就此类问题向黎先生请求指示，黎先生当时明确告知：“对于以前文章的那些提法仍保持原样，这是对历史的一种尊重，因为那毕竟是我所走过的学术历程。不过，你在整理的过程中，可以添加一些按语加以特别说明，表明我晚年在中国古史分期暨社会性质这一重大理论问题的认识上所发生的变化，以及由此所导致的其他一系列观念、看法方面的变化。”故本文中有关“王朝”“王权”“封建王朝”等说法，均保持原貌而不作修改。

方面则将鲜卑音乐与这种传统音乐相揉合，将其改造提升成为一种新型的宫廷音乐。这种经过融合而形成的宫廷音乐，反过来又影响、丰富了中原王朝的传统音乐，从而被汉族及其他民族的封建王朝所吸收利用，成为中华民族音乐的组成部分之一。

慕容鲜卑早期的音乐是如何向后期的音乐转变，是怎样与汉族传统音乐相互交流、吸收、融合的呢?《太平御览》引《前燕录》曰：慕容廆“以孔怀之思，作《吐谷浑阿干歌》。及（慕容）儁、（慕容）垂僭号，以为辇后大曲”①。由此可见，在慕容氏入主中原、建立国家之后，慕容鲜卑早期的音乐也随之被纳入宫廷音乐之中，其中的《阿干之歌》即被慕容儁的前燕、慕容垂的后燕政权改造成为在宫廷中演唱的“辇后大曲”。《魏书·吐谷浑传》关于这个问题的记载更为具体明确，它说：慕容廆作《阿干之歌》以后，“子孙僭号，以此歌为辇后鼓吹大曲”②。鼓吹，是以鼓、箫等乐器演奏的乐曲，从汉代以来又不断吸收西域和北方少数民族歌曲，从而形成了一种与中国古代传统雅乐具有不同风格的新声，所谓“鼓吹者，盖古之军声，振旅献捷之乐也”③。故又将其称为“军乐”④或“武乐”⑤。采自北方少数民族音乐的“北狄乐”是中国古代鼓吹乐中的重要组成部分。《新唐书·礼乐志》曰：“北狄乐皆马上之声，自汉后以为鼓吹，亦军中乐，马上奏之，故隶鼓吹署。”⑥ 从汉代开始设立乐府以采集和演唱鼓吹乐曲，从而成为中原王朝宫廷音乐中的重要组成部分，西晋以后更专设鼓吹署以掌管这种乐曲。“大曲”是鼓吹乐的乐章之一，《乐府诗集》将其归于“相和歌”中的一种。《宋书·乐志》曰：“《相和》，汉旧歌也。丝竹更相和，执节者歌。”⑦ 那么，“大曲”也

---

① 《太平御览》卷五七〇《乐部八·歌一》引《十六国春秋·前燕录》，第2579页。

② 《魏书》卷一〇一《吐谷浑传》，第2233页。

③ （唐）虞世南辑录：《北堂书钞·2》卷一三〇《仪饰部上·鼓吹六》引孙毓《东宫鼓吹议》，学苑出版社2015年版，第341页。

④ （晋）司马彪撰，（梁）刘昭注补：《续汉书·礼仪志中》引蔡邕《礼乐志》，点校本《后汉书志》第五，中华书局1965年版，第3132页。

⑤ （清）王先谦撰：《后汉书集解》卷二〇《祭遵传》引沈钦韩曰，中华书局1984年版，第272页。

⑥ 《新唐书》卷二二《礼乐志十二》，第479页。

⑦ 《宋书》卷二一《乐志三》，第603页。

应是以丝竹等乐器伴奏而演唱的歌曲。慕容氏入主中原后，遂将其早期民歌《阿干之歌》等纳入传统宫廷音乐之中，从而丰富了原有的宫廷乐曲，使之成为一种具有慕容鲜卑民族风格的“鼓吹大曲”，初步实现了慕容民族音乐与汉族传统音乐的结合。从此慕容鲜卑音乐成为中国古代宫廷“鼓吹乐”的重要组成部分。

慕容氏建国之后又接受了中原王朝传统的宫廷音乐，那么慕容燕国又是从何得到这些传统宫廷音乐的呢？据《晋书·乐志》的记载：“永嘉之乱，海内分崩，伶官乐器，皆没于刘、石。”① 西晋的宫廷音乐在永嘉之乱后被匈奴族的刘氏王朝和羯族的石氏王朝所得到，成为他们所建立王朝中的宫廷音乐。如所周知，西晋的宫廷音乐是继承汉、魏音乐的。公元349年冉闵推翻了建都于邺城的石氏王朝，建立了冉魏王朝，仍然建都于邺城。于是石氏王朝的宫廷音乐又被冉魏所得。不久，前燕慕容儁消灭冉闵，攻占邺城，冉魏的音乐除一部分流传到了立国于江左的东晋朝廷之外，另一部分则被慕容儁所得，从而纳入前燕的宫廷音乐之中。前燕就是在这种情况下得到了中原王朝的传统宫廷音乐的。在这个基础上，前燕又将本民族的音乐与中原传统音乐相结合，即一方面使早期的慕容民族音乐上升为宫廷音乐，将早期的慕容民歌纳入中原王朝宫廷音乐“辇后鼓吹大曲”之中；另一方面又接受、继承了中原王朝传统宫廷音乐，并给传统的宫廷音乐注入新鲜血液，从而形成了具有慕容民族特色的新型的宫廷音乐。

慕容燕国继承并改造传统宫廷音乐的情况，可从慕容盛对后燕宫廷音乐进行的改革中窥知其略：据《晋书·慕容盛载记》记载，慕容盛在位时，有一次“听诗歌及周公之事，顾谓群臣曰：‘周公之辅成王，不能以至诚感上下，诛兄弟以杜流言，犹擅美于经传，歌德于管弦。至如我之太宰桓王，承百王之季……勋道之茂，岂可与周公同日而言乎！而燕咏阙而不论，盛德掩而不述，非所谓也。’乃命中书更为《燕颂》以述（慕容）恪之功焉。”② 这个记载告诉我们三个方面的情况：一是在后燕宫廷中不仅与其他封建王朝一样演奏传统的宫廷音乐，而且其宫廷音乐

① 《晋书》卷二三《乐志下》，第697页。

② 《晋书》卷一二四《慕容盛载记》，第3100页。

中已经注入了“燕咏”这种新鲜的慕容音乐。二是这种“燕咏”不仅如上所述吸收了原来的慕容民歌的鼓吹乐曲，而且还创作了歌颂慕容燕国帝王将相功业的宫廷雅乐——《燕颂》。“颂”是中国古代用于“美盛德”的宫廷雅乐。慕容恪乃前燕执政大臣，慕容盛对《燕颂》中没有歌颂慕容恪的内容不满，于是命令补充有关慕容恪的乐章，由此可见这个《燕颂》应是歌颂包括前燕帝王将相的乐曲，后燕演奏的《燕颂》当是继承前燕而来的。三是这种《燕颂》可能已经不是由鲜卑人用鲜卑语创作的歌辞，而是由汉族官僚文士用汉文写成用汉语演唱的。被慕容盛命令负责改写《燕颂》的中书，在魏、晋时期其职掌为“典尚书奏事”“掌赞诏命，记会时事，典作文书”[①] 等，需要很高的文化水平。慕容燕国官制多循魏、晋制度，中书官员亦多任汉族官僚士人，慕容盛在位前后的中书令眭邃、封懿、常忠，中书监阳哲等，均为汉族士人，故由中书改写成的《燕颂》，应是用汉文创作的。由此可见，慕容燕国在继承中原王朝传统宫廷音乐之后，不仅注入了慕容鲜卑的音乐形式，而且注入了歌颂慕容民族历史和功业的内容，将其移植、改造为适用于其政治需要的新型宫廷音乐。

慕容燕国这种具有慕容民族特色的新型的宫廷音乐，一方面在慕容鲜卑国家中辗转流传；另一方面又在其他少数民族王朝和汉族王朝中广泛流传，从而促进了各民族音乐的交流和相互影响，丰富和发展了中华民族的传统音乐。

其在慕容国家中的流传情况大体是这样的：公元 370 年前燕被前秦灭亡后，它的宫廷音乐被前秦所得。公元 383 年淝水之战后前秦瓦解，流亡于前秦的慕容氏宗室乘机恢复燕国。这时，苻秦所得前燕宫廷音乐被慕容永所得，从而成为公元 386 年建都于长子的西燕王朝的宫廷音乐。据《魏书·慕容永传》记载：慕容永等鲜卑贵族在离开苻秦国都长安时，“率鲜卑男女三十余万口，乘舆服御、礼乐器物，去长安而东”[②]。与此同时，建都于中山的慕容垂后燕政权，又于公元 394 年攻克长子，消灭了西

① （唐）李林甫等撰，陈仲夫点校：《唐六典》卷九《中书省·中书令》注，中华书局 1992 年版，第 273 页。

② 《魏书》卷九五《徒何慕容廆附从孙（慕容）永传》，第 2064 页。

燕政权，于是这批宫廷音乐又从西燕转移到了建都于中山的后燕政权，成为后燕的宫廷音乐。据《晋书·慕容垂载记》记载：慕容垂攻克长子后，将慕容永的“乘舆、服御、伎乐、珍宝悉获之，于是品物具矣”①。对于上述慕容燕国宫廷音乐的来龙去脉，《魏书·乐志》曾作了一个简明扼要的概述：“永嘉已下，海内分崩，伶官乐器，皆为刘聪、石勒所获，慕容儁平冉闵，遂克之②。王猛平邺，入于关右。苻坚既败，长安纷扰，慕容永之东也，礼乐器用多归长子，及（慕容）垂平（慕容）永，并入中山。”③ 指出前燕通过推翻冉魏政权而继承了汉魏传统音乐，这些音乐后来被苻秦带入关中，再被慕容永等慕容鲜卑贵族带出关东，先后成为西燕、后燕的宫廷音乐。

后燕的宫廷音乐后来又被南燕所继承，《隋书·音乐志下》记载曰：“慕容垂破慕容永于长子，尽获苻氏旧乐。垂息为魏所败，其钟律令李佛等，将太乐细伎，奔慕容德于邺。德迁都广固，子超嗣立……”④ 这里所说的“垂息为魏所败”，是指公元397年北魏进攻后燕都城中山，燕主慕容垂之子慕容宝弃城逃往龙城之事。慕容宝出走后，后燕的钟律令李佛等人也带着“太乐细伎”逃离中山，投奔镇守邺城的慕容德。当时慕容德为使持节、都督冀兖青徐荆豫六州诸军事、冀州牧，镇邺。据《资治通鉴》记载，在慕容宝逃离中山时，后燕的官员也纷纷出逃：“乐浪王（慕容）惠、中书侍郎韩范、员外郎段宏、太史令刘起等帅工伎三百奔邺。”⑤ 李佛等人就是在慕容惠等率领下逃奔邺城的这批“工伎”中的一部分。后燕的宫廷音乐就是这样转移到了慕容德手中的。后来，慕容德建立南燕，迁都广固（今山东青州），于是李佛等人从中山带来的“太乐细伎”就成了南燕的宫廷音乐班底。对于这些音乐在慕容国家中的传播过程，胡三省有一简明扼要的概括，他说：“长安之陷，太乐诸伎入于西

① 《晋书》卷一二三《慕容垂载记》，第3089页。

② 《魏书》卷一〇九《乐志》，校勘记〔三〕谓：“此段说的是‘令官乐器’的转移，‘克’字不协，且上既云‘平’，也不应又说‘克之’。‘克’当是‘得’或‘获’之讹。”（第2844页）其说当是。

③ 《魏书》卷一〇九《乐志》，第2827页。

④ （唐）魏徵、令狐德棻撰：《隋书》卷一五《音乐志下》，中华书局1973年版，第350页。

⑤ （宋）司马光编著，（元）胡三省音注：《资治通鉴》卷一〇九，晋安帝隆安元年（397）三月，中华书局1956年版，第3445页。

燕；西燕之亡，慕容垂以归于中山；中山之陷，相率奔邺，由是南燕得之。”①

以上就是慕容氏将其所得中原王朝传统音乐及其民族音乐与汉族音乐相互结合之后形成的新的宫廷音乐在慕容国家中转授流传的情况。与此同时，慕容国家的音乐又向其他民族和汉族王朝传播扩散。

其一，是向先后立国于关中的氐族苻氏前秦和羌族姚氏后秦传播。据《晋书·乐志下》记载：“王猛平邺，慕容氏所得乐声又入关右。”②公元370年王猛攻克前燕国都邺城，将所得前燕乐声带入立国于关中的氐族苻氏前秦，于是慕容燕国的音乐成为氐族王朝的宫廷音乐的一个组成部分。曾于苻秦灭亡后将其宫廷音乐转为已有的南燕，后来又将这些音乐送回关中的羌族后秦政权。公元407年南燕主慕容超遣使后秦，要求遣返他被后秦拘留的母亲和妻子，后秦主姚兴向南燕提出令其奉送“太乐诸伎”作为交换条件。于是慕容超“遣其仆射张华、给事中宗正元入长安，送太乐伎一百二十人于姚兴”③。这些含有慕容音乐成分的宫廷音乐在从关中流播关东20年之后，又回到了关中地区。

其二，是向立国于江左的东晋南朝汉族政权传播。据《晋书·乐志下》记载：“太元中，破苻坚，又获其乐工杨蜀等，闲习旧乐，于是四厢金石始备焉。”④ 公元383年淝水之战苻坚失败，苻秦的宫廷音乐有一部分被东晋得到。《资治通鉴》对此记载道：“（十月）丁亥，谢石等归建康，得秦乐工，能习旧声，于是宗庙始备金石之乐。”⑤ 可见杨蜀等苻秦乐工是在淝水之战时被苻坚带到前线，与东晋交战失败时被俘获而去的。史称苻坚失败后“收集离散”，回到洛阳后“百官、仪物、军容粗备”⑥。这些乐工就是他带到淝水之战前线的“仪物”中离散了的一部分。杨蜀等乐工所熟习的“旧乐”中除了传统的宫廷雅乐之外，无疑还包含有苻秦原先从前燕得到的慕容音乐。公元417年刘裕率军攻克后秦国都长安，

① 《资治通鉴》卷一一四，晋安帝义熙三年（407）七月胡注，第3600页。

② 《晋书》卷二三《乐志下》，第698页。

③ 《晋书》卷一二八《慕容超载记》，第3179页。

④ 《晋书》卷二三《乐志下》，第698页。

⑤ 《资治通鉴》卷一〇五，晋孝武帝太元八年（383）十月，第3314页。

⑥ 《资治通鉴》卷一〇五，晋孝武帝太元八年（383）十月，第3314页。

灭亡了羌族姚氏政权，当时“长安丰全”，刘裕“收其彝器、浑仪、土圭之属，献于京师”①。何谓“彝器”？“彝器，常用之器。”② 礼乐之器亦属“彝器”，因此刘裕从长安运往建康的战利品中应当有后秦宫廷中的乐器。据隋朝大臣、音乐家牛弘说：“（慕容）超以太乐伎一百二十人诣（姚）兴赎母。及宋武帝入关，悉收南渡。”③ 可见，刘裕平关中后的确曾将后秦原先从南燕那里得到的“乐伎”作为战利品而全部带回建康，从而成为东晋和南朝宫廷音乐的组成部分。

宋人郭茂倩《乐府诗集》卷二五《横吹曲辞五·梁鼓角横吹曲》所录载的66曲大多就是上述不同时期从北方传至江南的包括慕容鲜卑在内的少数民族鼓角横吹音乐的遗存。《乐府诗集》卷二一《横吹曲辞一·序》有云：“《古今乐录》有《梁鼓角横吹曲》，多叙慕容垂及姚泓时战阵之事，其曲有《企喻》等歌三十六曲，乐府胡吹旧曲又有《隔谷》等歌三十曲，总六十六曲，未详时用何篇也。”④ 这些保存于梁朝乐府中的鼓角横吹曲除慕容鲜卑歌曲之外，还有羌族姚氏后秦的《琅邪王》《钜鹿公主》等，有氐族前秦的《企喻》等，以及拓跋鲜卑的《高阳王乐人》等。除《高阳王乐人》为时代较晚的北魏歌曲外，大多为十六国中后期歌曲，其时代和国族均与上述南胜北败诸战役中的俘掠相一致，表明它们大多是在上述诸役中传入东晋，并为南朝政权所继承的。记录这些歌曲的《古今乐录》一书，据《隋书·经籍志》谓为“陈沙门智匠撰”⑤，可见这些北方音乐直至南朝末年仍然存在。在上引《梁鼓角横吹曲》中以“慕容”为题的歌有《慕容垂》及《慕容家自鲁企由谷》两首，《慕容垂》一歌在《古今乐录》所载的36曲中，《慕容家自鲁企由谷》一歌在梁乐府胡吹旧曲的30曲中。《慕容家自鲁企由谷》歌辞云：

郎在十重楼，女在九重阁。

---

① （梁）沈约撰：《宋书》卷二《武帝纪中》，中华书局1974年版，第42页。
② 《资治通鉴》卷一一八，晋安帝义熙十三年（417）九月胡注引杜预注，第3709页。
③ 《隋书》卷一五《音乐志下》，第350页。
④ 《乐府诗集》卷二一《横吹曲辞一·序》，第309—310页。
⑤ 《隋书》卷三二《经籍志一》，第926页。

郎非黄鹞子，那得云中雀？[①]

这是一首具有北国刚健豪爽风格的慕容鲜卑情歌，情歌中“十重楼”“九重阁”的描写表明这应是其进入中原地区、接受并熟悉汉族楼阁建筑之后创作的。《慕容垂》歌辞云：

慕容攀墙视，吴军无边岸。
我身分自当，枉杀墙外汉。
慕容愁愦愦，烧香作佛会。
愿作墙里燕，高飞出墙外。
慕容出墙望，吴军无边岸。
咄我臣诸佐，此事可惋叹！[②]

有的学者认为这不是慕容鲜卑歌曲，而是前秦苻氏嘲笑慕容垂的歌曲。[③] 不过，它应当是《古今乐录》所谓“多叙慕容垂及姚泓时战阵之事”中的一首，为反映慕容鲜卑逐鹿中原活动事迹的乐章之一。

其三，是向鲜卑拓跋魏国传播。拓跋氏与慕容氏虽然是鲜卑族中的不同分支，又由于长期以来活动地域的不同造成其社会经济、政治生活和所建国家的差异，从而使他们在文化上也存在一定的差异。但是他们毕竟是同一个民族，因而他们在文化上的共性是基本的，这就使得他们之间在音乐上的相互吸收更为方便和有效。据《魏书·乐志》记载：北魏建国不久，“逮太祖定中山，获其乐县（即“悬”），既初拨乱，未遑创改，因时所行而用之”[④]。公元397年拓跋珪攻克后燕都城中山，获得了后燕的乐器，慕容燕国的音乐从而转移到了拓跋魏国。由此可见，早

---

① 《乐府诗集》卷二五《横吹曲辞五·慕容家自鲁企由谷歌》，第371页。

② 《乐府诗集》卷二五《横吹曲辞五·慕容垂歌辞》，第367—368页。

③ 萧涤非：《汉魏六朝乐府文学史》第二章《北朝民间乐府》引胡应麟曰：“按（慕容）垂与晋桓温战于枋头，大破之。又以苻坚破晋将桓冲。坚溃，垂众独全，俱未尝少创。惟垂攻苻丕，为刘牢之所败，秦人盖因此作歌嘲之。则此歌亦出于苻秦也。杨用修谓垂自作，尤误。”认为“胡氏辩歌非垂自作，甚是”（人民文学出版社1984年版，第275页）。

④ 《魏书》卷一〇九《乐志》，第2827页。

在公元4世纪末慕容音乐就已经传入拓跋魏国，并成为其宫廷音乐的组成部分之一。

三 慕容鲜卑音乐在北朝、隋唐的流传

慕容鲜卑音乐不仅在十六国时期曾广泛流传于各个地区和各民族国家，而且其影响还及于后世，历北朝而至隋唐时期都还在继续流传，可谓源远流长。

拓拔珪时期是北魏广泛吸收、改造慕容音乐的一个重要时期。公元397年拓跋珪从后燕得到慕容氏的宫廷音乐之后的次年，即天兴元年（398）冬，遂"诏尚书吏部郎邓渊定律吕，协音乐"①。邓渊将北魏所得四方音乐与汉族传统音乐相结合，加以吸收和改造，从而创作、改编了一系列适于北魏王朝使用的宫廷音乐，从此每年"正月上日，飨群臣，宣布政教，备列宫悬正乐，兼奏燕、赵、秦、吴之音，五方殊俗之曲。四时飨会亦用焉"②。这里所说的"燕"音，就是指从后燕那里得到的慕容音乐。可知北魏已将慕容音乐等俗乐与传统雅乐同时在宫廷演奏。他们不仅在正月初一这种盛大节日，而且在一年四季的宴会礼仪中也与演奏传统正乐（即雅乐）的同时，演奏这种包括慕容音乐在内的"五方殊俗之曲"等俗乐。

与此同时，北魏又在"掖庭中歌《真人代歌》，上叙祖宗开基所由，下及君臣废兴之迹，凡一百五十章，昏晨歌之，时与丝竹合奏。郊庙宴飨亦用之"③。郊庙宴飨所用为雅乐，可见北魏是将《真人代歌》作为雅乐而用的。这里的《真人代歌》也包含着慕容音乐在内。据《旧唐书·音乐志》记载："后魏乐府始有北歌，即《魏史》所谓《真人代歌》是也。代都时，命掖庭宫女晨夕歌之。周、隋世，与《西凉乐》杂奏。今存者五十三章，其名目可解者六章：《慕容可汗》《吐谷浑》《部落稽》《钜鹿公主》《白净王太子》《企喻》也。其不可解者，咸多可汗之辞。"④

---

① 《魏书》卷一〇九《乐志》，第2827页。

② 《魏书》卷一〇九《乐志》，第2828页。

③ 《魏书》卷一〇九《乐志》，第2828页。

④ 《旧唐书》卷二九《音乐志二》，第1071—1072页。

可见在《真人代歌》中，仅名目可解的六章中，就有两章为慕容鲜卑音乐，即《慕容可汗》歌和《吐谷浑》歌。据《唐会要》卷三三“北狄三国乐”条称：“吐谷浑亦鲜卑别种之一，歌曲皆鲜卑中出也，但音不可晓耳，与《北歌》较之，其音异。”① 由此可见，从北魏到唐代仍保存的吐谷浑音乐，其歌曲都是源于东方的慕容鲜卑音乐，故其声音与一般的北狄歌曲不同。从上引《旧唐书·音乐志》的记载可以知道，慕容音乐到北魏时已成为“北歌”的重要组成部分之一，由“乐府”负责管理和演唱。据《魏书·乐志》的记载，《真人代歌》的内容是歌颂鲜卑族“祖宗开基所由”以及“君臣废兴之迹”的，可见北魏是把慕容氏的开基、兴废事迹也一并加以歌颂，从中透露了他们把慕容氏视为同一民族的感情和心态。

与此同时，邓渊又因“乐章既缺，杂以《簸逻回歌》”②。《簸逻回歌》是什么歌呢？据《乐府诗集》卷二一《横吹曲辞一·序》说：“后魏之世，有《簸逻回歌》，其曲多可汗之辞，皆燕魏之际鲜卑歌。”③ 这里的“燕”是指慕容燕国，可知《簸逻回歌》是包括慕容燕国和拓跋魏国音乐在内的鲜卑歌曲，主要内容是歌颂鲜卑族可汗的功业。从上文所述我们已经知道，北魏在《真人代歌》中是将慕容可汗与拓跋可汗一起歌颂的，那么，在《簸逻回歌》中也有歌颂慕容可汗的歌辞应当是自然之事。经过北魏前期的吸收和改造，可以说北魏时期的鲜卑音乐实际上已经是包含了中国东部、中部和西部各地的拓跋氏、慕容氏等鲜卑各支族音乐在内的一种泛鲜卑音乐了。北朝、隋唐时期所称鲜卑音乐，一般就是这种泛鲜卑音乐。拓跋珪时期对慕容音乐的吸收、改造和总结，使慕容音乐与拓跋音乐融为一体，从而进入了一个新的发展阶段，对于慕容音乐的传播起了重要作用。

后来，魏孝文帝曾经企图全面恢复中国古代传统音乐，但是“虽经众议，于是卒无洞晓声律者，乐部不能立，其事弥缺。然方乐之制及四夷歌舞，稍增列于太乐”④。由此可见，北魏前期的宫廷音乐是以少数民

---

① （宋）王溥撰：《唐会要》卷三三《北狄三国乐（鲜卑、吐谷浑、部落稽）》，中华书局1955年版，第621页。

② 《隋书》卷一四《音乐志中》，第313页。

③ 《乐府诗集》卷二一《横吹曲辞一·序》，第309页。

④ 《魏书》卷一〇九《乐志》，第2828页。

族音乐及其他俗乐为主组成的，到孝文帝时由于恢复中原传统古乐遇到困难，于是北魏的宫廷音乐仍以道武帝时所确立的“方乐之制”为主，演奏包括慕容音乐在内的“四夷歌舞”，只是在原有基础上稍微作了一些增补而已。太乐是掌管雅乐的机构，在这里也是把慕容音乐等“四夷歌舞”纳入雅乐之中。

此外，魏孝文帝迁都洛阳之后，北魏朝廷还曾将鲜卑音乐加以搜集、翻译并整理成书。北魏经孝文帝改革旧俗之后，由于鲜卑族人学说汉语，因而对于本族语言“多不能通”，于是“录其本言，相传教习，谓之‘国语’”①。这个时期编撰的“国语”读物中有《国语真歌》十卷、《国语御歌》十一卷②等。这是将鲜卑语言用汉语同音字记录下来的两部集鲜卑歌曲大成之作，这也是鲜卑族首次将本民族音乐编撰成书。颇疑《真歌》即包括《真人代歌》等鲜卑族歌曲，《御歌》当是鲜卑族建立政权后创作的宫廷《雅》《颂》类歌曲。《真人代歌》中是有慕容鲜卑歌曲的，《御歌》中收入了《燕颂》等慕容鲜卑的歌曲也是有可能的。

北魏的宫廷音乐后来又被在其政权基础上分化出来的北齐、北周所继承，因而在它们的宫廷音乐中“登歌之奏，协鲜卑之音”③也就毫不足怪了。所谓“元魏、宇文，代雄朔漠，地不传于清乐，人各习其旧风”④“周、齐旧乐，多涉胡戎”⑤，历史事实大致如此。

隋朝建立后，“大括魏、齐、周、陈乐人子弟，悉配太常，并于关中为坊置之”⑥，使辗转分散流播于南北朝的各民族国家的宫廷音乐归于一统，恢复了以中国传统音乐为主、少数民族音乐为辅的宫廷音乐。但是，就是在这个情况下，慕容音乐仍然是其中不可缺少的内容，包含慕容音乐在内的《簸逻回歌》等鲜卑音乐依然得以保存和演奏，继续成为隋朝宫廷音乐的组成部分之一。《乐府诗集》谓隋朝鼓吹乐曲四部中

---

① 《隋书》卷三二《经籍志一》，第947页。

② 《隋书》卷三二《经籍志一》，第945页。

③ 《隋书》卷一三《音乐志上》，第287页。

④ 《旧唐书》卷二八《音乐志一》，第1040页。

⑤ 《旧唐书》卷二八《音乐志一》，第1041页。

⑥ 《隋书》卷一五《音乐志下》，第374页。

的第一部为棡鼓部，其中的“大鼓十五曲，小鼓九曲，大角七曲，其辞并本之鲜卑。”① 可知在隋朝宫廷演奏的鼓吹乐曲中，鲜卑歌曲尚有“大鼓”“小鼓”“大角”等31曲。又谓《簸逻回歌》“歌辞虏音，不可晓解，盖大角曲也”②，是属于“大角”中的乐曲。《簸逻回歌》即属其中的“大角七曲”。北魏的《簸逻回歌》在隋朝宫廷中继续演唱。“大角”七曲的具体内容，据《隋书·音乐志》记载：“大角，第一曲起捉马，第二曲被马，第三曲骑马，第四曲行，第五曲入阵，第六曲收军，第七曲下营。皆以三通为一曲。其辞并本之鲜卑。”③ 这时的《簸逻回歌》仍然是用鲜卑语演唱的前朝旧曲。

到了唐代，慕容音乐仍然是其宫廷音乐中的组成部分之一。唐代宫廷音乐中所保存的《北狄乐》就包含着慕容音乐，据《旧唐书·音乐志》记载：“《北狄乐》，其可知者鲜卑、吐谷浑、部落稽三国，皆马上乐也。”④ 前文我们已经谈到，从北魏以后的所谓“鲜卑乐”，实际上就是包括慕容音乐、拓跋音乐等鲜卑各支族音乐在内的泛鲜卑音乐；而吐谷浑原来就是从慕容鲜卑分离西迁的一支。由此可见，在唐代仍然能够知道其来历和国别的《北狄乐》中，慕容音乐是其重要成分。但是到了隋唐时期，人们对于慕容鲜卑和拓跋鲜卑等北狄音乐已经只闻其声而不晓其义了，由于鲜卑音乐的歌辞没有翻译成汉语，只能通过口口相传，演唱其乐曲，以致后来演员们已经不晓得歌辞内容意义了。唐代曾先后有侯氏、长孙氏等家族世代传授以鲜卑语演唱的歌曲。据《新唐书·礼乐志》记载：“贞观中，将军侯贵昌，并州人，世传《北歌》，诏隶太乐”⑤。并州的侯氏家族就是这样一个通过口头相授，世代传习北狄音乐的家族；侯氏本为鲜卑族之侯伏侯氏，⑥ 魏孝文帝时曾命侯伏侯可悉陵以鲜卑语译《孝经》，“教于国人”⑦，而并州本是拓跋鲜卑立国之基，故这

① 《乐府诗集》卷二一《横吹曲辞一·序》，第310页。
② 《乐府诗集》卷二一《横吹曲辞一·序》，第309页。
③ 《隋书》卷一五《音乐志下》，第383页。
④ 《旧唐书》卷二九《音乐志二》，第1071页。
⑤ 《新唐书》卷二二《礼乐志十二》，第479页。
⑥ 姚薇元：《北朝胡姓考》第三《内入诸姓》“侯氏”条，科学出版社1958年版，第82页。
⑦ 《隋书》卷三二《经籍志一》，第935页。

里的侯氏家族仍然习晓鲜卑语旧曲。又据《旧唐书·音乐志》记载：“开元初，以问歌工长孙元忠，云自高祖以来，代传其业。元忠之祖，受业于侯将军，名贵昌，并州人也，亦世习北歌……元忠之家世相传如此，虽译者不能通知其辞，盖年岁久远，失其真矣。”① 在贞观年间，又有长孙氏家族的成员向侯氏家族学得北狄音乐，并由唐前期传至唐中期的开元初，仍有其后人长孙元忠习晓北狄音乐。长孙氏也是出自鲜卑族，为拓跋魏宗族十姓之一拔拔氏所改。② 但是由于年代久远，他们也已经只知其音而不晓歌辞意义了。

唐代一方面由太常寺所属的太乐署、鼓吹署等在宫廷负责管理和演唱北狄乐等音乐，另一方面北狄乐中的《簸逻回歌》还成为唐朝京师警卫部队——金吾卫所掌的鼓吹仪仗音乐，据《新唐书·礼乐志》记载：“金吾所掌有大角，即魏之‘簸逻回’，工人谓之角手，以备鼓吹。”③ 唐代的左右金吾卫，负责掌管“宫中及京城昼夜巡警之法，以执御非违”。同时它又与左右卫共同负责皇帝出行或狩猎时的仪仗，“凡车驾出入，则率其属以清游队，建白泽朱雀等旗队先驱，如卤簿之法。从巡狩畋猎，则执其左右营卫之禁”④。《簸逻回歌》成为唐代在皇帝出行仪仗中演奏的鼓吹乐曲。

四　结语

以上我们考察了汉唐时期慕容鲜卑音乐的发展演变过程，从中可以得出如下的认识。

第一，慕容鲜卑音乐在这八九百年中经历了由兴到衰、由俗而雅的发展演变过程，其发展演变过程与慕容鲜卑民族的发展演变过程是一致的、同步的，它从一个侧面反映了慕容鲜卑民族的汉化过程。

慕容鲜卑音乐的发展演变经历了三个阶段：第一为其依于鲜卑山至其入主中原之前的早期阶段，第二为其入主中原建立封建国家时期的兴

① 《旧唐书》卷二九《音乐志二》，第1072页。

② 《北朝胡姓考》第一《宗族十姓》“长孙氏”条，第12页。

③ 《新唐书》卷二二《礼乐志十二》，第479页。

④ 《旧唐书》卷四四《职官志三》，第1901页。

盛阶段，第三为其灭国之后的逐渐消亡阶段。第一阶段的慕容鲜卑音乐，是在其原始的即兴音乐基础上逐渐形成了反映其狩猎、游牧生活方式的，具有鲜明民族特色的以民歌为代表的一种鲜卑音乐，即所谓“马上之乐”。早期的慕容鲜卑音乐是一种淳朴、粗犷的民歌，它是产生并适应于慕容鲜卑狩猎、游牧生活方式的艺术形式。它所表达的是一种素朴的民族感情和心声，是以其生产、生活和本民族的历史及领袖人物的业绩为题材而创作，用作凝聚、团结本民族力量的一种感化、教育手段。而当慕容鲜卑建立封建国家之后，它的音乐也进入了一个新的发展阶段，它将自己早期的民族音乐与中原王朝的传统音乐相结合，将其提升为宫廷音乐。这个阶段的慕容鲜卑音乐的性质已经发生了大的变化，是其建立封建国家的一种象征，具有强烈的政治含义了。因而这个时期的慕容鲜卑音乐不仅在慕容鲜卑所建立的诸燕国家之间，而且在其他民族和汉族王朝之间被竞相争夺并不断地转移播迁。这是因为在中国古代，音乐被视为国家的象征和治国的重要手段，正如《礼记·乐记》所说：“礼、乐、刑、政，其极一也，所以同民心而出治道也。”[①] 音乐被看作与“礼”“刑”“政”同样重要的治国手段，因而“王者功成作乐，治定制礼。其功大者其乐备，其治辩者其礼具”[②]。一个新政权新王朝的头等大事就是“制礼作乐”。慕容鲜卑国家也一样，早在前燕建国时即一方面接收了传统的中原王朝宫廷音乐，另一方面也将本民族的音乐改造并纳入宫廷音乐体系之中，成为其功成治定的标志和手段。因而不论慕容鲜卑还是其他民族的各种政治势力或政权，都把争夺和据有这些音乐作为一项重要目标。显然，这个阶段的慕容鲜卑音乐已经脱离了原来的民间歌谣性质，而成为封建国家政治上层建筑的一个组成部分。随着慕容国家的消亡，慕容鲜卑民族与汉族及其他民族融合的实现和完成，慕容鲜卑音乐也逐渐丧失其独立性，而融合为中华民族音乐中的有机组成部分。在拓跋鲜卑建立的北魏王朝获得了慕容国家的宫廷音乐之后，慕容鲜卑音乐被纳入泛鲜卑音乐体系之中，从而逐渐丧失其独立性。慕容鲜卑音乐除少量流入南方政权被译为汉语而得以保存至今，在北方政权流传的

---

① 《礼记正义》卷三七《乐记》，第 1253 页。

② 《礼记正义》卷三七《乐记》，第 1271 页。

大多没有译成汉语仍用鲜卑语演唱而无法留传后世。随着慕容鲜卑与其他民族融合进程的完成，这种只用语音而无文字的鲜卑音乐更丧失了其寄托所在；加以魏孝文帝大力推行汉化政策，禁断鲜卑语，提倡汉语，因而鲜卑语言日益不为人们所通晓，以致后来流传的慕容鲜卑歌辞只有声音和乐曲，而不知其内容和意义了。这个时候的慕容音乐已经徒具躯壳和形式了，随着慕容鲜卑国家及其民族的消亡，其音乐也同时融汇于中华民族古代音乐的历史长河之中了。

在慕容鲜卑音乐由盛而衰的发展进程中，同时也经历了由俗而雅的发展演变过程。这个过程又有两个不同的层次，即由鲜卑民歌到宫廷音乐这样一个由俗而雅的转变，再到作为宫廷音乐时期进一步由俗而雅的发展进程。慕容鲜卑建立封建国家之后，将其以《阿干之歌》为代表的民间歌谣引进宫廷音乐之时，就把民间音乐性质的鲜卑民歌提升为宫廷音乐，从而实现了第一个层次的由俗而雅的进程。但是宫廷音乐之中仍有俗乐与雅乐之分。蔡邕《礼乐志》将汉乐分为四品：一曰太予乐，二曰周颂雅乐，三曰黄门鼓吹乐，四曰短箫铙歌乐。[①] 其中第一、二品为雅乐，第三、四品为俗乐。[②] 而后两者均属后世所谓的“鼓吹”乐，崔豹《古今注》曰“黄门鼓吹、短箫铙歌与横吹曲，得通名鼓吹”[③]，所以“鼓吹乐”在汉代是属于俗乐的。《阿干之歌》等慕容鲜卑民歌引进宫廷之后，是纳入“鼓吹乐”体系之中的。虽然在魏晋南北朝时期雅、俗混淆比较严重，所谓“自周、陈以上，雅、郑淆杂而无别”[④]，但是作为采自少数民族及民间的“鼓吹乐”，除一些文人作品外，基本上仍属于俗乐的范畴。慕容鲜卑民歌引进宫廷之后，也主要属于俗乐，虽然对于原先的民间歌谣来说已经雅化了。随着慕容国家封建化的加深，以及慕容鲜卑音乐被其他封建王朝所吸纳利用，慕容鲜卑音乐又在第一层次雅化的基础上继续向第二层次的雅化过程转变和发展。这一转变和发展表现在两个方面，一方面是慕容国家出于政治上的需要而采纳汉族传统雅乐之

---

① 详见《续汉书·礼仪志中》引蔡邕《礼乐志》，点校本《后汉书志》第五，第3131—3132页。

② 王运熙：《乐府诗论述》中篇《汉代鼓吹曲考》，上海古籍出版社1996年版，第218页。

③ 《乐府诗集》卷一六《鼓吹曲辞一·序》引崔豹《古今注》，第224页。

④ 《新唐书》卷二二《礼乐志十二》，第473页。

后，对其加以改造，并创作了适用于其封建统治的雅乐，前述前、后燕朝廷所演奏的《燕颂》就属于这种情况。另一方面是魏晋南北朝时期宫廷雅乐和俗乐之间也在不断地相互吸收和渗透，以至不少郑卫之声被纳入雅颂之中。而慕容鲜卑音乐在被纳入宫廷音乐和被其他封建王朝所继承之后，也逐渐被吸收、融汇于雅乐之中，北魏时期就曾一再将慕容鲜卑等“方乐”纳入雅乐之中，以至北朝时期出现了“登歌之奏，协鲜卑之音”① 的情况。“登歌”是用于郊庙和燕射的雅乐。隋朝初年沿用北朝旧乐，颜之推指出其时“太常雅乐，并用胡声”。这种“胡声”就包括上文所谓的“鲜卑之音”。由于北朝雅乐采用了许多“胡声”，以至乐工“检校乐府，改换声律，益不能通”。使得群臣“议正乐”时，也因“沦谬既久，音律多乖，积年议不定”，以至隋文帝大怒：“我受天命七年，乐府犹歌前代功德邪?”② 可见其时“戎音乱华”③ 的情况何等严重。

慕容鲜卑音乐的雅化过程，在加速了其与汉族和其他民族音乐的相互交流、吸收和融合的同时，也是其逐步走向衰亡的过程。一方面由于鲜卑族没有本民族的文字，随着其汉化程度的加深，民族语言日益淡漠，除了少数译成汉语的歌辞得以流传下来之外，其余大多数则随着时间的流逝而消亡。另一方面那些进入宫廷雅乐的慕容鲜卑音乐，更由于这种宫廷雅乐本身艺术性、思想性的局限而缺乏生命力，也必将随着王朝的易主和递嬗而日益衰亡。

第二，从慕容鲜卑音乐的发展演变过程中，我们可以看到各民族文化之间交流、融合中的双向性和错综性。所谓双向性就是不仅少数民族学习、吸收汉族文化，汉族也同样学习、吸收少数民族文化。所谓错综性就是这种在文化上的相互吸收、交流和融合，不仅是在两个民族之间，而且是在各个不同民族、部族乃至国家之间交错进行的。

容鲜卑建国后，不仅将本民族的音乐纳入其宫廷音乐之中继续演唱，而且全面地、广泛地采纳和吸收了中原传统音乐，以至当时慕容诸燕国家所掌握的传统宫廷雅乐不仅高于其他北方少数民族王朝，甚至还

① 《隋书》卷一三《音乐志上》，第 287 页。

② 《隋书》卷一四《音乐志中》，第 345 页。

③ 《隋书》卷一五《音乐志下》，第 351 页。

一度高于继承汉魏正统、自以为中原正朔所在江南政权。慕容燕国所掌握的比较完备而庞大的宫廷雅乐，曾令其周围的王朝垂涎三尺，关中的姚秦政权就曾为此威逼利诱南燕，令其奉送了“太乐诸伎”一百二十人。“太乐”为魏、晋时期掌管宫廷雅乐的机构。而江南的东晋王朝曾“以无雅乐器及伶人，省太乐并鼓吹令”①，是在陆续从北方政权那里得到乐器和伶人之后，才逐渐恢复组建了雅乐的，而其来源之一就是慕容诸燕国家。东晋于淝水之战打败苻坚，获得前秦乐工之后初步完善了其宫廷音乐，而前秦的宫廷音乐恰恰是从前燕那里得到的。对此，南朝音乐家王僧虔也不得不承认：“古语云‘中国失礼，问之四夷’。计乐亦如。苻坚败后，东晋始备金石乐，故知不可全诬也。”② 后来东晋又从后秦那里得到了南燕雅乐，才得以进一步充实其雅乐，从而成为日后南朝雅乐的基础。可以说，在当时北部中国干戈扰攘、分崩离析的情况下，慕容燕国比较全面地、完整地保存和继承了中原传统音乐，这是慕容鲜卑对于保存中华文化而做出的重大贡献。因而这个文化财富被当时的各个政权竞相争夺、相互转移也就不足为怪了。至少在后期慕容国家的宫廷音乐可能已经以汉族王朝的传统音乐为其主体成分。据《晋书·慕容超载记》记载，慕容超在将其“太乐诸伎”送给后秦之后，“正旦朝群臣于东阳殿，闻乐作，叹音佾不备，悔送伎于姚兴，遂议入寇”③。于是他不惜冒致寇亡国的危险而悍然发动对东晋的边境战争，攻陷东晋的宿豫，“大掠而去。简男女二千五百，付太乐教之”④。慕容超何以非要从东晋掠得人员以培养音乐人才呢？这大概是因为具有汉文化基础或音乐基础的汉族男女才有可能较快、较好地培训成为合格的演奏人员。

与此同时，汉族和其他民族的封建王朝也热衷于吸纳慕容鲜卑及其他民族的音乐，并不因其为夷狄之音而加以排斥。东晋曾先后从冉魏、前秦苻坚、南燕慕容超和后秦姚泓那里得到乐器和乐工，这对于东晋南

---

① 《晋书》卷二三《乐志下》，第697页。

② （梁）萧子显撰：《南齐书》卷三三《王僧虔传》，中华书局1972年版，第595页。

③ 《晋书》卷一二八《慕容超载记》，第3180页。

④ 《晋书》卷一二八《慕容超载记》，第3180页。

朝的宫廷音乐的发展起了重要作用，因而起源于北方游牧民族“马上之声”的鼓吹乐曲，不仅流行于北朝，同样也影响了南朝，《乐府诗集》所载“梁鼓角横吹”66曲，就是这种“马上之声”，其中有慕容鲜卑、拓跋鲜卑、氐族、羌族等民族的歌曲。而且这些歌曲都被翻译成汉语，故“其辞华音，与北歌不同”[①]。对周边各民族音乐加以广泛吸收，这是中国古代的一个优良传统，据《周礼·春官宗伯·鞮鞻氏》载：周代设有鞮鞻氏“掌四夷之乐与其声歌”。郑玄注曰：“王者必作四夷之乐，一天下也。”[②] 广泛采纳四夷音乐是王者以天下为一家的宽阔胸怀的表现，故后代的统治阶级的音乐观都不拒绝少数民族音乐，而主张“明古今夷、夏之乐，皆主之于宗庙，而后播及其余也。夫作先王乐者，贵能包而用之，纳四夷之乐者，美德广之所及也”[③]。这是中国古代难能可贵的音乐思想，对于推动中原王朝吸收周边民族和各国音乐起了积极的作用。在研究民族文化交流和民族融合问题时，论者往往注重少数民族对于主体民族文化的学习和接受，而对于主体民族对少数民族文化的学习和利用却没有引起相应的重视。事实上，民族之间的文化交流从来都是相互的、双向的。

慕容鲜卑音乐不仅为汉族和其他少数民族所吸收、利用，也在鲜卑民族的各个部族之间相互吸收、利用和融合。首先，慕容鲜卑音乐曾被西迁甘、青地区的吐谷浑所吸收和利用，史称其“歌曲皆鲜卑中出也”[④]，可知它的音乐大多源于东方的慕容鲜卑，因而像《阿干之歌》这样的慕容民歌曾广泛而经久地流行于该地区，成为其文化中不可分割的有机体。其次，慕容国家的宫廷音乐被拓跋魏继承之后，又将其与拓跋族的音乐相结合，它吸收东部、中部、西部鲜卑各支族的音乐，融汇为一种泛鲜卑音乐，使这种泛鲜卑音乐成为北魏宫廷音乐中的主旋律。北朝、隋唐所行用的鼓吹乐——北狄乐，就是在这种泛鲜卑音乐基础上形成的。故

---

① 《旧唐书》卷二九《音乐志二》，第1072页。

② （汉）郑玄注，（唐）贾公彦疏，赵伯雄整理，王文锦审定：《周礼注疏》卷二四《春官宗伯·鞮鞻氏》，北京大学出版社2000年版，第743—744页。

③ 《宋书》卷一九《乐志一》，第538页。

④ 《唐会要》卷三三《北狄三国乐》，第621页。

隋朝宫廷"鼓吹"四部中的第一部，"其辞并本之鲜卑"①。唐朝宫廷中也仍然充斥着"歌辞虏音"的鲜卑音乐。②

综上所述，可见十六国南北朝是中国古代音乐发展史上的重要时期，汉族传统音乐与慕容鲜卑音乐的相互结合和吸收是这个时期各民族音乐融合过程中的主旋律之一，在此基础上又先后与氐族、羌族、拓跋族、匈奴族、羯族及域外诸民族、国家的音乐相互结合和吸收，在错综复杂的交叉吸收过程中，进行着规模空前的、广泛的交流和融合，大大丰富和发展了华夏音乐，从而把中华民族古代音乐推进到了一个新的发展高峰。中国古代宫廷音乐之所以从汉代比较单调、古朴的四品乐曲，发展到隋唐时期异采纷呈、清新优美的燕乐和雅乐，就是由十六国南北朝时期各民族音乐之间这种广泛的、错综复杂的相互交流、吸收和融合所造成的。也正是在这种不断的交流、融汇和结合的过程中，慕容鲜卑音乐逐渐融合于华夏音乐体系之中，成为其不可分割的有机组成部分，从而完成了其文化上的民族融合进程。

《魏晋南北朝史论》版跋语：我指导的韩国博士生金成淑君于1998年10月写了一篇6000余字的关于慕容鲜卑音乐的文章，我看了以后给她提出了许多具体的修改意见，她又写出了第二稿。我看了她的第二稿后，决定完全按照自己的想法另写一篇，于1998年12月29日写出了第一稿。后又进行补充、修改，于1999年3月31日完成了第二稿，就是现在的这篇文章。因为这个问题毕竟是她提出来的，故决定与她联名投寄学术刊物。这时恰逢本书第一次校样打出，出版社方面希望将其一并收入，故现将其先行附于本书之中。1999年4月1日补识。

[本文先刊于学苑出版社1999年版《魏晋南北朝史论》。《中国史研究》2000年第2期刊出，中国人民大学报刊复印资料《魏晋南北朝隋唐史》2001年第2期全文转载。其事原委如下：黎虎先生撰写此文后，投寄《中国史研究》并通过审核，但具体发表时间待定。其时黎虎先生正

① 《乐府诗集》卷二一《横吹曲辞一·序》，第310页。

② 《旧唐书》卷二九《音乐志二》，第1072页。

在编纂《魏晋南北朝史论》，在学苑出版社请求之下，并征得《中国史研究》编辑部的同意（编辑部考虑到论文集出版的时间可能滞后），故而同意收入《魏晋南北朝史论》刊出。今以《魏晋南北朝史论》刊文为底本，并参校《中国史研究》刊文整理。李文才敬识。]

狮舞流沙万里来

狮舞是中国人民喜闻乐见的一种民间舞蹈，流行广泛。然而关于它出现于何时、起源于哪里等问题却颇为纷纭混乱。关于其出现的时间，或笼统地谓“其俗由来已久”①“是历史悠久的民间舞蹈”②，均未明言出现于何时；说明具体时间者，则有谓“汉代即已流行”③，有谓“起源于南北朝”④，有谓“自唐代以来盛行于中国民间”⑤。关于它的来源，或谓其为“汉族传统娱乐活动”“唐代已传入西凉”⑥，显然认为其源于中国本土。中国本土是如何产生狮舞的？清代有的学者认为狮舞“盖即古傩礼之意”⑦，此说被后世一些学者所承袭，将狮舞视为“逐疫的古礼”“傩礼的遗俗”⑧。有的认为狮舞“初在军队中盛行，后渐传入民间”⑨，有谓“《乐府杂录》把它归入‘龟兹部’，可能传自龟兹”⑩。

窃以为，狮子舞虽然现在已成为在中国广泛流行的民间舞蹈，但是

---

① 王景海、陈劳志、邢世杰、杨德宏主编：《中华礼仪全书》，“舞狮子”条，长春出版社1992年版，第304页。

② 丁守和主编：《中华文化辞典》，“狮子舞”条，广东人民出版社1989年版，第356页。

③ 《辞海》，“狮子舞”条，上海辞书出版社1979年版，第1878页。

④ 《中华礼仪全书》，“舞狮子”条，第431页。

⑤ 蔡鸿生：《唐代九姓胡与突厥文化》下编《西域物种与文化交流》，中华书局1998年版，第205页。

⑥ 郑传寅、张健主编：《中国民俗词典》，“狮舞”条，湖北辞书出版社1987年版，第304页。

⑦ （清）黄钊纂：《石窟一徵》卷四《礼俗》，清光绪六年（1880）刊本，倪俊明主编《广东省立中山图书馆藏稀见方志丛刊》第36册，国家图书馆出版社2011年版，第287页。

⑧ 张祖基等：《客家旧礼俗》第二篇《岁时节俗》附录《逐疫的古礼》：“今日新年舞龙舞狮，就系傩礼的遗俗……”（台北：众文图书公司1986年版，第55页）

⑨ 《中华礼仪全书》，“舞狮子”条，第431页。

⑩ 《中华文化辞典》，“狮子舞”条，第356页。

它并非本土所出，而是源于西域，大约是在曹魏时期出现于中国文化舞台上的。

一　狮子产于西域

狮子这种动物产于西域，而不产于中国内地。关于狮子的产地，《简明大英百科全书》是这样叙述的："狮：猫科大型动物……从前分布在非洲、欧洲和亚洲，但现在仅仅生存于非洲的撒哈拉以南的地区。由几百头狮子构成的一个亚洲亚种，在严密的保护下栖息在印度古吉拉特邦的吉尔（Gir）国家森林保护区里。"[①] 可知狮子在古代的分布很广，遍及非、亚、欧地区。亚洲虽然也盛产狮子，但是包括中国在内的亚洲东部地区却不产狮子，主要产于西亚和南亚地区。美国学者谢弗说："在古代的亚洲，在印度、波斯、巴比伦、亚述以及小亚地区，狮子这种巨大的猫科动物是很常见的动物。在古典时代，甚至在马其顿和色萨利也可以见到狮子的身影。从那以后，狮子在亚洲的分布范围和数量就开始不断地缩小，在十九世纪时，只有在美索不达米亚的部分地区，伊朗的设拉子以南和在古杰拉特还仍然能发现一些狮子，但是现在除了古杰拉特之外，在上述所有这些地区都已经见不到狮子的踪迹。"[②] 上述出产狮子的地区，都属于中国古代所谓"西域"的范畴之内。英美学者关于古代狮子分布范围的说法，与中国古代史籍的记载是吻合的。两汉史籍所载狮子产地，在《汉书·西域传》中有乌弋山离国，谓其国"地暑热莽平……而有桃拔、师子、犀牛"[③]。据学者考证，乌弋山离国在今阿富汗之赫拉特。[④]《后汉书·西域传》中有条支国，谓其国"土地暑湿，出师子、犀牛、封牛、孔雀、大雀"[⑤]。条支大约为今叙利亚一带。[⑥] 此外，

---

① 《简明大英百科全书》，（台湾）中华书局1988年版。

② ［美］谢弗：《唐代的外来文明》，吴玉贵译，中国社会科学出版社1995年版，第191页。

③ （汉）班固撰，（唐）颜师古注：《汉书》卷九六上《西域传上·乌弋山离国传》，中华书局1962年版，第3889页。

④ 冯承钧原编，陆峻岭增订：《西域地名》，中华书局1980年版，第3页。

⑤ （南朝·宋）范晔撰，（唐）李贤等注：《后汉书》卷八八《西域传·条支国传》，中华书局1965年版，第2918页。

⑥ 黄时鉴主编：《解说插图中西关系史年表》，浙江人民出版社1994年版，第45页。

曾向东汉皇朝贡献狮子的西域国家有月氏国、安息国、疏勒国等。① 这里的月氏国，系指公元 1 世纪中叶建立的贵霜王朝，盛时版图跨有今阿富汗、巴基斯坦、印度西北部和中部等地。安息国系伊朗帕提亚的阿尔撒西斯王朝，盛时东至今阿富汗北部、印度河流域，西至美索不达米亚，北濒里海，南抵波斯湾。疏勒国故治在今新疆喀什市。这些向东汉皇朝贡献狮子的西域国家，一般均出产狮子。关于欧洲，《后汉书·西域传》说："从安息陆道绕海北行出海西至大秦……道多猛虎、师子，遮害行旅，不百余人，赍兵器，辄为所食。"② 大秦指罗马帝国。但据夏德的研究认为，"意大利道途中扰害旅客的不是狮虎而是盗贼""在叙利亚（美索不达米亚）为行旅之患的狮虎，罗马极为需要，常向非洲及东方各省运入，以供皇帝的娱乐。"夏德还引古罗马作家普林尼的说法为证，云："在欧洲，只希腊北部的某些地区才有狮子。"③ 古希腊学者阿里斯多德说：狮子"这动物素以稀少著称于世，好多国内没有狮。实际上，全欧罗巴只在阿溪罗与纳索两河之间一带山林中才有此兽"④。可知狮子在欧洲的分布较少，主要产于中亚、西亚、南亚和非洲。

中国人虽然早在先秦时期就已经知道狮子这种动物，但它却是传自西域。关于狮子的名称在中国主要有二：在汉代以前称为"狻猊"，汉代始称为"师子"，而二者均为外来语。先秦时称狮子为"狻猊"，《穆天子传》中有"狻猊，日走五百里"的传说记载。⑤ 此书于西晋太康二年

① 《后汉书》卷三《肃宗孝章帝纪》：章和元年（87）"是岁……月氏国遣使献扶拔、师子"。同书卷四《孝和帝纪》：章和二年（88）"安息国遣使献师子、扶拔"。永元十三年（101）十一月，"安息国遣使献师子及条支大爵（雀）"。同书卷六《孝顺帝纪》：阳嘉二年（133）六月"疏勒国献师子、封牛"（第 158、168、189、263 页）。同书卷四七《班超传》："初，月氏尝助汉击车师有功，是岁贡奉珍宝、符拔、师子，因求汉公主。"（第 1580 页）同书卷八八《西域传·安息国传》："章帝章和元年，遣使献师子、符拔。……十三年，安息王满屈复献师子及条支大鸟，时谓之安息雀。"同书卷八八《西域传·疏勒国传》："阳嘉二年，臣磐复献师子、封牛。"（第 2918、2927 页）

② 《后汉书》卷八八《西域传·大秦国传》，第 2920 页。

③ ［德］夏德：《大秦国全录》，朱杰勤译，商务印书馆 1964 年版，第 90—91 页。

④ ［古希腊］阿里斯多德：《动物志》，吴寿彭译，商务印书馆 1979 年版，第 311 页。

⑤ （晋）郭璞注，（清）洪颐煊校：《穆天子传》卷一《古文》："狻猊□野马走五百里。"郭璞注："狻猊，狮子，亦食虎豹，野马亦如马而小。"［商务印书馆 1937 年（丛书集成初编）版，第 4 页］可见，关于狻猊"日走五百里"的说法，至迟到郭璞注《尔雅》时已（转下页）

（280）挖掘汲郡战国魏襄王墓时发现，书中叙述周穆王西行的经历，反映了周代与西北少数民族乃至某些中西交通的情况，关于狻猊的这种传说，当来自西域。秦汉间学者缀辑周、汉旧文而成的《尔雅》亦有记载，谓“狻猊，如虦猫，食虎豹”。晋郭璞注云：“即师子，出西域。”① 美国学者谢弗认为，狻猊“这个词的读音相当于‘＊suangi’，这是在公元前由印度传到中国的一个词”②。从汉代开始称其为“师子”，而“师”这个语词乃是伊斯兰语属，③ 后加“犬”旁为“狮”字。由此可见，关于狮子的称呼，也是从西域输入的。此外，中国古代还将狮子称为“虒”，东汉人许慎《说文解字》谓：虒，“一曰师子”，清段玉裁注引《别义》“谓师子名虒也”④。但这个称呼并不通行。

狮子之正式进入中国本土是在西汉。汉武帝开通西域以后，这种猛兽开始传入内地，《汉书·西域传·赞》称“自是之后……钜象、师子、猛犬、大雀之群食于外囿。殊方异物，四面而至”⑤。此后，狮子作为西域一些国家的“贡品”，通过使臣而源源进入内地。班固《西都赋》中已有汉天子率群臣于苑中“挟师豹，拖熊螭”的描写。⑥ 东汉一代西域诸国贡献狮子，已如前揭《后汉书》诸帝本纪所载，至少有四次，即：章帝章和元年（87），“月氏国遣使献扶拔、师子”。章和二年（88）又有“安息国遣使献师子、扶拔”。和帝永元十三年（101）“冬十一月，安息国遣使

（接上页）为世人所知，因为郭璞在注“狻麑，如虦猫，食虎豹”一句时，引《穆天子传》为据，略云：“即师子也，出西域……《穆天子传》曰：‘狻猊日走五百里。’”北宋人邢昺疏曰：“即师子也，出西域。其状如虦猫，食虎豹，善走者也。……云《穆天子传》曰：‘狻猊日走五百里。’案《穆天子传》云柏夭曰‘名兽使足，狻猊、野马走五百里’是也。”［（晋）郭璞注，（宋）邢昺疏，李传书整理，徐朝华审定：《尔雅注疏》卷一〇《释兽第十八》，北京大学出版社2000年版，第365页］综合上述古人注疏可知，秦汉时人对于狻猊或狮子的认识，主要有两个特点，一是这种动物比较凶猛，有似“虦猫”［据《尔雅注疏》同卷载“虎窃（浅）毛谓之虦猫”，第362页］，能食虎豹；二是这种动物速度比较快，能够像野马一样快速奔跑而“日走五百里”。

① 《尔雅注疏》卷一〇《释兽第十八》，第365页。

② 《唐代的外来文明》，第191页。

③ 罗常培：《语言与文化》，语文出版社1989年版，第20页。

④ （汉）许慎撰，（清）段玉裁注：《说文解字注》五上《虎部》，上海古籍出版社1988年版，第211页。

⑤ 《汉书》卷九六下《西域传下》“赞曰”，第3928页。

⑥ （梁）萧统编，（唐）李善注：《文选》卷一《赋甲·京都·西都赋》，上海古籍出版社1986年版，第20页。

献师子及条枝大爵”。顺帝阳嘉二年（133）“疏勒国献师子、封牛”。

随着中外交往的进一步发展，魏晋南北朝隋唐时期，中国人关于狮子产地的记载和认识也日渐扩展和丰富。滑国，“其兽有师子、两脚骆驼”①，滑国即北朝史籍所载之哌哒，为公元五六世纪时中亚的一个民族和王国。者至拔国，“都者至拔城……其国东有潘贺那山，出美铁及师子”②。者至拔国，在疏勒之西。波斯国，“都宿利城，在忸密西，古条支国也……出白象、师子、大鸟卵”③。波斯即今伊朗。悉万斤国，“其国南有山，名伽色那，山出师子。每使朝贡”④。悉万斤，在今乌兹别克斯坦共和国之撒马尔罕。伏卢尼国，“都伏卢尼城……城北有云尼山，出银、珊瑚、琥珀，多师子”⑤。伏卢尼，在波斯国北面。怛满，“或曰怛没……居乌浒河北平川中。兽多师子。西北与史接，以铁关为限”⑥。乌浒河即今中亚之阿姆河。史国，“（隋）炀帝时，遣侍御史韦节、司隶从事杜行满使于西蕃诸国。至……史国，得十舞女、师子皮、火鼠毛而还”⑦。史国在今撒马尔罕以南之沙赫里夏勃兹（Shahr－iSebz）。⑧

在亚洲以波斯产狮最多。波斯是取代安息而在伊朗高原所建国家。史载波斯国“土出名马……又出白象、师子、大鸟卵”⑨。“土多良马，大驴，师子，白象……”⑩“出騾及大驴、师子、白象……”⑪大食亦出

---

①（唐）姚思廉撰：《梁书》卷五四《诸夷·西北诸戎·滑国传》，中华书局1973年版，第812页。又，（唐）李延寿撰：《南史》卷七九《夷貊下·西域诸国·滑国传》，中华书局1975年版，第1984页。

②（北齐）魏收撰：《魏书》卷一〇二《西域·者至拔国传》，中华书局1974年版，第2269页。

③《魏书》卷一〇二《西域·波斯国传》，第2270—2271页。

④《魏书》卷一〇二《西域·悉万斤国传》，第2269—2270页。

⑤《魏书》卷一〇二《西域·伏卢尼国传》，第2272页。

⑥（宋）欧阳修、宋祁撰：《新唐书》卷二二一下《西域下·怛满传》，中华书局1975年版，第6264页。

⑦（唐）魏徵、令狐德棻撰：《隋书》卷八三《西域传序》，中华书局1973年版，第1841页。

⑧《西域地名》，第48页。

⑨《魏书》卷一〇二《西域·波斯国传》，第2271页；（唐）李延寿撰：《北史》卷九七《西域·波斯国传》，中华书局1975年版，第3222页；（唐）令狐德棻等撰：《周书》卷五〇《异域下·波斯国传》，中华书局1971年版，第920页。

⑩《隋书》卷八三《西域·波斯传》，第1857页。

⑪（后晋）刘昫等撰：《旧唐书》卷一九八《西戎·波斯国传》，中华书局1975年版，第5312页。

产狮子，据《旧唐书·西戎传》云："大食国，本在波斯之西。大业中，有波斯胡人牧驼于俱纷摩地那之山，忽有狮子人语谓之曰……遂割据波斯西境，自立为王。"[①] 撇去其中的神话内容，可知其地亦出产狮子。大食即阿拉伯哈里发帝国。

到了唐代，关于狮子产地的记载更扩展至南亚地区。《新唐书·西域传上》载："南天竺国濒海，出师子、豹。"[②] 唐人杜佑在《通典·乐典》中说："师子挚兽，出于西南夷天竺、师子等国。"[③]

《太平广记》引《博物志》谓曹操曾猎获狮子："魏武帝伐冒顿，经白狼山，逢狮子，使人格之，杀伤甚众。王乃自率常从健儿数百人击之。狮子哮吼奋迅，左右咸惊汗。忽见一物从林中出，如狸，超上王车轭上，狮子将至，此兽便跳于狮子头上，狮子即伏不敢起，于是遂杀之，得狮子一子。此兽还，未至洛阳三十里，路中鸡狗皆伏，无鸣吠者。"[④] 曹操伐乌桓时曾登白狼山，山在今辽宁喀剌沁左翼蒙古族自治县境。张华《博物志》为志怪小说，这一带并不产狮，但西域有白狼，与狮子有关，唐虞世南《狮子赋》云："有绝域之神兽，因重译而来扰。其所居也，岩磴深阻，盘纡绝峻，翠岭万重，琼崖千仞。马顿辔而莫升，车摧轮而不进。伊方服之君长，召积风而奉进。尔乃发乌弋[⑤]，过白狼，逾绝巘，跨飞梁，越流沙而遥集，超积石而高骧。"[⑥] 西域康国之贡狮须"过白狼"，而两"白狼"非一地。

魏晋南北朝隋唐时期，向中原皇朝进贡狮子的记载也日益增加。向南朝的贡狮，如《宋书·索虏传》载："粟特大明（457—464）中遣使献

---

① 《旧唐书》卷一九八《西戎·大食传》，第5315页。

② 《新唐书》卷二二一上《西域上·天竺国传》，第6236页。

③ （唐）杜佑撰，王文锦、王永兴、刘俊文、徐庭云、谢方点校：《通典》卷一四六《乐典六·坐立部伎》，中华书局1988年版，第3718页。

④ （宋）李昉等编：《太平广记》卷四四一《畜兽八·狮子》"魏武帝"条引《博物志》，中华书局1961年版，第3598页。

⑤ 按，"乌弋"，明刻本、中华书局影印本等均作"乌代"，当误，应从《全唐文》等作"乌弋"为是。

⑥ （宋）李昉等编：《文苑英华》卷一三一《鸟兽一·狮子赋（虞世南）》，中华书局1966年版，第601页。

生师子、火浣布、汗血马，道中遇寇，失之。”[①] 粟特即活动于阿姆河、锡尔河之间的昭武九姓。《梁书·西北诸戎传》载：“滑国者，车师之别种也……普通元年（520），又遣使献黄师子、白貂裘、波斯锦等物。”[②] 滑国即北朝史籍所载之嚈哒，该国同时也向北朝进贡狮子，《魏书·西域传》载：“嚈哒国……西域康居、于阗、沙勒、安息及诸小国三十许皆役属之，号为大国……正光末，遣使贡师子，至高平，遇万俟丑奴反，因留之。丑奴平，送京师。”[③] 关于万俟丑奴截留贡狮，《北史·尔朱天光传》记曰：“建义元年（528）夏，丑奴击宝夤于灵州，禽之，遂僭大号。时获西北贡师子，因称神兽元年，置百官。”[④] 关于此次贡狮之国，《资治通鉴》梁武帝大通二年（528）记作“波斯国”，略云：秋七月，“万俟丑奴自称天子，置百官。会波斯国献师子于魏，丑奴留之，改元神兽”[⑤]。盖其时嚈哒强盛，波斯为其所属，[⑥] 故两者实为一事。万俟丑奴被平定后，狮子运抵洛阳，故《魏书·孝庄帝纪》载永安三年（530）六月，“嚈哒献师子一”[⑦]，也就是说，是年贡狮始达洛阳。关于这头狮子的最后下落，《资治通鉴》梁武帝中大通三年载：“尔朱天光之灭万俟丑奴也，始获波斯所献师子，送洛阳，及节闵帝即位，诏曰：‘禽兽囚之则违其性。’命送归本国。使者以波斯道远不可达，于路杀之而返，有司劾违旨，帝曰：‘岂可以兽而罪！’遂赦之。”[⑧] 此外，《魏书》及《北史》载北魏太平真君十一年（450）十一月，“頞盾国献师子一。”[⑨]

《南史·齐高帝纪》载，柔然曾向南朝进贡狮子皮制品，建元三年（431）“九月辛未，蠕蠕国王遣使欲俱攻魏，献狮子皮袴褶”[⑩]。但据

---

① （梁）沈约撰：《宋书》卷九五《索虏传》，中华书局1974年版，第2357—2358页。

② 《梁书》卷五四《诸夷·西北诸戎·滑国传》，第812页。

③ 《魏书》卷一〇二《西域·嚈哒国传》，第2279页。长又见《北史·西域传》。

④ 《北史》卷四八《尔朱荣附从祖兄子（尔朱）天光传》，第1774页。

⑤ 《资治通鉴》卷一五二，梁武帝大通二年（528）七月，第4750页。

⑥ 范祥雍校注：《洛阳伽兰记校注》卷三《宣阳门》注（五一），上海古籍出版社1978年版，第172—173页。

⑦ 《魏书》卷一〇《孝庄纪》，第265页。

⑧ 《资治通鉴》卷一五五，梁武帝中大通三年（531）二月，第4801页。

⑨ 《魏书》卷四下《世祖纪下》，第104页；《北史》卷二《魏本纪二》，第61页。

⑩ 《南史》卷四《齐本纪上·高帝纪》，第112页。

《南齐书·芮芮虏传》：柔然“献师子皮袴褶，皮如虎皮，色白毛短。时有贾胡在蜀见之，云此非师子皮，乃扶拔皮也”①。扶拔又记作符拔、桃拔，《后汉书·班超传》注引《续汉书》谓“符拔，形似麟而无角”②。孟康谓“似鹿，长尾”③。现代学者有谓其为羚羊之属动物。④ 古代文献记载中，狮子与扶拔常并出，如前揭《汉书·西域传》：乌弋山离国“有桃拔、师子”。职此之故，外国进贡时常常是二者同时并献，如前揭《后汉书·章帝纪》载：章和元年（87），“月氏国遣使献扶拔、师子”⑤。同书《和帝纪》：章和二年（88），“安息国遣使献师子、扶拔”⑥。

唐代贡狮更是络绎而至。《旧唐书·太宗纪》说，贞观九年（635）“夏四月壬寅，康国献狮子”⑦，康国都于今乌兹别克斯坦共和国之撒马尔罕。《酉阳杂俎前集》卷一六《毛篇》云：“高宗时，加毗叶国献天铁熊，擒白象、师子。”⑧《新唐书·姚𤪻传》载：万岁通天元年（696），“大食使者献师子，𤪻曰：‘是兽非肉不食，自碎叶至都，所费广矣。陛下鹰犬且不蓄，而厚资养猛兽哉！’有诏大食停献”⑨。《旧唐书·西戎传》说，拂菻“开元七年正月，其主遣吐火罗大首领献狮子、羚羊

① 《南齐书》卷五九《芮芮虏传》，第1024页。

② 《后汉书》卷四七《班超传》注引《续汉书》，第1581页。又，同书卷八八《西域·安息国传》载：“章帝章和元年，遣使献师子、符拔。符拔形似麟而无角。”（第2918页）

③ 《汉书》卷九六上《西域上·乌弋山离国传》：“乌弋山离国……皆与罽宾同，而有桃拔、师子、犀牛。”注引孟康曰：“桃拔一名符拔，似鹿，长尾，一角者或为天鹿，两角者或为辟邪。”（第3889页）

④ 黄时鉴主编：《解说插图中西关系史年表》，第49页。

⑤ 《后汉书》卷三《肃宗孝章帝纪》，第158页。

⑥ 《后汉书》卷四《孝和帝纪》，第168页。

⑦ 《旧唐书》卷三《太宗纪下》，第45页。又，同书卷七二《虞世南传》：“四月，康国献狮子，诏世南为之赋，命编之东观，辞多不载。”（第2568页）同书卷一九八《西戎·康国传》：“贞观九年，又遣使贡狮子，太宗嘉其远至，命秘书监虞世南为之赋，自此朝贡岁至。”（第5310—5311页）又，《新唐书》卷二二一下《西域下·康传》：“俄又遣使献师子兽，帝珍其远，命秘书监虞世南作赋，自是岁入贡。”（第6244页）

⑧ （唐）段成式撰，许逸民校笺：《酉阳杂俎校笺·前集》卷一六《毛篇》，中华书局2015年版，第1198页。按，“擒”字或衍。又，《册府元龟》卷九七〇《外臣部·朝贡三》载：“（贞观二十三年）九月，迦毗叶国遣使献天铁熊，其力生擒白象、狮子。”（第11401页）据此，则“擒”字也可能并非衍文。然则，天铁熊、白象、狮子皆非中国本土所有，而全来自外国贡献，或者同时进献这三种动物亦属可能，为突出天铁熊之力大，而以白象、狮子作为比较。

⑨ 《新唐书》卷一〇二《姚思廉附孙（姚）𤪻传》，第3980页。

各二”[①]。拂菻即拜占庭帝国，吐火罗在葱岭西、阿姆河南一带。据《新唐书·西域传》记载，与此同时吐火罗还为诃毗施国转贡狮子，史载唐玄宗开元七年，“诃毗施王捺塞因吐火罗大酋罗摩献师子、五色鹦鹉”[②]。诃毗施在今阿富汗之卡菲里斯坦地方。[③]《旧唐书·玄宗纪》云，开元十年（722）十月，“庚申，至自兴泰宫。波斯国遣使献狮子”[④]。李肇《唐国史补》卷上：“开元末，西国献狮子。至长安西道中，系于驿树。树近井，狮子吼，若不自安。”[⑤] 此外，《新唐书·突厥传下》也有西突厥“射匮亦连年系贡条支巨卵、师子革等”[⑥] 的记载。

综上所述可知，汉唐时期中国古籍所记载之狮子产地及贡狮国家，主要东起疏勒，西至大食、条支（枝）、拂菻，北自柔然，南及南天竺，大致在今中亚、西亚、南亚及东南欧地区，这一带正是古代狮子比较集中的出产地，而中国内地并不产狮子，故时人把狮子视为“外国兽”。据《南史·宗悫传》载，元嘉二十二年（446），振武将军宗悫以军副而参与讨伐林邑。林邑王范阳迈“倾国来逆，以具装被象，前后无际”，宗悫“以为外国有师子威服百兽，乃制其形与象相御，象果惊奔，众因此溃乱，遂剋林邑”[⑦]。因此，在汉唐时期中原皇朝都把域外贡狮视为大事，从而引起强烈的反响。《旧唐书·西戎传》载，贞观九年四月，康国“遣使贡狮子，太宗嘉其远至，命秘书监虞世南为之赋”[⑧]。甚至有的地名因贡狮而产生，北魏首都洛阳城南之“狮子坊”，就是因波斯国贡狮而出现的。《洛阳伽兰记》卷三记其事之始末甚详：“永桥南道东有白象、狮子二坊……狮子者，波斯国胡王所献也，为逆贼万俟丑奴所获，留于寇中。

---

① 《旧唐书》卷一九八《西戎·拂菻国传》，第5315页。又，《新唐书》卷二二一下《西域下·拂菻传》，第6261页。

② 《新唐书》卷二二一《西域下·米传》，第6247页。

③ 《西域地名》，第42页。

④ 《旧唐书》卷八《玄宗纪上》，第184页。

⑤ （唐）李肇撰：《唐国史补》卷上，上海古籍出版社1979年版，第16页。

⑥ 《新唐书》卷二一五下《突厥传下》，第6057页。按，据校勘记〔三〕：“《旧书》卷一九四下《突厥传》及《通典》卷一九九俱承统叶护事迹书‘武德三年，遣使贡条支巨卵’。据本卷上文，射匮已死。此处‘射匮’当为‘统叶护’之讹。”（第6070页）其说可从。

⑦ 《南史》卷三七《宗悫传》，第971页。

⑧ 《旧唐书》卷一九八《西戎·康国传》，第5310—5311页。

永安末，丑奴破，始达京师。庄帝谓侍中李或曰：‘朕闻虎见狮子必伏，可觅试之。’于是诏近山郡县捕虎以送。巩县、山阳并送二虎一豹，帝在华林园观之，于是虎豹见狮子，悉皆瞑目，不敢仰视。园中素有一盲熊，性甚驯，帝令取试之。虞人牵盲熊至，闻狮子气，惊怖跳踉，曳锁而走，帝大笑。普泰元年，广陵王即位，诏曰：‘禽兽囚之，则违其性，宜放还山林。’狮子亦令送归本国。送狮子胡以波斯道远，不可送达，遂在路杀狮子而返。有司纠劾，罪以违旨论，广陵王曰：‘岂以狮子而罪人也？’遂赦之。”[①] 贡狮虽已却归，但“狮子坊”却留传了下来。

二　狮舞源于西域

艺术是客观现实生活的反映，狮子舞亦然。既然狮子是西域所特有的动物，那么，狮子舞这种艺术形式也应是在这个土壤中诞生，源于西域产狮国的客观现实生活，尽管传入内地之后其又有不断改造、发展、演变的历程。

先看唐人杜佑所记狮子舞之表演情况：“《太平乐》，亦谓之《五方师子舞》。师子鸷兽，出于西南夷天竺、师子等国。缀毛为衣，象其俛仰驯狎之容。二人持绳拂，为习弄之状。五师子各依其方色，百四十人歌《太平乐》，舞抃以从之，服饰皆作昆仑象。”[②] 这个记载包含着三层意思：其一，狮子为外国猛兽；其二，狮舞所表现之主要内容是人对狮子的调教、驯服、戏弄；其三，舞者穿外国服饰进行表演。第一层意思我们在前面已作了论述，兹不再赘。现根据第二、三层意思而作一些探索。

狮舞所表现的主要内容是人对狮子的调教和驯服、戏弄。在出产狮子的印度，狮子这种猛兽被视为兽中之王，《大集经》说：“过去世有一师子王，住深山窟常作是念：我是一切兽中之王，力能视护一切诸兽。”[③] 但是佛却能威服狮子，而凌驾于狮子之上，《佛说太子瑞应本起经》说：

---

① 《洛阳伽蓝记校注》卷三《城南》，第161—162页。

② 《通典》卷一四六《乐典六·坐立部伎》，第3718页。又，《旧唐书》卷二九《音乐志二》所载略同，第1059页。

③ 《大正新修大藏经》第13册《大方等大集经》卷一一，第70页。

“佛初生时，有五百师子，从雪山来，侍列门侧。”[①] 从此，佛陀说法坐狮子座，演法作狮子吼，成了“人中狮子”[②]。而作为佛陀左胁侍的文殊菩萨的形象则是骑着狮子的，以示其智慧威猛。唐文宗开成五年（840）五月十七日，日僧圆仁在五台山大花严寺（即大华严寺）所见文殊菩萨“骑狮子像，满五间殿在。其师子精灵，生骨俨然，有动步之势，口生润气，良久视之，恰似运动矣”。据说工匠此前曾6次造像而不成，于是“发愿”乞求文殊菩萨“亲现直容”以便于他造像，刚刚“发愿”完毕，即“开眼见文殊菩萨骑金色师子现其人前，良久，乘五色云腾空飞去”，于是造成此像；[③] 五月二十日，圆仁在西台见文殊像“骑双师子”[④]；七月二日，圆仁在金阁寺僧的陪同下，“礼大圣文殊菩萨：骑青色师子，圣像金色，颜貌端严，不可比喻”[⑤]；同日，在清凉寺，见文殊菩萨“骑白玉师子”[⑥]。此外，圆仁还在西台见到两岩“皆有大石座。相传云：‘文殊师利菩萨共维摩相见对谈之处。’其两座中间，于下石上，有师子蹄迹，蹋入石面，深一寸许”[⑦]。

佛陀坐狮子座，影响了世俗社会，于是人君也坐狮子座，并随着佛教的由西向东传播而东渐。《旧唐书·西戎传》载：“泥婆罗国……其王那陵提婆，身著真珠、玻瓈、车渠、珊瑚、琥珀、璎珞，耳垂金钩玉珰，佩宝装伏突，坐狮子床。”[⑧]《新唐书·西域传》云：“泥婆罗……其君服珠、颇黎、车渠、珊瑚、虎魄垂缨，耳金钩玉珰，佩宝伏突，御师子大床。”[⑨]

---

① 《大正新修大藏经》第52册《辩证论》卷八《历代相承篇第十一》引《佛说太子瑞应经》，第548页。

② 《唐代九姓胡与突厥文化》下编《西域物种与文化交流》，第196页。

③ ［日］释圆仁原著，［日］小野胜年校注，白化文、李鼎霞、许德楠修订校注，周一良审阅：《入唐求法巡礼行记校注》卷三，花山文艺出版社1992年版，第281页。

④ 《入唐求法巡礼行记校注》卷三，第287页。

⑤ 《入唐求法巡礼行记校注》卷三，第299页。按，［日］圆仁撰，顾承甫、何泉达点校：《入唐求法巡礼行记》卷三，此处文字作：“礼大圣文殊菩萨骑青毛师子圣像，金色颜貌，端严不可比喻”（上海古籍出版社1986年版，第126页），其句读似不准确；又，“青色师子”，该本作“青毛师子”，未知孰是。

⑥ 《入唐求法巡礼行记校注》卷三，第301页。

⑦ 《入唐求法巡礼行记校注》卷三，第287页。

⑧ 《旧唐书》卷一九八《西戎·泥婆罗国传》，第5289页。

⑨ 《新唐书》卷二二一上《西域上·泥婆罗传》，第6213页。

《隋书·西域传》：波斯国，“王著金花冠，坐金师子座”[①]。《旧唐书·西戎传》说：“其王冠金花冠，坐狮子床。”[②] 北魏时宋云、惠生出使西域至吠哒国，其国“王妃出则舆之，入坐金床，以六牙白象、四狮子为床”[③]。龟兹国“其王头系彩带，垂之于后，坐金师子床”[④]。直至唐代仍然如此，“其王，以锦蒙项，著锦袍金宝带，坐金狮子床”[⑤]。吐谷浑，“自吐谷浑至伏连筹一十四世。伏连筹死，子夸吕立，始自号为可汗。治伏俟城，在今青海西十五里……夸吕椎髻、毦珠，以皂为帽，坐金师子床”[⑥]。除了坐“师子床”外，亦有以狮子为冠者，《魏书·西域传》载：“疏勒国……其王戴金师子冠。”[⑦]

佛陀与世俗君主威服狮子的观念，固然是他们君临世界的一种表征，但也是现实生活中人、狮较量结果的一种反映。古代西域人与狮子这种兽中之王进行了长期的较量。由于西域多狮子，故而人、狮关系密切。如，盛产狮子的波斯，人狮搏斗是其艺术中常见的题材。[⑧] 人们猎狮寝皮，蔚为风气，据《梁书》记载，波斯国“婚姻法：下聘讫，女婿将数十人迎妇，婿著金线锦袍、师子锦袴，戴天冠，妇亦如之”[⑨]。人们不仅以自己的聪明才智射杀、猎获狮子，还驯服狮子。据《新唐书·西域传》称师子国，“能驯养师子，因以名国”[⑩]。唐代文绫中所绘驯狮图就是这种现实生活的写照。[⑪] 图中的驯狮人身躯修长，赤身露体，有类“昆仑”人，画中植物亦为西域所有。

在斗狮、驯狮的现实生活基础上，因而产生了戏狮、舞狮的艺术形

---

① 《隋书》卷八三《西域·波斯传》，第1856—1857页。

② 《旧唐书》卷一九八《西戎·波斯国传》，第5311页。

③ 《洛阳伽兰记校注》卷五《城北·闻义里》，第288页。按，“吠哒”，原书作“嚈哒”，误。

④ 《魏书》卷一〇二《西域·龟兹国传》，第2266页。

⑤ 《旧唐书》卷一九八《西戎·龟兹国传》，第5303页。

⑥ 《周书》卷五〇《异域下·吐谷浑传》，第912页。

⑦ 《魏书》卷一〇二《西域·疏勒国传》，第2268页。

⑧ 《唐代九姓胡与突厥文化》下编《西域物种与文化交流》，第203页。

⑨ 《梁书》卷五四《诸夷·西北诸戎·波斯国传》，第815页。

⑩ 《新唐书》卷二二一下《西域下·师子传》，第6257—6258页。

⑪ 刘迎胜：《丝路文化·海上卷》彩图12《日本奈良正仓院所藏唐驯狮图文绫》，浙江人民出版社1995年版。

式。《新唐书·回鹘传》记载，黠戛斯“戏有弄驼、师子、马伎、绳伎”[①]。黠戛斯的戏狮子，与传入中土的狮舞当为类似之艺术形式，两者当有密切之关系。在今乌兹别克斯坦撒马尔罕一带之米国，“开元时，献璧、舞筵、师子、胡旋女”[②]。这里“师子”一辞置于“舞筵”和“胡旋女”之间，前后二者均属舞蹈物事，颇疑米国所献“师子”非动物之狮子而是狮子舞，当然所献之狮子舞很有可能是人狮共舞，果尔，则谓之贡献狮子亦无错。元稹《西凉伎》有云：“哥舒开府设高宴，八珍九酝当前头。前头百戏竞撩乱，丸剑跳踯霜雪浮。师子摇光毛彩竖，胡腾醉舞筋骨柔。”[③] 在这里“狮子”与“胡腾”亦并述，前者为狮子舞，后者为胡腾舞，两者同在宴饮中表演。有唐一代，西域可能一直向唐朝进贡狮子舞，这在唐诗中也有反映。如李白《上云乐》：“金天之西，白日所没。康老胡雏，生彼月窟……老胡感至德，东来进仙倡，五色师子，九苞凤凰。”[④] 明言狮子舞是西胡康国所献“仙倡”之一。白居易《西凉伎》：“西凉伎，假面胡人假狮子。刻木为头丝作尾，金镀眼睛银帖齿。奋迅毛衣摆双耳，如从流沙来万里。紫髯深目两胡儿，鼓舞跳梁前致辞。应似凉州未陷日，安西都护进来时。须臾云得新消息，安西路绝归不得。泣向狮子涕双垂，凉州陷没知不知？狮子回头向西望，哀吼一声观者悲。贞元边将爱此曲，醉坐笑看看不足。享宾犒士宴三军，狮子胡儿长在目。”[⑤] 白居易这首诗不仅对狮舞进行了细腻的描绘，而且详细交待了狮舞来自西域的事实。

那么，狮子舞在中国是何时才出现的呢？既然狮子是在汉唐时期从

---

① 《新唐书》卷二一七下《回鹘传下附黠戛斯传》，第6148页。

② 《新唐书》卷二二一下《西域下·米传》，第6247页。

③ （唐）元稹著，周相禄校注：《元稹集校注》卷二四《乐府·西凉伎》，上海古籍出版社2011年版，第724页。按，“胡腾”，此校注本作“胡姬”。但校注者在校注〔一一〕中也说：“姬，蜀本、《乐府》《全（唐）诗》作‘腾’。”（第726页）此处应作“胡腾”为是，盖因狮子舞、胡腾舞皆为西域传入中原之舞蹈，两种胡舞名称对举。当然，作“胡姬”亦不为无解，因“胡腾舞”也可以由“胡姬醉舞”来完成，如史载安禄山擅长胡腾舞，大概这种舞蹈男女皆适合，“胡姬醉舞”自然亦可。然从此诗前后句意来看，“胡腾”似较“胡姬”更为妥帖。

④ （清）王琦注：《李太白全集》卷三《乐府三十首·上云乐》，中华书局1977年版，第204—208页。

⑤ （唐）白居易著，朱金城笺校：《白居易集笺校》卷四《西凉伎》，上海古籍出版社1988年版，第210页。

西域传入中原地区的，那么狮子舞也必须在这个前提下才可能在中国出现。窃谓狮子舞至少在曹魏时期已经在中国出现。孟康注《汉书·礼乐志》“象人”时说：“若今戏虾鱼师子者也。”[①] 孟康为曹魏时人，可见其时已有戏狮子的表演。这是到目前为止见诸文字的中国出现狮舞的最早记载。从此狮舞正式登上中国的文化艺术舞台。《洛阳伽蓝记》卷一《城内》记，北魏时洛阳“长秋寺，刘腾所立也……寺北有濛汜池，夏则有水，冬则竭矣。中有三层浮图一所……四月四日，此像常出，辟邪师子导引其前。吞刀吐火，腾骧一面；彩幢上索，诡谲不常。奇伎异服，冠于都市”[②]。这是举行四月初四行像的法事时广设狮子等百戏表演。《南齐书·王敬则传》谓南朝人王敬则曾“梦骑五色师子”[③]。狮子舞即以“五色师子”为之，故上引李白《上云乐》诗云：“东来进仙倡，五色师子。”舞狮何以为“五色”？乃是以五种颜色代表五个方位《旧唐书》中有唐代“太常有师子乐，备五方之色”[④] 的记载，《新唐书》也说舞狮被“饰以方色”[⑤]，故狮子舞又被称为“五方师子舞”[⑥]。王敬则梦骑五色狮子，当是狮子舞这一客观现实在其梦境中的反映。

到了唐代，除了西域进贡的狮子舞之外，也有自己培训的狮子舞，宫廷中还有专职机构和官员负责管理狮子舞。据《集异记》载，王维“及为太乐丞，为伶人舞黄师子，坐出官。黄师子者，非一人不舞也”[⑦]。太乐丞为太乐署之副长官，从八品下。太乐署负责“调合钟律，以供邦国之祭祀享宴”。其中一项职责是“凡大宴会，则设十部伎”[⑧]。狮子舞为十部伎之一，据诸史载，唐太宗贞观十六年（642）十一月“宴百僚，

---

① 《汉书》卷二二《礼乐志二》注引“孟康曰”，第1075页。

② 《洛阳伽蓝记校注》卷一《城内·长秋寺》，第43页。

③ 《南齐书》卷二六《王敬则传》，第479页。

④ 《旧唐书》卷一六七《赵宗儒传》：“长庆元年二月，检校右仆射，守太常卿。太常有师子乐，备五方之色，非会朝聘享不作”（第4363页）。

⑤ 《新唐书》卷二一《礼乐志十一》，第470页。

⑥ 《旧唐书》卷二九《音乐志二》：“《太平乐》，亦谓之五方师子舞。师子鸷兽，出于西南夷天竺、师子等国。缀毛为衣，人居其中，象其俛仰驯狎之容。二人持绳秉拂，为习弄之状。五师子各立其方色，百四十人歌《太平乐》，舞以足，持绳者服饰作昆仑象。”（第1059页）

⑦ 《太平广记》卷一七九《贡举二》“王维”条引《集异记》，第1332页。

⑧ 《旧唐书》卷四四《职官志三》，第1874、1875页。

奏十部，其后分为立坐二部。（注：立部伎有八部：一、安乐，后用平齐所作；二、太平乐，亦谓之五方师子舞……）”[①]。可见狮子舞为太乐署所具体管理的乐舞之一，太乐署为太常寺所辖八署之一，故其上级主管部门为太常寺，太常寺长官为太常卿，正三品，“掌邦国礼乐、郊庙、社稷之事，以八署分而礼之：……四曰太乐……”[②] 又如，唐穆宗长庆元年(821)，赵宗儒“检校右仆射，守太常卿。太常有《师子乐》，备五方之色，非朝会聘享不作，幼君荒诞，伶官纵肆，中人掌教坊者移牒取之。宗儒不敢违，以状白宰相。宰相以为事在有司执守，不合关白。以宗儒怯不任事，改太子少师”[③]。由上述记载我们可以知道如下三点：第一，在唐代狮子舞为太常寺及其所辖太乐署负责掌管；第二，太常寺有狮子舞伎，为十部伎中立部伎的一部；第三，狮子舞不能随意演出，只在朝廷举行“朝会聘享”等盛大庆典时演出。

到唐玄宗时，十部伎分为坐部伎与立部伎，狮子舞属于立部伎中的龟兹部，《新唐书·礼乐志》云：“《龟兹伎》……设五方师子，高丈余，饰以方色。每师子有十二人，画衣，执红拂，首加红袜，谓之师子郎。”[④] 据《资治通鉴》记载，唐德宗贞元十年（794 年）六月，袁滋出使南诏册封异牟寻，其时南诏仍有“皇帝所赐《龟兹乐》”，胡三省注亦将师子舞引为其中的内容。[⑤]

上引白居易、元稹诗把狮子舞视为西凉伎，而《新唐书·礼乐志》等则又谓其为龟兹伎，这是何故呢？这是因为西凉伎与龟兹伎有密切关系，西凉伎中也包含龟兹伎的因素，“《西凉》者，起苻氏之末，吕光、沮渠蒙逊等据有凉州，变龟兹声为之，号为《秦汉伎》。魏太武既平河西

---

① 《太平御览》卷五六八《乐部六·宴乐》引《唐会要》，第 2567 页。

② 《旧唐书》卷四四《职官志三》，第 1872 页。

③ 《旧唐书》卷一六七《赵宗儒传》，第 4363 页。此事《太平广记》卷四九七《杂录五》“赵宗儒”条引《卢氏杂说》亦载（第 4080 页）。但略有不同，如“检校右仆射”作“检校左仆射”；“守太常卿”作“太常卿”；“幼君荒诞，伶官纵肆”八字，《广记》不载。考虑到《太平广记》所载源于《卢氏杂说》，而唐人小说类多怪诞虚妄，其可信度必不如《旧唐书》所依据之国史实录或家传谱牒，故此处当以《旧传》所载为是。

④ 《新唐书》卷二一《礼乐志十一》，第 470 页。

⑤ 《资治通鉴》卷二三五，唐德宗贞元十年（794）六月暨胡注，第 7561 页。

得之，谓之《西凉乐》。至魏、周之际，遂谓之《国伎》”[①]。由此可见，所谓西凉伎，实则在龟兹伎基础上改造而成。而“《龟兹乐》者，起自吕光破龟兹，因得其声。吕氏亡，其乐分散，后魏平中原，复获之。有曹婆罗门，受龟兹琵琶于商人，代传其业，至于孙妙达，尤为北齐文宣所重，常自击胡鼓和之。周武帝聘突厥女为后，西域诸国来媵，于是有龟兹、疏勒、安国、康国之乐。帝大聚长安胡儿，羯人白智通教习，颇杂以新声。”[②] 故“自周、隋以来，多用《西凉》乐，鼓舞曲多用《龟兹》乐”[③]。史称唐代舞狮所演奏之《太平乐》乃“周、隋遗音也”[④]，所谓周、隋遗音，就是上述西凉乐、龟兹乐。

狮子舞作为龟兹伎的组成部分，的确具有浓郁的龟兹乐舞风格。龟兹乐具有“铿锵镗，洪心骇耳”等特点，舞蹈具有“举止轻飙，或踊或跃，乍动乍息，蹻脚弹指，撼头弄目，情发于中，不能自止”[⑤] 等特点。唐代舞狮时所用之《太平乐》与其他八部乐一样，“每奏皆擂大鼓，同用《龟兹乐》，并立奏之”[⑥]。不仅如此，唐玄宗时“又令宫女数百人自帷出击雷鼓”，以演奏《太平乐》等乐曲，其演技，“虽太常积习，皆不如其妙也”[⑦]。可见《太平乐》演奏时需擂动大鼓，的确具有“铿锵镗镕，洪心骇耳”的特点。至于狮舞表演时狮子之“俛仰驯狎之容”，持绳秉拂者之“为习弄之状”，亦具有龟兹舞蹈的某些特点。

狮子舞在唐代虽然属于龟兹部，而且其表演也确实具有某些龟兹乐舞的风格，但是它的来源未必仅限于龟兹，而应是广义上的西域地区，自其传入内地之后，又与内地文化相融合而逐渐形成、发展、普及开来。

首先，狮子这种动物广泛分布于广义的西域各国，那么狮子舞应是西域产狮地区的现实生活在文化艺术上的反映和结晶。从上文所述已知这些产狮地区有着古老的猎狮、驯狮的现实生活，从而产生了悠久的丰

---

① 《隋书》卷一五《音乐志下》，第 378 页。
② 《通典》卷一四六《乐典六·四方乐》，第 3725—3726 页。
③ （宋）王溥撰：《唐会要》卷三三《清乐》，中华书局 1955 年版，第 611 页。
④ 《新唐书》卷二二《礼乐志十二》，第 475 页。
⑤ 《通典》卷一四二《乐典二·历代沿革下》，第 3614、3615 页。
⑥ 《唐会要》卷三三《燕乐》，第 609 页。
⑦ 《旧唐书》卷二八《音乐志一》，第 1051 页。

富多彩的狮文化，并在这个基础上产生了以调教、驯服、戏弄狮子为主要表演形式的狮舞，如前文所举之黠戛斯之“戏师子”，米国、康国等之向唐进贡的狮舞。可见狮舞原产于龟兹以西的广大西域地区。从唐代狮舞的演员及其服饰来看，或谓其演员“服饰皆作昆仑象”，或谓其为“紫髯深目两胡儿”。“昆仑”一辞在中国古代指皮肤黑色的外国人，其分布、成份复杂，大约指从东南亚至南亚、非洲的赤道人种，以及包括西亚的部分人。甘肃榆林窟第25窟壁画之文殊骑青狮、旁有昆仑奴御卫[①]，当是昆仑人调驯狮子的现实生活反映，这与狮舞演员之着昆仑服当不无关系。而“紫髯深目”的胡人，则应是欧罗巴人种南支的印度地中海类型或巴尔干高加索类型的人。总之，他们是包含南亚、中亚、西亚的“胡人”在内的外国人。因此狮舞应是西域地区多元文化的综合性产物。

其次，龟兹虽然不是狮舞的发源地，但它是西域狮舞引进中原皇朝的重要中转地。龟兹与中原皇朝虽然曾有过长期的、密切的朝贡关系，但始终未见其贡物有狮子，故狮舞不可能发源于其地。龟兹虽然不是狮舞的发祥地，但是，它地处中西交通和中西文化交流的枢纽，利用这一有利的地理位置，可以广泛吸收西域文化，杜佑在《通典》中论述龟兹音乐时指出：“此音所由，源出西域诸天诸佛韵调，娄罗胡语，直置难解。”[②] 可知龟兹乐舞与西域乐舞有十分密切的关系。因而狮舞虽然源于西域，但它也是经过龟兹的吸收之后加以改造，进而向内地传播的。唐代十部乐演出时，“工人之服皆从其国”[③]。狮舞作为十部乐中的龟兹伎，其演员并不穿龟兹服而是穿“昆仑”服，表明它是龟兹从其以西的西域地区引进的。此外，龟兹首府在唐代曾是安西都护府和安西节度使驻节之所，这对于龟兹乐舞之向内地传播也是一个有利的条件。故白居易咏狮子舞时说：“应似凉州未陷日，安西都护进来时。须臾云得新消息，安西路绝归不得。”可见安西都护在引进狮子舞中居于关键地位。

---

① 《唐代九姓胡与突厥文化》下编《西域物种与文化交流》，第201页。

② 《通典》卷一四二《乐典二・历代沿革下》，第3615页。

③ 《新唐书》卷二一《礼乐志十一》，第470页。

三 余论

通过上面的论述，我们已经可以比较清楚地认识到，把狮子舞说成中国古代傩礼的遗俗是站不住脚的。傩与狮子舞是不相干的两回事。

傩是古代驱除恶鬼邪魔疫疠的祭祀仪式。孔安国训解《论语·乡党》"乡人傩"时说："傩，驱逐疫鬼。"① 在举行这种祭祀仪式时所跳的一种舞蹈被称为傩舞。这种舞蹈起源于原始巫舞，到秦汉时尤为盛行。其舞蹈形式，据《周礼·夏官·方相氏》："方相氏掌蒙熊皮，黄金四目，玄衣朱裳，执戈扬盾，帅百隶而时难（傩），以索室驱疫。"郑玄注云："蒙，冒也。冒熊皮者，以惊驱疫疠之鬼，如今魌头也。时难（傩），四时作方相氏以难却凶恶也。"② 舞者蒙熊皮，戴假面具，手执兵器，表演驱鬼的内容。这种仪式和舞蹈历代相沿，并逐渐加入娱乐成分，从而产生出一种傩戏，成为今天我国地方戏剧的一种。而傩舞至今也还在一些地区流行，如江西、广西、湖南、浙江等省都还有。由此可见，傩作为一种驱鬼的习俗，从古代至今一脉相传，自成体系。而狮子舞则是另一个系统的艺术形式，它们是循着两个不同的源流而形成发展起来的，傩舞是中国本土产生的，狮舞是从域外传入的；两者的性质也是不相同的，傩舞是从原始巫教发展演变而来的，狮舞则从一开始就是一种伎乐游艺；两者产生的时间也是不同的，傩舞早在先秦时代就已产生，而狮舞在中国的出现则是在曹魏时期。

（原刊《西域研究》2001 年第 3 期。中国人民大学报刊复印资料《魏晋南北朝隋唐史》2002 年第 2 期全文转载。我们在黎虎先生的遗存文件中，发现了同名文章，经过比对，发现黎虎先生在刊后进行了一些修订，例如原文中的"王朝"，一律改为"皇朝"，同时还新增了一些史料。今据黎虎先生刊后修订稿，并参校原刊文整理。李文才敬识。）

---

① （魏）何晏注，（宋）邢昺疏，朱汉民整理，张岂之审定：《论语注疏》卷一〇《乡党》，北京大学出版社 2000 年版，第 152 页。

② （汉）郑玄注，（唐）贾公彦疏，赵伯雄整理，王文锦审定：《周礼注疏》卷三一《夏官司马下·方相氏》，北京大学出版社 2000 年版，第 971 页。

汉魏晋北朝中原大宅、坞堡与客家民居

客家民居的典型形制是一种具有坚固、严密防御体系，实行宗族共同体聚居的围堡式大屋。尽管其建筑形制因聚居地域不同存在这样那样的差异，如赣南之土围、粤东之围垄屋、闽西南之圆楼等，但是有两个基本要素则是共同的：一是这种住宅规模非常巨大，一个大屋之内可容几十户甚至几百户人居住，而且都是同一父系血统的族人；二是这些住宅都具有坚固的、封闭的外围和严密的防御体系。因而这种居宅就具有两个最为突出的基本特征：其社会特征是宗族共同体聚居，其建筑特征是围堡式大屋。

这两个基本特征不是凭空产生的，而是有着源远流长的、深厚的历史渊源。客家先民之南迁肇始于西晋末年的永嘉之乱①，此后历十六国、北朝仍陆续南迁。故永嘉之乱前后中原地区的文化、社会习俗正是客家民系特征形成的文化基因。客家民居的上述两个基本特征，前者源于汉魏晋北朝中原的宗族共同体聚居制度（这方面问题《北京师范大学学报》1995 年第 5 期拙文《客家聚族而居与魏晋北朝中原大家族制度》已经论述，兹从略）和坞堡宗族聚居方式，而与江南汉族和少数民族不同。后者源于汉魏晋北朝中原大宅与坞堡建筑，而与江南民居及坞堡亦有所不同。中古时代中原地区的这两种居处制度与南迁后的生存及发展需要相结合，从而形成了具有浓厚客家民系特色的住宅和居处方式。

---

① 罗香林：《客家源流考》，中国华侨出版公司 1989 年版，第 13 页。

一　汉魏晋北朝中原大宅与客家大屋

汉代由于世家豪族的发展，为了适应其合门百口、数世同居的需要而建造的“大宅”逐渐发展起来，如北海“大姓公孙舟造起大宅”①，“郭详为太尉长史，起大宅在高陵城西”②。这种“大宅”的具体形制，据文献记载所见：汉代“三世共财”的南阳樊重，其“所起庐舍，皆有重堂高阁”③。这是有多进厅堂和高大楼阁的大宅。北魏时，范阳人卢度世，“父母亡，然同居共财，自祖至孙，家内百口……亲从昆弟，常旦省谒诸父，出坐别室，至暮乃入”④。这个百口的大家族，子弟们每天早晨省谒诸父，当是在公共的厅堂中进行，行礼后则回到各自的“别室”去，这显然是一座容纳百口居住的巨大宅第。弘农华阴杨椿、杨津家族“尊卑百口”⑤“不异居、异财”⑥“兄弟旦则聚于厅堂，终日相对，未曾入内。有一美味，不集不食。厅堂间，往往帷幔隔障，为寝息之所，时就休偃，还共谈笑。椿年老，曾他处醉归，津扶侍还室，仍假寐阁前，承候安否。椿、津年过六十，并登台鼎，而津尝旦暮参问，子侄罗列阶下，椿不命坐，津不敢坐。椿每近出，或日斜不至，津不先饭，椿还，然后共食。”⑦这是一幅北方高门大族宗族聚居生活方式的生动图景，从中可见其住宅有公用的“厅堂”，为家族成员“旦暮参问”“子侄罗拜”及日常聚会、休息、谈笑的场所，而在“内”还有各个家庭成员自己的起居之“室”。可见这是能够容纳百口以上家族成员居住的“大宅”。考古发掘所见大宅之实例：河北安平出土东汉熹平五年墓壁画中“房屋栉比，层层进深”⑧的庭院图应是这种大宅的具体形制。这所大宅“庭院深邃广

---

① （宋）李昉等撰：《太平御览》卷一八〇《居处部八·宅》引《陈留耆旧传》，中华书局1960年版，第878页。

② 《太平御览》卷一八〇《居处部八·宅》引《三辅决录》，第877页。

③ （南朝·宋）范晔撰，（唐）李贤等注：《后汉书》卷三二《樊宏传》，中华书局1965年版，第1119页。

④ （北齐）魏收撰：《魏书》卷四七《卢玄传附卢度世传》，中华书局1974年版，第1062页。

⑤ 《魏书》卷五八《杨播传》，第1283页。

⑥ 《魏书》卷五八《杨播传》，第1289页。

⑦ 《魏书》卷五八《杨播传》，第1302页。

⑧ 河北省博物馆、文物管理处：《河北省出土文物选集》，文物出版社1980年版，第52页。

阔，重叠错落。整组建筑，四面由房屋合拢成大四合院，其内又分割成许多小四合院。中心院有堂、厢、廊庑和通往各处的甬道”[①]。客家大屋与这类中原大宅显然有着极其密切的亲缘关系。

汉魏晋时期豪族地主的“大宅”不仅规模巨大，而且一般均具备相应的防御功能。据《四民月令》记载，东汉时北方豪族地主每年三月，“农事尚闲……缮修门户，警设守备，以御春饥草窃之寇”。可见其屋宇有御敌之设备与功能。九月，“缮五兵，习战射，以备寒冰穷厄之寇”。家族成员需制造各种守备之武器，并习武以御寇。这种大宅的防御设施和功能，在考古资料中也有明显的反映，它们一般均建有望楼、碉楼等防御设施。上述东汉晚期安平墓壁画中的大宅，“不但周绕围墙，还有高耸的望楼，看来像是一座设防的坞堡”[②]。湖北鄂城出土的魏晋之际的青瓷院落模型，“整体平面呈横长方形，外绕围墙……在围墙四角，各设一座碉楼”[③]。客家围屋一般均具备的坚固围墙和高耸的角楼与此如出一辙。

江南士庶的居宅则与此不同。东晋南朝时士族官僚的住宅不再突出楼阁堂室，而是追求自然，向庄园、别墅等园林式住宅发展。刘宋人孔灵符，会稽山阴人，“于永兴立墅，周回三十三里，水陆地二百六十五顷，含带二山，又有果园九处”[④]。这是东晋南朝士族地主典型的庄园，在包括山林、水陆耕地和园艺的大面积的庄园范围内，建筑各式住宅和别墅。不独江南吴姓士族如此，北方南下的高门士族亦然，以一等侨姓高门陈郡谢氏为例，谢安“于土山营墅，楼馆竹林甚盛，每携中外子侄往来游集”[⑤]。其侄谢玄亦“选神丽之所，以申高栖之意”[⑥]。至其孙谢灵运时已被经营得规模更为巨大，景色更为幽美，其在始宁县“并有故宅

---

① 中国美术全集编辑委员会编：（本卷主编宿白）《中国美术全集·绘画编·墓室壁画》，一六《庭院建筑》，文物出版社 1989 年版，第 8 页。

② 中国社会科学院考古研究所：《新中国的考古发现和研究》，文物出版社 1984 年版，第 450 页。

③ 鄂城县博物馆：《鄂城东吴孙将军墓》，《考古》1978 年第 3 期。

④ （梁）沈约撰：《宋书》卷五四《孔季恭附子（孔）灵符传》，中华书局 1974 年版，第 1533 页。

⑤ （唐）房玄龄等撰：《晋书》卷七九《谢安传》，中华书局 1974 年版，第 2075 页。

⑥ 《宋书》卷六七《谢灵运传》，第 1756 页。

及墅，遂移籍会稽，修营别业，傍山带江，尽幽居之美"[①]。其《山居赋》对这个庄园的山水、园林之美极尽描写，各式宅宇、楼、馆点缀于山水林壑之间，主要突出其观赏游玩功能。由此可见侨旧士族在这个时期都已经把住宅建筑转向园林化方向发展了，这与客家民居之求生存、自卫等实用性大相径庭。

江南一般民宅，由于兄弟分居，故多为小型居室。南朝大家族制度式微，盛行小家庭制度，这在住宅上也有相应的反映。梁代官僚徐勉在诫子书中说，他自己"内中逼促，无复房宇""慧日、十住等，既应营婚，又须住止，吾清明门宅，无相容处"。明言其住宅不能满足儿子结婚成家之需。为了解决这个问题，他一方面"聊于东田间营小园"，以为自己"悬车致事"之后的归宿，另一方面又"近营东边儿孙二宅，乃藉十住南还之资，其中所须，犹为不少……此吾所余，今以分汝"[②]。这位士族官僚建筑住宅首先是满足自身居住所需，在儿孙需要成家立业之时，只得另营居室以满足他们的需要。士族官僚如此，其他一般庶民更是如此。从东晋南朝时期社会基层实行的里伍制度中可以窥知这种民居情况，这个制度规定五家为伍，二伍为什，十什为里，十里为亭，十亭为乡。在这种乡里基层组织中士庶错居，"君子小人""杂为符伍"[③]。同里之中不仅居住着不同阶层和身份的居民，而且居住着各种不同家族与姓氏之人，刘宋时范叔孙所居的里中，除了范氏之外，还有施氏、危氏等姓氏居民，即使同为范氏也已析为不同家庭。[④] 南齐时会稽永兴倪翼之所居住的里中，除了倪氏之外，尚有陈、王、左等姓氏居民，他们在急难时因"孤单无亲戚"等原因而受到倪翼之母亲丁氏的周济。[⑤] 这些不同姓氏的个体家庭聚居一个里中，各有自己的住宅，他们"比屋邻居""比门接栋"，因而相互之间的各种讯息和情况"小以为意，终自闻知，不须日夕

① 《宋书》卷六七《谢灵运传》，第1754页。

② （唐）姚思廉撰：《梁书》卷二五《徐勉传》，中华书局1973年版，第384—385页。

③ 《宋书》卷四二《王弘传》，第1318页。

④ 《宋书》卷九一《孝义·范叔孙传》，第2252—2253页。

⑤ （梁）萧子显撰：《南齐书》卷五五《孝义·韩灵敏传》，中华书局1972年版，第959页。

来往也”[①]。表明这些住宅并不大，多为小型宅院，相互邻接。

客家大屋与江南少数民族屋宇也不相同。江南腹地的蛮、俚、獠等众多少数民族的居室以“干兰”式建筑为主，“依树积木，以居其上，名曰‘干兰’，干兰大小，随其家口之数”[②]。“干兰”建筑又被称为“麻栏”，据《桂海虞衡志·西原蛮》：“民居苫茅为两重棚，谓之‘麻栏’，上以自处，下畜牛豕……深广民居亦多如此。”[③] 或称“阁阑”，据《太平寰宇记·剑南东道七·昌州》：其俗“无夏风，有獠风，悉住丛菁，悬虚构屋，号‘阁阑’”[④]。或称为“楼居”，“广州，镇南海……虽民户不多，而俚獠猥杂，皆楼居山险，不肯宾服”[⑤]。或称为“巢居”，《隋书·地理志》谓：岭南地区的俚、獠、诸蛮皆“巢居崖处，尽力农事”[⑥]。《太平寰宇记·剑南东道七·泸州》谓：“其夷獠则与汉不同……巢居岩谷，因险凭高”[⑦]。唐人张籍（蛮州）诗云：“瘴水蛮中入洞流，人家多住竹棚头。”[⑧] 这种“竹棚”也是“干兰”式建筑物。隋唐时期散居闽、粤、赣交界的“蛮僚”（又称“洞蛮”），南宋后被称为“畲民”，他们“结庐山谷，诛茅为瓦，编竹为篱，伐荻为户牖”[⑨]“编荻架茅为居”[⑩]。由此可见，客家大屋与江南蛮、俚、獠、畲等少数民族居所是不相同的，而是源于他们祖居的中原地区。

---

① 《宋书》卷四二《王弘传》，第1320页。

② 《魏书》卷一〇一《獠传》，第2248页。

③ （元）马端临撰：《文献通考》卷三三〇《四裔考·西原蛮》引《桂海虞衡志》，中华书局1986年版，第2588页。

④ （宋）乐史撰，王文楚等点校：《太平寰宇记》卷八八《剑南东道七·昌州》，中华书局2007年版，第1747页。

⑤ 《南齐书》卷一四《州郡志上》，第262页。

⑥ （唐）魏徵、令狐德棻撰：《隋书》卷三一《地理志》，中华书局1973年版，第888页。

⑦ 《太平寰宇记》卷八八《剑南东道七·泸州》，第1740页。

⑧ （唐）张籍撰：《张文昌文集》卷二《杂诗·蛮州》，上海古籍出版社2013年版，第55页。

⑨ （清）刘国光、谢昌霖等纂修：《长汀县志》卷三三《杂识二·畲客》，台北：成文出版社1967年版（据清光绪五年刊本影印），第528页。

⑩ （清）顾炎武撰：《天下郡国利病书》原编第26册《福建二十八·猺人》，见《续修四库全书》编纂委员会编《续修四库全书》第597册《史部·地理类·天下郡国利病书》，上海古籍出版社1987年版，第526页。

二 汉魏晋北朝中原坞堡与客家围屋

客家民居建筑特征另一方面的渊源乃是中原地区的坞堡制度。早在西汉末年，强宗豪族就开始建筑坞堡，“时赵、魏豪右往往屯聚，清河大姓赵纲遂于县界起坞壁，缮甲兵”[①]。东汉末年的战乱和基层组织的破坏，导致一些以血缘关系为基础的地方性武装自卫集团的出现，强宗豪族率领宗族据险守隘，因而坞堡有了很大发展。西晋末年战乱和社会基层组织的破坏更为严重，坞堡壁垒更是遍布于北方地区，在十六国时期达到它的高峰，成为战乱时代一种特殊的聚居方式，史称“永嘉之乱，百姓流亡，所在屯聚”“于时豪杰所在屯聚”[②]。因而诸如“关中堡壁三千余所”[③]“冀州郡县，堡壁百余”[④]，这类记载，史不绝书。

北方坞堡及其制度大略有如下特点。

其一，坞堡是具有坚固、周密防御设施和功能的城堡式建筑。《说文解字》：“隖（坞），小障也。一曰庳城也。”段注引《通俗文》曰：“营居为坞。”[⑤]《资治通鉴》胡三省注曰：“城之小者曰坞，天下兵争，聚众筑坞以自守。”[⑥] 可见这是一种具有防御性设施的城堡式建筑。坞堡既然是在战乱、流离之中兴起，故其建筑之时首先就考虑到它的防御设施。西晋八王之乱时，庾衮在禹山立坞，“于是峻险阨，杜蹊径，修壁坞，树藩障……缮完器备”[⑦]。表明坞堡除选择险要地址外，还要有相应的防卫性建筑和设施。考古发掘所见坞堡建筑形制，如嘉峪关魏晋墓出土了七幅“坞”的画像砖，“‘坞’的四周都画有高墙厚壁，有的在‘坞’内还有高层碉楼，有的坞壁上设有望楼或敌楼”[⑧]。俨然一座小城堡，是为当

① 《后汉书》卷七七《酷吏·李章传》，第2492页。

② 《晋书》卷一〇〇《苏峻传》，第2628页。

③ 《晋书》卷一一四《苻坚载记下》，第2926页。

④ 《太平御览》卷三三五《兵部六六·营垒》引崔鸿《后赵录》，第1539页。

⑤ （汉）许慎撰，（清）段玉裁注：《说文解字注》十四下《阜部》，上海古籍出版社1988年版，第736页。

⑥ （宋）司马光编著，（元）胡三省音注：《资治通鉴》卷八七，晋怀帝永嘉四年（310）七月，中华书局1956年版，第2749页。

⑦ 《晋书》卷八八《孝友·庾衮传》，第2283页。

⑧ 嘉峪关市文物清理小组：《嘉峪关汉画像砖墓》，《文物》1972年第12期。

时北方坞堡建筑的外观。文献所见，如董卓在关中所建的郿坞，“高厚七丈，号曰‘万岁坞’”[①]。或谓其坞“高与长安城埒”[②]。公孙瓒在易京所筑，也是一种坞堡。[③] 它们都有坚固的围墙和高大的碉楼，显示了其聚众自保的特征。

坞堡具有良好的防御功能。东汉末年“时汝南葛陂贼万余人攻（许）褚壁”，许褚率众御敌，“贼不敢进”[④]。常林，河内温人，“依故河间太守陈延壁”，遭到军阀张杨的进攻，常林为之策谋拒敌，“见围六十余日，卒全堡壁”[⑤]。可见这些坞堡防御功能之完善和可靠。

其二，坞堡建筑规模宏大。坞堡的规模，各个时代和各个地区不尽相同。前燕时，“张平跨有新兴、雁门、西河、太原、上党、上郡之地，垒壁三百余，胡晋十余万户”。[⑥] 据此，平均每个坞堡 330 户左右，前燕每户平均口数为 4.06[⑦]，则平均每个坞堡为 1340 人。后赵时“三辅豪右多杀其令长，拥三十余壁，有众五万以应（晋梁州刺史司马）勋”[⑧]。据此则平均每个坞堡有 1700 人左右。西晋末年，“乌丸张伏利度亦有众二千，壁于乐平”[⑨]。东汉末，曹操以满宠为汝南太守，率兵“攻下二十余壁……得户二万”[⑩]。据此平均每个坞堡为 1000 户，东汉汝南郡每户平均口数为 5.19[⑪]，则平均每个坞堡为五千一二百人。永嘉初，“胡部大张訇督、冯莫突等拥众数千，壁于上党”[⑫]。“平阳人李洪有众数千，垒于舞

① 《后汉书》卷七二《董卓传》，第 2329 页。

② （晋）陈寿撰，（南朝·宋）裴松之注，陈乃乾校点：《三国志》卷六《魏书·董卓传》，中华书局 1959 年版，第 176 页。

③ 《三国志》卷八《魏书·公孙瓒传》，第 243 页。

④ 《三国志》卷一八《魏书·许褚传》，第 542 页。

⑤ 《三国志》卷二三《魏书·常林传》，第 659 页。

⑥ 《晋书》卷一一〇《慕容俊载记》，第 2839—2840 页。

⑦ 梁方仲编著：《中国历代户口、田地、田赋统计》甲编《甲表 13. 三国、西晋、南北朝的户口数及每户平均口数》，上海人民出版社 1980 年版，第 38 页。

⑧ 《晋书》卷一〇七《石季龙载记下》，第 2790 页。

⑨ 《晋书》卷一〇四《石勒载记上》，第 2710 页。

⑩ 《三国志》卷二六《魏书·满宠传》，第 722 页。

⑪ 《中国历代户口、田地、田赋统计》甲编《甲表 7. 后汉各州郡国户口数及每平均户数和每户平均口数》，第 22 页。

⑫ 《晋书》卷一〇四《石勒载记上》，第 2709 页。

阳”①。后秦姚兴的将领王奚“聚羌胡三千余户于敕奇堡，（赫连）勃勃进攻之”②，后秦具体户口数字，如以同为十六国时期的前燕每户平均口数为4.06计算，则敕奇堡有12000人左右。西晋末，郗鉴“举千余家俱避难于鲁之峄山”，后“众至数万”③。永嘉之乱时，长广挺县人苏峻“纠合得数千家，结垒于本县”④。从上述数例观之，一个坞堡的人数从一千多人到数万人之间，而以三四百户，二千人左右者较多。

其三，坞堡组织具有浓厚的宗族共同体色彩。坞堡内的居民有以宗法血缘关系为纽带而实行宗族聚居的，也有以乡党关系或宗族、乡党兼而有之聚居的。但是其中以宗族聚居者或以宗族为基础吸收乡党等其他人员加入而组成者较为普遍。许褚，谯国谯人，“汉末，聚少年及宗族数千家，共坚壁以御寇”⑤。东汉末年田畴“率举宗族他附从数百人”⑥入徐无山结坞。曹魏时，杜恕“遂去京师，营宜阳一泉坞，因其壘壍之固，小大家焉”⑦。西晋八王之乱时，庾衮“乃率其同族及庶姓保于禹山”⑧。前赵光初三年（320），关中有“句氏宗党五千余家保于阴密”⑨。北魏末年，“及葛荣起，元忠率宗党作垒以自保”⑩。由于以宗族关系聚居，因而有的坞就以姓氏命名，前秦苻坚“率步骑二万讨姚苌于北地，次于赵氏坞”⑪，即是其例。

史籍记述坞堡之人员规模时常以其有多少“家”、多少“户”为言，可见“坞中的基本组织或单位为家庭，举同族者，虽然上有宗主，族中仍旧是一个个独立的家庭组织”，而非宗族。⑫但是它与一般个体家庭又

---

① 《晋书》卷一〇四《石勒载记上》，第2713页。
② 《晋书》卷一三〇《赫连勃勃载记》，第3204页。
③ 《晋书》卷六七《郗鉴传》，第1797页。
④ 《晋书》卷一〇〇《苏峻传》，第2628页。
⑤ 《三国志》卷一八《魏书·许褚传》，第542页。
⑥ 《三国志》卷一一《魏书·田畴传》，第341页。
⑦ 《三国志》卷一六《魏书·杜恕传》注引《杜氏新书》，第506页。
⑧ 《晋书》卷八八《孝友·庾衮传》，第2282页。
⑨ 《晋书》卷一〇三《刘曜载记》，第2687页。
⑩ （唐）李延寿撰：《北史》卷三三《李灵传》附《李元忠传》，中华书局1974年版，第1202页。
⑪ 《晋书》卷一一四《苻坚载记下》，第2921页。
⑫ 万绳楠：《魏晋南北朝史论稿》，安徽教育出版社1983年版，第138页。

有所不同，在坞堡的社会、经济生活中具有浓厚的共同体色彩。[①] 这些个体家庭之间的财产、身份地位表现得比较平均与平等，坞民之间的团结互助精神亦较为突出，尤以迁徙他乡异地坞堡为然。如东汉末田畴在徐无山由坞民公推为坞主，他与坞众共同制订“约束”，然后“班行其众，众皆便之，至道不拾遗”。田畴与坞众一样也需“躬耕以养父母”[②]。西晋末庾衮禹山坞亦然，他也是由坞众推为坞主，然后与坞众誓曰：“无恃险，无怙乱，无暴邻，无抽屋，无樵采人所植，无谋非德，无犯非义，戮力一心，同恤危难。”于是“考功庸，计丈尺，均劳逸，通有无……而身率之”。因而“上下有礼，少长有仪”。后来他又率众在大头山结坞，“田于其下”。年谷未熟之时，他与坞众一样“食木实，饵石蕊，同保安之”，在一次下山收获途中因眩晕坠崖而死。[③] 由此可见，这些坞堡中的个体家庭土地占有比较平均，坞主与坞众一样参加劳动，他们在生产中的均劳逸，生活中的互恤危难，社会关系和政治关系中的相对平等和民主，都体现了坞堡的共同体色彩。

典型的客家民居也具有上述北方坞堡的三个特征，体现了其与古代中原坞堡一脉相承的性质和特征。

第一，客家民居也是具有坚固、周密的防御设施和功能的城堡式建筑。首先，它具有坚固、封闭的外围。客家民居不论其具体形制为方形或圆形，都具有这个共同特征，其外围墙壁均极其高大、厚重、坚固。故客家大屋有“围屋”“围龙屋”“土围”等形制，常径称屋名为“××围”。其实各种圆楼、方楼也是一种“围屋”。围字之初文作“囗”，《说文解字》：“囗，回也。象回匝之形。”[④] 客家围屋之四周封闭或环环相套的特征与此义完全相合。同书又云：“围，守也。”[⑤] 义为防守自卫。前者为形，后者为义，两者互为作用，密不可分。具有围堡特征的客家大屋，就是坚固、封闭的外围及其防守功能的结合体。其次，屋内还有许多其他相关的防御设施。不仅在房屋周遭设置瞭望和射击的小孔，而且在屋

---

① 赵克尧：《论魏晋南北朝的坞壁》，《历史研究》1980年第6期。

② 《三国志》卷一一《魏书·田畴传》，第341页。

③ 《晋书》卷八八《孝友·庾衮传》，第2283页。

④ 《说文解字注》六下《囗部》，第276页。

⑤ 《说文解字注》六下《囗部》，第278页。

中必有高大的角楼，以为登高瞭望和射击之用。为了应付可能发生的长期被围困，而建造仓储，掘井凿池。不仅屋内有水井，居宅门口亦必有“门口塘”，以为饮用、洗涤、防火之必备。客家大屋之内一般都有饲养牲畜的“猪栏”“牛栏”，有晾晒粮食的“禾坪”，有巨大的“天井”“花胎”等以保证充足的采光。总之，客家大屋对于人祸天灾均有着极其周密、精细的因应之道和防备手段，关起大门也足以维持相当时日的生存，一个大屋就是一个自给自足的小社会，此与北朝人颜之推所谓“闭门而为生之具以足，但家无盐井耳”①，是多么相像。正因为如此，所以其防御功能极其突出，如江西省安远县镇岗乡的尊三围，在土地革命时期曾是镇岗乡苏维埃政府所在地，1933年陈济棠部44师围剿尊三围，每天出动飞机十余架次，对尊三围狂轰滥炸，并用大炮机枪等轰击，长达40余天。因围内弹尽粮绝才被攻破。② 此与汉魏晋北朝中原坞堡在防御方面的特征和表现是多么相似。它之普遍选址于既能避开四战之地、都会所在，土著势力相对弱小，又有樵采、耕植和水源之便的“深险平敞”之地，也是一种战略上的自我防卫。总之，巨大的客家民居所具有的这些防御设施和体系与汉魏晋北朝中原豪族大宅和坞堡中常见的建筑形制及其防御功能是非常相似的。

第二，客家民居的规模也是非常巨大的。客家民居的规模不是一般意义上的巨大，而是一种超大型的建筑物，在一个大屋之内，“有房子四五百间，能住男女四五百人”③。这种规模或大于这种规模的房子在客家地区是相当普遍的，闽西客家土楼“规模最大的有四百个房间，可住八十户人家，六百多人”④。粤北曲江的客家大屋“翰亨围”，“周长625米，面积约2.74万平方米……今围内仍住有一百四十多户农民”⑤。粤东梅县曾氏的大围龙屋，民国时曾有“一团人（千多人）住进去，仍未住满”⑥。此类

---

① 王利器撰：《颜氏家训集解》卷一《治家》，中华书局1993年版，第43页。

② 林多贤、罗勇主编：《客家社会与文化研究》（下）《赣南围屋研究》（万幼楠），黑龙江人民出版社2006年版，第173—174页。

③ 罗香林：《客家研究导论》，上海文艺出版社1992年版（据希山书藏1933年初版影印），第180页。

④ 刘佐泉：《客家历史与传统文化》，河南大学出版社1991年版，第289页。

⑤ 《客家历史与传统文化》，第296页。

⑥ 《客家历史与传统文化》，第295页。

大屋，不胜枚举。对此人们不能不惊叹："求之其他各地，真不易看见这类大屋。"① 如此大规模的房屋，只有汉魏晋北朝时期中原豪族大宅和坞堡壁垒可与之相提并论。客家围屋，除常见的独立围屋之外，尚有以整个村落为围的巨大的村围，其规模更是大得惊人。笔者参观过的江西省龙南县里仁乡栗园围，始建于宋末，围内为一大村落，总面积约150亩，为李氏一姓所居，现住有200多户。村落四周为高大坚固之围墙，墙高四五米，上下两层射击孔，开东西南北四门，设置八个雕楼，俨然一座巨大的城堡。

第三，客家居处制度也具有浓厚的宗族共同体色彩。客家人一方面继承中原大宅的居处传统，实行宗族的同居共财；另一方面又继承中原坞堡制度的居处传统，在宗族共同体的基础上实行小家庭制度，即同居异财制度。因而客家人的宗族聚居方式就表现为同居共财与同居异财的交互结合，大家族与小家庭的相互为用。虽然因时代的不同，客家人的同居异财在不断发展，但是在其宗族内部的"共财"成份却始终是非常突出的。其个体家庭制度与一般的个体家庭制度不同，是建立在宗族共同体基础上的个体家庭制度。

房屋方面："客人屋宇，多由创业的人，一手经营，而分给于众多的子孙，但无论分遗至如何繁细，其正厅仍属公有。"② 一座大屋之内包括正厅在内的公共房间甚多，据《兴宁东门罗氏族谱》卷八《礼俗·居室》所载有：(1)"龙厅"，"围龙房屋之中心一间，正对祖龛龙神龛者，为龙厅，其厅常为屋人所公有"。(2)"上堂"，供奉祖先神主及祭祀所在。(3)"中堂"，"屋中人有大喜庆事，行礼宴客，均在于此"。(4)"下堂"，"为公共出入之地"。(5)"南北厅"，有二或四间，"此亦为一屋公有之地"。(6)"花厅"，亦有二或四间，"此为屋人应酬宾客之所，故屋中房间可分为私有，而花厅必归于众"。(7)"老人间"，"凡男妇年老病，至弥留时，其子孙即抬于是，以俟其终，此无特别建筑之房间，或以上堂正间为之，或以南北厅及其他一间为之"。(8)"浴室""厨房"，"初造时常以花厅附近，择其地为特别之浴室，左右横屋之余内，选出一

① 《客家研究导论》，第180页。

② 罗香林：《客家研究导论》，上海文艺出版社1992年版，第180页。

二间为合式之厨房，及后丁口浩繁，各择便当房间为之，不能限于一处”。(9)“角楼”及“楼栅”，“不许私人住眷及安放家私，以便有事时，众人得以登楼御敌”。除此之外，还有“门廊”“骑马廊”“后廊”“伸手廓”“禾坪”“池塘”等均为公共所有。① 由此可见在客家大屋之中，公共建筑所占比例极大，可以说屋内居民除了分给自己的几间居室之外，其余都是公共房屋。

土地方面：客家人虽然每个个体家庭占有一定数量的土地，但是宗族公有土地依然占居主要份额。客家的宗族公有财产非常广泛、庞大，包括土地、山林、居室、祠堂、学校、水利设施、桥梁道路等。其中最主要的就是土地。土地中最主要的是“族田”和“义田”。族田有“祭田、蒸尝田、学租田、儒资田、祠田、桥田、渡田等等，不一而足”②。据称：“闽西客家人的宗族土地约占总耕地面积的30%—40%，有的乡高达70%—80%。”③ 据1945年闽西适中镇的调查：“宗族田地占7/10，私人地主仅占3/10。”④ 土地改革时，“据调查，闽西共有族田占田地总面积50%以上”⑤。民国时期，广东兴宁的黄陂、黄槐、岗背合为一区，“共有大小祖尝一千七百二十三个，占全区百分之四十一点二的土地。除此以外，祖尝还占有外区土地三千二百十二市亩”⑥。此外，宗族还有公共之“义田”，将其收获物设立“义仓”，“以备饥荒煮赈，贫乏赖焉”⑦，体现了同宗相恤的精神。

客家宗族内部同居共财与同居异财的交互结合以及“共财”成份之得以保持不坠，与其所实行的分家析产制度有密切关系。客家人“一般讲来，一个大家庭的分家析产，大都在家长、祖父母、父母死后行之，但偶而也有在生前分家析产的，则须抽出部分家产作为家长们养赡及丧葬之用”⑧。分家时采取拈阄方式，兄弟间每人一份平均分配的原则，有

① 《客家研究导论》，第180—181页。
② 孔永松、李小平：《客家宗族社会》，福建教育出版社1995年版，第84—85页。
③ 《客家宗族社会》，第83页。
④ 《客家宗族社会》，第84页。
⑤ 《客家宗族社会》，第84页。
⑥ 《客家历史与传统文化》，第319页。
⑦ 《客家宗族社会》，第89页。
⑧ 陈运栋：《客家人》，台北：联亚出版社1981年版，第365页。

的地方甚至“在父母健在尚未分家前，兄弟所置的产业，到析产时也一应加在一起，进行平均分配”①。“至于父母名下一份产业，待老人百年之后，田地即作‘蒸尝’；房屋如已分定者，按父母遗嘱指定归属办理，如无指定归属者亦作尝产。”② 不仅如此，“他们在分家析产时，只把一小部分土地分给子孙，留出大部分土地作为尝田，而且规定不准变卖，尝簿内庄严声明：‘子孙变卖，不吉不昌，他人购买，绝子绝孙。’”③ 这种分家析产制度带来的结果是，一方面每个个体家庭的财产大体是均衡的，另一方面则保证宗族公共财产世代不绝，甚至在不断的分家析产中使得共有财产部分还有所膨胀。这种分家析产制度表明客家人虽然已经实行小家庭制度，但是其宗族同财共居的历史传统依然非常顽强和浓厚，这是其宗族共同体聚居得以世代延续不断的经济基础和奥秘所在。

还必须指出，非客家民系某些地区也有一些大型住宅，这在中国的南北方均有，其外形与客家民居有相似之处，而且也有采取聚族而居的方式，如福建华安、南靖、诏安一带的闽南土楼，就是这类民宅。但是它们与客家民居有很大的差别，一方面它们不具有作为民系特征的普遍性、广泛性，只被局部地区或少数姓氏与家族采用；另一方面，更重要的是它们与客家民系的聚居性质有所区别。以闽南土楼与闽南客家土楼为例，有的学者从建筑特征方面做了深入分析，指出两者虽然“外观造型有许多相似之处”，但是它们之间不仅建筑方式与技术有所不同，而且内部结构有很大区别，“客家土楼为内通廊式，家族内各户之间联系密切，分户很不明确；而闽南土楼为单元式，每户为一独立的单元，分户明确有很强的私密性。所以决不能把这二者混为一谈。”④“这是两种截然不同的平面布局型式，它表明在大家族聚居中，客家人‘模糊’的分户，反映出更强烈的公共性和群居性，闽南人严格的分户单元，表现出住户之间较多的独立性与私密性。”⑤ 这种房屋建筑内部结构的不同，正是反映了它们之间在聚居性质上的区别，客家民系是在宗族共同体基础上的

① 《客家宗族社会》，第127页。

② 黄火兴、罗碧云、李烈原：《客家风情志》，香港：中华书局1991年版，第66页。

③ 《客家历史与传统文化》，第318页。

④ 黄汉民：《客家土楼民居》，福建教育出版社1995年版，第5页。

⑤ 黄汉民：《客家土楼民居》，第28页。

聚居，而非客家民系的聚居则只是个体家庭集合体而已。

南朝时期江南地区也有坞堡，但它与中原坞堡是不同的类型。南朝后期江南豪族兴起，坞堡也有了很大发展，“郡邑岩穴之长，村屯坞壁之豪，资剽掠以致强，恣陵侮而为大”①。但是南方的“坞壁”大多是一些“栅”“寨”“砦”等。熊昙朗“豫章南昌人也，世为郡著姓……侯景之乱，稍聚少年，据丰城县为栅，桀黠劫盗多附之”②。这位土著豪强的坞堡是“栅”，丰城在今江西丰城县，“时巴山陈定亦拥兵立寨”③，这位土著豪强的坞堡是“寨”。巴山在今江西崇仁县西南，与此同时，“闽中豪帅，往往立砦以自保”④。在今福建一带豪强所立坞堡被称为“砦”。这些“栅”“寨”“砦”是怎样的建筑物呢？东汉段颎伐羌时，“乃遣千人于西县结木为栅”⑤。梁末，始兴曲江“著姓”侯安都，追随陈霸先讨伐萧梁在豫章的残余势力南江州刺史余孝顷时，“孝顷俄断后路，安都乃令军士多伐松木，竖栅”⑥。由此可见所谓“栅”是以木材构筑栅栏所成，其建筑形制与中原坞堡是不同的。南朝史籍中频见这种土著豪强所建之“栅”。江南的坞堡何以是这种由木材构筑的“栅”呢？这与江南土著人民的日常居宅即以竹木构筑有密切关系，而且那种“干兰”式建筑也就是“栅”，史称岭南“俗多构木为巢，以避瘴气。豪渠皆鸣金鼎食，所居谓之栅”⑦。“地滨炎海，人惟夷獠，多居栏以避时郁。”⑧ 由此可见岭南少数民族所居住的“干兰”式建筑就是“栅”，故江南土著的坞堡是由木材构筑而成的“栅”也就是很自然之事。“寨”也是一种“栅”，“寨”也写作“砦”。显然客家围屋并非取法于这种江南坞壁，而与中原坞堡建筑有继承关系。

三　结论

客家宗族共同体聚居的社会特征和围堡式大屋的建筑特征相互依存，

---

① （唐）姚思廉撰：《陈书》卷三五“史臣曰”，中华书局1972年版，第490页。

② 《陈书》卷三五《熊昙朗传》，第477页。

③ 《陈书》卷三五《熊昙朗传》，第477页。

④ 《陈书》卷二一《萧乾传》，第278页。

⑤ 《后汉书》卷六五《段颎》，第2152页。

⑥ 《陈书》卷八《侯安都传》，第144页。

⑦ 《太平寰宇记》卷一六一《岭南道五·贺州》，第3083页。

⑧ 《太平寰宇记》卷一六九《岭南道十三·雷州》，第3230页。

相辅相成，互为因果，缺一不可。宗族共同体聚居以围堡式大屋为前提，围堡式大屋以宗族共同体聚居为依归。这两个特征在客家民系形成中具有决定性意义。同为北方南下流民，何以唯独这一支形成为客家人，关键就在于这支南下流民采取了兼备这两个特征的居处方式，前者是其形成的内在条件，后者是其形成的外在条件。宗族共同体聚居使其不至于被淹没、同化于江南各族之中而丧失其固有的社会、文化、习俗、语言特征，从而使其得以持久地、较完整地保持从中原带来的中古时代的传统，进而发展为在南方腹地独具特色的汉族民系。围堡式大屋这种建筑特征，则是保证其上述社会特征得以传承不坠的最重要条件，如果没有这种特征的居室建筑，则独具客家特征的宗族共同体聚居方式亦不可能存在和持久，则其固有之社会、文化、习俗、语言也不可能保持，也就不可能有今日之客家人。这种围堡式大屋，满足了客家人宗族共同体聚居和自卫防御的需要，不仅保证了他们在深入蛮荒之地后的生存、发展，而且因其具有的封闭性、独立性，使其有可能较少受到当地社会、文化、习俗、语言的影响或同化，始终保持其固有的民系特征，而瓜瓞绵绵，百世其昌。“福佬好食粥，客人好起居”的民谚表明建造客式房屋对于客家人来说是多么重要，这种房屋不仅把客家人与其他汉族民系区别开来，也是客家人之所以成为客家人的必不可少的条件和原因。这种围堡式大屋，犹如驶入深海的潜艇仍能保持其陆上的生存环境，使得这支南迁人民历经时代沧桑和地域环境的巨变仍能保持其固有的社会生态系统，生生不息，成为不可多得的“社会化石”。凡是实行这种居处方式的南下流民，就有可能形成为客家人，包括那些晚渡北人接受并实行了这种居处方式者，也有可能陆续融入这一民系之中而成为客家人。因为早渡北人所采取的这种居处方式，是被长期的实践证明既适应南迁后当地条件而又能保持其宗族和文化传统不坠的一种最佳选择，晚渡北人必须认同并实行这一居处方式才能融入这一群体而成为客家人。凡是没有实行这种居处方式的南下流民，则不可能成为客家人，而成为吴人、蜀人、闽人、广府人……同为北方南下的移民，何以并非都成为客家人的原因就应该从这里去寻找。

客家人之所以能够实行这两个特征相结合的居处制度，与其所迁入之地域及社会环境亦有密切关系。陈寅恪先生在论述南北朝时期南北士族的差异时指出，南方士族“主要与城市、商业相联系，宗族则已分解”，因而大家族制度破坏；北方士族“主要与农村、土地、宗族相联系”，因而大家族制度得以继续维持，“北方士族的势力可以延长或延续下来”[①]。同理，从北方南下的移民，如果与城市和商业相联系，则其与宗族的联系就将受到破坏，其大家族制度便难以维持。如果继续与农村、土地相联系，则其与宗族就有难分的关系，其大家族制度就将有可能得以保持。因此，那些迁于江南政治、经济中心和发达地区，与城市、商业相联系的南下移民，其与宗族的联系受到破坏，从而深受江南之俗影响，没有也不可能成为客家人。只有那些迁入相对落后、偏僻地区，继续与农村、土地相联系，自然也与宗族有不可分割联系的那部分南下移民，才有可能继续实行宗族聚居，其大家族制度和宗族势力亦得以延长或延续下来，从而保持其固有的文化传统和习俗，才有可能成为客家人。

（原刊《文史哲》2002 年第 3 期。中国人民大学报刊复印资料《魏晋南北朝隋唐史》2002 年第 5 期全文复印；《中国社会科学文摘》2002 年第 5 期转摘。我们在黎虎先生的遗存文件中，发现了同名文章，经过比对，可知黎虎先生在文章刊出以后曾有所修订。今据黎虎先生刊后最新修订稿，并参校原刊文整理。李文才敬识。）

---

① 万绳楠整理：《陈寅恪魏晋南北朝史讲演录》，黄山书社 1987 年版，第 329—330 页。

司马懿徙农上邽、兴三郡盐池考辨

《晋书·食货志》："嘉平四年（252），关中饥，宣帝表徙冀州农夫五千人佃上邽，兴京兆、天水、南安盐池，以益军实。"①

据《晋书·宣帝纪》：嘉平三年（251）六月，司马懿"寝疾"，八月戊寅"崩于京师"②。因此，司马懿不可能在次年才表徙冀州农夫佃上邽、兴三郡盐池。中华书局标点本《校勘记》云："嘉平四年，司马懿已死。《五行志上》云，太和四年八月大霖雨，岁以凶饥。此'嘉平'乃'太和'之误。"③《校勘记》正确地指出了嘉平四年记载之误，但又据《五行志》关于太和四年八月大霖雨，岁以凶饥的记载，认为"此'嘉平'乃'太和'之误"，似乎上述司马懿的活动是在太和四年（230）发生的。《晋书》卷二七《五行志上》的原文是这样的："太和四年八月，大雨霖三十余日，伊、洛、河、汉皆溢，岁以凶饥。"④其中并没有透露是年的灾害与司马懿上述活动关系的信息。那么，司马懿上述活动究竟发生在哪年呢？《晋书·宣帝纪》系此事于太和五年（231）。⑤从当时魏、蜀争锋的态势和司马懿的活动情况观之，应当是正确的。

据《晋书》卷一《宣帝纪》：太和四年（230），司马懿"迁大将军，加大都督、假黄钺，与曹真伐蜀。帝自西城斫山开道，水陆并进，泝沔而上，至于朐䏰，拔其新丰县。军次丹口，遇雨，班师"⑥。由此可见，

---

① （唐）房玄龄等撰：《晋书》卷二六《食货志》，中华书局1974年版，第785页。

② 《晋书》卷一《宣帝纪》，第20页。

③ 《晋书》卷二六《食货志》"校勘记〔八〕"，第797页。

④ 《晋书》卷二七《五行志上》，第821页。

⑤ 《晋书》卷一《宣帝纪》，第7页。

⑥ 《晋书》卷一《宣帝纪》，第6页。

这次军事行动的主帅是曹真，而非司马懿；魏、蜀争锋的主要场所在汉中地区，而非其西的上邽地区。此外，这次军事行动只有短短的两个月，魏明帝七月始“诏大将军司马懿泝汉水由西城入，与（曹）真会汉中，诸将或由子午谷、或由武威入”[①]，随后就因“大雨三十余日，栈道断绝”及由此导致的粮运不继，而于九月即“诏曹真等班师。”[②] 由此可证，太和四年（230）司马懿并没有表徙冀州农夫于上邽和兴三郡盐池的活动。

太和五年（231）二月，诸葛亮发动第四次北伐，进围祁山，三月曹真病死，于是魏明帝以司马懿“西屯长安，都督雍、梁二州诸军事，统车骑将军张郃、后将军费曜、征蜀护军戴淩、雍州刺史郭淮等讨（诸葛）亮”[③]。这次军事行动的统帅是司马懿，魏、蜀争锋的场所也从东部的汉中地区西移至上邽一带，而且此次双方在上邽地区实行较长期的对峙。诸葛亮“闻大军且至，乃自帅众将芟上邽之麦”，司马懿“卷甲晨夜赴之，（诸葛）亮望尘而遁”[④]。六月，诸葛亮以粮尽退军，司马懿遣张郃追之。[⑤] “时军师杜袭、督军薛悌皆言明年麦熟，亮必为寇，陇右无谷，宜及冬豫运。帝曰：‘亮再出祁山，一攻陈仓，挫衄而反。纵其后出，不复攻城，当求野战，必在陇东，不在西也。亮每以粮少为恨，归必积谷，以吾料之，非三稔不能动矣。’于是表徙冀州农夫佃上邽，兴京兆、天水、南安监冶。”[⑥] 此次魏、蜀争锋，解除了蜀汉对曹魏陇西地区的威胁，据司马懿估计，这一带将获得三年的和平安定时间，从而有可能从内地迁徙大量农夫于上邽屯田积谷，为长久之计，于是有了他上表徙农的行动。

太和五年（231）的相关措施是在太和四年（230）经验教训基础上产生的。太和四年（230）曹真征蜀时，王肃上疏曰：“前志有之，‘千里

---

① （宋）司马光编著，（元）胡三省音注：《资治通鉴》卷七一，魏明帝太和四年（230）七月，第2261页。

② 《资治通鉴》卷七一，魏明帝太和四年（230）八月、九月，第2262、2263页。

③ 《晋书》卷一《宣帝纪》，第6—7页。按，“都督雍、梁二州诸军事”的“梁”，当为“凉”，见“校勘记〔四〕”，第22页。

④ 《晋书》卷一《宣帝纪》，第7页。

⑤ 《资治通鉴》卷七二，魏明帝太和五年（231）六月，第2268页。

⑥ 《晋书》卷一《宣帝纪》，第7页。

馈粮，士有饥色，樵苏后爨，师不宿饱’，此谓平途之行军者也。又况于深入阻险，凿路而前，则其为劳必相百也。今又加之以霖雨，山坂峻滑，众逼而不展，粮县（悬）而难继，实行军者之大忌也。”[①] 杨阜也为此而上疏曰：“间者诸军始进，便有天雨之患，稽阂山险，以积日矣。转运之劳，担负之苦，所费以多，若有不继，必违本图……今年凶民饥，宜发明诏损膳减服，技巧珍玩之物，皆可罢之。昔邵信臣为少府于无事之世，而奏罢浮食；今者军用不足，益宜节度。”[②] 在这种情况下，魏明帝不得不召诸军还。由此可见，当时遇到的最大困难就是粮运不继的问题，因此太和五年（231）司马懿吸收去年的经验教训，提出上述两项措施，以达到“以益军实”[③] 的目的。此“军实”主要是指解决粮食供应的问题。

所以，《宣帝纪》将此事系于太和五年（231）是正确的。

但是，《宣帝纪》在纠正了《食货志》关于司马懿表徙冀州农夫佃上邽的年代错误的同时，却又将《食货志》“兴京兆、天水、南安盐池”一事记作“兴京兆、天水、南安监冶”。那么，究竟司马懿在这三郡是兴建“盐池”还是“监冶”呢?

盐铁均为国之大宝，在与蜀汉对抗时两者都是曹魏政权迫切需要的“军实”。曹魏也确曾设“监冶”以典作农战之具，如曹操就曾以韩暨为“监冶谒者”主持冶铁事宜，在任期间他利用水排鼓风，“计其利益，三倍于前。在职七年，器用充实。制书褒叹，就加司金都尉，班亚九卿”[④]。然而，就司马懿在三郡的兴作而言，我们以为当以“盐池”为是，“监冶”可能是“盐池”之讹。

课民耕种与开发盐业并举，两者相互配合，相互促进，是曹魏政权一贯的做法。早在建安年间（196—220）就已经采取这样的措施，并取得了良好的效果。“建安初，关中百姓流入荆州者十余万家，及闻本土安宁，皆企望思归，而无以自业。于是卫觊议为‘盐者国之大宝，自丧乱以来放散，今宜如旧置使者监卖，以其直益市犁牛，百姓归者以供给之。

① （晋）陈寿撰，（南朝·宋）裴松之注，陈乃乾校点：《三国志》卷一三《魏书·王朗附子（王）肃传》，中华书局1959年版，第414页。

② 《三国志》卷二五《魏书·杨阜传》，第706页。

③ 《晋书》卷二六《食货志》，第785页。

④ 《三国志》卷二四《魏书·韩暨传》，第677页。

勤耕积粟，以丰殖关中，远者闻之，必多竞还。’于是魏武遣谒者仆射监盐官，移司隶校尉居弘农。流人果还，关中丰实。”① 卫觊通过兴建盐业而筹集资金，用于购置农业生产资料，从而促进了农业生产。这样不仅使关中地区经济得到恢复和发展，而且达到了“关中服从”② 的军事、政治目的。太和二年（228），“明帝以凉州绝远，南接蜀寇，以（徐）邈为凉州刺史，使持节领护羌校尉。至，值诸葛亮出祁山，陇右三郡反，邈辄遣参军及金城太守等击南安贼，破之。河右少雨，常苦乏谷，邈上脩武威、酒泉盐池以收虏谷，又广开水田，募贫民佃之，家家丰足，仓库盈溢”③。徐邈也是通过兴建盐业以促进农业生产的发展，这个做法正是继承前代的传统措施。由此可见，开盐池与课民佃田两者并举，相互配合，相互促进，是曹魏政权的传统做法。徐邈在凉州采取这种措施三年之后的太和五年（231），司马懿也在迁徙冀州农夫佃上邽的同时开发兴京兆、天水、南安盐池，他的做法可以说是远采卫觊，近仿徐邈的做法。

其次，雍、凉一带颇有盐池分布，而且有着开发盐业的传统。上述卫觊开发盐业在关中地区，徐邈在凉州，而司马懿兴建盐池的京兆、天水、南安三郡正是在这两个地区之中。这三郡不仅有盐池，而且也有开发的传统。据《元和郡县图志》载，京兆府栎阳县有“煮盐泽，在县南十五里。泽多咸卤。苻秦时于此煮盐。周回二十里”④。栎阳县在今陕西省临潼县东北，这个盐池面积不小，苻秦距曹魏仅百年左右，可能就是继承曹魏时期开采的基础上进行的。这是京兆有盐池。又据《水经注》“漾水”条记载：“西汉水又西南，迳始昌峡，《晋书地道记》曰：天水始昌县，故西城也。亦曰清崖峡。西汉水又西南，迳岩备戍南，左则岩备水自东南，西北注之。右则盐官水南入焉。水北有盐官，在嶓冢西五十许里，相承营煮不辍，味与海盐同。故《地理志》云：西县有盐官是也。”⑤ 此处所

① 《晋书》卷二六《食货志》，第784页。

② 《三国志》卷二一《魏书·卫觊传》，第611页。

③ 《三国志》卷二六《魏书·徐邈传》，第739—740页。

④ （唐）李吉甫撰，贺次君点校：《元和郡县图志》卷二《关内道二·京兆下》，“栎阳县”条，中华书局1983年版，第27页。

⑤ （北魏）郦道元注，（民国）杨守敬、熊会贞疏，段熙仲点校，陈桥驿复校：《水经注疏》卷二〇《漾水》，江苏古籍出版社1989年版，第1688—1689页。

说西县，即甘肃西和县，在今甘肃天水西南，此盐官即后世之盐官城（镇），顾祖禹谓："盐官城，在（西和）县东三十里。志云：有盐井，水与岸齐，味甘美。汉时尝置盐官于此，唐亦谓之盐官镇。"[①] 此外，西和县东北八十里还有盐井，"煮水成盐，民资其利"。又，前引《水经注》所说的"西汉水"，据顾祖禹说："亦谓之盐官水，以县境旧置盐官也"[②]。这是天水有盐井，而且不止一处。南安亦有盐井，《元和郡县图志》"鄣县"条："盐井，在县南二里。远近百姓仰给焉。"[③] 鄣县在今甘肃漳县。

综上所述，我们认为：《晋书·食货志》之"嘉平四年"，应为"太和五年"；《晋书·宣帝纪》之"兴京兆、天水、南安监冶"，应以"盐池"为是。

（原刊《隋唐史论——牛致功教授八十华诞祝寿文集》，三秦出版社2007年版。后收入《先秦汉唐史论》，北京师范大学出版社2016年版。在黎虎先生遗存的文件中，我们又发现了同名文章，经过比对，可知黎虎先生曾有所修订。今据黎虎先生刊后最新修订稿，并参考上述两个刊本整理。李文才敬识。）

---

① （清）顾祖禹撰，贺次君、施和金点校：《读史方舆纪要》卷五九《陕西八·西和县》"水南城"条，中华书局2005年版，第2824页。

② 《读史方舆纪要》卷五九《陕西八·西和县》"盐井"条、"西汉水"条，第2825页。

③ 《元和郡县图志》卷三九《陇右道上·渭州》"鄣县"条，第984页。